여러원하는

해커스공 특별 혜택

FREE 공무원 행정학 **동영상강의**

해커스공무원(gosi.Hackers.com) 접속 후 로그인 ▶ 상단의 [무료강좌] 클릭 ▶ [교재 무료특강] 클릭

 해커스공무원 온라인 단과강의 **20% 할인쿠폰**

669DCA36FA87CAZT

해커스공무원(gosi.Hackers.com) 접속 후 로그인 ▶ 상단의 [나의 강의실] 클릭 ▶
좌측의 [쿠폰등록] 클릭 ▶ 위 쿠폰번호 입력 후 이용

* 등록 후 7일간 사용 가능(ID당 1회에 한해 등록 가능)

합격예측 **모의고사 응시권 + 해설강의 수강권**

ADE7F5A3CD68FMNP

해커스공무원(gosi.Hackers.com) 접속 후 로그인 ▶ 상단의 [나의 강의실] 클릭 ▶
좌측의 [쿠폰등록] 클릭 ▶ 위 쿠폰번호 입력 후 이용

* ID당 1회에 한해 등록 가능

쿠폰 이용 관련 문의 **1588-4055**

단기 합격을 위한
해커스공무원 커리큘럼

입문

탄탄한 기본기와 핵심 개념 완성!

누구나 이해하기 쉬운 개념 설명과 풍부한 예시로 부담없이 쌩기초 다지기

TIP 베이스가 있다면 **기본 단계**부터!

기본+심화

필수 개념 학습으로 이론 완성!

반드시 알아야 할 기본 개념과 문제풀이 전략을 학습하고
심화 개념 학습으로 고득점을 위한 응용력 다지기

기출+예상 문제풀이

문제풀이로 집중 학습하고 실력 업그레이드!

기출문제의 유형과 출제 의도를 이해하고 최신 출제 경향을 반영한
예상문제를 풀어보며 본인의 취약영역을 파악 및 보완하기

동형문제풀이

동형모의고사로 실전력 강화!

실제 시험과 같은 형태의 실전모의고사를 풀어보며 실전감각 극대화

최종 마무리

시험 직전 실전 시뮬레이션!

각 과목별 시험에 출제되는 내용들을 최종 점검하며 실전 완성

PASS

단계별 교재 확인 및
수강신청은 여기서!

gosi.Hackers.com

* 커리큘럼 및 세부 일정은 상이할 수 있으며,
자세한 사항은 해커스공무원 사이트에서 확인하세요.

해커스공무원

마니행정학
기출 빅데이터

1권 기필코 - 기출필수코스

해커스공무원

해커스공무원 마니행정학 기출 빅데이터(M3)

빅데이터 분석을 통한 행정학 기출을 체계적 수준별 완성한 독보적 문제집!

1. 왜 기출 빅데이터인가?

잡다하고 방대한 기출문제는 수험생에게 도움이 되지 않습니다. 이제 제대로 된 객관식 행정학 실전훈련을 위해, 빅데이터 분석을 통해 수준 및 레벨별 체계를 구성한 행정학 기출문제집이 바로 <해커스공무원 마니행정학 기출 빅데이터>입니다.

실전적 기출훈련이 필수인 과정에서 다수의 수험생들이 행정학 기출을 제대로 활용하지 못하고 있는 현실입니다. 이러한 수험상황을 개선시키고 진정한 실력향상과 문제 훈련이 될 수 있도록 한 연구의 결과가 '**마니행정학 기출 빅데이터(M3)**'입니다.

행정학은 그냥 '안다'라는 수준으로 마구잡이식 문제 풀기로는 실제 시험에서 자신의 점수로 만들 수가 없습니다. 제대로 된 행정학 학습이 이루어지지 않을 경우, 행정학은 비능률적이고 잡다하고 산만하며 양이 많은 힘든 과목이 되어 끝없는 악순환에 빠지게 됩니다.

수험 행정학의 이러한 문제를 해결한 독보적 대안이 바로 <해커스공무원 마니행정학 기출 빅데이터>입니다. 과거 18년간의 모든 기출문제를 '**마니행정학 기출 빅데이터 분석**'을 통해 다양한 객관식 문제훈련, 최근 경향과 트렌드의 결합, 최신 경향문제의 완벽 반영, 수험 함정의 효과적 극복 훈련이 되도록 더욱 업그레이드하였습니다.

2. <마니 행정학 기출빅데이터>의 독보적 구성

기본확인용 문제인 '**기필코**(기출 필수 코스)'와 더욱 향상된 실전 기출문제인 '**실력업**(실질적 역량 업그레이드)'의 입체적 문제집으로 구성하였습니다. 2023년 6월까지의 기출문제를 반영하여 총 2,000문제 범위에서 초급 기본부터 고급 심화까지의 다양한 기출과 중요한 행정학 내용을 모두 점검 학습할 수 있도록 다듬었습니다. 유사하게 꾸며서 따라할 수는 있겠지만, 마니행정학의 본질은 결코 따라할 수 없는 독보적인 기출문제집입니다.

<해커스공무원 마니행정학 기출 빅데이터>의 특징 및 수험 활용법은 다음과 같습니다.

1. 행정학 모든 기출문제의 '빅데이터 분석'

2023년까지 시행된 시험에 나온 모든 문제들을 철저히 분석하였습니다. 진정 기출문제의 '빅데이터' 분석을 지향하며 그 수많은 문제들의 출제경향과 최신 행정학의 방향을 가장 정확하게 반영하고 과거의 부적절한 기출문제는 배제하여, 기출 빅데이터만으로 다양한 행정학 기출문제를 정복할 수 있도록 정밀히 편성하였습니다.

2. <기필코>와 <실력업>의 체계적 구성

기출문제 전체를 기본서와 연동하여 150개의 세부테마로 선별하고, 각 테마 안에서 '기필코(기출문제 필수 코스)'와 '실력업(실질적 역량 업그레이드)'로 수준별 내용별 체계화를 이룩하였습니다.

<기.필.코.>

마니행정학 기본서 학습과 병행하여 기출문제 중 필수적으로 확인할 문제와 내용들을 스피디하고 골고루 점검해 볼 수 있도록 효율적으로 편성하였습니다.

초보자 혹은 기본이론을 익히는 과정에 추천합니다.

<실력.업.>

행정학의 이론적 심화와 실력을 향상하기 위한 엄선된 기출문제들을 체계적으로 구성하였으며, 수험생의 실력이 제대로 향상될 수 있는 커리큘럼적 과정을 완성하였습니다. 쉬운 문제를 풀면서 자기만족적인 수험이 아니라 실력이 향상되는 수험이 되어야 합니다.

심화이론의 이해와 재시생 이상의 실력점검용으로 추천합니다.

3. 독보적인 '좌문 우해'의 편성

마니행정학은 보다 실전적 수험지향 교재를 만들기 위해 어느 정도의 공간낭비가 이루어져도 '좌문우해'의 획기적 편성을 하였습니다. 즉, 왼쪽 페이지에 기출문제를, 오른쪽 페이지에 정밀한 해설을 편성하여 행정학 실력향상과 문제훈련의 시너지 효과를 교재 안에서 구현한 유일한 기출문제집입니다. 이러한 구성은 합격생들로부터 이미 검증과 극찬을 받은 독보적 구성입니다.

4. 모든 지문의 정밀한 해설

최신경향과 개정사항을 반영한 기출문제의 지문들에 대해 매우 정밀하고 정확한 해설을 통해 기출문제 풀이와 내용정리 학습, 복습이 동시에 실현되어 진정한 회독 반복의 '**삼중 학습 효과**'가 이루어지도록 구성하였습니다. 또한 각 문제별로 중요 정리사항을 객관식에 맞게 표로 일목요연하게 구성하고, 정리표를 통한 확장해설은 제대로 된 행정학 총정리가 될 수 있도록 하였습니다.

여기에 기존의 기출을 뛰어넘는 **마니행정학 정밀 해설강의**는 제대로 된 전공 행정학의 실력을 올리는 토대가 될 것입니다.

공무원 수험의 치열한 하루하루를 딛고 열공으로 합격을 위해 전진하는 여러분을 보며 행정학 강사인 제가 드리는 최대의 응원은 더욱 막강하게 업그레이드된 행정학 교재로 고득점 합격이 이루어지도록 하는 것이라고 생각합니다. 이제 그 노력의 결과인 '합격'은 바로 이 책을 보고 열공하는 여러분의 것이며, 마니행정학은 항상 응원합니다.

'**열공 + 열강 = 합격**'의 마니행정학 합격 공식 속에서 열공하는 여러분을 항상 응원합니다. 열공하는 여러분에게 합격은 당연한 결과입니다.

<해커스공무원 마니행정학 기출 빅데이터>가 출간되기까지 치열한 노력을 함께하는 마니행정학 연구실 및 해커스 출판 관계자 여러분들에게 감사의 마음을 전합니다.

마음속 항상 빛나는 별 하나, 둘, 셋을 향해.........

김 만 희

목차

PART 1
총론

단원 핵심 MAP

01 행정개념에 관한 설명으로 옳지 않은 것은?

2020 행정사

① 행정의 실체와 역할은 정부를 둘러싼 정치적·사회적·문화적 환경 등의 다양한 환경 속에서 규정된다.

② 행정의 영역과 범위는 명확하게 설정되고 있지 않으며 그 한계도 분명하지 않아서 고도로 체계화된 개념화는 어렵다.

③ 행정에 대한 연구대상의 선택이나 연구방법의 변화에 따라 다르게 이해되어 왔다.

④ 행정개념이 기능개념이기 때문에 기능 변화와 다양화에 따라 여러 시각으로 설명될 수는 없다.

⑤ 오늘날에는 행정에 대한 개념 해석이 계속 확대되고 있다.

02 행정에 대한 설명으로 가장 옳지 않은 것은?

2018 서울 7급(3월)

① 행정은 최협의적으로는 행정부의 조직과 공무원의 활동에 대한 것이다.

② 행정은 공공서비스의 생산, 공급, 분배를 통해 공공 욕구를 충족시켜 국민 삶의 질을 증대하고자 한다.

③ 행정의 활동은 환경과의 상호작용을 통해 역동적으로 변화한다.

④ 행정의 활동은 정치권력을 배경으로 공공서비스의 생산 및 공급을 정부가 독점한다.

03 사바스(Savas)가 구분한 네 가지 공공서비스 유형과 내용의 연결이 옳지 않은 것은?

2015 국가 7급

① 요금재(toll goods) – 대가를 지불하지 않는 소비자를 배제할 수 없다.

② 집합재(collective goods) – '무임승차'의 문제가 생길 수 있다.

③ 시장재(private goods) – 경합성과 배제성을 동시에 갖는 서비스이다.

④ 공유재(common pool goods) – 과잉소비의 문제가 발생할 수 있다.

04 다음 중 공공재(public goods)의 특성과 가장 관련이 없는 것은?

2014 경찰간부

① 무임승차의 문제   ② 축적성과 유형성

③ 비경합성   ④ 비배타성

정답 정밀 해설

01
정답 : ④

④ 행정은 시대에 따라 달라질 수 있으며, 행정의 개념을 기능개념으로 접근할 경우 기능의 변화와 더불어 다양한 관점에서 정의할 수 있다.

① 행정의 실체와 역할은 정부를 둘러싼 정치적·사회적·문화적 환경 등의 다양한 환경 속에서 규정되기도 한다.

② 정부의 역할은 시대와 환경에 따라 달라지므로 행정의 영역과 범위는 명확하게 설정되지 않으며 그 한계도 분명하지 않아서 고도로 체계화된 개념화가 어렵다.

③ 행정에 대한 접근방법이 변화하는지에 따라 다르게 이해될 수 있다.

⑤ 행정부의 역할은 가변적일 수 있으므로 오늘날에는 행정에 대한 개념 해석이 계속해서 확대되고 있다.

02
정답 : ④

④ 오늘날 행정의 활동은 정치권력을 배경으로 공공서비스의 생산 및 공급을 정부와 민간이 함께 하는 협력적 통치로서의 행정을 말한다.

① 좁은 의미의 행정은 행정부의 구조와 공무원을 포함한 정부관료제를 중심으로 이루어지는 활동을 의미하는 것이다.

② 행정은 공공서비스의 생산과 공급 및 분배와 관련된 모든 활동을 의미하며 이를 통해 국민 삶의 질을 증대하고자 한다.

③ 최근의 행정은 외부환경과 상호작용하는 개방체제적 성격을 지닌다.

03
정답 : ①

① 요금재는 비경합성(비분할성)과 배제성의 특징을 띠는 것으로 배제성은 대가를 지불하지 않는 소비자를 배제할 수 있는 특징이 있다.

② 집합재(공공재)는 비경합성과 비배제성의 특징을 띠며 비배제성의 특징으로 인하여 '무임승차'의 문제가 발생할 수 있다.

③ 시장재는 경합성과 배제성의 특징을 갖는 것으로 민간재라고도 한다.

④ 공유재는 경합성과 비배제성의 특징을 갖는 것으로 시장에 방치할 경우 과잉소비의 위험이 있다.

04
정답 : ②

② 공공재는 생산과 소비가 동시에 이루어지는 관계로 저장이 곤란한 비축적성과 계량화가 어려운 무형성을 특징으로 한다.

① 공공재는 비경합성과 비배제성을 특징으로 하기 때문에 시장에 방치할 경우 무임승차 문제가 발생할 수 있다.

③ 공공재는 특정 사람들의 소비가 타인의 소비를 감소시키지 않는 비경합성을 특징으로 한다.

④ 공공재는 비용을 부담하지 않는다고 하여 소비(이용)를 못하게 할 수 없는 비배제성을 특징으로 한다.

공공서비스 유형

구분	비경합	경합
비배제	공공재	공유재
배제	요금재	민간재

정답

01 ④ 02 ④ 03 ① 04 ②

2013 행정사

① 행정은 민주성, 능률성, 합법성, 효과성, 형평성 등을 추구한다.

② 행정학은 행정현상의 과학화를 목적으로 하기 때문에 이론과 실제를 분리하여 연구하는 학문이다.

③ 행정학은 시민사회, 정치집단, 시장과의 상호작용 속에서 공공가치의 달성을 위해 정부가 수행하는 정책이나 관리활동에 대한 지식과 이론을 연구대상으로 한다.

④ 좁은 의미의 행정은 행정부의 구조와 공무원을 포함한 정부 관료제를 중심으로 이뤄지는 활동을 의미한다.

⑤ 행정학은 정치학, 경제학, 경영학, 사회학, 법학, 심리학 등의 이론과 지식을 접목하여 사용하고 있다.

06 다음 중 행정에 대한 개념으로 올바르지 않은 것은?

2009 서울 9급

① 넓은 의미의 행정은 협동적 인간 노력의 형태로서 정부조직을 포함하는 대규모 조직에서 보편적으로 나타난다.

② 최근 행정의 개념에는 공공문제의 해결을 위해 정부 외의 공·사조직들 간의 연결 네트워크, 즉 거버넌스(governance)를 강조하는 경향이 있다.

③ 좁은 의미의 행정은 행정부 조직이 행하는 공공목적의 달성을 위한 제반 노력을 의미한다.

④ 행정은 정치과정과는 분리된 정부의 활동으로 공공서비스의 생산 및 공급, 분배에 관련된 모든 활동을 의미한다.

⑤ 행정과 경영은 비교적 유사한 활동이라고 할 수 있으나 그 목적하는 바가 다르다.

CHAPTER 02   행정과 경영

기출 필수 코스

01 행정과 경영의 비교에 관한 설명으로 옳지 않은 것은?

2019 행정사

① 행정의 목적은 공익 추구이고, 경영의 목적은 이윤 극대화이다.

② 행정은 경영보다 상대적으로 엄격한 법적 규제를 받는다.

③ 행정은 모든 국민에 대한 평등성이 강조되지만 경영은 이윤 추구 과정에서 고객 간 차별대우가 용인된다.

④ 행정과 경영은 능률성을 추구하는 과정에서 유사한 관리기법을 많이 활용한다.

⑤ 상대적으로 행정은 관리적 측면이 강하게 나타나고 경영은 권력적 측면이 강하게 나타난다.

05

② 행정학은 행정현상을 진단하고 그에 따라 처방을 제시해야 하기 때문에 이론(과학성)과 실제(처방성)를 통합하여 연구하는 실천적 접근을 지향한다.

① 행정은 민주성, 능률성, 합법성, 효과성, 형평성 등의 이념을 지향하고 추구한다.

③ 행정학은 공공가치의 달성을 위해 정부가 정책이나 관리활동에 대한 지식과 이론을 연구대상으로 한다.

④ 좁은 의미의 행정은 정부관료제를 중심으로 이루어지는 활동을 의미한다.

06

④ 행정은 정치적 환경하에서 이루어지며, 정치적 지지를 얻어야 하므로 정치로부터 분리될 수 없는 활동이다.

① 넓은 의미의 행정은 고도의 합리성을 띠는 협동적 집단행위로, 대규모 조직에서 보편적으로 나타나며 공행정과 사행정을 포함하는 의미이다.

② 최근의 행정은 정부와 민간을 엄격하게 구분하지 않고 공공문제의 해결을 사회의 다양한 주체들이 함께 참여하는 협력행위로 본다.

③ 좁은 의미의 행정은 정부관료제 중심으로 이루어진다.

⑤ 행정과 경영은 능률적인 업무수행을 위해 관리성이 강조된다는 점에서 유사성을 지니지만, 행정은 공익을 추구하고 경영은 사익을 추구한다는 목적에서 차이가 나타난다.

01

⑤ 상대적으로 행정은 권력적 측면이 강하게 나타나고 경영은 관리적 측면이 강하게 나타난다.

① 행정은 공익 추구를 목적으로 하고, 경영은 사익 추구를 목적으로 한다.

② 공공성을 특징으로 하는 행정은 행위와 책임이 법률에 상세하게 기재되어 있어 엄격한 법적 규제를 받지만, 경영은 상대적으로 운영상에서 자율성과 재량이 높다.

③ 행정은 누구에게나 평등한 서비스를 제공하여야 하는 비배제성을 특징으로 하지만, 경영은 차별이 허용된다.

④ 행정과 경영은 관리적 측면에서 능률성을 강조한다.

★ 포인트 정리

정답
05 ② 06 ④ 01 ⑤

02 경영과 구분되는 행정이 가지는 속성에 대한 설명으로 가장 옳지 않은 것은?

2019 경찰간부

① 행정은 독점성 측면에서 경쟁자가 없다고 볼 수 있다.

② 행정은 본질적으로 정치적 공권력을 배경으로 수행된다.

③ 행정은 목표달성을 위한 효율적 자원 활용을 위한 관리성을 갖는다.

④ 행정은 공익추구라는 목적을 이루기 위한 수단적 성격을 갖는다.

03 다음 중 행정과 경영의 관계에 대한 설명으로 가장 옳지 않은 것은?

2015 국회 9급

① 행정학이 독립된 학문으로 태동되던 초창기 때, 행정학은 경영학으로부터 많은 논리를 도입하였다.

② 정치·행정이원론은 행정과 경영의 유사성을 강조하며, 행정을 기술적 과정으로 인식하고 행정의 과학화를 추구하는 입장이다.

③ 행정은 경영보다 본질적으로 정치적 성격을 갖고 있으며, 엄격한 법적 규제를 받는다.

④ 공동 목표를 달성하기 위한 합리적이고 집단적인 협동 행위는 행정과 경영에서 공통적으로 나타난다.

⑤ '행정의 경영화'가 추구하는 정부개혁은 정부의 관료제적 성격을 강화하는 것이다.

04 경영과 구분되는 행정의 속성이라고 보기 어려운 것은?

2014 국가 9급

① 행정은 사익이 아닌 공익을 우선적으로 추구한다.

② 행정은 모든 시민을 평등하게 대우하여야 한다.

③ 행정조직 구성원은 원칙상 법령에 의해 신분이 보장된다.

④ 행정은 효과적인 업무수행을 위해 관리성이 강조된다.

05 다음 중 행정과 경영의 차이점이 아닌 것은?

2013 군무원

① 관리기법과 의사결정방식이 다르다.

② 권력성과 법규적용성이 다르다.

③ 능률의 척도와 공개성이 다르다.

④ 활동주체와 목적이 다르다.

02

정답 : ③

③ 행정과 경영의 공통점을 서술한 것으로, 행정과 경영은 능률적인 업무수행을 위해 관리성 및 기술성을 강조한다.

① 행정은 모든 시민을 평등하게 대우하여야 하므로 활동의 범위가 넓으며 독점성 측면에서 경영과 달리 경쟁자가 존재하지 않는다고 본다.

② 행정은 정치권력을 배경으로 공공기관이 특정 목표를 달성하기 위한 활동이므로 정치적 공권력을 바탕으로 수행한다.

④ 행정의 근본적 목적은 공익을 추구하는 것으로 이를 달성하기 위한 수단적 성격을 갖는다.

03

정답 : ⑤

⑤ '행정의 경영화'는 1970년대 재정위기와 정부실패 등으로 인해 등장한 신공공관리론적 사고로 관료제적 성격을 강화하는 것이 아니라 탈관료제적 성격을 지향한다.

① 행정관리설과 관련된다.

② 행정과 경영과의 유사성을 강조하는 입장에서 관리의 효율성을 강조하고, 행정의 과학화를 추구하는 정치·행정이원론(공·사일원론)에 해당한다.

③ 공행정은 사행정(경영)보다 법적 규제가 강하다.

④ 행정과 경영은 목적은 다르나 목적 실현을 위한 수단이라는 점에서 유사한 성격을 띤다.

04

정답 : ④

④ 행정과 경영은 모두 인적·물적 자원을 관리하여 목표를 달성하려는 협동행위로, 관리성은 행정과 경영의 공통된 속성이다.

① 행정은 공익을 우선적으로 추구하지만, 경영은 사익을 우선적으로 추구한다.

② 행정은 모든 국민을 평등하게 대우하여야 하지만, 경영은 고객에 따라 대우를 다르게 할 수 있다.

③ 공무원은 신분이 법적으로 보장되어 있지만, 경영은 상대적으로 신분보장이 강력하게 보장되지 않는다.

05

정답 : ①

① 행정과 경영 모두 의사결정을 본질로 하고 동일한 관리기술(인력관리, 조직관리 등)을 활용한다는 점에서 유사하다.

② 행정은 권력수단이 강제적이고 법규적용성이 강하지만, 경영은 권력수단이 공리적이고 법규적용성이 약하다.

③ 행정은 능률측정이 곤란하고 공개성이 높지만, 경영은 능률측정이 가능하고 공개성이 낮다.

④ 행정은 정부나 공공조직을 활동주체로 하며 공익을 목표로 하는 반면, 경영은 기업이나 민간조직을 활동주체로 하며 사익을 목표로 한다.

📌 포인트 정리

행정 vs 경영

구분	행정	경영
목적	공익추구	이윤(사익) 극대화(추구)
법적 규제	강함 (엄격한 법적 규제)	약함
정치적 통제	강함	약함
능률의 척도	사회적 능률	기계적 능률
공개성	강함	약함
신분 보장	강함	약함
권력성	강제적 권력	공리적 권력
평등성	모든 국민이 대상 (넓게 적용)	고객 범위 내에 한정 (좁게 적용)

정답

02 ③ 03 ⑤ 04 ④ 05 ①

01 정치·행정 이원론에 대한 설명으로 옳은 것은?

2020 국가 9급

① 정당정치의 개입으로부터 자유로운 행정 영역을 강조하였다.

② 1930년대 뉴딜정책은 정치·행정 이원론이 등장하게 된 중요 배경이다.

③ 과학적 관리론과 행정개혁운동은 정치·행정 이원론의 한계를 지적하였다.

④ 정치·행정 이원론을 대표하는 애플비(Appleby)는 정치와 행정이 단절적이라고 보았다.

02 정치-행정 일원론에 대한 설명으로 가장 옳지 않은 것은?

2019 서울 9급

① 공공조직의 관리자들은 정책결정자를 위한 지원, 정보 제공의 역할만을 수행한다.

② 공공조직의 관리자들은 정책을 구체화하면서 정책결정 기능을 수행한다.

③ 공공조직의 관리자들이 수집, 분석, 제시하는 정보가 가치판단적인 요소를 내포한다.

④ 행정의 파급효과는 정치적인 요소를 내포한다.

03 정치행정일원론과 정치행정이원론에 관한 설명으로 옳은 것은?

2016 행정사

① 정치행정이원론은 행정의 정치적 기능을 강조한다.

② 과학적 관리론은 정치행정일원론의 발전에 기여하였다.

③ 정치행정일원론은 정치와 행정을 엄격히 구분한다.

④ 정치행정이원론은 엽관주의의 폐해를 극복하기 위하여 대두되었다.

⑤ 윌슨(Wilson)은 정치행정일원론의 입장을 견지하였다.

04 다음 중 행정과 정치의 관계에 대한 시각이 나머지 셋과 가장 다른 것은?

2014 해경간부

① 정치·행정이원론

② 발전행정론

③ 실적주의

④ 공·사행정일원론

01

정답 : ①

① 정치행정이원론은 행정을 정치와 분리시키고 정치로부터 독립성과 자율성을 강조하였다.

② 1930년대 뉴딜정책은 정치·행정 일원론이 등장하게 된 중요 배경이다.

③ 과학적 관리론과 행정개혁운동은 정치·행정 이원론의 배경으로, 이를 지적하면서 등장한 것은 통치기능설이다.

④ 애플비(Appleby)는 정치·행정 일원론을 대표하는 학자로, 정치와 행정을 연속적이라고 보았다. 한편 정치와 행정을 단절적이라고 본 고전학자는 굿노(Goodnow)이다.

02

정답 : ①

① 행정을 정책결정자를 위한 지원, 정보 제공의 역할만을 수행한다고 보는 것은 정치·행정이원론에 대한 설명이다.

② 공공조직의 관리자들은 정책을 단순히 집행만 하지 않고 정책결정 등의 역할을 수행하기도 한다.

③ 공공조직의 관리자들은 단순히 결정자들을 위한 지원이나 정보제공만 하는 것이 아니라 수집, 분석 등의 가치판단적인 정보를 제공하기도 한다.

④ 정치·행정일원론에 따르면 행정은 가치판단적인 정보를 제공하므로 파급효과 또한 정치적인 요소를 내포한다고 본다.

03

정답 : ④

④ 정치행정이원론은 행정의 과학화를 추구하는 관점으로 엽관주의의 폐단을 극복하고 실적주의의 확립을 위해 대두되었다.

① 정치행정이원론은 행정의 관리적 기능을 강조하지만, 정치행정일원론은 행정의 정치적 기능을 강조한다.

② 과학적 관리론은 정치행정이원론의 발전에 기여하였다.

③ 정치행정이원론은 정치와 행정을 엄격히 구분한다.

⑤ 윌슨(W.Wilson)은 '행정학 연구'에서 행정의 본질을 관리영역으로 파악하고 능률적인 정부운영을 위해 정치로부터의 독립을 주장하는 정치행정이원론을 주장하였다.

04

정답 : ②

② 발전행정론은 국가발전목표를 설정하는 등의 행정의 가치판단이나 정치적 기능을 강조하는 입장으로, 정치·행정새일원론에 해당한다.

① 정치·행정이원론은 엽관주의의 폐단을 극복하기 위한 진보주의 개혁운동의 일환으로 등장하였으며, 행정을 정치적 성격이 없는 순수한 관리·기술의 현상으로 파악한다.

③ 실적주의는 엽관주의의 폐단인 행정의 비능률성과 정치로부터의 행정을 분리하고 독립시키기 위하여 등장한 것으로, 행정의 전문성과 정치적 중립을 강조하므로 정치·행정이원론의 성격을 갖는다.

④ 공·사행정일원론은 행정을 관리기술로 보며 행정과 경영이 유사하다고 보는 것으로 정치로부터의 행정을 분리하고 독자성을 강조하는 정치·행정이원론의 입장이다.

정답

01 ① 02 ① 03 ④ 04 ②

01 진보주의 정부에서 선호하는 정책으로 가장 적절하지 않은 것은?

2020 군무원 9급

① 조세 감면 확대

② 정부규제 강화

③ 소득재분배 강조

④ 소수민족 기회 확보

02 작은정부를 적극적으로 옹호하는 것은?

2020 지방, 서울 9급

① 행정권 우월화를 인정하는 정치·행정 일원론

② 경제공황 극복을 위한 뉴딜정책

③ 사회복지 프로그램의 확대

④ 신공공관리론

03 공공재의 적정 공급규모에 관한 논의 중 과다공급설에 해당하는 것은?

2020 경찰간부

① Musgrave의 조세저항

② Downs의 합리적 무지

③ 보몰병(Baumol's Disease)

④ Galbraith의 의존효과

04 복지국가의 공공서비스 공급 접근방식에 대한 설명으로 가장 옳은 것은?

2017 서울 9급

① 민간부문을 조정·관리·통제하는 공공서비스 기능이 강조된다.

② 서비스의 배분 준거는 재정효율화이다.

③ 공공서비스의 형태는 선호에 따라 차별적으로 상품화된 서비스이다.

④ 성과관리는 수요자 중심의 맞춤형 관점에서 이루어진다.

01

정답 : ①

① 조세 감면의 확대는 보수주의 정부에서 선호하는 정책이다.

② 진보주의 정부는 경제적 규제의 강화를 강조하지만, 보수주의 정부는 경제적 규제의 완화를 강조하고 시장지향적인 정책을 선호한다.

③ 진보주의 정부에서는 조세제도를 통한 소득재분배 정책을 선호한다.

④ 진보주의 정부에서는 소외집단을 위한 정책과 빈곤층 및 소수민족 등을 위한 정책을 선호함에 따라 복지정책을 중시하고 분배를 강조한다.

02

정답 : ④

④ 작은정부는 신행정국가를 의미하는 것으로 신공공관리론을 이론적 근거로 보았다.

① 큰 정부는 상대적으로 행정국가를 의미하는 것으로, 행정 문제가 고도의 전문화, 기술화, 복잡화되어 행정기능이 팽창됨으로써 행정의 우월화를 인정하는 정치·행정 일원론의 성격을 띠게 되었다.

② 행정국가는 1930년대 경제대공황을 치유하기 위한 뉴딜정책으로부터 본격화되기 시작하였다.

③ 1960년대 말 미국사회 격동기의 문제를 해결하고 자본주의의 발달로 나타난 사회문제를 치료하기 위해 사회복지 프로그램이 확대하게 되었다.

03

정답 : ③

③ 보몰병은 행정의 노동집약적 성격으로 재정규모가 팽창하는 병리적 현상으로, 과다공급설에 해당한다.

① Musgrave의 조세저항은 국민들의 조세저항이 공공재의 과소공급을 유도한다는 것으로 공공재의 과소공급설과 관련된다.

② Downs의 합리적 무지는 합리적 개인들은 공공재에 대해서 적극적으로 정보를 수집하지 않는다는 것으로 공공재의 과소공급설과 관련된다.

④ Galbraith의 의존효과는 공공재는 선전이 이루어지지 않아 공적 욕구를 자극하지 못한다는 것으로 공공재의 과소공급설과 관련된다.

04

정답 : ①

① 여기서의 복지국가란 현대행정국가를 의미하는 것으로 정부가 민간부문을 직접 조정·관리·규제하는 공공서비스 기능이 강조된다. 나머지 지문은 신공공관리주의에서의 공공서비스 공급에 대한 접근방식이다.

② 복지국가의 공공서비스 배분 준거는 형평적 배분이다.

③ 복지국가의 공공서비스는 국가최저수준의 보편화되고 표준화된 서비스이다.

④ 복지국가의 성과관리는 수요자 중심이 아닌 시설 및 기관 중심의 공급자 관점에서 이루어진다.

☆ 포인트 정리

과소공급설

머스그레이브 조세저항	국민들의 조세저항으로 인해 공공재가 적정하게 공급되지 못한다고 주장함
갈브레이스 의존효과	공공재의 경우 선전이나 광고가 이루어지고 있지 않기 때문에 공공부문에 대한 투자가 미흡하다고 주장
다운스 합리적 무지	정보수집비용이 편익보다 크기 때문에 정보수집하지 않게 되므로 합리적인 사람은 공공재에 관한 무지에 놓임
듀젠베리 전시효과	개인 소비수준이 주위 사람들의 소비수준의 영향을 받아 높아지는 경향으로, 공공재는 과시효과가 발생하지 않아 과소공급됨

정답

01 ① 02 ④ 03 ③ 04 ①

05 공무원의 수가 업무량에 관계없이 일정 비율로 증가하는 현상을 무엇이라고 하는가?

2015 행정사

① 피터의 원리(Peter principle)

② 과두제의 철칙(iron law of oligarchy)

③ 딜론의 법칙(Dillon's rule)

④ 파킨슨의 법칙(Parkinson's law)

⑤ 세이어의 법칙(Sayre's law)

06 POSDCoRB에 대하여 틀린 것은?

2012 서울전환특채

① 상향적 조직과정이다.

② 최고관리자의 기능에 대한 것이다.

③ Gulick이 주장한 것이다.

④ 고전적 행정관의 대표적인 모형이다.

⑤ 행정관리설의 핵심적 모형이다.

07 정부의 기능에 대한 설명으로 옳지 않은 것은?

2012 서울 9급

① 기획기능은 정책과정에서 정책결정과 계획 수립을 위한 기능을 말한다.

② 규제기능은 법령에 기초해서 국민들의 생활을 일률적으로 제한하는 기능을 말한다.

③ 정부기능상 정책결정 또는 정책집행 위주의 부처로 나눌 수 있다.

④ 조장 및 지원기능은 정부가 직접 사업의 주체가 되지 않고 간접적으로 지원하는 기능이다.

⑤ 중재기능은 이해관계자 간의 분쟁이 발생할 때 정부가 조정하고 합의를 이끌어내는 기능이다.

08 행정국가에 대한 설명으로 가장 적절한 것은?

2009 서울 9급

① 정책이 정책을 낳는 관성은 행정의 팽창을 가져온다.

② 행정의 과부하는 행정수요의 감소를 가져온다.

③ 행정의 팽창은 시장실패의 가능성을 증가시킨다.

④ 다양한 위기 상황은 행정국가에서 최소국가로의 발전을 자극한다.

⑤ 행정국가는 삼권분립을 전제하지 않은 국가구성 원리이다.

05
정답 : ④

④ 파킨슨 법칙은 공무원의 수가 본질적 업무량의 증가와는 관계없이 일정비율로 증가한다는 것을 말한다.

① 피터의 원리는 조직 내 구성원은 '무능력 수준까지 승진한다.'는 계층제의 사회적 부작용을 지적한 원리이다.

② 과두제의 철칙은 조직의 최고관리자나 소수의 간부 등이 일단 권력을 장악한 뒤에는 조직의 목표를 자신의 권력이나 지위를 강화하기 위한 목표로 전환하는 현상이다.

③ 딜런의 법칙은 중앙위주의 하향적·집권적 원칙으로 의회가 명백하게 부여하지 않은 권한은 지방정부가 그것을 보유할 수 없다고 해석하는 입장이다.

⑤ 세이어의 법칙은 행정과 경영은 중요하지 않은 부분에서만 닮았다고 주장하는 것을 말한다.

06
정답 : ①

① POSDCoRB는 하향적인 조직관리방식이다.

② 최고관리층의 7가지 기능으로서 POSDCoRB를 제시하였다.

③ Gulick이 '행정과학에 관한 논문집'(1937)에서 발표하였다.

④ 행정의 능률성을 강조하는 고전적인 행정관의 대표적인 모형이다.

07
정답 : ④

④ 조장 및 지원기능은 특정 분야의 사업이나 활동을 정부가 적극적으로 조장하거나 지원하는 기능으로써 사회간접자본 건설 등 정부가 사업주체가 되어 직접 서비스를 제공하는 급부행정 기능이다.

① 기획기능은 정책입안이나 결정. 계획수립 등과 같은 전략적 기능이다.

② 규제기능은 법령에 근거하여 국민의 생활을 일률적으로 금지 또는 제한하는 기능을 갖는다.

③ 정부 부처도 정책결정을 주로 하는 부처와 정책집행 위주의 부처, 평가·지원·조정 위주의 부처로 나눌 수 있다.

⑤ 중재·조정기능은 이해관계나 분쟁·갈등에 대한 중립적 조정으로 합의를 이끌어내는 기능이다.

08
정답 : ①

① 행정국가는 행정의 지속적 팽창을 유발하여 정부실패의 가능성을 가져온다.

② 행정의 과부하(체제과중부담)는 행정수요를 감소시키기보다는 행정의 효율성을 저하시켜 정부실패를 가져온다.

③ 행정의 지속적 팽창은 정부실패의 가능성을 가져온다.

④ 위기의 발생은 신중앙집권화나 행정국가로의 이행을 초래하는 요인이다.

⑤ 행정국가는 행정부 기능팽창으로 전통적인 삼권분립을 저해하는 측면이 있는 것은 사실이지만 삼권분립을 전제로 하지 않는 것은 아니다.

정답
05 ④ 06 ① 07 ④ 08 ①

01 시장실패의 요인으로 옳지 않은 것은?

① 비용과 편익의 괴리
② 외부효과의 발생
③ 공공재의 존재
④ 소득의 불공정한 분배
⑤ 독과점의 출현

02 시장실패와 관련된 정부의 대응에 관련된 내용이다. 그 설명이 가장 옳지 않은 것은?

① 외부효과의 발생 – 정부규제
② 공공재의 존재 – 공적공급
③ 정보의 비대칭성 – 공적공급
④ 자연독점 – 정부규제

03 시장실패의 원인에 대한 정부의 대응으로 적절하지 않은 것은?

① 공공재의 경우 원칙적으로 정부가 직접 공급한다.
② 독점의 폐해를 막기 위해 정부는 서비스를 직접 공급하거나 규제를 한다.
③ 외부불경제에서 나타나는 문제에 대응하기 위해 정부는 보조금을 지원한다.
④ 정보의 비대칭성에 기인하는 문제에 대응해 정부는 보조금을 지원하거나 규제를 한다.

04 시장실패에 대한 설명 중 가장 옳지 않은 것은?

① 자원배분의 효율성을 저해하는 불완전경쟁은 시장실패의 원인이다.
② 제3자에게 의도하지 않은 이득이나 손해를 주는 현상은 시장실패의 원인이 되기도 한다.
③ 공공조직의 내부성(internalities)은 시장실패의 원인이다.
④ 시장실패에 대응하기 위해 정부는 공적 유도를 통한 시장에의 개입을 시도한다.

01

① 비용과 편익의 괴리는 정부실패의 요인이다.

②, ③, ④, ⑤ 외부효과의 발생, 공공재의 존재, 소득의 불공정한 분배, 독과점의 출현 모두 시장실패의 요인에 해당한다.

02

③ 정보의 비대칭성으로 인한 시장실패의 경우 공적 유도 또는 정부 규제의 대응이 필요하다.

① 외부효과의 발생은 공적 유도나 정부 규제의 방법을 사용한다.

② 공공재의 존재는 공적 공급의 방법을 사용한다.

④ 자연독점은 공적 공급이나 정부 규제의 방법을 사용한다.

03

③ 외부불경제에서 나타나는 문제에 대응하기 위해 정부는 규제를 하고, 외부경제에서 나타나는 문제에 대응하기 위해 정부는 보조금을 지원한다.

① 공공재의 존재로 나타나는 문제에 대응하기 위해 정부는 직접 공급의 방식을 사용한다.

② 자연독점의 폐해를 해결하기 위해 정부는 서비스를 직접 공급하거나 규제의 방식을 사용한다.

④ 정보의 비대칭성을 해결하기 위해 정부는 보조금을 지원하거나 규제의 방식을 사용한다.

04

③ 공공조직의 내부성은 관료제 내에서 공적목표보다는 개인과 조직의 이익을 우선시하는 현상으로 정부실패의 원인이다.

① 불완전경쟁은 시장실패의 원인으로, 완전경쟁시장이 소수의 경쟁체제에 의한 독과점체제로 변모하는 현상이며 자원배분의 효율성을 저해한다.

② 제3자에게 의도하지 않은 이득이나 손해를 주는 현상은 외부효과로, 시장실패의 원인이다.

④ 시장실패에 대응하기 위한 방식으로는 공적공급, 공적유도, 정부규제가 있다.

시장실패 vs 정부실패

구분	시장실패	정부실패
원인	• 불완전경쟁 • 외부효과: 대가 없는 이익, 손해 • 개인효용과 사회효용 부조화: 공유지의 비극, 죄수의 딜레마 • 공공재의 존재: 무임승차 • 경기의 불안정성: 인플레이션, 디플레이션 • 정보 비대칭성: 대리손실 • 소득분배 불공정: 사회적 시장실패	• 수요측면: 정치인의 높은 시간할인율과 log-rolling, 이익집단의 압력과 영향력 증대 • 공급측면: 독점성, 무형적 산출물, 생산기술의 불명확성, 종결 메커니즘 결여 • 비용과 편익 절연 • 내부성: 관료적 제국주의, 최신기술 집착 등 • 규제실패: 지대추구와 포획현상 • X-비효율성: 방만한 경영, 최신기술 미사용 등 • 파생적 외부효과: 의도하지 않은 부작용 • 과도한 복지정책 • 정보의 비대칭성 • 권력과 특혜에 의한 불공정 • 정부관료제의 병리현상
대책	정부규제, 정부개입	작고 효율적인 정부
결과	규제실패, 정부실패	신자유주의

📑 **포인트 정리**

PART 1

해커스공무원 마나행정학 기출 빅데이터 기본기

시장실패의 원인별 해결방법

구분	공적 공급 (조직)	공적 유도 (보조금)	정부 규제
공공재의 존재	○		
외부효과의 발생		○	○
자연독점	○		○
불완전경쟁			○
정보의 비대칭성		○	○

05 시장실패의 원인에 관한 설명으로 옳지 않은 것은?

2009 국회 9급

① 외부효과의 발생

② 공공재의 존재

③ 정보의 비대칭성

④ 내부성의 존재

⑤ 자연독점 현상의 발생

CHAPTER 06 정부규제

기출 필수 코스

01 윌슨(Wilson)의 규제정치 유형 중 다음 설명에 해당하는 것은?

2022 국가 9급

정부규제로 발생하게 될 비용은 상대적으로 작고 이질적인 불특정 다수에게 부담된다. 그러나 편익은 크고 동질적인 소수에 귀속된다. 이런 상황에서 상당한 이익을 얻을 수 있는 소수집단은 정치조직화하여 편익이 자신들에게 제도적으로 보장될 수 있도록 정치적 압력을 행사한다.

① 대중정치

② 고객정치

③ 기업가정치

④ 이익집단정치

02 정부규제에 대한 설명으로 옳은 것만을 모두 고르면?

2019 국가 9급

ㄱ. 포지티브(positive) 규제가 네거티브(negative) 규제보다 자율성을 더 보장해준다.
ㄴ. 환경규제와 산업재해규제는 사회규제의 성격이 강하다.
ㄷ. 공동규제는 정부로부터 위임을 받은 민간집단에 의해 이뤄지는 규제를 의미한다.
ㄹ. 수단규제는 정부의 목표를 달성하기 위해 필요한 기술이나 행위에 대해 사전적으로 규제하는 것을 의미한다.

① ㄱ, ㄴ

② ㄷ, ㄹ

③ ㄱ, ㄴ, ㄷ

④ ㄴ, ㄷ, ㄹ

03 규제개혁의 방향과 방식에 관한 설명으로 옳지 않은 것은?

2017 교행 9급

① 유사한 중복규제의 축소를 통한 규제 효율화

② 행정규제에 관한 국제협력으로 세계화에 대응

③ 사전적 규제방식의 확대를 통한 규제 방식 다양화

④ 시민감시체제의 도입을 통한 규제 과정 민주화

05

④ 내부성은 관료들이 공적목표보다 사적이익을 추구하는 현상으로 정부실패의 원인에 해당한다.

① 외부효과(외부성)는 시장실패의 원인으로, 한 경제주체의 행동이 비의도적으로 대가의 교환 없이 다른 주체에게 이익이나 손해를 가져다 주는 현상을 의미하며 긍정적 외부효과인 외부경제와 부정적 외부효과인 외부불경제로 구분한다.

② 공공재의 존재는 시장실패의 원인으로, 공공재의 비경합성과 비배제성으로 인해 무임승차가 발생하므로 정부가 직접 공급해야 한다.

③ 대리손실로 인한 정보의 비대칭성은 시장실패의 원인이다.

⑤ 자연독점 현상은 시장실패의 원인으로, 이는 독점의 폐해를 발생시키므로 정부규제가 필요하다.

01

정답 : ②

② 고객정치는 불특정 다수가 비용을 부담하고 소수에게 편익이 집중되어 로비활동이 가장 강하게 나타나는 정치 상황으로, 감지된 비용은 넓게 분산되어 작게 느껴지고 감지된 편익은 좁게 집중되어 크게 느껴질 때 나타나는 정치유형이다.

① 대중정치는 정부규제로 인해 감지된 비용은 넓게 분산되어 작게 느껴지고, 감지된 편익 또한 넓게 분산되어 작게 느껴질 때 나타나는 정치유형이다.

③ 기업가정치는 감지된 비용은 좁게 집중되어 크게 느껴지고 감지된 편익은 넓게 분산되어 작게 느껴질 때 나타나는 정치유형이다.

④ 이익집단정치는 감지된 비용은 좁게 집중되어 크게 느껴지고 감지된 편익 또한 좁게 집중되어 크게 느껴질 때 나타나는 정치유형이다.

02

정답 : ④

④ ㄴ, ㄷ, ㄹ이 옳은 내용이다.

ㄴ. [O] 사회규제는 생산자의 행위가 사회적으로 바람직하지 않은 영향을 지닐 때 이를 강제하기 위한 정부의 활동으로 주로 경제적 약자보호와 사회적 형평성 확보를 목적으로 하며 환경규제, 산업재해규제, 소비자 보호규제 등이 있다.

ㄷ. [O] 공동규제는 정부로부터 위임받은 민간집단에 의해 이루어지는 규제로 자율제와 중간규제의 중간적 성격을 띠는 것이 특징이다.

ㄹ. [O] 수단규제는 규제의 목적을 달성하기 위해 필수적이거나 용도에 적합한 수단을 구체적으로 지정하여 따르도록 한다.

ㄱ. [X] 네거티브(negative) 규제가 포지티브(positive) 규제보다 자율성을 더 보장해준다.

03

정답 : ③

③ 규제개혁은 사전적 규제방식보다는 사후적 규제방식으로 전환하여 피규제자의 자율성이 높아지는 방향으로 규제가 개혁되어야 하며, 사후적 규제방식의 확대를 통해 규제방식을 다양화할 필요가 있다.

① 규제개혁의 방향으로 유사·중복규제의 축소를 통해 규제를 효율화해야 한다.

② 규제개혁의 방향으로 행정규제에 관한 국제적 협력 및 공조를 통해 세계화에 대응해야 한다.

④ 규제개혁은 시민의 감시체제 도입을 통한 규제과정의 민주화가 필요하다.

04 다음 설명에 해당하는 정책현상은?

2016 지방 9급

어떤 하나의 규제가 시행된 결과, 원래 규제설계 당시에는 미리 예기하지 못한 또 다른 문제점이 나타나게 되면 규제기관은 그 문제의 해결을 위해 또 다른 규제를 하게 됨으로써 결국 규제가 규제를 낳는 결과를 초래한다.

① 타르 베이비 효과(Tar-Baby effect)　　　② 집단행동의 딜레마
③ 규제의 역설(regulatory paradox)　　　④ 지대추구행위

05 다음 중 정부규제에 관한 설명으로 가장 옳지 않은 것은?

2015 해경간부

① 경제적 규제는 경쟁을 제한하거나 촉진하는 등 경쟁과 관련이 있다.
② 사회적 규제의 대상산업은 광범위하기 때문에 그것의 경제적 파급효과가 크다.
③ 포획현상은 경제적 규제보다 사회적 규제에서 잘 나타난다.
④ 일반적으로 경제적 규제는 사회적 규제에 비해 역사가 길다.

06 윌슨(J. Q. Wilson)의 규제정치모형 중 불특정 다수가 비용을 부담하고 소수에게 편익이 집중되어 로비와 규제포획 등이 일어나는 경우에 해당하는 것은?

2014 해경간부

① 이익집단 정치　　　　　　　② 고객지향 정치
③ 기업가적 정치　　　　　　　④ 대중정치

07 다음 중 현행 「행정규제기본법」에서 규정하고 있는 내용으로 옳지 않은 것은?

2014 국회 8급

① 규제는 법률에 근거를 두어야 한다.
② 규제를 정하는 경우에도 그 본질적 내용을 침해하지 않도록 하여야 한다.
③ 규제의 존속기한은 원칙적으로 5년을 초과할 수 없다.
④ 심사기간의 연장이 불가피한 경우 규제개혁위원회의 결정으로 15일을 넘지 않는 범위에서 한 차례만 연장할 수 있다.
⑤ 규제개혁위원회는 위원장 1명을 포함한 20명 이상 25명 이하의 위원으로 구성된다.

04

① 타르 베이비 효과(Tar Baby Effect)는 '끈끈이 인형효과'라고도 하는데, 어떤 하나의 규제가 시행된 결과 예기치 못한 또 다른 문제점이 나타나게 되면 규제기관은 그 문제의 해결을 위해 또 다른 규제를 하게 된다는 이론이다.

② 집단행동의 딜레마란 집단 또는 잠재적 집단이 공통의 이해관계가 걸려있는 문제를 스스로의 노력으로 해결하지 못하는 상황을 말한다.

③ 규제의 역설이란 규제가 의도치 않은 부작용을 초래하는 역설적 현상을 말한다.

④ 지대추구행위란 정부의 시장개입이 초래하는 사회적 비용을 설명하는 이론을 말한다.

05
정답 : ③

③ 포획현상이란 규제로 인해 이득 또는 손해를 보는 기업의 로비에 의하여 규제주체가 규제객체에게 호응하고 동조하는 현상으로, 누구에게나 차별 없이 광범위하게 적용되는 사회적 규제보다 경제적 규제에서 잘 나타난다.

① 경제적 규제에는 경쟁을 제한하는 진입규제와 경쟁을 촉진시키는 독과점규제가 있으며 이는 경쟁을 적정화하려는 규제라고 볼 수 있다.

② 사회적 규제는 모든 산업을 대상으로 하므로 경제적 규제보다 광범위하며 규제의 효과 또한 크다고 볼 수 있다.

④ 일반적으로 경제적 규제는 행정국가 초기부터 나타난 오랜 역사의 규제로 최근에 등장한 사회적 규제에 비해 역사가 길다.

06
정답 : ②

② 불특정 다수가 비용을 부담하고 소수에게 편익이 집중되어 로비와 규제포획 등이 일어나는 것은 고객(지향)정치 모형에 해당한다.

① 이익집단 정치는 비용과 편익이 모두 소수의 동질적인 집단에 국한되고, 쌍방이 모두 조직적인 힘을 바탕으로 이익 확보를 위해 첨예하게 대립하는 정치모형이다.

③ 기업가적 정치는 피규제집단에게는 비용이 좁게 집중되지만 규제로 인한 편익은 일반 시민을 포함하여 넓게 분포되는 정치모형이다.

④ 대중정치는 정부규제로 인해 감지된 비용과 편익이 모두 불특정 다수에게 미치는 정치모형이다.

07
정답 : ⑤

⑤ 규제개혁위원회의 경우 위원장 2명을 포함한 20명 이상 25명 이하의 위원으로 구성한다.

① 규제법정주의에 대한 설명이다.

② 규제최소주의에 대한 설명이다.

③ 규제일몰제도에 대한 설명이다.

④ 규제개혁위원회는 45일 이내에 심사를 마쳐야 하며, 15일을 넘지 않는 범위에서 한 차례만 연장할 수 있다.

윌슨 규제정치 모형

구분	편익 집중	편익 분산
비용 집중	이익집단정치	기업가정치
비용 분산	고객정치	다수대중정치

정답
04 ① 05 ③ 06 ② 07 ⑤

08 행정지도에 관한 내용으로 옳지 않은 것은?

2012 서울 9급

① 공무원들이 어떤 목적을 달성하기 위해 국민에게 영향력을 미치려는 활동의 하나이다.

② 법적 구속력을 수반하는 권고, 협조, 요청, 알선행위 등을 말한다.

③ 행정지도는 민간부문의 정부 의존도가 높을수록 유용성이 커진다.

④ 행정수요의 변화에 비해 입법조치가 탄력적이지 못할 때 활용된다.

⑤ 행정수요가 임시적, 잠정적이어서 법적 대응이 곤란할 때 활용된다.

09 다음의 제도를 윌슨(J.Q.Wilson)의 규제정치론에 대입했을 때 어느 유형에 해당하는가?

2012 국회 8급

> 지난 2012년 2월, 자동차 업체가 생산하는 자동차에서 나오는 배출가스의 평균 배출량이 평균 배출허용기준을 초과할 경우 대기오염물질의 배출량과 배출농도 등에 따라 초과한 양만큼 초과부과금을 내도록 하는 평균 배출량 관리 제도의 개선안이 공포되었다.

① 대중적 정치   ② 기업가적 정치
③ 고객 정치   ④ 대리인 정치
⑤ 이익집단 정치

CHAPTER 07 정부실패와 해결방안

기출 필수 코스

01 정부실패의 요인에 대한 설명으로 옳지 않은 것은?

2022 국가 7급

① 'X-비효율성'은 정부가 가진 권력을 통해 불평등한 분배가 이루어지는 현상이다.

② '지대추구'는 정부개입에 따라 발생하는 인위적 지대를 획득하기 위해 자원을 낭비하는 활동이다.

③ '파생적 외부효과'는 시장실패를 해결하기 위해 정부가 개입하지만 의도하지 않은 부작용을 초래하는 것이다.

④ '내부성(internalities)'은 공공조직이 공익적 목표보다는 관료 개인이나 소속기관의 이익을 우선적으로 고려하는 것이다.

08

② 행정지도는 행정주체가 의도한 바를 실현하기 위해 공권력을 배경으로 국민들의 임의적·자발적 협력을 기대하여 행하는 비권력적·비강제적 사실행위로서 법적 구속력이 발생하지 않으며 권고, 협조, 요청, 알선행위 등의 형식으로 이루어진다.

① 공무원이 그 소관 사무의 범위에서 일정한 행정 목적을 달성하기 위해 국민에게 영향력을 미치려는 활동이다.

③ 행정지도는 민간부문의 정부 의존도가 높을수록 유용성이 커진다.

④ 행정지도는 급격한 환경과 행정수요의 변화에 법규범이 신속하게 대응하지 못하고 입법조치가 탄력적이지 못할 때 활용된다.

⑤ 행정지도는 행정수요가 임시적·잠정적이어서 법적 대응이 곤란할 때 활용된다.

09

② 제시문에 따르면, 비용(초과부담금)은 소수기업(자동차 업체)이 부담하고 편익(맑은 공기)은 다수가 향유하는 경우로 이는 J.Q.Wilson의 기업가적 정치에 해당한다.

① 대중적 정치는 비용과 편익 모두 다수가 부담하는 경우를 말한다.

③ 고객정치는 비용은 다수가 부담하고 편익은 소수가 부담하는 경우를 말한다.

④ 대리인 정치는 J.Q.Wilson이 제시한 규제정치모형에 포함되지 않는다.

⑤ 이익집단정치는 비용과 편익 모두 소수가 부담하는 경우를 말한다.

01

① X-비효율성은 정부의 독점적 지위로 인해 직접 재화나 서비스를 제공함에 따라 경쟁에 노출되지 않음으로써 발생하는 현상이다. 한편 정부가 가진 권력을 통해 불평등한 분배가 이루어지는 현상은 권력의 편재와 관련된다.

정답
08 ② 09 ② 01 ①

02 정부실패의 요인 중, 관료들이 자기 부서의 이익 혹은 자신의 사적 이익에 집착함으로써 공익을 훼손하게 되는 경우를 설명하는 개념은?

2020 국회 8급

① 비용과 수입의 분리

② 내부성

③ X-비효율

④ 파생적 외부효과

⑤ 분배적 불공평

03 정부실패의 요인에 해당하지 않는 것은?

2017 지방 7급

① 공공서비스에서의 비용과 편익의 분리

② 경제 활동에 영향을 주는 외부불경제(external diseconomy)

③ 비공식적 목표가 공식적 조직목표를 대체하는 현상

④ 의도하지 않은 파생적 외부효과

04 시장실패 및 정부실패에 대한 설명으로 옳지 않은 것은?

2016 국가 9급

① 시장실패를 초래하는 요인은 공공재의 존재, 외부효과의 발생, 불완전한 경쟁, 정보의 비대칭성 등이다.

② 시장실패를 교정하기 위한 정부 역할은 공적 공급, 공적 유도, 정부 규제 등이다.

③ 정부개입에 의해 초래된 의도하지 않은 결과 때문에 자원배분 상태가 정부개입이 있기 전보다 오히려 더 악화될 수 있다.

④ 정부실패는 관료나 정치인들의 개인적 요인 때문에 발생하며, 정부라는 공공조직에 내재하는 구조적 요인 때문에 발생하는 것은 아니다.

02

정답 : ②

② 관료들이 자기 부서의 이익 혹은 자신의 사적 이익에 집착함으로써 공익을 훼손하게 되는 경우를 내부성이라고 한다. 내부성은 정부실패의 요인에 해당한다.

① 비용과 수입의 분리는 정부서비스는 소요자원을 제공하는 측과 그 결과를 공급받는 측이 직접 연결되지 않는다는 것으로 정부실패의 요인에 해당한다.

③ X-비효율은 자원배분이나 법규정으로 명시할 수 없는 행정이나 관리상의 심리적·기술적 요인으로 인하여 야기되는 비효율로 정부실패의 요인에 해당한다.

④ 파생적 외부효과는 시장실패를 시정하기 위한 정부의 개입으로부터 야기되는 잠재적·비의도적 확산효과나 부작용을 의미하는 것으로 정부실패의 요인에 해당한다.

⑤ 분배적 불공평은 능력의 차이나 정보의 편재보다는 권력과 특혜의 남용에 의한 불평등을 의미하는 것으로 정부실패의 요인에 해당한다.

03

정답 : ②

② 외부불경제는 시장실패의 요인에 해당한다.

① 비용과 편익의 분리(절연)는 공공서비스의 총량을 늘리는데 관심을 갖게 됨으로써 낭비가 발생하고 자원이 효율적으로 배분되지 않으며, 수익자부담주의가 적용되지 않는 것을 의미하는 것으로 정부실패의 요인에 해당한다.

③ 비공식적 목표가 공식적 조직목표를 대체하는 현상은 내부성과 관련된 것으로, 정부 내부에서 공적 목표보다 사적이익을 우선시함에 따라 발생되는 현상이며, 이는 정부실패의 요인에 해당한다.

④ 파생적 외부효과는 정부의 규제나 보조금 정책 등이 의도하지 않은 부작용을 초래하는 현상을 의미하는 것으로 이는 정부실패의 요인에 해당한다.

04

정답 : ④

④ 정부실패는 관료나 정치인들의 잘못된 사고방식 및 행태 등 개인적 요인 때문에 발생하기도 하지만 정부부문의 비시장성이나 정부산출물의 비계량화 등 공공부문에 내재하는 구조적 요인 때문에 발생하는 경우도 있다.

① 시장실패를 초래하는 요인으로 공공재의 존재, 외부효과의 발생, 불완전한 경쟁, 정부의 비대칭성 등이 있다.

② 시장실패를 교정하기 위한 방법으로 공적 공급, 공적 유도, 정부 규제 등이 있다.

③ 정부개입에 의해 초래된 의도하지 않은 결과 때문에 자원배분 상태가 정부개입이 있기 전보다 오히려 더 악화될 수 있는 현상은 파생적 외부효과와 관련된 것으로, 정부실패의 요인에 해당한다.

정답
02 ② 03 ② 04 ④

다음 〈사례〉에 나타나는 현상으로 가장 적절한 것은?

2016 국회 8급

> 정부가 경제적 약자 보호를 위해 무주택자에게 아파트에 대한 청약우선권을 부여하는 정책을 실시하였더니, 주택을 구입할 경제력이 있는 사람들이 우선 청약권을 얻기 위해 의도적으로 전세를 살면서 자발적 무주택자가 되었다.

① 불완전 경쟁(imperfect competition)　　② 파생적 외부효과(derived externality)

③ 역선택(adverse selection)　　④ 적응적 흡수(co-optation)

⑤ 그레샴의 법칙(Gresham's law)

정부실패를 야기하는 요인과 정부의 대응방식이 올바르게 연결된 것은?

2013 국회 9급

① 사적 목표의 설정 – 정부보조 삭감　　② X 비효율, 비용체증 – 민영화

③ 파생적 외부효과 – 민영화　　④ 권력의 편재 – 정부보조 삭감

⑤ 정보의 비대칭성 – 규제완화

X-비효율성에 대한 설명이 아닌 것은?

2012 군무원

① 정부실패의 원인으로 볼 수 있다.

② 법제적 비효율을 의미한다.

③ X-비효율이 발생할 경우 민영화나 규제완화가 필요하다.

④ 배분적 효율성과는 상반되는 개념이다.

정부실패의 요인으로만 묶은 것은?

2009 국가 7급

> ㄱ. 공공재의 존재　　ㄴ. 사적 목표의 설정
> ㄷ. 외부효과의 발생　　ㄹ. 파생적 외부효과
> ㅁ. 불완전 경쟁　　ㅂ. 정보의 비대칭성
> ㅅ. 권력의 편재　　ㅇ. X 비효율
> ㅈ. 자연 독점

① ㄱ, ㄴ, ㅁ, ㅂ　　② ㄴ, ㄷ, ㅇ, ㅈ

③ ㄴ, ㄹ, ㅅ, ㅇ　　④ ㄷ, ㄹ, ㅂ, ㅅ

05

정답 : ②

② 정부의 개입이 의도하지 않은 부작용을 초래하는 현상으로 시장실패를 치유하기 위한 정부 개입이 새로운 문제를 유발시키는 경우를 파생적 외부효과라고 한다.

① 불완전 경쟁이란 소수의 지배자가 시장기능을 교란시킨 결과 가격기능이 제대로 작동하지 못함으로써 자원이 효율적으로 배분되지 못하는 현상을 말한다.

③ 역선택이란 수요자와 공급자 간 또는 주인과 대리인의 관계에 있어서 정보의 비대칭성 때문에 발생하는 문제를 말한다.

④ 적응적 흡수란 외부의 영향력 있는 유력 인사를 조직의 지도층 등에 영입시켜 위험요소를 제거하는 것으로 정책비용 감소 등 지지기반을 확대하는 장점이 있으나 목표와 행동을 부분적으로 수정하는 결과를 초래함으로써 정책의 효과성이 저해된다는 단점이 있다.

⑤ 그레샴의 법칙이란 악화가 양화를 구축한다는 병리적 현상을 말한다.

06

정답 : ②

② X 비효율, 비용체증은 민영화, 정부보조 삭감, 규제완화의 방법으로 대응한다.

① 사적 목표의 설정은 민영화의 방법으로 대응한다.

③ 파생적 외부효과는 정부보조 삭감이나 규제완화의 방법으로 대응한다.

④ 권력의 편재는 민영화나 규제완화의 방법으로 대응한다.

⑤ 정보의 비대칭성에 따른 대리손실은 일반적으로 시장실패의 원인에 해당한다. 이를 해결하기 위한 방법으로는 정보공개를 유도하기 위한 인센티브를 사용하거나 정보공개를 강제하는 방식을 통해 대응한다.

07

정답 : ②

② X-비효율성은 자원배분이나 법규정으로 명시할 수 없는 행정이나 관리상의 심리적·기술적 요인으로 인하여 야기되는 비효율을 의미한다.

① X-비효율성은 자원배분이 최적으로 이루어져도 최신 기술이나 절차를 사용하지 못하거나 관료들의 잘못된 의식구조나 행태에 기인하여 발생하는 낭비로 정부실패의 원인에 해당한다.

③ X-비효율성은 민영화나 정부보조 삭감, 규제완화의 방식으로 대응할 수 있다.

④ 배분적 효율성은 자원배분이 최적으로 이루어지는 것으로, 이는 X-비효율성과는 다른 개념이다.

08

정답 : ③

③ ㄴ, ㄹ, ㅅ, ㅇ이 정부실패의 요인에 해당한다.

ㄱ. [X] 공공재의 존재는 시장실패의 요인에 해당한다.

ㄷ. [X] 외부효과의 발생은 시장실패의 요인에 해당한다.

ㅁ. [X] 불완전경쟁은 시장실패의 요인에 해당한다.

ㅂ. [X] 정보의 비대칭성은 시장실패와 정부실패 모두의 요인에 해당한다.

ㅈ. [X] 자연독점은 시장실패의 요인에 해당한다.

정부실패에 대한 대응

구분	민영화	정부보조 삭감	규제 완화
사적 목표 설정	○		
X-비효율, 비용체증	○	○	○
파생적 외부효과		○	○
권력의 편재	○		○

정답

05 ② 06 ② 07 ② 08 ③

☐☐
01 정부와 시민사회 간의 관계에 대한 설명으로 옳지 않은 것은?

2016 사복 9급 / 군무원

① 좋은 거버넌스에서는 시민단체의 역할을 강조한다.

② 우리나라에서는 시민단체의 자율성을 위하여 정부가 재정 지원을 하지 않는다.

③ 정부와 시민단체의 지나친 유착은 시민단체의 정체성 문제를 야기한다.

④ 정부와 시민단체 간의 균형을 위해서는 정보의 공유가 필요하다.

☐☐
02 지방공공서비스의 공급유형 중 공공부문 (제1섹터)과 민간부문(제2섹터)이 결합하여 자본을 공동출자하여 설립한 법인으로서 공공성과 영리성을 동시에 추구하는 공공서비스의 공급유형은?

2013 해경간부

① 민영화(민간부문공급)　　　　　　② 공동생산

③ 제3섹터　　　　　　　　　　　　④ 지방자치단체

☐☐
03 현대 민주주의 국가에서 정부와 시민사회의 관계에 대한 설명으로 적절하지 않은 것은?

2012 지방 9급

① 시민사회의 역량이 커지면서 정부 중심의 통치에서 거버넌스로 관점이 변화되고 있다.

② 정부주도의 성장 과정에서 초래된 사회적 부작용을 완화하는 방안으로 시민사회의 역할이 강조되고 있다.

③ 시민의식이 성숙되고 시민의 참여욕구가 증대하면서 정부와 시민사회의 새로운 파트너십이 요구되고 있다.

④ 시민사회에 발생하는 이해관계자 간의 다양한 갈등을 해결하기 위하여 심판자로서의 정부 역할이 강화되고 있다.

CHAPTER 09 민영화

기출 필수 코스

☐☐
01 민영화에 대한 설명으로 옳지 않은 것은?

2020 군무원 7급

① 면허(franchise)- 경쟁이 약하면 이용자의 비용부담이 과중하게 될 수 있다.

② 바우처(vouching)- 소비자가 재화의 선택권을 갖는다.

③ 보조금(subsidy)- 신축적 인력운영이 가능하고 서비스 수준을 개선하는 효과가 크다.

④ 자조활동(self-help)- 정부의 서비스 생산업무를 대체하기보다는 보조하는 성격을 갖는다.

01

정답 : ②

② 우리나라에서는 2000년 「비영리민간단체 지원법」을 제정하여 비영리민간단체에 보조금 등의 재정 지원을 하고 있다.

① 좋은 거버넌스는 좋은 구성원들과의 좋은 관계를 통한 공동 관리의 지향을 중시하는 것으로, 좋은 관계를 위해서는 시민단체의 활동 및 역할을 강조한다.

③ 시민단체가 특정 기관과 지나치게 유착될 경우 정부와 이익집단 간의 정경유착처럼 새로운 유착이 초래될 수 있으며 이는 시민단체의 정체성 문제를 야기할 수 있다.

④ 정부와 시민단체 간의 균형을 위해서는 서로 정보를 공유하는 것이 필요하다.

02

정답 : ③

③ 제3섹터 방식은 지방자치단체(제1섹터)와 민간(제2섹터)이 공동으로 서비스를 제공하는 형태로, 공공성과 영리성을 동시에 추구하는 방식이다.

① 민영화(민간부문공급)는 민간부문에 해당서비스의 생산역량이 있고, 공급에 시장탄력성이 있어 특별한 사회적 쟁점이 부각되지 않는 공공서비스로 민간에서 생산하며 공급하도록 하는 방식이다.

② 공동생산이란 공공서비스의 공급 및 정책의 집행과정에 공공부문과 민간부문이 협력적 분업 관계를 형성하는 공무원과 민간의 협동적 생산을 의미한다.

④ 지방자치단체란 국가 아래에서 국가영토의 일부를 구성요소로 하고 그 구역 안의 주민을 법률이 정하는 범위 안에서 지배할 수 있는 권한을 가진 단체를 말한다.

03

정답 : ④

④ 이해관계자 간의 갈등해결을 위한 중립적 심판자로서의 정부역할은 전통적인 다원주의에 해당하며, 현대 민주주의 국가에서는 거버넌스 등을 중시하면서 시민사회의 역할과 참여가 강조되고 있다.

① 현대의 시민사회는 네트워크 거버넌스의 주요 구성요소로서 기능한다.

② 시장실패와 정부실패를 동시에 극복하는 방안으로 대두되었다.

③ 정부와 시민사회(NGO)는 적대적 관계보다는 서로의 존재를 인정하는 동반자적 관계가 점차 일반화되어 가는 추세이다.

01

정답 : ③

③ 보조금 지급 방식은 공공서비스의 요건을 구체적으로 명시하기 곤란하거나 서비스가 기술적으로 복잡하고 목표달성이 불확실한 경우 사용할 수 있는 장점이 있다. 그러나 민간운영자에게 보조금의 재정지원을 해주는 방식이므로 서비스 수준을 개선하는 효과는 크지 않다. 한편, 일정 서비스 수준을 규제할 수 있는 방식은 면허 방식이다.

① 면허 방식은 민간기업에게 특정 서비스를 제공할 수 있는 면허권을 부여하는 방식으로 민간업자의 경쟁이 약하면 가격하락 효과가 없기 때문에 이용자의 비용부담이 과중하게 될 수 있다.

② 바우처 방식은 소비자가 재화의 선택권을 가질 수 있는 장점이 있다.

④ 자조활동은 공공서비스의 수혜자와 공급자가 일치하는 경우로 지역 야간 순찰대 등이 대표적 사례이며, 정부의 서비스 생산 업무를 대체하기보다는 보조하는 성격을 갖는다.

포인트 정리

비영리민간단체 지원법 제5조(비영리민간단체에 대한 지원 등) ② 행정안전부장관 또는 시·도지사는 공익활동에 참여하는 비영리민간단체에 대하여 필요한 행정지원 및 이 법이 정하는 재정지원을 할 수 있다.

정답

01 ② 02 ③ 03 ④ 01 ③

02 정부가 민간위탁하기에 가장 적절하지 않은 업무는?

① 시민의 의식주 생활에 직접적인 영향을 미치는 사무

② 단순 사실행위인 행정작용

③ 공익성보다 능률성이 현저히 요청되는 사무

④ 특수한 전문지식 및 기술이 필요한 사무

03 공공서비스 전달방식에 대한 설명으로 가장 옳은 것은?

① 프랜차이즈 방식은 정부가 개인들에게 특정 상품 및 서비스 구입이 가능한 쿠폰을 제공하는 방식이다.

② 공공−민간협력방식(PPP)은 정부가 민간부문에 출자하고 이를 경영하되 위험은 정부가 모두 부담하는 방식이다.

③ 수익형 민자사업(BTO) 방식은 민간이 시설을 건설하고 직접 소유하면서 운영하는 방식이다.

④ 임대형 민자사업(BTL) 방식은 민간이 시설을 건설하고 정부가 소유하며 민간은 정부로부터 임대료 수익을 보장받는 방식이다.

04 다음 중 민간위탁에 대한 설명으로 옳지 않은 것은?

① 정부기관이 조사·검사·검정 등 국민의 권리·의무와 직접 관계된 사무 일부를 민간부문에 위탁하는 것이다.

② 공공서비스 전달의 비용절감 및 품질개선 등 효율성을 제고하는 성과를 창출할 수 있다.

③ 정치적 관점에서는 관료제가 자기조직의 이익확대를 추구하는 목적으로 사용된 측면이 있다.

④ 우리나라 지방자치단체의 민간위탁은 정부혁신의 일환으로 중앙정부로부터 수직적으로 추진되었다.

⑤ 면허방식에서는 서비스 제공자들 간의 경쟁이 약할 경우 이용자 고객의 비용부담이 증가할 수 있다.

05 최근 쓰레기 수거와 같이 전통적으로 정부의 고유영역으로 간주되어 온 서비스를 민간에 위탁하는 경우가 있는데, 그 목적이라고 보기 힘든 것은?

① 행정의 효율성 향상

② 행정의 책임성 확보

③ 경쟁의 촉진

④ 작은 정부의 실현

02

정답 : ①

① 시민의 의식주 생활에 직접적인 영향을 미치는 사무는 민간위탁이 제한되는 업무이다.

②, ③, ④ 단순 사실행위인 행정작용, 공익성보다 능률성이 현저히 요청되는 사무, 특수한 전문지식 및 기술이 필요한 사무는 모두 민간위탁을 적극적으로 권장하는 사무에 해당한다.

> **행정권한의 위임 및 위탁에 관한 규정 제11조(민간위탁의 기준)** ① 행정기관은 법령으로 정하는 바에 따라 그 소관 사무 중 조사 · 검사 · 검정 · 관리 사무 등 국민의 권리 · 의무와 직접 관계되지 아니하는 다음 각 호의 사무를 민간위탁할 수 있다.
> 1. 단순 사실행위인 행정작용
> 2. 공익성보다 능률성이 현저히 요청되는 사무
> 3. 특수한 전문지식 및 기술이 필요한 사무
> 4. 그 밖에 국민 생활과 직결된 단순 행정사무

03

정답 : ④

④ BTL 방식은 민간기업이 공공시설을 건설하고 정부로부터 임대료를 받아 투자비를 회수하는 방식이다.

① 바우처 방식은 정부가 개인들에게 특정 상품 및 서비스 구입이 가능한 쿠폰을 제공하는 방식이다.

② 공공─민간협력방식(PPP)은 정부가 민간부문에 전부 또는 일부 출자하고 민간이 이를 경영하여 수익을 얻는 방식이므로 위험부담 또한 민간이 부담한다.

③ 수익형 민자사업(BTO) 방식은 민간이 시설을 건설하고 소유권을 정부에 이전한 후 민간이 운영하면서 수익을 얻는 방식이다.

04

정답 : ①

① 국민의 권리 · 의무와 직접 관계되는 사무는 민간위탁보다는 정부가 직접 수행하는 것이 바람직하다.

② 비용의 절감 및 업무의 능률적 수행을 도모할 수 있게 해줌으로써 행정의 능률성을 향상시킨다.

③ 관료제는 자기보존 및 세력확장을 도모하기 위해 업무량과는 상관없이 기구나 예산, 인력들을 계속적으로 확장하려고 한다는 관료제국주의의 맥락이다. 이러한 관료제의 속성이 민간위탁으로 설명할 수 있다.

⑤ 면허방식은 정부가 서비스수준 및 요금을 통제하면서도 서비스 생산을 민간에 이양할 수 있다는 장점이 있으나, 공급자 간 경쟁이 미약할 경우 이용자의 비용부담이 과중해질 우려가 있다.

05

정답 : ②

② 민영화는 정부기능의 전부나 일부를 민간에 이양하는 것으로, 행정의 책임성을 저해한다는 단점이 있다.

① 민영화는 양질의 행정서비스를 제공하고, 정부와 공공부문의 비용절감에 따라 행정의 능률성 및 효율성이 향상된다.

③ 민영화는 경쟁을 통해 비용의 절감과 업무의 능률적 수행을 도모한다.

④ 자원의 효율적 배분 및 작은 정부 실현을 통해 정부 규모가 적정화된다.

PART 1 해커스공무원 마니행정학 기출 박데이터 기본기

🏅 포인트 정리

민간위탁 지양대상 사무

- 주민의 권리·의무 및 의식주 생활에 직접적 영향을 미치는 사무
- 위탁시 지나친 수익성 추구로 공공성을 심히 저해할 우려가 있는 사무
- 국가의 검증, 시험연구, 공신력이 요구되는 사무
- 위탁관리시 오히려 서비스의 질을 크게 떨어뜨릴 우려가 있는 사무
- 법적 근거 등 합리적 사유가 없는 사회 공익서비스 분야의 사무

민영화의 장점 vs 단점

장점	단점
• 행정의 능률성 향상	• 형평성 저해
• 업무의 전문성 향상	• 책임성 저해
• 신축성, 대응성 증가	• 안정성 저해
• 서비스 질 향상	• 공익성 저해
• 자원의 효율적 배분	• 가격인상
• 도덕적 해이 감소	• 역대리인 문제
• 민간경제의 활성화	• 크림스키밍 현상
• 복대리인 관계	

정답

02 ① 03 ④ 04 ① 05 ②

06 공공서비스 제공 시 사용료 부과 등 수익자 부담의 원칙을 적용할 때 발생할 수 있는 현상은? 2013 국가 9급

① 공공서비스의 불필요한 수요를 줄일 수 있다.

② 누진세에 비해 사회적 형평성 제고 효과가 크다.

③ 일반 세금에 비해 조세저항을 강하게 유발한다.

④ 비용편익분석이 곤란하게 되어 경제적 효율성을 저하시킨다.

07 우리나라 현행 제도상 사회적기업에 대한 설명으로 옳은 것은? 2012 지방 7급

① 이익을 재투자하거나 그 일부를 연계기업에 배분할 수 있다.

② 재화 및 서비스의 생산·판매 등 영업활동을 하여야 한다.

③ 정부는 매년 사회적기업의 활동실태를 조사하고 육성계획을 수립·추진하여야 한다.

④ 설립 초기의 일정기간 동안에는 유급근로자를 고용하지 않고 무급근로자만으로 운영할 수 있다.

08 공공서비스의 공급방식 중에서 민간이 공공시설을 짓고 정부가 이를 임대해서 쓰는 민간투자방식을 의미하는용어는? 2009 국가 9급

① BTL   ② BTO

③ Voucher   ④ Contracting Out

09 민간위탁 방식에 대한 설명으로 옳지 않은 것은? 2009 국가 7급

① 자원봉사자 방식은 서비스의 생산과 관련된 현금지출에 대해서만 보상받고 직접적인 보수는 받지 않는 방식이다.

② 보조금 방식은 민간조직 또는 개인의 서비스 제공활동에 대하여 재정 또는 현물로 지원하는 방식이다.

③ 구입증서 방식은 시민들의 서비스 구입 부담을 완화시키기 위해 금전적 가치가 있는 쿠폰을 제공하는 방식이다.

④ 계약방식은 민간조직에게 일정구역 내에서 공공서비스를 제공하는 권리를 인정하는 방식이다.

06 정답 : ①

① 수익자 부담원칙을 적용하면 공공서비스의 실수요자만 이용하기 때문에 공공서비스의 불필요한 수요를 줄일 수 있다.
② 누진세는 공공서비스 이용량에 따른 차별적 비용부과 방식으로, 소득의 재분배를 통해서 사회적 형평성을 제고한다.
③ 응능주의에 기반하고 있는 일반세금은 조세부담자와 공공서비스 대상자 간에 괴리가 발생해 조세저항이 강하게 나타난다.
④ 수익자 부담의 원칙은 공공서비스 생산에 소요되는 비용과 공공서비스 소비에 의한 편익을 명확하게 해주기 때문에 비용편익분석이 용이해지며, 경제적 효율성을 제고할 수 있다.

07 정답 : ②

② 사회적기업은 사회적 목적을 추구하면서 재화 및 서비스의 생산·판매 등 영업활동을 하는 기업을 의미한다.
① 사회적기업은 영업활동을 통하여 창출한 이익을 사회적기업의 유지·확대에 재투자하도록 노력하여야 하며, 연계기업은 사회적기업이 창출하는 이익을 취할 수 없다.
③ 고용노동부장관은 5년마다 사회적기업의 활동실태를 조사하고 사회적기업 육성 기본계획을 5년마다 수립하여야 한다.
④ 사회적기업은 유급근로자를 고용하여 재화와 서비스의 생산·판매 등 영업활동을 하여야 사회적기업으로 인증받을 수 있다.

08 정답 : ①

① 민간이 공공시설을 짓고 정부가 이를 임대해서 쓰는 민간투자방식은 BTL 방식이다.
② BTO 방식은 민간이 공공시설을 짓고 민간이 관리운영권을 가지고 운영하는 것으로 일정기간동안 사용료 수익을 소비자로부터 받는 민간투자방식이다.
③ 바우처는 저소득층에게 서비스를 이용할 수 있는 쿠폰이나 이용권을 지급하는 방식이다.
④ 외부계약(Contracting out)은 정부기관이 조사·검사·검정 등 국민의 권리·의무와 직접 관련되지 아니한 사무의 일부를 민간부문에 위탁하는 방식이다.

09 정답 : ④

④ 민간조직에게 일정구역 내에서 공공서비스를 제공하는 권리를 인정하는 방식은 면허방식에 해당한다. 한편 계약방식은 정부가 경쟁입찰을 통해 선정된 민간업자와 계약을 체결하여 지불하고, 공공서비스의 생산을 의뢰하는 방식이다.
① 자원봉사자 방식은 직접적인 보수는 받지 않으면서 서비스의 생산과 관련된 현금지출(실비)에 대해서만 보상받고 정부를 위해 봉사하는 사람들을 활용하는 방식이다.
② 보조금 방식은 민간조직 또는 개인의 서비스 제공활동에 대한 재정 또는 현물을 지원하는 방식으로 공공서비스에 대한 요건을 구체적으로 명시하기 곤란하거나 서비스가 기술적으로 복잡하고 서비스의 목표를 어떻게 달성할 것인지 불확실할 경우에 사용한다.
③ 구입증서방식은 저소득층에게 민간이 생산하는 서비스를 이용할 수 있는 쿠폰이나 카드형태의 구매권이나 이용권을 지급하는 방식으로 소비자에게 현금을 직접 주지는 않지만 실질적인 구매력을 제공해주는 효과가 있다.

✦ 포인트 정리

정답
06 ① 07 ② 08 ① 09 ④

10 다음 중 공공서비스의 민간위탁시 장점에 해당하지 않는 것은?

2009 부산 소방

① 공공재의 서비스 및 품질 개선에 기여할 수 있다.

② 정부에 대한 민간의 민주적·자율적 행정통제가 용이하다.

③ 정부규모의 적정화와 작은 정부를 실현할 수 있다.

④ 사회적으로 소외된 자에 대한 형평성을 고려할 수 있다.

CHAPTER 10 행정이념(본질적 가치)

기출 필수 코스

01 롤스(J. Rawls)의 정의론에 대한 설명으로 옳지 않은 것은?

2018 국가 9급

① 원초적 자연상태(state of nature) 하에서 구성원들의 이성적 판단에 따른 사회형태는 극히 합리적일 것이라고 가정하는 사회계약론적 전통에 따른다.

② 현저한 불평등 위에서는 사회의 총체적 효용 극대화를 추구하는 공리주의가 정당화될 수 없다고 본다.

③ 사회의 모든 가치는 평등하게 배분되어야 하며, 불평등한 배분은 그것이 사회의 최소수혜자에게도 유리한 경우에 정당하다고 본다.

④ 자유와 평등의 조화를 추구하는 중도적 입장보다는 자유방임주의에 의거한 전통적 자유주의 입장을 취하고 있다.

02 행정의 본질적 가치에 관한 설명으로 가장 적절한 것은?

2016 경정승진

① 롤스(J. Rawls)는 원초적 상태하에서 합리적 인간은 최대극소화 원리에 따라 의사결정을 한다고 전제한다.

② 지나친 집단 이기주의를 극복하기 위해서는 공익에 대한 과정설적인 입장을 반영할 필요가 있다.

③ 실체설은 공익을 사익의 총합으로 보며, 사익을 초월한 별도의 공익은 존재하지 않는다고 본다.

④ 사회적 형평은 성별, 계층별, 세대별로 사회적 약자들을 적극 배려해야 한다는 적극적인 신념에 바탕을 두고 있다.

03 행정가치 중 사회적 형평에 관한 설명으로 옳지 않은 것은?

2015 교행 9급

① 행정이 중립적이어야 한다는 신념에 바탕을 두고 있다.

② 능률 중심의 전통적 행정에 대한 비판과 함께 강조되었다.

③ 사회적·경제적 약자에게 더 많은 혜택을 제공해야 한다고 주장한다.

④ 현재 차별을 하지 않을 뿐만 아니라 과거의 차별로 인한 결과의 시정까지 요구한다.

10
정답 : ④

④ 민영화는 시장논리나 수익자부담원칙을 강조하므로 사회적으로 소외된 계층의 서비스 이용
이 어려워지며 형평성을 저해한다.

① 민영화는 경쟁을 통해 서비스 공급가격을 낮추고 행정서비스의 질을 향상하고 품질 개선을
제고한다.

② 민영화는 민간의 행정참여를 활성화하고 행정에 대한 민주적·자율적 통제가 유리하다.

③ 민영화는 정부의 정치적 부담을 줄여주어 정부규모를 적정하게 확립하고 작은 정부를 실현
할 수 있다.

01
정답 : ④

④ 롤스는 전통적 자유주의와 사회주의의 양 극단을 지양하고 자유와 평등의 조화를 추구하는
중도의 입장을 취하고 있다.

① 롤스는 불확실한 원초적 상태에서 구성원들이 합의하는 원칙이 공정할 것이라고 전제하였으
며 이는 사회계약론자들의 주장과도 일치한다.

② 현저한 불평등 위에서는 사회의 총체적 효용 극대화를 추구하는 공리주의나 다수결의 원칙
이 정당화될 수 없다고 본다.

③ 사회의 모든 가치는 평등하게 배분되어야 한다는 차등조정의 원칙에 입각해 불평등한 배분
의 경우 최소 수혜자에게도 유리한 경우 정당하다고 본다.

02
정답 : ④

④ 정치·경제·사회적으로 불리한 입장에 있는 사회적 약자들을 적극 배려해야 한다는 입장으
로 합리적 차별이나 정당한 불평등의 개념을 포함한다.

① 롤스는 원초적 상태하에서 합리적 인간은 최소극대화 원리에 따라 의사결정을 한다고 전제
한다.

② 과정설의 입장에서 나타나는 집단이기주의를 극복하기 위한 방안으로는 실체설적인 입장을
반영하여야 한다.

③ 공익을 사익의 총합으로 보는 것은 과정설에 해당한다. 한편 실체설은 공익은 사익을 초월한
선험적·도덕적·규범적인 것으로 존재한다고 본다.

03
정답 : ①

① 형평성은 행정이 중립적이어야 한다는 신념에 바탕을 두고 있다는 의미가 아닌 경제적, 사회
적으로 불리한 계층에게 보다 나은 행정서비스를 제공하여 배분적 정의를 구현하고자 하는
행정이념이다.

② 능률은 양적 성장을 추구하므로 형평성과 상충된다.

04 행정에 대한 설명으로 옳지 않은 것은?

2015 지방 9급

① 행정은 정부의 단독행위가 아니라 사회의 다양한 주체들이 함께 참여하는 협력행위로 변해가고 있다.

② 행정은 사회의 공공가치 실현을 목적으로 한다.

③ 행정은 민주주의의 원칙에 따라 재원의 확보와 사용에 있어서 국회의 통제를 받는다.

④ 행정의 본질적 가치로는 능률성, 책임성 등이 있으며 수단적 가치로는 정의, 형평성 등을 들 수 있다.

05 행정의 본질적 가치에서 공익의 본질에 관한 설명 중 가장 적절하지 않은 것은?

2015 경정승진

① 실체설에 의하면 공익 결정은 다수에 의해 민주적으로 이루어지는 것으로 본다.

② 과정설에 의하면 사익을 초월한 별도의 공익이란 존재하지 않으며, 공익이란 사익의 총합이거나 사익 간의 타협 또는 집단 간의 상호작용의 산물이라고 보는 입장이다.

③ 실체설에 의하면 공익이 사익을 초월한 실체적·규범적·도덕적 개념으로서 공익과 사익의 갈등을 인정하지 않는 입장이라고 할 수 있다.

④ 과정설에 의하면 협상과 조정과정에서 약자가 희생되는 결과를 초래할 수 있다.

06 롤스(J. Rawls)의 정의론과 거리가 먼 것은?

2013 지방 7급

① 기본적 자유의 평등 원리

② 최대극대화의 원리

③ 차등의 원리

④ 공정한 기회균등의 원리

07 공익의 본질에 관한 설명으로 옳지 않은 것은?

2011 국회 8급

① 공익의 실체설은 공익이 사익을 초월하여 선험적·규범적인 것으로 존재한다고 본다.

② 공익의 과정설은 공익을 수많은 사익 간의 조정과 타협의 산물이라고 본다.

③ 공익의 실체설은 관료의 독자적·적극적 역할을 강조한다.

④ 공익의 과정설은 개인주의적·다원주의적 시각에 가깝다.

⑤ 공익의 실체설은 절차적 합리성을 강조하여 적법절차의 준수에 의해서 공익이 보장된다고 본다.

04

④ 행정의 본질적 가치로는 정의, 형평성 등이 있으며 수단적 가치로는 능률성, 책임성 등을 들수 있다.

① 거버넌스로서의 행정에 대한 설명으로 최근 행정은 정부의 단독행위가 아니라 사회의 다양한 주체들이 함께 참여하는 협력행위로 변해가고 있다.

② 행정의 특징인 공공성에 대한 설명으로 행정은 궁극적으로 공공가치의 실현을 목적으로 한다.

③ 재정민주주의와 관련된 내용으로 행정은 재원의 확보와 사용에 있어 국회의 통제를 받는다.

05

① 공익 결정이 다수에 의해 민주적으로 이루어진다고 보는 것은 과정설의 입장이다.

② 과정설은 공익을 사익의 총합이거나 사익 간의 타협 또는 집단 간 상호작용의 산물이라고 보며 사익을 초월한 별도의 공익은 존재하지 않는다고 본다.

③ 실체설은 공익을 사익을 초월한 실체적·규범적·도덕적 개념으로 보고, 공익과 사익의 갈등을 인정하지 않는다.

④ 과정설은 공익을 다수 이익들 간의 조정과 타협의 산물로 보는 입장으로 집단이기주의의 폐단이 발생할 수 있으며 그 과정에서 사회적 약자가 희생되는 결과가 초래되기도 한다.

06

② 롤스는 최대극대화가 아니라 최소극대화의 원리(Maximin)를 주장한다. 최소극대화의 원리는 약자에게 돌아가는 몫(적게 돌아가는 사람의 몫)이 가장 큰 대안을 선택하는 의사결정원리이다.

① 기본적 자유의 평등 원리(동등한 자유의 원리)는 정의의 제1원칙으로, 다른 사람의 동일한 자유와 상충되지 않는 범위 내에서 최대한으로 자유에 대하여 동등한 권리를 가진다는 내용이다.

③ 차등의 원리(정당한 불평등의 원리)는 정의의 제2원칙으로, 사회적·경제적 불평등은 저축의 원리와 양립하는 범위에서 가장 불리한 입장에 있는 사람에게 최대한의 이익이 되어야 한다는 최소극대화의 기준이며, 결과의 공평을 중시한다.

④ 공정한 기회균등의 원리는 정의의 제2원칙으로, 직무와 직위는 모든 사람에게 공정하게 개방되어야 한다는 원리로 기회의 공평을 중시하며, 제2의 원칙 중에서 기회균등의 원리가 차등의 원리에 우선한다.

07

⑤ 절차적 합리성을 강조하여 적법절차의 준수에 의해서 공익이 보장된다고 보는 것은 공익의 과정설에 대한 설명이다.

① 공익의 실체설은 사익을 초월하는 선험적·규범적·도덕적인 개념으로 공익을 본다.

② 공익의 과정설은 공익을 수많은 사익의 총합이거나 사익 간의 조정·타협의 산물로서 민주적 조정 과정을 통해 도출되는 것으로 본다.

③ 공익의 실체설은 국가 우월적 지위에서 행정의 목민적 역할을 강조하는 입장으로 국가주의나 엘리트주의와 관련되며 정부 관료의 적극적 역할이 중시된다.

④ 공익의 과정설은 주로 다원화된 선진국에서 적용되며 공익결정에 있어 다수의 이익집단이나 개인이 적극적인 역할을 수행하고 정부는 국민주권주의에 입각한 중립적·민주적 조정자 역할을 담당하는 입장으로 개인주의·다원주의 관점이다.

📕 포인트 정리

본질적 가치 vs 수단적 가치

본질적 가치	• 가치자체가 목적이 됨, 결과에 상관없이 만족제공 • 시대흐름과 무관한 불변의 가치 • 행정을 통해 이룩하고자 하는 궁극적 가치
수단적 가치	• 목적 실현을 가능하게 하는 수단적 가치 • 시대의 흐름에 따라 중요도가 다름 • 실제적 행정과정에 구체적 지침이 되는 규범적 기준

정답

04 ④ 05 ① 06 ② 07 ⑤

08 롤스(Rawls)의 정의와 관련한 설명으로 가장 거리가 먼 것은?

2010 서울 7급

① 정의를 공평으로 풀이하면서 배분적 정의가 평등원칙에 입각해야 함을 강조한다.

② 정의의 제1원리로서 기본적 자유의 평등원리를 들고 있다.

③ 기본적 자유의 평등원리와 차등조정의 원리가 충돌할 때는 차등조정의 원리가 우선한다.

④ 원초적 상태에서의 인간은 최소극대화 원리에 입각하여 규칙을 선택하는 것으로 가정한다.

⑤ 자유와 평등의 조화를 추구하는 중도적 입장을 취하고 있다.

09 공익의 핵심을 정의(justice)로서 인식한 롤스(John Rawls)의 사회정의론의 내용이 아닌 것은?

2009 서울 7급

① 정의를 공정성(fairness)으로서 보았다.

② 이념적·가설적 상황으로서 원초적 상태를 설정하였다.

③ 무지의 베일(veil of ignorance)의 개념을 통해서 계급·계층·신분·직업이 고려되어야 한다는 입장을 취하였다.

④ 각 개인은 다른 사람의 유사한 자유와 상충되지 않는 한도 내에서 기본적 자유와 평등이 인정되어야 한다고 보았다.

⑤ 차등원리와 기회균등의 원리를 주장하였다.

CHAPTER 11　행정이념(수단적 가치)

기출 필수 코스

01 디목(M. Dimock)의 사회적 능률에 대한 설명으로 가장 적절하지 않은 것은?

2020 군무원 9급

① 사회적 형평성을 보장하기 위한 개념이다.

② 행정의 사회 목적 실현과 관련이 있다.

③ 경제성과 연계될 수 있는 개념이다.

④ 최소의 투입으로 최대의 산출을 추구한다.

08

정답 : ③

③ 기본적 자유의 평등원리(정의의 제1원리)와 차등조정의 원리(정의의 제2원리)가 충돌할 때는 기본적 자유의 평등원리(정의의 제1원리)가 우선한다.

② 기본적 자유의 원리는 최대한 보장되어야 한다.

④ 롤스는 원초적 상태와 무지의 베일을 가정한다.

09

정답 : ③

③ 무지의 베일(veil of ignorance)은 자신과 자신이 소속된 사회의 특수한 사정에 무지하여야 한다는 것으로, 자신의 신분·계급·재능·직업과 사회제도에 대해 전혀 알지 못하는 상황을 의미한다.

① 정의는 사회구성원 각자가 향유해야 할 사회적·경제적 가치의 몫을 누리는 상태로 분배적 정의를 의미하며 이는 공정성·형평성과 깊은 연관성을 가진다.

② 롤스는 '원초적 상태'라는 가상적·이념적 상황을 설정하고 불확실한 원초적 상태에서 구성원들이 이성적으로 합의하는 원칙이 공정할 것이라고 전제하였다.

④ 개인은 다른 사람의 유사한 자유와 상충되지 않는 한도 내에서 기본적 자유와 평등이 인정되어야 한다고 보는 것은 동등한 자유의 원리로 정의의 제1원리에 해당한다.

⑤ 기회균등의 원리와 차등조정의 원리는 정의의 제2원리로, 기회의 공평을 의미하는 기회균등의 원리가 결과의 공평을 중시하는 차등조정의 원리에 우선한다.

01

정답 : ①

① 사회적 능률성은 민주성 등과 관련되며 분배의 형평성이나 사회적 형평성과 관련이 없다.

② 사회적 능률은 인간가치의 충족과 사회목적의 실현과 관련된다.

③ 능률성은 경제성과 관련된다.

④ 능률성은 최소의 비용과 노력으로 최대의 산출을 얻고자 한다.

정답
08 ③ 09 ③ 01 ①

02 행정이념에 대한 설명으로 옳지 않은 것은?

2020 소방간부

① 기계적 효율성은 정치·행정이원론 시대에 경영학의 과학적 관리론이 행정학에 도입되면서 중시되었다.

② 예산의 분배과정에 있어 선택과 집중을 하는 것은 행정의 형평성을 강조하는 것이다.

③ 사회적 효율성은 행정의 사회목적 실현과 다원적 이익들 간의 통합조정 및 구성원의 인간가치의 실현 등을 강조한다.

④ 발전행정론은 효과성을 강조한 행정이론이다.

⑤ 행정의 능률성과 효과성은 행정의 본질적 가치라기보다는 수단적 가치이다.

03 행정에 있어서 가외성(redundancy)에 대한 설명으로 가장 옳지 않은 것은?

2020 경찰간부

① 가외성은 환경에 대한 조직의 적응성을 높여준다.

② 란다우(M.Landau)는 권력분립 및 연방주의를 가외성의 현상으로 보았다.

③ 환경의 불확실성이 커질수록 가외성의 필요성은 증가한다.

④ 불확실성에 대한 적극적 대처방안이다.

04 주요 행정이념에 대한 설명으로 가장 옳지 않은 것은?

2019 서울 9급(2월)

① 합법성은 정부 관료의 자의적인 행정활동을 막아주는 데 기여한다.

② 사회적 효율성은 구성원의 인간적 가치 실현 등을 내용으로 하여 민주성의 개념으로 이해되기도 한다.

③ 환경의 불확실성이 커질수록 가외성은 행정의 안정성과 신뢰성 확보 측면에서 그 필요성이 높아진다.

④ 효과성은 투입에 대한 산출의 비율을 의미하는 것으로 산출에 대한 비용의 관계라는 조직 내의 조건으로 이해된다.

05 행정이 추구하는 가치에 대한 설명으로 옳지 않은 것은?

2019 교행 9급

① 합리성은 어떤 행위가 궁극적인 목표달성을 위한 최적의 수단이 되느냐를 가리키는 개념이다.

② 효과성은 투입 대비 산출의 비율을, 능률성은 목표의 달성도를 나타내는 개념이다.

③ 행정의 민주성은 대외적으로 국민 의사의 존중·수렴과 대내적으로 행정조직의 민주적 운영이라는 두 가지 측면이 있다.

④ 수평적 형평성이란 동등한 것을 동등하게 취급하는 것, 수직적 형평성이란 동등하지 않은 것을 서로 다르게 취급하는 것을 의미한다.

02

② 예산의 분배과정에 있어 선택과 집중은 필요한 분야에 대한 합리적 자원배분을 하는 것으로 효율성(능률성)을 강조하는 것이며, 합리주의(총체주의) 예산결정이론에서 중시한다.

③ 사회적 능률은 사회적 관계를 중시한 능률(효율)이다.

⑤ 공익, 정의 등은 본질적 가치이고, 민주, 능률, 효과 등은 수단적 가치이다.

03

정답 : ④

④ 불확실성에 대한 소극적 대처방안이다.

①, ③ 가외성은 행정에 있어서 중첩이나 여분.초과분을 의미하는 것으로 불확실한 과업환경에서의 생존가능성이나 신뢰성·적응성 확보를 위한 가치이다.

② 가외성이 적용된 사례로는 권력분립, 부통령제, 양원제, 연방주의 등이 있다.

04

정답 : ④

④ 투입에 대한 산출의 비율을 의미하는 것은 능률성으로 산출에 대한 비용의 관계라는 조직 내의 조건으로 이해된다. 한편 효과성은 산출이 목표를 달성한 정도(목표달성도)를 의미하는 것이다.

① 합법성은 법률 적합성으로 관료의 자의적인 행정활동을 막는 데 기여한다.

② 사회적 효율성은 인간가치의 충족과 사회목적의 실현을 의미하는 것으로 민주성의 개념으로 이해되기도 한다.

③ 가외성은 불확실성의 시대에서 실패에 대비하기 위한 신뢰성 확보 차원에서 주장하는 행정이념이다.

05

정답 : ②

② 효과성은 목표의 달성도를, 능률성은 투입 대비 산출의 비율을 나타내는 개념이다.

① 합리성은 목적·수단의 연쇄관계를 전제로 어떤 행위가 궁극의 목적 달성에 최적 수단이 되느냐를 의미하는 개념이다.

③ 민주성은 국민의 의사를 행정에 반영하고 국민을 위한 행정을 펼치는 것으로 대외적으로는 정부가 국민의 의사를 존중하고 수렴하는 책임행정의 구현과 관련되고, 대내적으로는 행정조직 내부 관리 및 운영과 관련된다.

④ 수평적 형평성은 공공서비스를 제공하는데 그 결정기준이 되는 특성에 비례하여 같은 양의 서비스를 받도록 하는 것으로서 동등한 것을 동등하게 취급하는 것을 의미한다. 한편 수직적 형평성은 각 개인의 특성에 정도의 차이가 있는 시민에게 공공서비스 배분의 형평성을 고려하는 기준으로 다른 것은 다르게 취급하는 것을 의미한다.

06 다음과 관련있는 행정가치에 대한 설명으로 옳은 것은?

○ 안전을 위하여 자동차의 제동장치를 이중으로 설계하였다.
○ 정전에 대비하여 건물 자체적으로 자가발전시설을 갖추도록 하였다.

① 형평성과 상충관계에 있다.
② 행정체제의 신뢰성과 안정성을 저하시킨다.
③ 수단적 가치보다는 행정의 본질적 가치로서의 성격이 더 강하다.
④ 창의성이 제고될 수 있다.

07 행정의 가치에 대한 설명 중 가장 옳은 것은?

① 합목적성을 의미하는 경제성(economy)은 그 자체로 목표가 되는 본질적 가치다.
② 적극적 의미의 합법성(legality)은 상황에 따라 신축성을 부여하는 법의 적합성보다 예외 없이 적용하는 법의 안정성을 강조한다.
③ 가외성(redundancy)은 과정의 공정성(fairness) 확보를 위한 수단적 가치다.
④ 능률성(efficiency)은 떨어지더라도 효과성(effectiveness)은 높을 수 있다.

08 행정가치 중 수단적 가치에 대한 설명으로 가장 옳지 않은 것은?

① 대외적 민주성을 확보하기 위해 행정통제가 필요하다.
② 수단적 가치는 본질적 가치의 실현을 가능하게 하는 가치들이다.
③ 전통적으로 책임성은 제도적 책임성(accountability)과 자율적 책임성(responsibility)으로 구분되어 논의되었다.
④ 사회적 효율성(social efficiency)은 과학적 관리론의 등장과 함께 강조되었다.

09 행정이념에 대한 설명 중 잘못된 것은?

① 합법성은 법치행정을 추구하여 국민의 자유와 권리를 보호해야 한다는 이념이다.
② 민주성은 국민에 대한 대응성을 강조하여 국민이 주인이라는 의식을 고양시키고자 하는 이념이다.
③ 효율성은 행정목표의 달성도를 말하므로 수단적이고 과정적이 아니라 목적적이고 기능적인 이념이다.
④ 사회적 형평성은 가치배분의 공정성을 높여 모든 국민이 균등하게 잘 살게 해야 한다는 이념이다.

06

정답 : ④

④ 제시문은 불확실한 상황에서 오류 발생 가능성을 최소화하고 체제의 신뢰성을 높이기 위해 강조되는 가외성에 대한 설명이다. 가외성은 중첩·반복적인 상호작용을 통해 창의성이 제고되고 이를 통해 공동의 목표를 달성할 수 있도록 기여하는 행정가치이다.

① 능률성이나 경제성과 상충관계에 있다.

② 행정체제의 신뢰성과 안정성을 증진시킨다.

③ 본질적 가치보다는 행정의 수단적 가치로서의 성격이 더 강하다.

07

정답 : ④

④ 능률성과 효과성이 서로 연관되어 있는 개념이기는 하나, 비례적 관계를 갖는 것은 아니다.

① 경제성은 수단적 가치에 해당한다.

② 소극적 의미의 합법성에 대한 설명이다. 적극적 의미의 합법성은 법의 목적을 중시하는 합목적적 성격을 가지고 있으며 상황에 따라 신축성을 부여하는 법의 적합성을 특징으로 한다.

③ 가외성은 남는 것, 여분, 초과분이란 뜻으로 행정의 안정성과 신뢰성을 향상시키기 위해 기능과 구조를 중복시키는 것으로, 과정의 공정성을 보장하는 것은 아니다.

08

정답 : ④

④ 과학적 관리론의 등장과 함께 강조된 것은 투입 대비 산출의 비율을 금전적인 수치로 파악하는 기계적 능률성이다. 한편 사회적 능률성은 인간관계론의 등장과 함께 강조되었다.

① 대외적 민주성은 행정과 국민과의 관계를 말하는 것으로 국민을 위한 행정을 하는 것을 의미한다. 대외적 민주성을 확보하기 위해서는 행정통제 등이 필요하다.

② 수단적 가치는 목적 실현을 가능하게 하는 가치이다.

③ 전통적으로 행정 책임은 제도적(외재적) 책임(Finer)과 자율적(내재적) 책임(Friedrich)으로 구분되어 논의되었다. 제도적 책임성은 합법성 등에 의한 외재적 책임과 연관되고, 자율적 책임성은 공무원의 양심과 내면적 기준 등에 의한 내재적 책임과 연관된다.

09

정답 : ③

③ 행정목표의 달성도를 의미하며 목적적이고 기능적인 이념은 효과성에 대한 설명이다. 한편 효율성은 투입 대비 산출의 비율을 의미하며 수단적이고 과정적·기술적인 이념이다.

② 민주성은 국민에 대한 대응성의 개념을 포함한다.

④ 사회적 형평성은 배분적 가치를 통해 사회적 약자를 배려하는 이념이다.

정답

06 ④ 07 ④ 08 ④ 09 ③

10 행정과 법의 관계에 대한 설명으로 옳지 않은 것은? 2011 지방 9급

① 법규는 행정에 합리적·합법적 권위를 부여하는 원천이다.

② 법은 행정활동을 정당화하는 기능을 수행한다.

③ 정부가 행정을 수행하는 과정에서 국민의 권리구제를 위한 사법적 결정을 하는 경우도 있다.

④ 경직적인 법규의 적용은 행정과정에서 목표와 수단이 전도되는 상황을 유발시킬 수 있다.

11 행정의 대외적 민주성을 확보하기 위한 것과 가장 거리가 먼 것은? 2010 서울 9급

① 행정인의 행정윤리 확립

② 책임행정의 확보

③ 일반국민의 행정 참여

④ 부당한 침해에 대한 제도적 구제장치

⑤ 파레토 최적

12 행정이 추구하는 가치에 대한 설명으로 옳지 않은 것은? 2009 군무원 9급

① 민주성은 국민과의 관계와 정부 관료제 내부의 의사결정과정의 두 가지 측면에서 논의된다.

② 투명성은 공무원의 부패를 방지하기 위한 가장 중요한 가치이다.

③ 합법성이 지나치게 강조되면 행정 본래 목표가 왜곡될 수 있다.

④ 절차적 합리성은 목표에 비추어 적합한 행동이 선택되는 정도를 의미한다.

CHAPTER 12 　최신 행정이념, 이념 간 조정　　기출 필수 코스

01 사회적 자본(social capital)에 대한 설명으로 가장 옳지 않은 것은? 2020 경찰간부

① 부르디외(P.Bourdieu)는 서로 알고 지내는 사이에 지속적으로 존재하는 관계의 네트워크를 통하여 얻을 수 있는 실제적이고 잠재적인 자원의 합계로 정의하였다.

② 사회적 자본은 조정과 협동을 용이하게 만들어 거래비용 감소의 긍정적 효과를 발생시킨다.

③ 사회적 자본은 구성원 사이의 상호 신뢰를 바탕으로 공동체를 위한 대가 없는 봉사를 말한다.

④ 사회적 자본은 집단결속력으로 인해 다른 집단과의 관계에 있어서 부정적 효과를 나타낼 수도 있다.

10

정답 : ③

③ 사법적 결정은 사법부의 전속적 권한이다. 행정은 이러한 사법부의 사법적 결정을 통해 책임성을 확보하게 된다.

① 법치행정의 원리와 관련된다.

④ 합법성의 단점으로는 형식주의. 경직성. 법규만능주의 등이 있다.

11

정답 : ⑤

⑤ 파레토 최적은 다른 사람의 후생을 감소시키지 않고는 누구의 후생도 증대시키는 것이.불가능할 정도로 자원배분이 효율적으로 배분되어 있는 상태를 의미하는 것으로. 효율성과 관련된다.

① 대외적 민주성은 국민을 위한 행정을 의미하는 것으로 행정윤리의 확립을 통해 국민에 대한 봉사자로서의 자세를 확립함으로써 대외적 민주성을 확보할 수 있다.

② 국민에 대한 대응성을 제고하기 위해 책임행정의 확보 및 공개행정을 강화하여야 한다.

③ 시민참여나 정책공동체 등 일반국민의 행정참여를 통해 대외적 민주성을 확보할 수 있다.

④ 행정쟁송이나 행정절차법 등 행정구제제도의 확립을 통해 대외적 민주성을 확보할 수 있다.

포인트 정리

대외적 민주성

- 책임행정과 대응성의 확립(행정통제)
- 행정윤리의 확립(공무원의 정치적 중립. 부정부패의 배제. 업무수행의 공정성 등)
- 행정구제제도의 확립(행정쟁송. 행정절차법. 옴부즈만 제도 등)
- 시민참여의 촉진, 민관협동체제 구축
- 공개행정의 강화와 활발한 의사소통

12

정답 : ④

④ 목표에 비추어 적합한 행동이 선택되는 정도를 의미하는 것은 내용적 합리성이다. 한편 절차적 합리성은 어떤 행위가 의식적인 사유과정의 산물이거나 인지력과 결부되어 있다고 보는 것으로 결과보다는 인지적·지적과정을 중시하는 주관적·과정적·제한적 합리성을 의미한다.

① 민주성은 국민에 대한 대응성으로, 대외적으로는 국민을 위한 행정을. 대내적으로는 의사결정이나 행정의 민주적 관리를 의미한다.

② 투명성은 정부의 다양한 공적 활동이 정부 외부로 공개되는 것으로, 공무원의 부패를 방지하기 위해 중시되는 가치이다.

③ 합법성은 행정권력이 법규범을 준수하는 수준과 관련된 것으로, 합법성이 지나치게 강조될 경우 본래의 목표가 왜곡될 우려가 있다.

01

정답 : ③

③ 사회적 자본은 구성원 사이의 상호 신뢰를 바탕으로 하며 호혜주의적 특성을 바탕으로 공동체를 위해 봉사한다. 따라서 대가 없는 봉사라는 부분은 옳지 않다.

① 사회적 자본은 상호간의 네트워크적 속성을 지닌다.

② 신뢰의 형성은 거래비용을 감소시킨다.

정답

10 ③ 11 ⑤ 12 ④ 01 ③

02 사회적 자본(Social Capital)에 관한 설명으로 옳은 것은?

2015 행정사

① 굴릭(L. Gulick), 어윅(L. Urwick), 페이욜(H. Fayol) 등이 주장하였다.

② 가치중립적이며 과학적인 탐구를 강조한다.

③ 경제대공황(Great Depression)을 극복하기 위한 방법론을 제시하였다.

④ 사회구성원들 간의 신뢰와 협력을 중시한다.

⑤ 신행정학의 이론 형성에 영향을 끼쳤다.

03 '사회 자본'(social capital)이 형성되는 모습으로 보기 어려운 것은?

2013 국가 9급

① 지역주민들의 소득이 지속적으로 증가하고 있다.

② 많은 사람들이 알고 지내는 관계를 유지하는 가운데 대화·토론하면서 서로에게 도움을 준다.

③ 이웃과 동료에 대한 기본적인 믿음이 존재하며 공동체 구성원들이 서로 신뢰한다.

④ 지역 구성원들이 삶과 세계에 대한 도덕적·윤리적 규범을 공유하고 있다.

04 행정이념 간의 관계에 대한 설명으로 가장 옳지 않은 것은?

2013 경찰간부

① 능률성이 강조될 때 민주성은 저하되기 쉽다.

② 행정가치(이념)에는 본질적 가치와 수단적 가치가 있다.

③ 민주성과 합법성은 항상 조화의 관계에 있다.

④ 행정이념 간에는 시대와 장소를 불문한 절대적인 우선순위는 존재하지 않는다.

05 사회자본(social capital)에 대한 설명으로 옳지 않은 것은?

2011 국가 7급

① 부르디외(P. Bourdieu)는 서로 알고 지내는 사이에 지속적으로 존재하는 관계의 네트워크를 통하여 얻을 수 있는 실제적이고 잠재적인 자원의 합계로 정의하였다.

② 사회자본은 물적자본 및 인적자본과는 구분되는 자본으로 사회적 관계 속에 존재하는 것이다.

③ 사회자본은 사용할수록 점차 감소하기 때문에 소유주체가 지속적으로 유지하려는 노력을 투입해야 한다.

④ 후쿠야마(F. Fukuyama)는 국가의 복지수준과 경쟁력은 사회에 내재하는 신뢰수준이 결정한다고 보았다.

02

정답 : ④

④ 사회적 자본은 사회문제를 해결하기 위한 사회구성원들 간 신뢰와 협력을 중시하고, 1990년대 서비스 연계망에 의한 행정을 주장하는 뉴거버넌스의 출현과 NGO의 활발한 활동으로 발달하였다.

① 귤릭, 어윅, 페이욜 등이 주장한 것은 고전 행정학의 행정관리론이다.

② 가치중립적이며 과학적 탐구를 강조한 것은 행정행태설에 대한 특성이다.

③ 경제대공황을 극복하기 위한 방법론을 제시한 것은 통치기능설이다.

⑤ 신행정학 형성에 영향을 끼친 것은 형평성이다.

03

정답 : ①

① 소득 수준은 경제적 자본으로 사회적 자본의 측정지표가 될 수 없다.

②, ③, ④ 사회적 자본이란 사회적 관계 속에서 존재하는 자본으로 상호 신뢰, 호혜주의, 참여 등을 의미한다. 네트워크의 구성원들이 준수해야 하는 내재화된 규범이 존재하며 사회 내에서 개인의 행동을 촉진시켜 거래비용을 감소시켜 준다.

04

정답 : ③

③ 민주성과 합법성이 항상 조화관계는 아니며, 민주성을 절차적 민주성으로 이해할 경우 합법성과 부합되지만, 결과적(내용적) 민주성을 이해할 경우 합법성의 절차적 정당성과 충돌할 수도 있다.

① 능률성이 강조될 때 민주성은 저하되기 쉽다.

② 행정가치에는 본질적 가치와 수단적 가치가 있다.

④ 행정이념 간에 절대적인 우선순위는 존재하지 않는다.

05

정답 : ③

③ 사회자본은 사용할수록 감소하는 인적·물적 자본과 달리 사용할수록 점차 증가하는 포지티브-섬의 특징을 지닌다.

① 부르디외는 사회자본을 미시적으로 접근하였으며, 행위자가 네트워크를 통해 얻을 수 있는 능력이나 실제적·잠재적 자산의 집합체로 보았다.

② 사회자본은 인적·물적 자원과 구분되는 것으로 사회적 관계 속에서 존재하는 자본이다.

④ 후쿠야마는 사회자본을 구성원 간 협력을 가능하게 하는 한 집단의 회원들 사이에 공유된 비공식적인 가치, 규범, 신뢰라고 보면서 국가의 복지수준과 경쟁력은 사회에 내재하는 사회자본이 결정한다고 주장하였다.

정답

02 ④ 03 ① 04 ③ 05 ③

06 행정가치가 충돌할 경우 이를 해소하는데 활용할 수 있는 방안으로 가장 옳은 것은? 2011 국가전환특채(하반기)

① 대립되는 행정 가치들은 동일한 비중으로 다루어야 한다.

② 능률성을 추구하기 위해 우선적으로 민주성을 강조해야 한다.

③ 대립되는 행정가치라도 적극적으로 포용해야 한다.

④ 평등성을 강조할 때는 효율성은 무시하여도 무방하다.

CHAPTER 13 행정학 성립과 접근법

기출 필수 코스

01 다음 학자에 대한 설명으로 옳지 않은 것은? 2021 경찰간부

① 굿노(F. Goodnow)는 행정은 국가의지의 표현이라고 주장하였다.

② 윌슨(W. Wilson)은 정치와 행정의 분리를 주장하였다.

③ 사이먼(H. Simon)은 고전적 조직원리들을 검증되지 않은 속담이나 격언에 불과하다고 비판하였다.

④ 테일러(F. Taylor)는 시간과 동작에 관한 연구를 통해 효율적 관리를 위한 최선의 방법을 찾고자 하였다.

02 행정학의 주요 패러다임과 그 내용을 연결한 것으로 가장 적절하지 않은 것은? 2021 경정승진

① 과학적 관리론 – 시간 및 동작연구를 통한 '유일 최선의 방법(a single best method)' 발견

② 행정행태론 – 가치지향적 관리 강조

③ 인간관계론 – 생산성 향상에 대한 사회적·심리적 요인의 중요성 인식

④ 행정생태론 – 문화적·환경적 차이에 따른 행정의 특수성 파악

03 행정사상가와 주장하는 내용을 가장 옳게 짝지은 것은? 2019 서울 9급(2월)

① 해밀턴(A. Hamilton) – 분권주의를 강조하며 대중에 뿌리를 둔 풀뿌리민주주의를 강조하였다.

② 매디슨(J. Madison) – 이익집단을 중요시하였으며 정치활동의 원천으로 인식하였다.

③ 제퍼슨(T. Jefferson) – 연방정부에 힘이 집중되어 있는 중앙집권주의를 주장하였다.

④ 윌슨(W. Wilson) – 정치와 행정이 분리될 수 없는 정치·행정 일원론을 주장하였다.

06

정답 : ③

③ 행정이념 간에는 절대적 우선순위가 존재하지 않으므로 대립되는 행정가치라도 어느 한쪽을 포기하거나 희생시키기보다는 가능한 한 종합적인 차원에서 조화롭게 추구하거나 적극적으로 포용하도록 노력해야 한다.

① 동일한 비중으로 다루기보다는 당시의 시대정신에 따라 강조되는 준거기준을 중심으로 조화될 것이 요구된다.

② 능률성은 민주성과 상반되는 가치이다. 민주성을 우선적으로 추구하면 능률성이 떨어진다.

④ 행정이념 간에는 동일한 비중으로 조화시키기보다는 그때의 시대정신에 따라 강조되는 준거기준을 중심으로 조화되어야 한다.

01

정답 : ①

① 굿노(F.Goodnow)는 '정치와 행정'에서 정치는 국가의지의 결정작용(국가의지의 표명 및 정책구현)이고, 행정은 국가의사의 집행작용(실천·실행)이라고 보았다.

② 윌슨(W.Wilson)은 '행정의 연구'에서 행정의 본질은 효율성을 높이는 것으로 파악하고 정치행정이원론 관점에서 정치와 행정의 분리를 주장하였다.

③ 사이먼(Simon)은 행정행태론에서 논리실증주의에 입각한 가치와 사실의 분리를 주장하면서 고전적 행정원리들을 검증되지 않은 속담이나 격언에 불과하다고 비판하였다.

④ 테일러(Taylor)는 시간과 동작에 관한 연구를 통해 절약과 능률을 위한 유일최선의 방법이 있다고 전제하였다.

02

정답 : ②

② 행정행태론은 가치중립적인 관리를 강조한다. 한편 가치지향을 강조하는 것은 신행정론이다.

① 과학적 관리론은 과업관리에서 시간연구와 동작연구에 의해 작업여건을 표준화하였고, 최소의 비용과 노력으로 최대의 성과를 확보할 수 있는 유일 최선의 방법이 있다고 보았다.

③ 인간관계론은 인간의 감정적 요소 등 비공식적 요인을 중시하였다.

④ 행정생태론은 각국의 문화적·환경적 차이에 따른 행정의 특수성을 강조하였다.

03

정답 : ②

② 매디슨은 이익집단을 중시하고 견제와 균형을 강조하는 다원주의 모형을 주장하였다.

① 해밀턴(A. Hamilton)은 연방정부에 힘이 집중되어 있는 중앙집권주의를 주장하였다.

③ 제퍼슨(T. Jefferson)은 분권주의를 강조하며 대중에 뿌리를 둔 풀뿌리민주주의를 강조하였다.

④ 윌슨(W. Wilson)은 정치와 행정의 분리를 강조하는 정치·행정이원론을 주장하였다.

정답
06 ③ 01 ① 02 ② 03 ②

04 윌슨(Wilson)의 '행정연구(The Study of Administration, 1887)'에 대한 설명으로 옳지 않은 것은? 2016 지방 7급

① 정부개혁을 통해 특정지역 및 계층중심의 관료파벌을 해체하고자 했다.

② 행정과 경영의 유사성을 강조했다.

③ 정치와 행정을 분리하고자 했다.

④ 효율적 정부 운영에 관심을 두었다.

05 다음 중 행정학의 학문적 특성에 대한 설명으로 가장 옳지 않은 것은? 2015 국회 9급

① 행정학은 원인과 결과의 규칙성을 발견하는 기술성을 중시하는 학문이다.

② 행정학은 전문직업적 성격을 포함한다.

③ 행정학은 실천적이고 도구적 성격이 강한 응용 학문이다.

④ 행정학은 종합 학문적 성격을 지니고 있어 정체성에 대한 논란이 지속적으로 제기되어 왔다.

⑤ 행정학의 연구에서 가치와 사실을 구분할 수 있어도 가치판단 문제를 완전히 배제할 수는 없다.

CHAPTER 14 과학적 관리론과 인간관계론　기출 필수 코스

01 다음 중 호손실험에 대한 내용으로 가장 옳은 것은? 2016 서울 7급

① 인간관계론의 이론적 틀을 마련하였다.

② 테일러의 과학적 관리법을 계승한다.

③ 개인의 생산성 향상을 위해서는 물리적 작업환경이 중요하다는 점을 발견하였다.

④ 본래 실험 의도와 다르게 작업의 과학화, 객관화, 분업화의 중요성을 발견하였다.

02 다음 중 인간관계론의 주요내용이 아닌 것은? 2012 서울 9급

① 사회적 능력과 사회적 규범에 의한 생산성 결정

② 시간과 동작에 관한 연구

③ 비경제적 요인의 우월성

④ 비공식 집단중심의 사기형성

⑤ 의사소통과 리더십

04

정답 : ①

① 유럽의 선진행정을 연구, 도입하는 데 힘써 행정학의 학문적 체계를 연구하였고 관료제의 도입을 주장하였다.

② 행정이 경영과 크게 다르지 않다고 보고, 경영적 행정의 필요성을 주장하였다.

③ 행정의 비능률과 부패를 초래한 정치로부터 독립된 능률적 행정을 주장하였다.

④ 행정의 본질을 '관리와 경영의 영역', '전문적·기술적 영역'으로 규정하고, 행정이란 정치가들에 의해 결정된 것을 효율적으로 집행하고 관리하는 것으로 보았다.

05

정답 : ①

① 원인과 결과의 규칙성을 발견하는 것은 과학성에 대한 것이며, 기술성은 행정의 활동자체나 사회문제를 처방하고 치료하는 것을 말한다.

② 전문직업성의 확립(현실의 문제를 해결할 수 있는 전문능력을 가진 관료의 양성)은 Waldo의 주장이다.

④ 사회과학으로서의 행정학은 역사가 짧고 다른 학문의 영향을 많이 받아 왔으며, 실무적인 학문이기 때문에 다른 학문에 비해서 학문적 성격과 방향에 대한 논쟁이 많다.

01

정답 : ①

① 호손실험에 의해 인간관계론의 이론적 틀이 마련되었다.

② 호손실험을 비롯한 인간관계론은 과학적 관리론의 한계를 극복하기 위해 제시된 이론이다.

③ 호손실험을 통해 조명, 근무시간, 휴식, 임금 등의 물리적 외부환경보다 직원의 태도와 사기 등 사회심리적 요인이 생산성을 결정하는 중요한 요인이 된다는 결론을 도출하였다.

④ 호손실험과 관련 없다. 작업의 과학화, 객관화, 분업화의 중요성을 강조한 것은 Taylor의 과학적 관리론과 관련된다.

02

정답 : ②

② 시간연구(time study)와 동작연구(motion study)는 인간관계론이 아니라 과학적 관리론 중 F.W.Taylor가 주장한 과업관리(테일러시스템)의 특성에 해당한다.

① 기술적 능력이나 경제적인 보상보다는 대인관계능력 등의 사회적 능력을 중시한다.

③ 인간관계 등의 비경제적 요인에 의해 생산성이 결정된다.

④ 공식집단보다는 비공식집단을 중심으로 사기를 형성하고 이를 강조한다.

⑤ 의사소통과 민주적 리더십을 중시한다.

03 고전적 조직이론의 기계적 조직관을 비판하고 조직 내 인간의 사회적 관계의 중요성을 주장하며 등장한 인간관계론의 궁극적인 목표로 옳은 것은?

2011 지방 7급

① 조직의 성과 제고
② 조직 운영의 민주화
③ 조직 구성원의 자아실현
④ 조직 내부의 비공식 집단의 활성화

04 행정관리학파에 대한 설명으로 옳지 않은 것은?

2009 지방 9급

① 대표적인 학자로는 귤릭(Gulick), 어윅(Urwick), 페이욜(Fayol) 등이 있다.

② 비공식집단의 생성이나 조직 내의 갈등 등에 대한 설명을 용이하게 해준다.

③ 과학적 관리론, 고전적 관료제론 등과 함께 행정학의 출범 초기에 학문적 기초를 쌓는 데 크게 기여했다.

④ 조직과 구성원 간의 관계를 합리적 존재로만 봄으로써 조직을 일종의 기계 장치처럼 설계하려 하였다.

CHAPTER 15 행태론

기출 필수 코스

01 다음 중 행태론적 접근방법에 대한 설명으로 가장 옳은 것은?

2020 경찰간부

① 규범적·실질적이고 질적인 연구를 강조한다.

② 행태의 규칙성 및 인과성을 경험적으로 입증하고 설명할 수 있다고 보며 가치와 사실을 통합하고 가치중립성을 지향한다.

③ 정치와 행정현상에서 개별국가의 특수성을 중시하였다.

④ 집단의 고유한 특성을 인정하지 않는 방법론적 개체주의의 입장을 취한다.

02 행태론적 접근방법에 대한 설명으로 가장 옳지 않은 것은?

2017 서울 7급

① 행태주의는 사회과학이 행태에 공통된 관심을 갖고 있기 때문에 통합된다고 보고 있다.

② 행정의 실체는 제도나 법률이 아니라고 주장하며 행정인의 행태에 초점을 맞춘다.

③ 논리실증주의를 강조한 사이먼(Simon) 이후 행정학 분야에서 크게 발전하였다.

④ 사회적 문제의 개선에 기여할 수 있는 연구의 가치평가적 정책연구를 지향한다.

03
정답 : ①

① 인간관계론과 과학적 관리론은 조직의 성과 제고(생산성 향상)를 궁극적 목표로 보았다.

② 인간관계론은 조직 내 인간의 감정, 심리적 욕구를 중시하며 민주성 확립에 기여하였으나, 궁극적인 목표에 해당하지 않는다.

③ 인간관계론은 사회적 인간관을 중시하였으며 자기실현적 인간관을 간과하였다.

④ 인간관계론은 공식집단보다 비공식집단의 역할을 더욱 중시하였으나, 이것이 궁극적인 목표는 아니다.

04
정답 : ②

② 비공식집단의 생성이나 조직 내 갈등에 대한 설명을 용이하게 해주는 것은 과학적 관리론이 아니라 신고전적 이론인 인간관계론이다.

① 대표적인 학자로는 귤릭, 어윅, 페이욜, 화이트, 윌로비 등이 있다.

③ 행정관리론은 과학적 관리론, 고전적 관료제이론 등과 함께 고전행정학의 주류를 형성하였다.

④ 행정관리론은 폐쇄체제적 관점으로 조직을 기계처럼 설계하고 인간을 부품으로 보았다는 점에서 비판을 받았다.

01
정답 : ④

④ 행태론적 접근방법은 집단의 고유한 특성을 인정하지 않는 방법론적 개체주의의 입장에서 개별행위자의 행태를 분석(미시적 분석)한다.

① 행태론적 접근방법은 객관적 · 실증적 분석에 초점을 두는 연구방법이다.

② 행태론적 접근방법은 가치(value)와 사실(fact)을 분리한다. 검증이 불가능한 가치를 연구대상에서 배제하고(가치중립성), '사실'에 대한 과학적 연구에 초점을 둔다.

③ 행태론적 접근방법은 어디에서도 적용 가능한 일반법칙성을 찾다보니 국가 간의 공통점을 강조하고 제도적 차이를 간과하였다. 신제도주의는 이러한 행태론적 접근의 한계를 인식하고 국가별 다양한 행정의 특성을 국가 간의 제도적 차이로써 설명한다.

02
정답 : ④

④ 후기행태주의에 대한 설명이다. 한편 행태론적 접근법은 가치와 사실을 분리하여 검증이 불가능한 가치를 연구대상에서 배제하는 가치중립성을 특징으로 하며, 사회문제의 해결보다 이론적 과학성을 높이기 위하여 가치와 사실을 구분하고 사실중심의 연구를 지향하였다.

① 행태주의는 인간의 행태에 공통된 관심을 가지고 있기 때문에 연합학문적 성격을 띠고 있다고 본다.

② 행태주의는 행정조직의 구조적 · 제도적 측면보다 행정인의 행태나 상호작용 및 행정인의 행동에 초점을 맞춘다.

③ 행태론은 Barnard의 영향을 받아 Simon에 의해 체계화되었으며 1960년대까지 행정학 분야에서 크게 발전하였다.

정답

03 ① 04 ② 01 ④ 02 ④

행정학의 방법론 중 행태주의(Behavioralism)의 특징과 가장 거리가 먼 내용은? 2014 경찰간부

① 사회현상도 자연과학과 마찬가지로 엄밀한 과학적 연구가 가능하다고 본다.

② 인식론적 근거로서 논리실증주의를 신봉한다.

③ 지식인은 사회문제를 해결하는데 자신의 지식을 적극적으로 활용해야 한다.

④ 연구에서 가치와 사실을 명백히 구분하고 가치중립성을 지킨다.

04 다음 지문에서 설명하는 행정 이론은? 2013 행정사

> 인간행위를 연구대상으로 정립했으며 행정연구에 과학주의를 도입하여 가치중립적인 객관적 분석을 가능하게 하였다.
> 그러나 이 이론은 과학적·계량적 연구방법론의 강조로 연구대상과 범위의 제한을 가져왔다는 비판을 받고 있다.

① 과학적 관리론   ② 인간관계론

③ 행정체제이론   ④ 신공공서비스론

⑤ 행정행태론

05 다음 중 행태주의의 특징이나 주장 중 옳지 않은 것은? 2010 국가전환특채

① 행태론은 규범적·실질적이고 질적인 연구를 강조한다.

② 가치와 사실을 구분하여 사실중심으로 행정현상을 연구한다.

③ 자연현상과 사회현상은 동일하다고 보고 논리실증주의방법을 적용한다.

④ 행정행태에 대한 정확한 지식을 위해 계량적·미시적 분석에 중점을 두고 개념의 조작적 정의를 통해 행정현상을 분석한다.

CHAPTER 16 생태론과 체제론 기출 필수 코스

01 개방체제의 특성에 대한 설명으로 가장 적절하지 않은 것은? 2021 경정승진

① 정(+)의 엔트로피(positive entropy)   ② 외부 환경과의 상호작용

③ 항상성(homeostasis)   ④ 등종국성(equifinality)

03

정답 : ③

③ 행태론은 행정인이 사회문제를 해결하는데 자신의 지식을 적극적으로 활용되어야 한다는 행정학의 적실성을 인지하지 못하였고, 행정학을 단순히 과학을 위한 과학으로 전락시켰다는 비판을 받는다.

①, ②, ④ 행태론자 사이먼(simon)은 행정연구의 과학화를 주장하였다. 사회과학의 연구도 자연과학처럼 실증적 연구가 가능하다는 전제하에 논리실증주의를 행정의 연구에 도입하였다. 또한 검증이 불가능한 가치를 연구대상에서 배제하고 사실에 대한 과학적 연구에 중점을 두었다.

04

정답 : ⑤

⑤ 제시문은 행정행태론으로 행태의 규칙성과 인과성에 대해 경험적 입증을 시도하여 행정연구의 과학화에 기여하였으나 연구대상과 범위의 제한을 가져왔으며 보수적이라는 비판을 받았다.

① 과학적 관리론은 최소의 비용으로 최대의 산출을 확보하는 기계적 능률성을 가장 중요시하는 이론이다.

② 인간관계론은 조직의 성과에서 인간의 요인을 부각시킨 이론이다.

③ 행정체제이론은 조직이 환경과 끊임없이 상호작용을 주고받는 전체로서의 실체라고 가정한다.

④ 신공공서비스론은 기술적·경제적 합리성보다 전략적·소통적 합리성을 추구한다.

05

정답 : ①

① 행태론은 규범적·가치지향적·질적인 연구보다는 가치와 사실을 구분하여 사실중심으로 행정현상을 연구한다. 아울러 행정행태에 대한 정확한 지식을 위해 계량적·미시적 분석에 중점을 두고 개념의 조작적 정의를 통해 행정현상을 분석한다.

② 행태주의는 가치와 사실을 구분하고 사실중심의 행정연구에 초점을 둔다.

③ 사회현상을 자연현상과 동일시하고 자연과학적·실증적 연구방법인 논리실증주의를 취함으로써 과학성·규칙성·유형성·인과성을 강조한다.

④ 개념의 조작적 정의란 추상적인 개념을 경험적으로 관찰가능한 속성으로 바꾸어 정의하는 것으로, 계량적·미시적으로 분석한다.

01

정답 : ①

① 개방체제는 부의 엔트로피를 특징으로 한다.

② 개방체제는 외부환경과의 상호작용을 통해 균형과 안정을 추구한다.

③ 개방체제는 동태적 균형 및 동태적 항상성을 추구한다.

④ 등종국성은 상이한 시작조건과 진로를 통하여도 결국에는 동일한 최종성과를 나타낸다는 것으로 유일최선의 문제해결방법은 없다는 상황적응론적 인식을 의미하며, 구조·기능·절차의 다양성을 특징으로 한다.

포인트 정리

정답

03 ③ 04 ⑤ 05 ① 01 ①

02 리그스(F. W. Riggs)의 프리즘적 모형(Prismatic Model)에 관한 설명으로 옳지 않은 것은? 2020 행정사

① 개발도상국의 행정체제를 설명하기 위한 이론적 모형이다.

② 프리즘적 사회는 농업사회에서 산업사회로 넘어가는 과도기적 사회를 말한다.

③ 프리즘적 사회의 특징은 형식주의, 정실주의, 이질혼합성을 들 수 있다.

④ 생태론적 접근방법에 의해 설명된다.

⑤ 농업사회에서 지배적인 행정 모형을 사랑방 모형(Sala Model)이라 한다.

03 리그스(Riggs)의 프리즘적 모형(Prismatic Model)에서 설명하는 프리즘적 사회의 특성으로 옳지 않은 것은? 2015 국가 7급

① 고도의 이질혼합성 　　　　　　　② 형식주의

③ 고도의 분화성 　　　　　　　　　④ 다규범성

04 Sharkansky의 행정체제론에 대한 다음 설명 중 가장 옳지 않은 것은? 2013 해경간부

① 환경 : 체제에 대한 요구나 지지를 발생시키는 체제 밖의 모든 영역

② 투입 : 국민의 지지나 반대 등의 요구

③ 전환 : 목표를 설정하고 필요한 정책을 결정하는 과정

④ 환류 : 전환과정을 거쳐 다시 환경에 응답하는 결과물

05 가우스(J.M. Gaus)가 지적한 행정에 영향을 미치는 환경요인에 포함되지 않는 것은? 2012 국가 9급

① 국민(people) 　　　　　　　　　② 장소(place)

③ 대화(communication) 　　　　　④ 재난(catastrophe)

02

정답 : ⑤

⑤ 농업사회에서의 행정모형을 안방모델이라고 한다. 한편 프리즘적 사회의 전이·과도기 사회 구조에서의 관료제 모형을 사랑방 모형이라고 한다.

① 프리즘 모형은 개발도상국의 행정체제를 설명하기 위한 이론적 모형이다.

② 프리즘적 사회는 농업사회에서 산업사회로 넘어가는 과도기적 사회를 의미한다.

③ 프리즘적 사회는 고도의 이질성, 형식주의, 기능의 중첩 및 연고우선주의 등을 특징으로 한다.

④ 프리즘 모형은 환경의 중요성을 강조하는 생태론적 접근방법에 의해 설명된다.

03

정답 : ③

③ 리그스의 프리즘적 모형은 개발도상국의 과도기적 상황을 설명하는 것으로, 고도의 분화가 아닌 기능의 중복을 특징으로 한다. 한편 고도의 분화성은 선진국과 같은 분화사회에 해당한다.

①, ②, ④ 리그스가 말하는 프리즘적 모형의 특징에 해당한다.

04

정답 : ④

④ 전환과정을 거쳐 환경으로 내보내지는 결과물은 환류가 아니라 산출이다. 한편 환류는 산출 결과를 반영하여 다시 정치체제에 대한 새로운 투입이 발생하는 과정이다.

05

정답 : ③

③ 대화는 가우스가 제시한 환경요인에 포함되지 않는다.

①, ②, ④ 생태론자인 가우스는 행정에 영향을 미치는 7가지(주민, 장소, 물리적 기술, 사회적 기술, 욕구, 사상, 이념, 재난, 인물)의 생태적·환경적 요인을 제시하였다.

포인트 정리

프리즘적 사회의 특징

- 이질 혼합성(heterogeneity)
- 형식주의(formalism)
- 권한통제의 불균형
- 가치의 응집
- 다규범성(poly-normativism), 무규범성
- 가격의 불확정성
- 양초점성(bi-focalism)
- 신분, 계약의 혼합관계

정답

02 ⑤ 03 ③ 04 ④ 05 ③

06 〈보기〉에서 개방체제적 특성에 해당하는 것은 모두 몇 개인가?

2010 국회 8급

> **보기**
>
> 가. 등종국성(equifinality)
> 나. 정(+)의 엔트로피
> 다. 항상성
> 라. 선형적 인과관계
> 마. 구조 기능의 다양성
> 바. 체제의 진화

① 2개
② 3개
③ 4개
④ 5개
⑤ 6개

CHAPTER 17 비교행정론과 발전행정론

기출 **필수 코**스

01 발전목표의 설정과 달성을 통해 국가발전을 추진하던 1960년대 발전행정적 사고가 지배적일 때 부각되어 중요시되었던 행정가치는?

2017 행정사

① 능률성
② 효과성
③ 합법성
④ 사회적 효율성
⑤ 법적 책임성

02 다음중 비교행정론에 영향을 미친 것이 아닌 것은 ?

2004 강원 9급

① 행정의 과학화
② 2차대전 후 선진국의 경제원조
③ 비교정치론의 영향
④ 제도론적 접근법

06

정답 : ③

③ 가, 다, 마, 바가 개방체제 특징으로 옳은 내용이고 나, 라가 틀린 내용이다.

가. [O] 등종국성은 서로 상이한 시작조건과 진로를 통해서도 결국 동일한 최종 성과(결과)를 나타낸다는 것으로, 개방체제는 신축적인 전환 과정을 특징으로 하므로 투입자원과 전환을 다르게 하여도 동일한 목표를 달성하는 것이 가능하다.

다. [O] 항상성은 동태적 안정 상태를 의미하는 것으로, 개방체제는 환경과의 관계에서 에너지의 투입과 생산물의 유출이 계속 일어나지만 전체적으로 체제는 불변의 상태를 유지한다는 특징을 갖는다.

마. [O] 개방체제는 구조 기능의 다양성은 다양한 환경에 적응할 수 있도록 내부의 구조나 기능, 환경에 적합하게 다양성을 갖추고 특수한 기능을 수행할 수 있도록 진화한다는 구조 기능의 다양성이라는 특징을 갖는다.

바. [O] 개방체제는 체제와 환경 간의 균형을 확보함으로써 안정과 질서를 추구하는 정태적 균형이론으로서 체제의 진화와 발전을 설명하는 데는 소홀히 한다는 지적을 받는다.

나. [X] 개방체제는 부(−)의 엔트로피를 추구한다.

라. [X] 개방체제는 유일최선의 문제해결이 있다는 선형적 인과관계에 반대한다.

01

정답 : ②

② 효과성은 발전행정론에서 강조하는 행정가치이다.

① 능률성은 산출/투입의 비율을 의미하는 것으로 주로 행정관리설에서 중시한 행정가치이다.

③ 합법성은 법률적합성을 의미하는 것으로 주로 관료제이론에서 중시한 행정가치이다.

④ 효율성은 주로 신공공관리론에서 중시한 행정가치이다.

02

정답 : ④

④ 비교행정론은 제도론이 아니라 구조기능주의 접근이다.

① 비교행정론은 환경이 서로 다른 나라에 공통적으로 적용될수 있는 일반적 이론개발을 추구하였다.

② 2차 대전이후 선진국이 후진국에 대한 원조 사업의 한 종류로서 추진되었다.

📝 **포인트 정리**

정답

06 ③ 01 ② 02 ④

□□
01 다음의 역사적 배경을 바탕으로 태동한 행정학 연구에 대한 설명으로 옳지 않은 것은?   2022 국가 7급

> • 월남전 패배, 흑인 폭동, 소수민족 문제 등 미국사회의 혼란을 해결하지 못하는 학문의 무력함에 대한 반성으로 나타났다.
> • 1968년 미국 미노브룩회의에서 왈도의 주도 하에 새로운 행정학의 방향모색으로 태동하였다.

① 고객중심의 행정, 시민의 참여, 가치문제 등을 중시했다.

② 행정학의 실천적 성격과 적실성을 회복하기 위한 정책 지향적 행정학을 요구하였다.

③ 행정의 능률성을 강조했으며, 논리실증주의 및 행태주의의 주장을 지지하였다.

④ 소외계층을 위한 복지서비스를 확대해 사회적 형평을 실현해야 한다는 행정의 적극적 역할을 강조했다.

□□
02 〈보기〉의 내용이 설명하고 있는 행정이론에 해당하는 것은?   2019 서울 9급(2월)

> 보기
> • 1960년대 미국사회의 사회혼란을 해결하지 못하는 학문적 무력함에 대한 반성으로 나타났다.
> • 적실성, 참여, 변화, 가치, 사회적 형평성 등에 기초한 행정학의 독자적 주체성을 강조했다.
> • 행정학의 실천적 성격과 적실성을 회복하기 위해 정책 지향적인 행정학을 요구했다.

① 신행정학

② 비교행정론

③ 행정생태론

④ 공공선택론

□□
03 신행정학(New Public Administration)의 핵심 내용으로 옳은 것만을 모두 고른 것은?   2017 국가 9급

> (ㄱ) 효율성 강조
> (ㄷ) 적실성 있는 행정학 연구
> (ㅁ) 기업식 정부 운영
>
> (ㄴ) 실증주의적 연구 지향
> (ㄹ) 고객중심의 행정

① (ㄱ), (ㄴ)

② (ㄴ), (ㄷ)

③ (ㄷ), (ㄹ)

④ (ㄹ), (ㅁ)

01

③ 제시문은 신행정론에 대한 설명으로, 신행정론은 행정의 형평성을 강조했으며, 논리실증주의 및 행태주의의 주장을 비판하였다.

02

정답 : ①

① 신행정학은 행정행태론 등 기존의 전통행정이론이 1960년대 미국 사회의 혼란을 해결하지 못하는 현실을 비판하면서 대두된 이론으로, 가치주의의 입장에서 행정의 규범성 및 실천성 을 강조하고 사회적 형평성을 통해 현실의 문제를 해결하려는 이론이다.

03

정답 : ③

③ ㉢, ㉣이 신행정학의 특징에 해당한다.

㉢ [O] 신행정학은 사회적 적실성과 처방성을 중시하는 이론이다.

㉣ [O] 신행정학은 고객의 참여와 합의를 중시하며 고객지향적 행정을 지향한다.

㉠ [X] 효율성은 신공공관리론에서 주장하는 개념이다. 반면 신행정학은 형평성을 주장한다.

㉡ [X] 신행정학은 기존의 가치중립적·현상유지적인 행태론이나 실증주의를 비판하고 가치지 향적·현상학적 연구방법을 강조한다.

㉤ [X] 기업식 정부 운영은 신공공관리론에서 주장하는 내용이다.

정답

01 ③ 02 ① 03 ③

PART 1 총론 **65**

04 신행정학(New Public Administration)이 중요시하여 추구하였던 것은? 2017 행정사

① 행정의 탈정치화 ② 가치와 사실의 분리

③ 논리실증주의 ④ 절약과 능률

⑤ 현실적합성

05 신행정학의 특징으로 가장 옳지 않은 것은? 2015 서울 7급

① 정치행정일원론보다는 정치행정이원론에 가까운 입장이다.

② 행정학 연구에 있어 적실성을 강조한다.

③ 행정의 고객지향성을 강조한다.

④ 분권화와 참여를 강조한다.

06 다음 중 '현실적합성의 신조(credo of relevance)' 및 '실천(action)'과 가장 관련 깊은 사항은? 2014 경찰간부

① 생태론적 접근(ecological approach)

② 행태론적 접근(behavioral approach)

③ 후기행태론적 접근(post-behavioral approach)

④ 현상학적 접근(phenomenological approach)

07 현상학과 관련된 설명 중 옳은 것으로만 짝지어진 것은? 2019 경찰간부

가. 인본주의	나. 가치와 사실의 구분
다. 상호주관성 중시	라. 순수과학적 연구
마. 철학적 연구방법	바. 새정치행정이원론
사. 반실증주의	아. 능동적·사회적 자아
자. 표출된 행위(behavior)	

① 가, 다, 라, 사 ② 가, 다, 마, 바

③ 가, 다, 마, 사, 아 ④ 다, 마, 사, 자

04

정답 : ⑤

⑤ 신행정론은 가치주의의 입장에서 행정의 규범성, 가치의 발견과 실천, 개인과 조직의 윤리성, 고객중심의 행정, 사회형평의 실현 등 현실의 문제를 해결하려는 행정이론으로 적실성 및 참여, 변화 가치 등에 기초한 행정의 독자적 주체성을 강조한다.

① 행정의 탈정치화는 신공공관리론에서 추구하는 가치이다.

② 행태론은 가치와 사실을 분리하여 사실중심의 행정현상을 연구한다.

③ 행태론은 사회현상을 자연현상과 동일시하고 관찰 가능한 객관적인 대상으로 여기는 논리실증주의를 특징으로 한다.

④ 절약과 능률은 고전행정학의 특징으로 과학적 관리론에서 추구하는 이념적 가치이다.

05

정답 : ①

① 신행정학은 현실의 절박한 사회문제 해결을 위하여 사회적 적실성과 처방성을 강조하고 가치를 추구하는 정치·행정새일원론의 관점이다.

② 신행정학은 행정학의 실천성과 적실성 및 가치문제를 강조한다.

③ 신행정학은 행정의 종국적 근원을 시민으로 보고 고객지향성을 강조한다.

④ 신행정학은 분권화와 참여를 중시하며 탈관료제를 추구한다.

06

정답 : ③

③ 후기행태주의는 행태론을 비판하면서 등장한 것으로, 사회적 적실성(현실적합성)과 실천성을 강조하였다.

① 생태론적 접근은 조직을 유기체로 파악하여 환경과 상호작용을 통해 이해하려는 연구방법이다.

② 행태론적 접근은 사회현상 연구를 개인의 표출된 행태의 분석에 초점을 두는 연구방법이다.

④ 현상학적 접근은 주류 행정학의 실증주의적 접근방법과는 달리 사실과 가치문제를 함께 다루려고 하였다.

07

정답 : ③

③ 현상학은 사회과학 연구에 있어 실증주의와 행태주의가 내세우는 과학적 연구방법을 비판한 이론으로, 가, 다, 마, 사, 아가 옳은 내용이다.

가, 다, 마, 사, 아[○] 현상학은 인간을 자발적·능동적 자아로 인식하고, 상호주관성과 감정이입, 행위(action) 중시, 인본주의, 반실증주의와 철학적 연구방법론, 개별 사례 중심적 방법을 추구한다.

나, 라, 바, 자[X] 행태주의 접근방법의 주요 특성에 해당한다.

08 현상학적 행정연구에 대한 설명으로 옳지 않은 것은?

2017 국가 7급(추)

① 행정현상은 사람들의 의식, 생각, 언어, 개념 등을 통해 구성된 것이다.

② 행정연구에서는 행정활동과 관련된 사람들 사이의 상호작용에 의해 구성된 상호주관적 경험이 중요하다.

③ 행정연구에서 가치와 사실의 구별을 인정하며, 현상을 개체적으로 파악하고자 한다.

④ 기존의 관찰이나 믿음에 영향을 받지 않기 위해 '괄호 안에 묶어두기' 또는 '현상학적 판단정지'가 중요하다.

CHAPTER 19 포스트모더니즘(비판이론, 담론행정) 등   기출 필수 코스

01 포스트모더니즘에 기초한 행정이론의 특징으로 가장 옳지 않은 것은?

2018 서울 9급

① 맥락 의존적인 진리를 거부한다.

② 타자에 대한 대상화를 거부한다.

③ 고유한 이론의 영역을 거부한다.

④ 지배를 야기하는 권력을 거부한다.

02 다음 중 포스트모더니티이론 및 그에 입각한 행정에 대한 설명으로 가장 옳지 않은 것은?

2016 서울 7급

① 행정은 객관적으로 연구될 수 있다는 설화를 해체해야 한다.

② 인권, 인간 이성과 인간 중심적 관점에서의 행정을 강조하였다.

③ 진리의 기준은 맥락 의존적이다.

④ 행정에 있어서의 상상, 해체, 타자성 등을 강조하였다.

08

정답 : ③

③ 현상학적 행정연구는 객관적 실재보다 명분이나 가치를 중시한다.

① 현상학에 따르면 사회현상 또는 사회적 실재란 그 속에 참여하는 사람들의 의식, 생각, 언어, 개념 등으로 구성되며 그들의 상호주관적인 경험으로 이룩되는 것을 말한다.

② 현상학은 사회현상이 상호주관적인 경험으로 이룩되기 때문에 사회과학의 연구대상은 자연 과학과는 다르다고 본다.

④ 현상학적 행정연구에 따르면 기존의 관찰이나 믿음에 영향을 받지 않기 위해 현상학적 판단 정지 등이 중요하다고 보았다.

01

정답 : ①

① 포스트모더니즘은 보편적 진리보다는 시대와 상황에 따라 적용되는 진리가 다르다고 보았으 며 진리의 기준은 맥락의존적이라고 본다.

② 포스트모더니즘은 이분법적 사고를 배척하고 모든 것이 인격체로 존중받아야 할 도덕적 타 인을 인정하며, 타인을 인식적 타자가 아닌 도덕적 타자로 본다.

③ 포스트모더니즘은 학문 간 통합을 강조한다.

④ 포스트모더니즘은 인간을 행위의 주체로 보는 해방주의를 주장하였으며 사회적 통제로부터 해방을 강조하는 인본주의를 지향한다.

02

정답 : ②

② 모더니즘은 인권, 인간 이성과 인간 중심적 관점에서의 행정을 강조하였다.

① 파머(D.Farmer)의 탈구성(해체)에 따르면 행정은 객관적으로 연구될 수 있다는 설화를 해체 해야 한다고 주장한다.

③ 포스트모더니티이론에서는 최종적이고 진리적인 정의는 가능하지 않으며 진리의 기준은 맥 락 의존적이라고 본다.

④ 포스트모더니티이론의 대표학자인 파머(D.Farmer)는 상상, 해체, 탈영토화, 타자성을 주장하 였다.

★ **포인트 정리**

모더니즘 행정 vs 포스트모더니즘 행정

모더니즘	포스트모더니즘
이성, 합리성	상상, 특수성
보편성(과학주의), 객관주의	다양성, 상대주의
대상영역의 한정	탈영토화 (간학문성)
대의제, 간접민주주의	직접참여, 담론 강조

정답

08 ③ 01 ① 02 ②

01 공공선택론(public choice)의 특징에 대한 설명으로 가장 적절하지 않은 것은? 2019 경정승진

① 정치 행정 제도의 상호작용을 연구하는 일련의 시도로서 정치경제학적 성격이 강하다.

② 관료에게만 집중되었던 권력을 시민에게 되돌려 줌으로써 시민중심의 공직제도를 구축하고자 한다.

③ 공공재와 공공서비스의 특질을 중요시하고, 공공정책의 확산 효과(spill-over effects)를 강조한다.

④ 정부실패의 원인을 정부관료제가 공공재의 생산과 공급에서 독점적인 영향력을 행사하는 데서 찾고 있다.

02 다음 〈보기〉에서 설명하는 이론으로 옳은 것은? 2018 국회 8급

> 보기
>
> 경제학적인 분석도구를 관료행태, 투표자 행태, 정당정치, 이익집단 등의 비시장적 분석에 적용함으로써 공공서비스의 효율적 공급을 위한 제도적 장치를 탐색한다.

① 과학적 관리론　　　　　　　　② 공공선택론

③ 행태주의　　　　　　　　　　④ 발전행정론

⑤ 현상학

03 다음과 같은 비판이 제기되고 있는 행정학의 접근방법은? 2017 지방 7급

> ○ 인간은 경제적 이해관계로만 움직이지 않는다.
> ○ 정부활동의 성과를 지나치게 시장적 가치로 환원하려는 경향이 있다.

① 생태론적 접근방법　　　　　　② 현상학적 접근방법

③ 공공선택론적 접근방법　　　　④ 체제론적 접근방법

04 티부(Tiebout) 모형의 가정(assumptions)으로 옳지 않은 것은? 2016 국가 9급

① 충분히 많은 수의 지방정부가 존재한다.

② 공급되는 공공서비스는 지방정부 간에 파급효과 및 외부효과를 발생시킨다.

③ 주민들은 언제나 자유롭게 이동할 수 있다.

④ 주민들은 지방정부들의 세입과 지출 패턴에 관하여 완전히 알고 있다.

01

② 관료에게만 집중되었던 권력을 시민에게 되돌려 줌으로써 시민중심의 공직제도를 구축하고 자 하는 것은 신공공서비스론의 특징에 대한 설명이다. 한편 공공선택론은 시민들의 다양한 요구와 선호에 민감하게 부응할 수 있는 제도적 장치를 마련하고자 하였다.

① 공공선택론은 비시장적 의사결정에 대한 경제학적 연구로 공공서비스의 효율적 공급을 위해 정치 및 행정현상에 경제학적 분석도구를 적용하여 설명하는 이론이다.

③ 공공재의 비배제성과 공공성을 중시하고 하나의 정책이 사회에 미치는 직·간접적인 정책의 파급효과를 강조한다.

④ 공공선택론은 정부관료제가 공공재의 생산과 공급에서 독점적인 영향력을 행사함으로써 정부실패가 발생한다고 보고, 시장원리에 따라 공공서비스의 공급이 이루어져야 한다고 본다.

02

② 공공선택론은 경제학적인 분석도구를 비시장적인 의사 결정부분의 연구에 적용함으로써 공공서비스의 효율적 공급을 위한 제도적 장치를 탐색하는 이론이다.

① 과학적 관리론은 과학적 관리기법들을 행정에 도입하여 행정 능률화에 기여하였고 행정을 관리로 파악하여 행정관리론의 이론적 근거를 제시한 이론이다.

③ 행태주의는 사회현상도 자연과학과 마찬가지로 과학적 연구가 가능하다고 보고 가치와 사실을 구분하고 가치중립성을 지향하는 이론이다.

④ 발전행정론은 발전도상국의 국가발전을 위한 전략과 국가발전 추진 체제로서의 행정체제의 발전문제를 연구하는 이론이다.

⑤ 현상학은 가치와 사실을 구분하지 않고 인간행동의 의미와 동기를 연구해야 하며, 인간행태의 내면적인 세계의 이해를 중시하는 이론이다.

03

③ 제시문은 공공선택론적 접근방법에 대한 비판이다. 공공선택론은 현실 세계가 효용극대화를 추구하고 있으며 합리적인 개인들로 구성되어 있다는 가정은 비현실적이라고 보며 자유시장의 논리를 공공부분에 도입함으로써 시장실패라는 한계를 안고 있다는 비판을 받는다.

① 생태론은 환경 결정론의 관점이론이다.

② 현상학은 가치지향적, 반실증적 접근의 이론이다.

04

② 공급되는 공공서비스가 지방정부 간에 파급효과 및 외부효과를 발생시킬 경우 주민들이 굳이 이주를 하지 않아도 그 공공서비스의 혜택을 누릴 수 있게 되므로, 티부모형에서는 공급되는 공공서비스는 지방정부 간에 파급효과 및 외부효과가 발생하지 않음을 전제로 한다.

① 티부가설이 성립하기 위해서는 다수의 지방정부가 존재하여야 한다.

③ 주민들의 자유로운 이동이 전제되어야 한다.

④ 주민들은 각 지방정부들의 세입세출에 대한 완전한 정보를 가지고 있다고 가정한다.

⚡ **포인트 정리**

정답

01 ② 02 ② 03 ③ 04 ②

05 **공공선택론(Public choice theory)의 내용으로 가장 옳지 않은 것은?**

2014 해경간부

① 공공선택론은 지나치게 공평한 재원의 배분만 강조한 나머지 행정의 효율성을 무시한다.

② 공공선택론에서 분석의 단위는 개인이며, 개인은 자기이익을 중심으로 행동하는 사람들이다.

③ 공공선택론의 사상적 연원은 정부서비스 공급에서 시민의 선택을 존중해야 한다는 생각이다.

④ 공공선택론은 뷰캐넌, 니스카넨 등 경제학자들이 발전시켰다.

CHAPTER 21 　신제도주의

기출 필수 코스

01 **신제도주의에 대한 설명으로 옳지 않은 것은?**

2021 지방, 서울 9급

① 제도는 법률, 규범, 관습 등을 포함한다.

② 역사적 제도주의는 제도가 경로의존성을 따른다고 본다.

③ 사회학적 제도주의는 적절성의 논리보다 결과성의 논리를 중시한다.

④ 합리적 선택 제도주의는 제도가 합리적 행위자의 이기적 행태를 제약한다고 본다.

02 **신제도주의에 대한 설명으로 옳은 것은?**

2018 교행 9급

① 역사적 신제도주의는 제도의 지속성을 중시한다.

② 신제도주의는 제도를 공식적인 체제나 구조에 한정하여 규정한다.

③ 사회학적 신제도주의는 제도를 개인의 효용을 극대화하기 위한 수단으로 본다.

④ 합리적 선택 신제도주의는 제도가 유사한 형태로 수렴하는 제도적 동형화에 주목한다.

05

정답 : ①

① 공공선택론은 경제학적 관점과 시장논리에 입각하여 효율적 배분만 강조한 나머지 공평한 재원의 배분을 무시한다.

② 공공선택론은 인간은 사익추구적이라는 방법론적 개체주의를 취한다.

③ 공공선택론은 소비자의 선호를 표출·반영해야 한다는 경제학적 관점을 취한다.

④ 뷰캐넌(적정참여자수모형), 니스카넨(예산극대화가설), 던리비(관청형성모형) 등은 모두 공공선택론을 주장한 대표적 학자들이다.

01

정답 : ③

③ 사회학적 제도주의는 제도의 규범적 측면보다 인지적 측면을 중시하면서 제도의 변화는 사회적으로 적절하다고 인정받는 구조와 기능을 닮아가는 과정이라고 본다. 즉 결과성의 논리보다는 적절성의 논리를 강조한다.

① 신제도주의는 법률, 규범, 관습 등도 제도의 개념으로 본다.

② 역사적 제도주의는 제도가 기존의 경로를 유지하는 경로의존성이 나타난다고 본다.

④ 합리적 선택 제도주의는 인간을 합리적인 행위자로 전제하지만 제도적인 제약으로 인해 제한된 합리성에 머문다고 본다.

신제도론의 비교

구분	합리적 선택 신제도론	역사적 신제도론	사회학적 신제도론
기본관점	경제학적 접근	정치학적 접근	사회학적 접근
제도범위	좁게 인식	넓게 인식	가장 넓게 인식
분석수준	미시적, 개체주의 (개인간 거래행위)	거시적, 전체주의 (제도=국가, 정치체제)	거시적, 전체주의 (사회문화)
선호	외생적	내생적	내생적
강조점	전략적 행위	권력분균형, 우연성	정당성
제도의 변화	전략적 선택, 거래비용접근	결절된 균형, 경로의존성	동형화
연구방법	연역적, 방법론적 개체주의	종단면, 사례연구(귀납적)	횡단면, 해석학(귀납적)

02

정답 : ①

① 역사적 신제도주의는 제도의 경로의존성을 강조하며, 경로의존성에 의한 정책선택의 제약을 인정하고 의도하지 않은 결과를 강조한다.

② 구제도주의는 제도를 공식적인 체제나 구조에 한정하여 규정한다.

③ 합리적 선택 신제도주의는 제도를 개인의 효용을 극대화하기 위한 수단으로 본다.

④ 사회학적 신제도주의는 제도가 유사한 형태로 수렴하는 제도적 동형화에 주목한다.

정답

05 ① 01 ③ 02 ①

03 신제도주의에 대한 설명으로 옳은 것은?

2015 사복 9급

① 비공식적인 제도나 규범도 넓은 의미에서 '제도'로 규정한다.

② 행태주의적 접근방법을 지지한다.

③ 역사적 신제도주의는 분석수준 면에서 방법론적 개체주의의 입장을 취한다.

④ 사회학적 신제도주의는 다양한 요인들이 결합되는 역사적 우연성과 맥락을 중시한다.

04 행정학에서 신제도주의 접근방법에 대한 설명으로 가장 옳지 않은 것은?

2015 해경간부

① 정부활동의 성과에 영향을 미치는 제도적 장치를 규명한다.

② 역사적 제도주의는 제도의 발전과정에서 선택된 경로의 중요성을 강조한다.

③ 사회학적 제도주의는 인류의 보편적 제도를 강조한다.

④ 합리적 선택 제도주의는 제도의 발전을 거래비용의 개념으로 설명한다.

05 신제도주의 이론에 대한 설명으로 옳지 않은 것은?

2014 국가 7급

① 역사적 제도주의에서는 제도의 경로의존성(path dependency)을 강조한다.

② 신제도주의는 이론적 배경을 달리하는 역사적 제도주의, 합리적 선택이론, 사회학적 제도주의 등으로 구별된다.

③ 신제도주의는 기존의 행태주의가 시대별 정책적 차이나 다양성을 설명하지 못하는 한계를 가지고 있다는 점에 주목한다.

④ 구제도주의와 신제도주의의 공통점은 제도의 개념을 동태적인 것으로 파악하면서, 국가 간 차이에 대한 설명을 시도하는 것이다.

CHAPTER 22 　신공공관리론

기출 필수 코스

01 다음과 같은 내용의 공통적인 특성을 갖는 행정이론은?

2017 국가 7급(추)

> ○ 공익을 사적 이익의 총합으로 파악한다.
> ○ 기업가적 목표 달성을 위해 폭넓은 행정 재량을 공무원에게 허용할 수 있다.
> ○ 경영학의 성과관리와 경제학의 신제도주의가 혼합되어 영향을 주었다.

① 신공공관리론　　　　　　　　　② 뉴거버넌스

③ 신공공서비스론　　　　　　　　④ 신행정론(신행정학)

03
정답 : ①

① 신제도론에서의 '제도'는 개인들 상호 간 구체적 관계에 질서를 부여하기 위해 사용하는 규칙들 또는 개인의 형태를 제약하기 위해 고안된 일단의 규칙, 순응절차, 윤리적 규범(North)으로 보며, 규칙과 법률 등 공식적인 측면도 있으며 규범과 관습 등 비공식적인 측면도 있다고 본다.

② 신제도주의는 행태주의적 접근방법은 형식적인 법률, 규칙, 행정구조의 실제 행태와 결과를 설명하지 못하므로 정치적 결과를 이해하고 설명하기 위해서는 공식적 제도보다 비공식적 권력배분의 상태, 개인이나 집단행태에 연구의 초점을 두어야 한다고 보았으므로 행태주의적 접근방법을 비판한다.

③ 분석수준 면에서 방법론적 개체주의의 입장을 취하는 것은 합리적 선택 신제도주의이다. 한편 역사적 신제도주의와 사회학적 신제도주의는 방법론적 전체주의(총체주의)의 입장을 취한다.

④ 역사적 우연성과 맥락을 중시하는 것은 역사적 신제도주의의 특징이다. 한편 사회학적 신제도주의는 제도의 공식적 측면보다는 규범, 문화, 상징체계, 의미 등 비공식적인 측면과 인지구조를 중시한다.

04
정답 : ③

③ 사회학적 제도주의는 인류의 보편적 제도란 존재하지 않으며, 사회문화나 상황에 따라 다양한 제도가 존재할 수 있다고 가정한다.

① 신제도주의는 정부활동의 성과에 영향을 미치는 제도적 장치를 규명한다.

② 역사적 제도주의에서의 경로의존성 개념과 연결된다.

④ 합리적 선택 신제도주의에서는 제도변화가 거래비용을 감소시키는 방향으로 이루어진다고 본다.

05
정답 : ④

④ 구제도주의는 신제도주의와 달리 제도의 동태적 측면을 파악하지 못하며, 제도의 국가 간 차이 등에 대해서는 설명하지 못한다.

① 역사적 신제도주의는 제도의 지속성과 제도의 변화·발전을 설명하는 데 있어 기존의 경로를 유지하려는 경로의존성을 강조한다.

② 신제도주의는 경제학, 정치학, 사회학 등 다양한 학문을 토대로 연구되었으므로 그 유파가 다양한데, P.Hall은 합리적 선택, 역사적, 사회학적 제도주의로 구분하였다.

③ 신제도주의는 제도와 시대(역사)에 대해 인식을 하지 않는 행태주의나 제도적 제약을 간과한 다원주의에 대한 반발로 나타나게 되었다.

01
정답 : ①

① 신공공관리론은 시장주의와 신관리주의를 결합해 전통적인 관료제 패러다임과 정부실패의 한계를 극복하고 작은 정부를 구현하기 위해 개발된 정부 운영 및 개혁에 관한 이론으로 성과지향, 고객지향 등을 특징으로 하고, 공익을 개인들의 총이익으로 파악하고 기업가적 정부를 지향하며 공무원에게 재량을 허용한다.

📝 포인트 정리

신공공관리론의 특징

이론과 인식의 토대	• 경제이론 • 실증적 사회과학에 기초한 정교한 토의
합리성 모형과 행태모형	• 기술적·경제적 합리성 • 경제인 또는 자기 이익에 기초한 의사결정자
공익에 대한 입장	• 개인들의 총이익
관료의 반응 대상	• 고객
정부의 역할	• 방향잡기 (시장의 힘을 활용한 촉매자)
정책목표의 달성기제	• 개인 및 비영리기구를 활용해 정책 목표를 달성할 기제와 유인 체제를 창출
책임에 대한 접근 양식	• 시장 지향적–개인 이익의 총합은 시민 또는 고객집단에게 바람직한 결과를 창출
행정재량	• 기업적 목적 달성을 위해 넓은 재량 허용
기대하는 조직구조	• 기본적 통제를 수행하는 분권화된 공조직
관료의 동기유발	• 기업가 정신 • 정부규모를 축소하려는 이데올로기적 욕구

정답

03 ① 04 ③ 05 ④ 01 ①

02 '기업가 정신'과 '기업경영 원리'를 행정에 도입함으로써 정부의 효율성과 효과성을 높여나갈 수 있음을 강조한 오스본(D. Osborne)과 게블러(T. Gaebler)의 '정부재창조 원리'에 대한 설명으로 옳지 않은 것은? 2016 경찰간부

① 촉진적 정부: 노 젓기보다 방향 잡아주기

② 지역사회가 주도하는 정부: 권한 부여보다 서비스 제공

③ 경쟁적 정부: 서비스 제공에 경쟁 도입

④ 고객지향적 정부: 관료제가 아닌 고객 요구의 충족

03 신공공관리론과 뉴거버넌스에 대한 설명으로 옳은 것은? 2013 지방 9급

① 신공공관리론에서 관료의 역할은 조정자이며, 뉴 거버넌스론에서 관료의 역할은 공공기업가이다.

② 신공공관리론과 뉴거버넌스론에서는 정부의 역할로서 노젓기(rowing)보다는 방향잡기(steering)를 강조한다.

③ 신공공관리론과 뉴거버넌스론에서는 산출(output)보다는 투입(input)에 대한 통제를 강조한다.

④ 신공공관리론에서는 부분 간 협력에, 뉴거버넌스론에서는 부문 간 경쟁에 역점을 둔다.

04 다음 중 신공공관리론(New Public Management)과 관련이 없는 것은? 2013 해경간부

① 신자유주의

② 정부업무의 성과 평가

③ 공익의 적극적 실현

④ 정부업무의 효율성 극대화

05 신공공관리론(New Public Management)에 대한 설명으로 옳은 것은? 2010 지방 9급

① 업무의 결과보다 과정을 중시한다.

② 정부의 역할을 방향제시보다 노젓기로 본다.

③ 권력의 집중화보다는 분권화를 지향한다.

④ 시장실패의 치유를 위한 국가의 역할을 강조한다.

02

정답 : ②

② 지역사회가 주도하는 정부는 정부가 서비스를 직접 제공하는 것에서 민간에게 할 수 있도록 권한을 부여해 준다.

① 촉진적·촉매적 정부는 정부의 역할을 노젓기가 아닌 방향잡기로 본다.

③ 경쟁적 정부는 독점적인 서비스 공급방식에 경쟁원리를 도입한다.

④ 고객지향적 정부는 관료 중심의 계층제에서 고객 중심의 참여적 대응성을 지향한다.

03

정답 : ②

② 신공공관리론과 뉴거버넌스론은 노젓기보다 방향잡기로서의 정부의 역할을 강조한다.

① 신공공관리론에서 관료의 역할은 공공기업가이며, 뉴거버넌스론에서 관료의 역할은 조정자이다.

③ 신공공관리론과 뉴거버넌스론에서는 투입에 대한 통제보다는 산출에 대한 통제를 강조한다.

④ 신공공관리론은 부문 간 경쟁을, 뉴거버넌스론은 부문 간 협력을 강조한다.

04

정답 : ③

③ 신공공관리론은 공익보다는 효율과 생산성을 중시하므로 공익의 적극적 실현은 신공공관리론과 관련이 없다.

① 신자유주의는 신공공관리론의 정치적 토대가 되는 이념으로 감축관리 및 공공부문의 민간화 등을 지향한다.

② 신공공관리론은 의도한 결과나 성과가 구현되었는지를 중시하는 관리전략으로 성과중심의 행정을 강조한다.

④ 정부기능이나 조직·인력의 감축 등을 통해 내부관리의 효율성을 강조한다.

05

정답 : ③

③ 신공공관리론은 분권화된 조직을 선호한다.

① 과정보다 결과를 중시하는 성과중심의 행정이다.

② 노젓기보다 방향잡기 역할을 강조한다.

④ 정부실패를 막기 위하여 국가의 역할이나 개입을 가급적 줄이는 것을 중시한다.

⭐ 포인트 정리

오스본과 게블러(Osborne & Gaebler)의 「정부재창조론」: 기업가적 정부 운영의 10대 원리

	신공공관리론(기업가적 정부)	
정부 역할	방향잡기	촉진적·촉매적 정부
정부 활동	할 수 있는 권한 부여	시민소유 정부
서비스 공급방식	경쟁 도입	경쟁적 정부
	시장메커니즘	시장지향적 정부
관리 기제	임무중심 관리, 결과중시	사명(임무)지향적 정부
	성과중심	성과지향적 정부
	고객중심	고객지향적 정부
	수익창출	기업가적 정신을 가진 정부
	예측과 예방	예견적(미래지향적) 정부
	참여와 팀워크, 협의와 네트워크 형성	분권적 정부

정답

02 ② 03 ② 04 ③ 05 ③

06 D. Osborne과 P. Plastrik이 제시한 「정부혁신의 5가지 전략」의 설명으로 옳지 않은 것은? 2010 국회 8급

① 핵심전략 : 정책수립 시 명확한 목표설정

② 통제전략 : 부패방지를 위한 행정투명성 확보

③ 결과전략 : 유인책을 통한 성과관리 강조

④ 고객전략 : 시민헌장 제정을 통한 고객에 대한 책임성 확보

⑤ 문화전략 : 공직사회의 기업가적 조직문화 창조

CHAPTER 23 뉴거버넌스

기출 **필수** 코스

01 다음 신공공관리론(new public management)과 뉴거버넌스론(new governance)에 대한 설명으로 가장 옳은 것은? 2016 서울 7급

① 신공공관리론의 인식론적 기초는 민주주의이다.

② 뉴거버넌스론의 인식론적 기초는 공동체주의이다.

③ 신공공관리론은 관료의 역할로 조정자(coordinator)의 역할을 강조하였다.

④ 뉴거버넌스론은 관료의 역할로 공공기업가(public entrepreneur)의 역할을 강조하였다.

02 뉴거버넌스론에서 강조하는 공공문제 해결방식으로 옳은 것은? 2015 교행 9급

① 정부업무프로세스 혁신

② 정부 주도의 기획과 조정

③ 민간경영기법의 도입과 경쟁

④ 정부 · 시장 · 시민사회 간의 협력

03 뉴거버넌스(new governance)에 대한 설명으로 옳지 않은 것은? 2011 지방 9급

① 조정자로서 관료의 역할 상을 강조한다.

② 분석단위로 조직 내(intra-organization) 연구를 강조한다.

③ 경쟁적 작동원리보다는 협력적 작동원리를 중시한다.

④ 공공문제 해결의 기제로써 네트워크의 활용을 중시한다.

06 정답 : ②

② 통제전략은 권한을 일선관료에게 위임하고 권한을 확대해야 한다는 것으로 이를 위해 실무조직에 대한 권한 부여, 실무자에 대한 권한 부여, 지역사회에 대한 권한 부여 등을 제시한다.

① 핵심전략은 정부의 목표를 명확히 하고 방향잡기 등 핵심적 기능만 수행해야 한다는 것으로 이를 위해 목표의 명확화, 역할의 명확화, 방향의 명확화를 제시한다.

③ 결과전략은 경쟁적 유인전략을 적극적으로 도입하여 성과(결과)에 초점을 두어야 한다는 것으로 이를 위해 기업식 관리, 경쟁관리, 성과관리를 제시한다.

④ 고객전략은 고객에 대한 책임을 확보하기 위해 정부서비스 공급자들 간 경쟁을 촉진하고 고객에서 서비스 품질 등을 보증하는 것으로 이를 위해 고객 선택 접근법, 경쟁적 선택 접근법, 고객품질보증 등을 제시한다.

⑤ 문화전략은 기업가적 조직문화를 창출하자는 것으로 이를 위해 조직 구성원들의 사고와 정신이 변화해야 한다고 보면서 관습타파(습관의 변화), 감정적 의식의 변화, 새로운 정신의 획득 등을 제시한다.

포인트 정리

기업형정부 구현을 위한 5가지(5C) 전략(Osborne과 Plastrick)

전략	정부개혁 수단	접근방법
핵심 전략	목적	목표, 방향, 역할의 명확화
결과(성과) 전략	유인체계	기업식 관리, 경쟁관리, 성과관리
고객 전략	책임성	고객 선택, 경쟁적 선택, 고객품질보증(품질확보)
통제 전략	권한	실무조직, 실무자, 지역사회에 대한 권한 부여(위임)
문화 전략	문화	관습타파, 감정적 의식 변화(감동정신), 새로운 정신 획득(승리정신)

01 정답 : ②

② 뉴거버넌스는 공동체주의적 기초에 입각하여 정부-시장-시민사회의 파트너십을 중시한다.

① 인식론적 기초를 민주주의로 보는 것은 뉴거버넌스론이다. 한편 신공공관리론의 인식론적 기초는 신자유주의, 공리주의이다.

③ 관료의 역할로 조정자의 역할을 강조하는 것은 뉴거버넌스론이다. 한편 신공공관리론은 관료의 역할로 공공기업가의 역할을 강조한다.

④ 관료의 역할로 공공기업가의 역할을 강조한 것은 신공공관리론이다. 한편 뉴거버넌스론은 관료의 역할로 조정자의 역할을 강조한다.

02 정답 : ④

④ 뉴거버넌스론(신국정관리론)은 시민을 결정에 대한 참여의 주체, 국정의 주인으로 받아들인 개념으로 정부와 정부 외 준정부조직, NGO, 민간기업, 전문가 등 다양한 주체가 정책결정과 공공서비스 제공에 참여한다.

03 정답 : ②

② 분석단위로 조직 내 연구를 강조하는 것은 신공공관리론에 대한 설명이다. 한편 뉴거버넌스는 조직 간 연구를 강조한다.

① 뉴거버넌스는 조정자로서의 정부역할을 중시한다.

③ 다양한 주체의 협력적 관계를 강조한다.

④ 공동체주의에 입각하여 정부-시장-민간의 파트너십을 강조한다.

정답
06 ② 01 ② 02 ④ 03 ②

04 신공공관리론과 뉴거버넌스론을 비교 설명한 것으로 가장 옳지 않은 것은?

2010 국가 9급

		신공공관리론	뉴거버넌스론
①	작동원리	경쟁	협력
②	서비스	민영화, 민간위탁 등	공동 공급
③	관리가치	결과(outcome)	신뢰(trust)
④	인식론적 기초	공동체주의	신자유주의

CHAPTER 24 | 신공공서비스론(NPS), 기타 최신이론

기출 **필수 코스**

01 신공공서비스론(New Public Service)에 관한 설명으로 가장 적절하지 않은 것은?

2020 경정승진

① 공무원들은 고객이 아니라 시민에게 봉사해야 한다고 본다.

② 민주주의이론, 비판이론, 포스트모더니즘 등이 인식론적 토대이다.

③ 공익은 시민의 광범한 참여와 담론을 통해 도출되어야 하고, 정부는 이를 도와야 한다고 주장한다.

④ 규범적 가치에 관한 이론 제시 뿐만 아니라, 이러한 가치들을 구현하는 데 필요한 구체적 처방을 제시하고 있다는 점에서 의미가 있다.

02 덴하트(J. V. Denhardt)와 덴하트(R. B. Denhardt)가 제시한 신공공서비스론의 주요 내용과 가장 거리가 먼 것은?

2019 서울 7급(2월)

① 생산성과 더불어 사람의 가치를 강조한다.

② 책임성의 복잡성과 다차원성에 주목한다.

③ '전략적 사고'와 더불어 '민주적 행동'의 중요성을 강조한다.

④ 관료의 역할과 관련하여 '방향잡기'와 함께 '봉사'를 강조한다.

03 신공공서비스론에 대한 설명으로 옳지 않은 것은?

2017 국회 9급

① 공익이란 공유된 가치에 대한 담론의 결과물로 인식한다.

② 전략적 사고와 민주적 행동을 중시한다.

③ 복잡하고 다원적인 행정책임을 받아들인다.

④ 치유보다는 예방적 관리를 중시한다.

⑤ 인간을 존중하고 인간을 통한 관리를 중시한다.

04

정답 : ④

④ 신공공관리론은 신자유주의를, 뉴거버넌스론은 공동체주의를 인식론적 기초로 본다.

① 신공공관리론이 부문 간 경쟁에 역점을 두고 있는 반면, 뉴거버넌스론은 부문 간 협력에 중점을 두고 있다.

② 신공공관리론이 서비스의 민영화, 민간위탁 등에 초점을 두고 있는 반면, 뉴거버넌스론은 공동 공급에 중점을 두고 있다.

③ 신공공관리론이 결과에 초점을 두고 있는 반면, 뉴거버넌스론은 과정 및 신뢰에 중점을 두고 있다.

01

정답 : ④

④ 신공공서비스론은 행정의 규범적 가치에 관한 이론을 제시했을 뿐, 이러한 가치의 구현에 필요한 구체적 처방을 제시하지 못했다는 비판을 받는다.

① 정부는 방향잡기(조정)의 역할이 아닌 시민에게 봉사(service)하는 역할을 수행해야 한다고 본다.

② 신공공서비스론의 이론적 배경으로는 민주주의이론, 비판이론, 포스트모더니즘 등이 있다.

③ 공익을 공유된 가치를 창출하는 담론을 통해 얻은 결과물로 보며, 부산물이 아닌 목적으로 본다.

02

정답 : ④

④ 신공공서비스론은 관료의 역할을 방향잡기보다는 공유된 가치를 표명하고 충족시킬 수 있도록 봉사해야 한다고 본다.

① 신공공서비스론은 인본주의를 기초로 하여 사람을 가장 높은 가치의 중심으로 보았고 생산성만을 중시하는 것이 아닌 사람의 가치를 강조한다.

② 신공공서비스론에서는 책임은 단순하지 않다고 보는 다원적 책임을 강조한다.

③ 신공공서비스론은 전략적으로 생각하고 민주적으로 행동하라는 전략적 사고와 민주적 행동을 강조한다.

03

정답 : ④

④ 치유보다 예방적 관리를 중시하는 것은 신공공관리론에 대한 설명이다. 한편 신공공서비스론은 예방적 관리와 치유 모두를 중시한다.

① 신공공서비스론은 공익을 공유된 가치에 대한 담론의 결과물로 본다.

② 신공공서비스론에서 추구하는 개념으로 합의된 비전을 실현하기 위해 그에 따른 책임과 역할을 설정하고, 공유된 목적을 위한 구체적인 행동을 개발해야 한다.

③ 던하르트의 NPS 7원칙의 내용 중 하나로 책임은 단순하지 않으므로 신공공서비스론에는 다원적인 행정책임을 받아들인다.

⑤ 신공공서비스론에서는 인본주의를 기초로 사람을 가장 높은 가치의 중심으로 본다.

포인트 정리

정답

04 ④ 01 ④ 02 ④ 03 ④

04 다음 중에서 신공공관리론(NPM)의 오류에 대한 반작용으로 대두된 신공공서비스론(NPS)에서 주장하는 원칙에 해당하는 것은?
2013 서울 9급

① 지출보다는 수익 창출
② 노젓기보다는 방향잡기
③ 서비스 제공보다 권한 부여
④ 고객이 아닌 시민에 대한 봉사
⑤ 시장기구를 통한 변화 촉진

05 신공공서비스 이론에 대한 설명으로 옳지 않은 것은?
2013 지방 7급

① 기업주의 가치를 추구한다.
② 고객이 아닌 시민을 위해 봉사한다.
③ 전략적으로 생각하고 민주적으로 행동한다.
④ 공익을 찾으려고 노력한다.

06 신공공서비스론(New Public Service)에 대한 설명으로 적절하지 않은 것은?
2012 지방 9급

① 민주주의 이론, 비판이론, 포스트모더니즘 등이 인식론적 토대이다.
② 공익은 공유하고 있는 가치에 대하여 대화와 담론을 통해 얻은 결과물이다.
③ 시장의 가격 메커니즘과 경쟁의 원리를 적극적으로 도입한다.
④ 내외적으로 공유된 리더십을 갖는 협동적인 구조가 바람직하다.

07 민주적 시민이론·담론이론·포스트모더니즘 등을 이론적 토대로 삼고 있으며, 정부의 역할은 공유된 가치관을 창출하고 시민과 지역공동체들 간에 이익을 중재하고 협상하는 데 기여하는 것이라고 주장하는 이론은?
2011 서울 7급

① 신행정론
② 공공선택론
③ 신제도주의론
④ 신공공서비스론
⑤ 신공공관리론

04

정답 : ④

④ 신공공서비스론은 시민에 대한 봉사, 공익의 중시, 시민의식의 중시, 전략적 사고와 민주적 행동, 책임의 다원성, 조종이 아닌 봉사, 인간존중 등을 특징으로 한다.

①, ②, ③, ⑤ 신공공관리론의 특징에 대한 설명이다.

★ 포인트 정리

신공공서비스의 특징

- 방향잡기가 아닌 서비스 제공자로서의 정부: "조종하기보다 시민에게 봉사"
- 담론을 통한 공익의 중시: "공익은 부산물이 아니라 목표"
- 전략적 사고와 민주적 행동: "전략적으로 생각하고 민주적으로 행동"
- 시민에 대한 봉사: "고객이 아니라 시민 모두에게 봉사"
- 책임의 다원성: "책임은 단순하지 않다"
- 인간존중: "생산성만을 중시하는 것이 아니라 사람을 존중"
- 시티즌십과 공공서비스의 중시: "기업가정신보다 시티즌십(시민정신)과 공공 서비스 중시"

05

정답 : ①

① 기업주의 가치(기업가정신)를 추구하는 것은 신공공관리론의 특징이다. 한편 신공공서비스론은 기업가정신보다 시티즌십(시민정신)과 공공서비스를 중시한다.

06

정답 : ③

③ 시장의 가격 메커니즘과 경쟁의 원리를 적극적으로 도입하는 것은 신공공관리론(NPM)에 대한 설명이다. 한편 신공공서비스론은 시장원리와 경쟁의 원리에 의존하는 NPM의 기업가정신을 비판하고 소통과 담론을 통한 시민정신에 입각한 서비스를 중시한다.

① 신공공서비스론은 시민행정학, 인간중심 조직이론, 신행정학, 포스트모더니즘 등을 인식적 토대로 삼는다.

② 신공공서비스론은 공익을 공유하고 있는 가치에 대한 담론의 결과물로 본다.

④ 신공공서비스론은 조직 내외적으로 공유된 리더십을 갖는 협동적 구조를 바람직한 조직구조로 본다.

07

정답 : ④

④ 설문은 신공공서비스이론(NPS)에 해당한다.

① 행태론의 반대명제로서 행정이 사회적 적실성과 실천성을 갖추어야 한다고 주장한다.

② 행정을 공공재의 공급과 소비관계로 파악하고 정부는 공공재의 공급자, 국민은 소비자로 규정한다.

③ 행태주의의 반발로서 등장하였고, 제도를 동태적으로 연구한다.

⑤ 정부의 감축과 시장기제의 도입을 기조로 한다.

정답

04 ④ 05 ① 06 ③ 07 ④

01 행정이론에 대한 설명으로 옳은 것은?

2023 국가 9급

① 과학적관리론은 최고관리자의 운영원리로 POSDCoRB를 제시하였다.

② 행정행태론은 가치와 사실을 구분하고 가치에 기반한 행정의 과학화를 시도하였다.

③ 신행정론은 실증주의적 방법론을 비판하고 사회적 형평성과 적실성을 강조하였다.

④ 신공공관리론은 민간과 공공 부문의 파트너십을 강조하고 기업가 정신보다 시민권을 중요시하였다.

02 (가)~(라)의 행정이론이 등장한 시기를 순서대로 나열한 것은?

2022 국가 9급

> (가) 정부와 공공부문에 참여하는 다양한 참여자들의 네트워크를 중시하고, 정부는 전체 네트워크를 관리하는 조정자의 입장에 있다고 하였다.
>
> (나) 미국 행정학의 '지적 위기'를 지적하면서 인간을 이기적·합리적 존재로 전제하고, 공공재의 공급이 서비스 기관 간 경쟁과 고객의 선택에 의해 이루어지는 시스템을 제안하였다.
>
> (다) 정치는 국가의 의지를 표명하고 정책을 구현하는 것이며, 행정은 이를 실천하는 관리활동으로서 정치와 행정의 차이를 분명히 하였다.
>
> (라) 왈도(Waldo)를 중심으로 가치와 형평성을 중시하면서 사회의 문제해결에 대한 현실 적합성을 갖는 새로운 행정학의 정립을 시도하였다.

① (다) → (라) → (가) → (나)   ② (다) → (라) → (나) → (가)

③ (라) → (다) → (가) → (나)   ④ (라) → (다) → (나) → (가)

03 행정학의 주요 접근 방법에 대한 설명으로 가장 옳은 것은?

2017 해경간부

① 신제도론적 접근방법 중 합리적 선택 제도주의는 정치학에 배경을 두고 있다.

② 뉴거버넌스론은 공공서비스 공급자로서 정부의 독점적 역할을 중요시한다.

③ 후기행태주의는 가치중립적인 과학적 연구를 중요시하여 정책학의 발전에 견인차 역할을 하였다.

④ 신공공서비스이론은 민주적 시민이론, 지역 공동체, 시민사회모형, 조직인본주의와 담론이론 등에 기초를 두고 있다.

04 행정이론에 대한 설명으로 옳지 않은 것은?

2016 사복 9급

① 신행정론(신행정학)은 실증주의와 행태주의를 비판하면서 행정학의 실천성과 적실성, 가치문제를 강조하였다.

② 공공선택론은 공공부문의 비시장적 의사결정을 경제학적으로 연구하며, 전통적인 관료제를 비판하였다.

③ 신공공서비스론은 시장주의와 신관리주의를 결합한 이론으로 행정의 효과성과 능률성을 극대화하고자 하였다.

④ 뉴거버넌스론은 정부, 시장, 시민사회 간 신뢰와 협동을 강조한다.

01
정답 : ③

① 귤릭은 '행정과학의 연구'(1937)에서 행정의 제1원리로 능률을 강조하며 POSDCoRB을 강조하였다.

② 행정행태론은 가치중립을 지향하여 사실과 가치를 구분하고 가치판단의 문제를 연구대상에서 제외하였다.

④ 뉴거버넌스에 대한 설명이다.

02
정답 : ②

② (다) → (라) → (나) → (가) 순으로 행정이론이 등장·발전하였다.

(다) 19세기 말~20세기 초 정치행정이원론인 행정관리론은 정치는 국가의 의지를 표명하고 정책을 구현하는 것이며, 행정은 이를 실천하는 관리활동으로서 정치와 행정의 차이를 분명히 하였다.

(라) 1960년대 말 신행정론은 왈도(Waldo)를 중심으로 가치와 형평성을 중시하면서 사회의 문제해결에 대한 현실 적합성을 갖는 새로운 행정학의 정립을 시도하였다.

(나) 1970년대 공공선택론은 미국 행정학의 '지적 위기'를 지적하면서 인간을 이기적·합리적 존재로 전제하고, 공공재의 공급이 서비스 기관 간 경쟁과 고객의 선택에 의해 이루어지는 시스템을 제안하였다.

(가) 1990년대 뉴거버넌스는 정부와 공공부문에 참여하는 다양한 참여자들의 네트워크를 중시하고, 정부는 전체 네트워크를 관리하는 조정자의 입장에 있다고 하였다.

03
정답 : ④

④ 신공공서비스이론은 행정서비스의 가치를 제고하기 위해서는 관료와 시민의 공동적 참여와 민주적인 방식에 의해 운영되어야 한다고 보는 이론으로 민주적 시민이론, 지역 공동체와 시민사회모형, 조직인본주의와 담론주의, 포스트모더니즘 등에 기초를 두고 있다.

① 역사적 신제도주의에 대한 설명이다. 한편 합리적 선택 신제도주의는 경제학에 배경을 두고 있다.

② 뉴거버넌스론은 공공서비스 공급자로서 정부의 독점적 역할을 부정한다.

③ 후기행태주의는 가치지향적·실천지향적 연구를 통하여 정책과학의 발전에 견인차 역할을 하였고, 가치중립적인 과학적 연구를 기반으로 하는 행태론을 비판하였다.

04
정답 : ③

③ 신공공관리론은 시장주의와 신관리주의를 결합한 이론으로 행정의 효과성과 능률성을 극대화하고자 하였다. 한편 신공공서비스론은 관료제와 신공공관리론에 대한 비판에서 나온 이론이다.

① 신행정론은 전통적 행정이론에 대한 비판에서 등장한 것으로 행정의 사회적 적실성과 실천성 및 정책지향과 정체성을 강조하면서 등장하였다.

② 공공선택론은 비시장적 의사결정에 대한 경제학적 연구로서 방법론적 개체주의를 지향한다.

④ 뉴거버넌스론은 1980년 이후 새롭게 대두된 국정운영방식으로 국가·시장·시민사회의 연계망을 중시하며 민주성과 효율성을 강조한다.

정답

01 ③ 02 ② 03 ④ 04 ③

05 행정이론에 대한 설명으로 옳은 것은?

① 후기행태주의 접근방법은 가치중립적인 엄밀한 과학적 연구를 지향했다.

② 행태주의 접근방법은 집단의 고유한 특성을 인정하여 방법론적 전체주의 입장을 취한다.

③ 신공공관리론에서는 행정의 가치로 형평성과 민주성을 강조하기 때문에 고객의 만족을 중시한다.

④ 체제론적 접근방법은 체제의 구체적인 운영이나 행태적 측면을 다루지 못한다는 비판을 받았다.

⑤ 공공선택론은 정치학적 분석도구를 국가의 경제정책 결정에 활용하여 정부실패를 극복하고자 하였다.

06 다음 중 행정학의 이론적 사조에 대한 설명으로 옳지 않은 것은?

① Simon, March와 같은 학자들은 행태의 과학성에 주목하였고, 정치행정일원론에 해당한다.

② Sharkansky는 체제론자이다.

③ Frederickson은 신행정론자로서 형평성을 강조하였다.

④ Gulick과 Urwick은 정치행정이원론 시기의 학자들이다.

⑤ 현상학적 조직론을 주창한 Harmon은 신행정학자이다.

07 미국에서 행정학의 이론이 발전된 시간적 순서대로 바르게 나열한 것은?

① 인간관계론 → 과학적 관리론 → 신행정이론 → 신공공관리론

② 과학적 관리론 → 신공공관라론 → 신행정이론 → 인간관계론

③ 과학적 관리론 → 인간관계론 → 신공공관리론 → 신행정이론

④ 인간관계론 → 신행정이론 → 신공공관리론 → 과학적 관리론

⑤ 과학적 관리론 → 인간관계론 → 신행정이론 → 신공공관리론

08 다음 중 행정이론의 발달과정에 대한 설명으로 가장 옳은 것은?

① 행정원리학파는 권력분산의 중요성을 강조한 것이다.

② 공공선택학파는 이해당사자들의 참여를 통한 의사결정을 강조한다.

③ POSDCoRB는 행정의 민주성을 중시한 표현이다.

④ 인간관계론은 Y이론에 입각하여 인간을 능동적인 존재로 가정한다.

05

정답 : ④

④ 체제론은 지나치게 거시적이어서 체제 내의 구체적인 운영이나 행태 등 미시적인 측면을 고려하지 못했다.

① 후기행태주의 접근방법은 가치중립적인 엄밀한 과학적 연구를 지양했다.

② 행태주의 접근방법은 집단의 고유한 특성을 인정하지 않는 방법론적 개체주의 입장을 취한다.

③ 신공공관리론에서는 행정의 가치로 형평성과 민주성을 강조하기보다는 고객의 만족의 성과를 중시한다.

⑤ 공공선택론은 경제학적 분석도구를 국가의 경제정책 결정에 활용하여 정부실패를 극복하고자 하였다.

06

정답 : ①

① 행태과학자 H.A.Simon 등은 가치와 사실을 구분하여 사실중심의 과학적 연구를 강조한 정치행정이원론자이다.

② Sharkansky(1978)는 체제를 타 조직과 구분되는 독립성과 경계를 가지고 개방적으로 살아가는 전체로서의 집합 또는 실체라고 하였다.

③ Frederickson은 대표적인 신행정론자이다.

④ Gulick과 Urwick은 정치·행정이원론을 바탕으로 고전적 조직원리들을 제시하였다. 특히 Gulick은 행정인이 해야 할 능률적인 관리활동을 POSDCoRB(기획, 조직, 인사, 지시, 조정, 보고, 예산)로 정의했다.

⑤ Harmon은 행정학에 현상학적 접근방법을 처음 도입하였다.

07

정답 : ⑤

⑤ 행정이론의 등장(발달)순서는 과학적 관리론(19C말) → 인간관계론(1930년대) → 신행정이론(1970년대) → 신공공관리론(1980년대) 순이다.

08

정답 : ②

② 공공선택학파는 시장경제원리에 입각하여 가급적 이해당사자들의 참여를 통하여 선호가 반영되는 민주적이고 집단적인 의사결정을 강조한다.

① 고전적인 행정원리학파는 엄격한 계층제와 분업에 의한 조직편제를 중시하며 궁극적으로는 집권화의 필요성을 강조한다.

③ POSDCoRB는 최고관리층의 7대원리로서 행정 관리설이나 정치행정이원론의 대표적 모형이므로 행정의 능률성을 중시한다.

④ 인간관계론은 Y이론에 입각하되, 인간을 자발적, 능동적인 자아실현인으로 보지는 못했으며 여전히 피동적인 존재임을 전제한다.

정답
05 ④ 06 ① 07 ⑤ 08 ②

PART 2
정책론

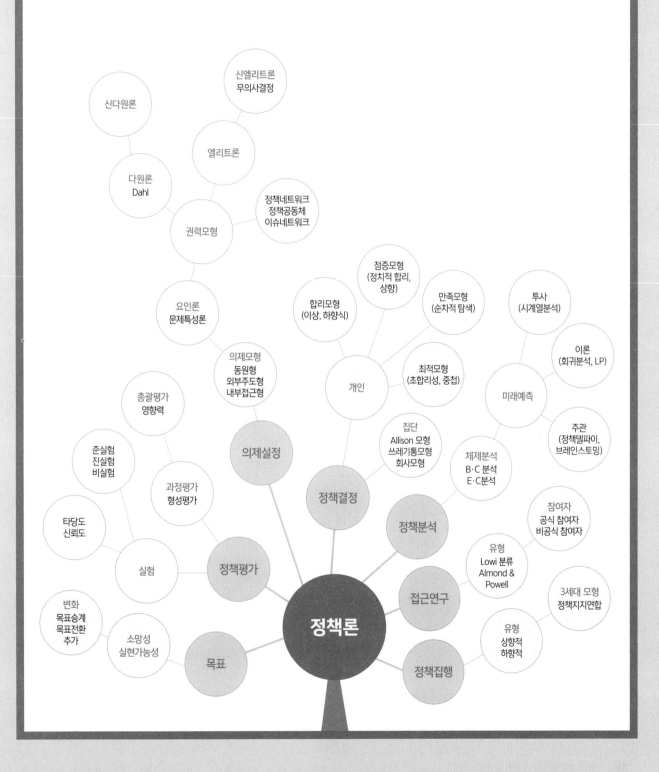

신엘리트론
무의사결정

신다원론

엘리트론

다원론
Dahl

정책네트워크
정책공동체
이슈네트워크

권력모형

요인론
문제특성론

점증모형
(정치적 합리,
상향)

합리모형
(이상, 하향식)

만족모형
(순차적 탐색)

투사
(시계열분석)

의제모형
동원형
외부주도형
내부접근형

개인

최적모형
(초합리성, 중첩)

이론
(회귀분석, LP)

총괄평가
영향력

미래예측

의제설정

집단
Allison 모형
쓰레기통모형
회사모형

주관
(정책델파이,
브레인스토밍)

준실험
진실험
비실험

과정평가
형성평가

정책결정

체제분석
B·C 분석
E·C분석

참여자
공식 참여자
비공식 참여자

타당도
신뢰도

정책분석

유형
Lowi 분류
Almond &
Powell

3세대 모형
정책지지연합

실험

정책평가

접근연구

변화
목표승계
목표전환
추가

소망성
실현가능성

목표

정책론

정책집행

유형
상향적
하향적

01 정책효과의 유형은 산출(output), 성과(outcome), 영향(impact)으로 구분될 수 있다. 〈보기〉는 시립도서관 운영의 성과를 나타내는 지표들이다. 각 유형과 〈보기〉의 지표가 올바르게 짝지어진 것은?   2015 교행 9급

> **보기**
>
> ㄱ. 시립도서관 이용자 수
> ㄴ. 시 정부에 대한 신뢰도
> ㄷ. 시립도서관 이용자 만족도

	ㄱ	ㄴ	ㄷ
①	산출	영향	성과
②	산출	성과	영향
③	성과	산출	영향
④	영향	산출	성과

02 정부의 정책문제는 해결해야 할 문제를 어떤 관점에서 보는가에 따라 정책목표의 구체적인 내용과 정책수단도 달라진다. 다음 중 정책문제의 속성에 관한 설명으로 옳지 않은 것은?   2013 행정사

① 정책문제는 공공성이 강하다.
② 정책문제는 주관적이며, 정치적 성격이 강하다.
③ 정책문제는 복잡·다양하며, 상호의존적이다.
④ 정책문제는 역사적 산물인 경우가 많다.
⑤ 정책문제는 정태적 성격이 강하다.

03 다음 중 정책과정의 특성에 관한 설명으로 옳지 않은 것은?   2012 군무원

① 정책과정은 계속적이고 순환적인 과정이다.
② 정책과정은 참여자들 간에 갈등과 타협이 존재하는 정치과정이다.
③ 정책과정에서는 상이한 성격의 집단 간의 연대가 어렵다.
④ 정책과정은 예측하기 힘든 매우 역동적인 과정이다.

정답 정밀 해설

01
정답 : ①

① 시립도서관 이용자 수는 산출에, 시 정부에 대한 신뢰도는 영향에, 시립도서관 이용자 만족도는 성과(결과)에 해당한다.

ㄱ – 산출[O] 산출은 생산과정과 활동에서 창출된 직접적인 생산물을 의미하는 것으로 시립도서관 이용자 수를 산출지표로 나타낸다.

ㄴ – 영향[O] 영향은 사업의 궁극적인 사회·경제적 효과를 의미하는 것으로 시 정부에 대한 신뢰도 등을 영향지표로 나타낸다.

ㄷ – 성과[O] 성과(결과)는 산출물이 창출한 조직 환경에서 직접적인 변화를 의미하는 것으로 시립도서관 이용자들의 만족도를 성과지표로 나타낸다.

02
정답 : ⑤

⑤ 정책문제는 정태적인 것이 아니라, 사회 상황과 여건에 따라 달라지는 동태적인 것이다.

① 정책문제는 사익성보다 공공성의 성격을 강하게 띤다.

② 정책문제는 주관적이며 고도의 정치를 띤다.

③ 정책문제는 복잡하고 다양하며 한 분야에서 제기되는 정책문제는 다른 분야에도 영향을 미치고 영향을 받기도 하므로 상호의존적이다.

④ 정책문제는 역사적 산물인 경우가 많으므로 역사성을 특징으로 한다.

03
정답 : ③

③ 정책문제는 정책대상 집단 간에 수혜의 극대화 및 피해의 극소화를 위한 정치적 투쟁, 협상, 타협이 나타나는 정치적 성격을 가지며, 상이한 성격의 집단 간에도 연대가 이루어질 수 있다.

① 정책문제는 여러 문제와 얽혀있고 환경변화에 따라 그 성격과 해결책이 달라지므로 계속적이고 순환적인 과정을 거친다.

② 정책과정은 참여자들 간에 갈등과 타협 및 협상이 존재하는 정치적인 과정이다.

④ 정책과정은 예측하기 힘든 역동적·동태적인 과정이다.

☆ 포인트 정리

공공서비스 성과지표

- 투입(input): 생산과정에서 사용된 것들의 명세(재원, 인력, 장비 등)를 지칭
- 업무(workload): 원재료를 산출물로 전환하거나 고객서비스를 하기 위해 조직 내에서 수행된 활동
- 산출(output): 생산과정과 활동에서 창출된 직접적인 생산물
- 결과(result): 산출물이 창출한 조직 환경에서 직접적인 변화를 의미
- 영향(impact): 사업의 궁극적인 사회·경제적 효과

정책문제의 속성

정치성	정치적 투쟁, 협상, 타협이 전개되므로 객관적 합리성이 제약됨
주관성	이해관계, 가치관, 능력, 심리상태 등에 따라 영향을 받음
인공성	이해집단의 상호작용이 이루어지는 정치적 과정이므로 객관성이 제약됨
동태성	여러 문제와 얽혀 있고 환경에 따라 그 성격과 해결책이 달라짐 → 복잡다양성, 상호의존성
역사성	역사적 산물인 경우가 많음
공공성	공익과 직결됨

정답

01 ① 02 ⑤ 03 ③

04 다음 중 정책학에 관한 설명으로 가장 옳지 않은 것은?

2011 경찰간부

① 현대적 의미의 정책학은 1951년 발표된 Lasswell의 「정책지향(policy orientation)」이라는 논문에서 그 시발점을 찾을 수 있다.

② 1960년대 인종갈등, 월남전 여파 등의 사회적 문제가 대두됨에 따라 정책학이 발전하기 시작하였다.

③ Lasswell은 정책학의 특성으로 문제지향성, 맥락성, 범학문성, 규범지향성 등을 들고 있다.

④ 정책학은 후기행태주의(Post Behavioralism)의 퇴조로 등장하게 되었다.

CHAPTER 02 정책유형

기출 **필수 코**스

---

01 로위(Lowi)의 정책유형에 대한 설명으로 옳지 않은 것은?

2020 국회 9급

① 분배정책의 예로 선거구 조정, 정부기관 신설 등이 있다.

② 재분배정책의 예로 누진세, 사회보장책 등이 있다.

③ 분배정책에서는 로그롤링(log rolling)이나 포크배럴(pork barrel)과 같은 정치현상이 나타날 수 있다.

④ 기업에게 대기오염 방지시설 설치를 의무화하는 것은 규제정책에 해당한다.

⑤ 정책의 유형에 따라 정책결정과정이 달라질 수 있다.

---

02 로위(Lowi)의 정책유형 분류에서 강제력이 행위의 환경에 직접적으로 적용되는 것은?

2019 지방 7급

① 재분배정책(redistributive policy)　　② 규제정책(regulatory policy)

③ 구성정책(constituent policy)　　④ 분배정책(distributive policy)

---

03 분배정책에 대한 설명으로 옳지 않은 것은?

2015 서울 9급

① 이해당사자 간 제로섬(zero sum) 게임이 벌어지고 갈등이 발생될 가능성이 규제정책에 비해 상대적으로 더 크다.

② 일반적으로 포크배럴(pork barrel) 현상이 발생한다.

③ 도로, 다리의 건설, 국·공립학교를 통한 교육서비스의 제공 등이 분배정책에 해당한다.

④ 정책과정에서 이해당사자들이 서로 협력하는 로그롤링(log rolling) 현상이 발생한다.

04

④ 정책학은 1951년 발표된 Lasswell의 「정책지향(policy orientation)」이라는 논문에서 시작되었으나, 당시 행태과학의 위세에 밀렸다가 1960년대 말 격동기에 각종 사회문제가 나타나면서 이를 해결하기 위해 후기행태주의가 재등장하면서 발전하게 되었다.

① 정책학은 Lasswell의 「정책지향(Policy Orientation)」에 의해 연구가 시작되었다.

② 정책학은 1960년대 말 인종갈등, 흑백사건 등 미국사회 격동기를 바탕으로 다시 강조되었다.

③ Lasswell은 정책학의 특징으로 문제지향성, 맥락성, 범학문적 연구, 규범지향성과 당위성을 들었다.

01

① 선거구 조정, 정부기관 신설 등은 구성정책의 예이다.

② 재분배정책은 소득이전을 목적으로 하는 것으로 예로 누진세, 사회보장정책 등이 있다.

③ 분배정책은 다수에게 이익이 분산되는 개별화된 정책으로 이해관계가 상충되지 않는 영역에서 포크배럴이나 로그롤링과 같은 현상이 나타난다.

⑤ 로위(Lowi)는 '정책이 정치를 결정한다'는 관점에서 정책의 유형에 따라 정책의 결정과정 및 집행과정이 달라진다고 보았다.

02

① 강제력이 행위의 환경에 직접적으로 행사되는 유형은 재분배정책이다.

② 규제정책은 개별적 행위에 강제력이 직접적으로 행사되는 유형이다.

③ 구성정책은 행위의 환경에 강제력이 간접적으로 행사되는 유형이다.

④ 분배정책은 개별적 행위에 강제력이 간접적으로 행사되는 유형이다.

03

① 재분배정책은 이해당사자 간 제로섬 게임이 벌어지고 갈등이 발생될 가능성이 규제정책에 비해 상대적으로 더 크다. 한편 분배정책은 이해당사자 간 제로섬 게임이 발생하지 않고 갈등이 발생될 가능성이 규제정책에 비해 상대적으로 더 적으며 집행 또한 용이하다.

② 포크배럴 현상은 정치인들이 지역주민의 인기에 민감한 나머지 지역구민에 대한 선심사업을 위해 정부 예산을 최대로 확보하려는 현상으로 분배정책에서 자주 발생한다.

③ 도로, 다리 건설 등의 사회간접자본과 국·공립학교를 통한 교육서비스 등이 분배정책의 대표적 사례이다.

④ 로그롤링 현상은 정책과정에서 이해당사자들이 투표거래나 투표담합을 하는 행위로 분배정책에서 발생될 가능성이 높다.

Lowi의 정책유형

구분	개념	예	특징	주도
구성 정책	행정 체제 정비	정부 기관 신설	게임의 법칙	정당
배분 정책	서비스 배분 (개별화 정책)	SOC, 교육, 보조금 등	포크배럴, 로그롤링	의회
규제 정책	제약과 통제	진입 규제, 독과점 규제	다원주의 (포획, 지대추구)	이익 집단
재분배 정책	부의 이전	사회 보장 정책	엘리트 이론	엘리트

강제력에 따른 분류

구분		강제력 적용 영역	
		개별적 행위	행위의 환경
강제력 행사방법	직접적	규제 정책	재분배 정책
	간접적	분배 정책	구성 정책

04 '이권이 걸린 법안을 의원들이 담합하여 적극적으로 통과시키려는 행위'를 나타내는 것은? 2015 국회 9급

① 지대추구행위(rent-seeking)   ② 철의 삼각(iron triangle)

③ 로그롤링(logrolling)   ④ 이슈네트워크(issue network)

⑤ 포크배럴(pork barrel)

05 다음 〈보기〉 중 정책과 정책유형이 바르게 짝지어진 것은? 2015 국회 9급

> **보기**
>
> ㄱ. 영세민을 위한 임대주택 건설
> ㄴ. 국토해양부를 국토교통부와 해양수산부로 분리
> ㄷ. 4대강 사업
> ㄹ. 기업의 대기오염 방지시설 의무화

	ㄱ	ㄴ	ㄷ	ㄹ
①	분배정책	구성정책	추출정책	상징정책
②	재분배정책	구성정책	상징정책	규제정책
③	규제정책	분배정책	재분배정책	상징정책
④	규제정책	재분배정책	추출정책	상징정책
⑤	상징정책	추출정책	규제정책	구성정책

06 재분배정책에 대한 설명으로 옳지 않은 것은? 2013 지방 7급

① 표준운영절차나 상례적 절차를 확립하여 원활하게 집행할 가능성이 상대적으로 낮다.

② 부나 권리의 편중을 해소하기 위하여 정부가 가진 자와 못 가진 자의 분포를 인위적으로 변화시키려고 하는 정책이다.

③ 누진세·사회보장·사회간접자본정책 등이 그 예이다.

④ 정책참여자들 간 이해 대립으로 갈등이 발생할 가능성이 높다.

07 다음의 정책 분류 가운데 Almond와 Powell이 사용한 분류는? 2011 서울 9급

① 분배정책, 규제정책, 재분배정책

② 분배정책, 규제정책, 재분배정책, 구성정책

③ 분배정책, 규제정책, 추출정책, 상징정책

④ 분배정책, 규제정책, 재분배정책, 자율규제정책

⑤ 분배정책, 경쟁적 규제정책, 보호적 규제정책, 재분배정책

04

정답 : ③

③ 정치세력들이 투표거래나 투표담합을 통해 상호지원을 하는 행위는 로그롤링으로 의회 소속 위원회에서 의원 간의 투표담합행위가 분배정책에서 많이 발생되는데, 이에 따라 비효율적인 정책지출이 이루어진다.

① 지대추구행위는 정부가 시장에 개입하여 경쟁을 제한하거나 독점적 상황을 만들게 되면 이로 인하여 시장에서는 독점지대(반사이익)가 발생하게 되고, 그렇게 되면 이익집단들이 독점적 상황을 유지하기 위하여 정부에의 로비 등 비생산적인 용도에 사용하게 되어 자원의 낭비와 사회적 손실이 초래되는 현상을 의미한다.

② 철의 삼각은 의회 상임위원회, 행정부처와 이익집단 간의 관계의 통합성이 높아 일종의 동맹관계를 형성하고 있다고 보는 이론이다.

④ 이슈네트워크는 다양한 견해의 대규모 참여자들이 특정한 쟁점이 제기될 때 형성되는 개방적·유동적 네트워크로서, 느슨하고 일시적인 관계와 유동적인 참여자를 특징으로 한다.

05

정답 : ②

② ㄱ – 재분배정책, ㄴ – 구성정책, ㄷ – 상징정책, ㄹ – 규제정책이 옳은 연결이다.

ㄱ. 영세민을 위한 임대주택 건설은 고소득층으로부터 저소득층으로의 소득이전을 목적으로 하는 정책인 재분배정책에 해당한다.

ㄴ. 국토해양부를 국토교통부와 해양수산부로 분리하는 것은 정치체제에서 투입을 조직화하고 체제의 구성과 운영에 관한 정책인 구성정책에 해당한다.

ㄷ. 4대강 사업은 정치체제에서 정당성에 대한 신뢰감, 충성심을 증진하고 국민적 자긍심을 높이는 상징정책에 해당한다.

ㄹ. 기업의 대기오염 방지시설 의무화는 특정한 개인, 기업체, 조직에 제재나 통제 및 제한을 가하는 규제정책에 해당한다.

06

정답 : ③

③ 누진세·사회보장정책은 재분배정책의 예에 해당하지만, 사회간접자본정책은 배분정책의 예에 해당한다.

① 재분배정책은 정책형성이나 정책집행과정에서 이념적 성격이 강하게 나타나며 계급 간 갈등과 저항이 심하게 발생하므로 원활하게 집행할 가능성이 상대적으로 낮다.

② 고소득층으로부터 저소득층으로의 소득 이전을 목적으로 하는 정책이다.

④ 재분배정책은 고소득층이 비용을 부담하고 저소득층이 수혜를 보기 때문에 계급 간 갈등과 대립이 나타난다.

07

정답 : ③

③ Almond와 Powell은 정책 유형을 분배정책, 규제정책, 추출정책, 상징정책으로 분류하였다.

② 분배정책, 규제정책, 재분배정책, 구성정책은 Lowi의 분류에 해당된다.

④ 분배정책, 규제정책, 재분배정책, 자율규제정책은 Salisbury의 분류에 해당된다.

⑤ 분배정책, 경쟁적 규제정책, 보호적 규제정책, 재분배정책은 Ripley와 Franklin의 분류에 해당된다.

정답

04 ③ 05 ② 06 ③ 07 ③

08 로위(Lowi)가 분류한 정책유형으로 옳은 것은?

① 분배정책, 규제정책, 재분배정책, 자율규제정책

② 분배정책, 규제정책, 추출정책, 상징정책

③ 분배정책, 경쟁적 규제정책, 보호적 규제정책, 재분배정책

④ 분배정책, 규제정책, 재분배정책, 추출정책

⑤ 분배정책, 규제정책, 재분배정책, 구성정책

CHAPTER 03 　정책과정 참여자

기출 필수 코스

01 중앙정부의 정책과정 참여자 중 공식적 참여자로만 가장 적절하게 나열된 것은?

① 입법부(의회), 행정부처, 사법부, 지방정부, 대통령

② 대통령, 사법부, 언론, 지방정부, NGO(비정부기구)

③ 대통령, 지방정부, 정당, 사법부, 행정부처

④ 국회의원, 부처장관, 언론, 이익집단, 사법부

02 정책과정 참여자에 대한 설명으로 옳지 않은 것은?

① 의회는 중요한 정부 정책을 결정하는 공식적 참여자이다.

② 헌법재판소는 위헌심사를 통해 정책과정 전반에 영향을 미친다.

③ 정책전문가는 정책을 분석·평가하여 정책 대안을 제시한다.

④ 정당은 공식적 참여자로서 정책을 통제하기 위해 노력한다.

03 행정통제의 구분에서 정책결정의 비공식적 참여자가 아닌 것은?

① 정당　　　　　　　　　　② 이익집단

③ 언론기관　　　　　　　　④ 입법부

08

정답 : ⑤

⑤ 로위는 1964년 정책의 유형을 강제력의 행사방법과 적용대상에 따라 분배정책, 규제정책, 재분배정책으로 구분하고 이후 1972년에 구성정책을 추구하였다.

① 분배정책, 규제정책, 재분배정책, 자율규제정책은 Salisbury가 분류한 정책유형에 해당한다.

② 분배정책, 규제정책, 추출정책, 상징정책은 Almond & Powell이 분류한 정책유형에 해당한다.

③ 분배정책, 경쟁적 규제정책, 보호적 규제정책, 재분배정책은 Ripley & Franklin이 분류한 정책유형에 해당한다.

01

정답 : ①

① 입법부, 행정부처, 사법부, 지방정부, 대통령은 모두 공식적 참여자이다.

② 대통령, 사법부, 지방정부는 공식적 참여자이고 언론, NGO는 비공식적 참여자이다.

③ 대통령, 지방정부, 사법부, 행정부처는 공식적 참여자이고 정당은 비공식적 참여자이다.

④ 국회의원, 부처장관, 사법부는 공식적 참여자이고 언론, 이익집단은 비공식적 참여자이다.

02

정답 : ④

④ 정당은 비공식적 참여자로서 동일한 정치적 견해를 가진 사람들이 정권획득과 유지를 함께 하는 정치적 결사체이다.

① 의회는 공식적 참여자로 국민의 뜻을 반영하여 정부 정책을 결정하는 역할을 한다.

② 헌법재판소는 공식적 참여자로 입법부와 행정부의 행위에 대한 위헌여부를 결정하고 법률의 해석이나 판례 등을 통해 정책과정에 영향을 미친다.

③ 정책전문가는 정책과정에서 정책아이디어와 자문의 중요한 원천으로 기능하며 정책을 분석·평가하여 정책 대안을 제시하는 역할을 한다.

03

정답 : ④

④ 입법부는 공식적 참여자이다.

①, ②, ③ 정당, 이익집단, 언론기관은 정책결정의 비공식적 참여자이다.

포인트 정리

학자별 정책유형

학자	정책유형
Almond & Powell	분배정책, 규제정책, 추출정책, 상징정책
Lowi	분배정책, 규제정책, 재분배정책, 구성정책
Salisbury	분배정책, 규제정책, 재분배정책, 자율규제정책
Ripley & Franklin	분배정책, 경쟁적 규제정책, 보호적 규제정책, 재분배정책

정답

08 ⑤ 01 ① 02 ④ 03 ④

04 중앙정부의 정책과정 참여자 중 비공식 참여자로만 묶은 것은?

2013 행정사

ㄱ. 정당	ㄴ. 국무총리
ㄷ. 대통령	ㄹ. 이익집단
ㅁ. 전문가집단	ㅂ. 시민단체
ㅅ. 언론	ㅇ. 부처장관

① ㄱ, ㄴ, ㄷ, ㅁ, ㅂ   ② ㄱ, ㄷ, ㄹ, ㅂ, ㅇ

③ ㄱ, ㄹ, ㅁ, ㅂ, ㅅ   ④ ㄴ, ㄷ, ㄹ, ㅁ, ㅇ

⑤ ㄴ, ㄷ, ㄹ, ㅅ, ㅇ

CHAPTER 04   **정책의제 설정**   기출 필수 코스

01 정책의제설정을 좌우하는 요인에 대한 설명으로 옳지 않은 것은?

2020 소방간부

① 특정 사회문제의 중요성이 증가하면 정부의제로 채택될 가능성이 크다.

② 비슷한 선례가 있는 사회문제는 쉽게 정부의제로 채택되고 해결책이 강구될 수 있다.

③ 다원화된 사회에서는 동원형이나 내부접근형 중심의 정책의제설정이 이루어진다.

④ 문제의 단순성이나 구체성과 같은 사회문제의 외형적 특성은 의제설정에 영향을 미친다.

⑤ 극적인 사건이나 위기, 재난은 사회문제를 정부의제화시키는 점화장치(triggering device)로 작용한다.

02 정책의제설정 모형에 대한 설명으로 옳지 않은 것은?

2020 국가 7급

① 내부접근형(inside access model)에서 정부기관 내부의 집단 혹은 정책결정자와 빈번히 접촉하는 집단은 공중의제화하는 것을 꺼린다.

② 동원형(mobilization model)에서는 주로 정부 내 최고 통치자나 고위정책결정자가 주도적으로 정부의제를 만든다.

③ 외부주도형(outside initiative model) 정책의제 설정은 다원화된 정치체제에서 많이 나타난다.

④ 공고화형(consolidation model)은 대중의 지지가 낮은 정책문제에 대한 정부의 주도적 해결을 설명한다.

04

정답 : ③

③ 정당, 이익집단, 전문가집단, 시민단체, 언론(ㄱ, ㄹ, ㅁ, ㅂ, ㅅ)은 정책과정의 비공식 참여자이다. 한편 공식적 참여자는 국무총리, 대통령, 부처장관이다.

① ㄱ, ㅁ, ㅂ은 비공식 참여자이고 ㄴ, ㄷ은 공식적 참여자이다.

② ㄱ, ㄹ, ㅂ은 비공식 참여자이고 ㄷ, ㅇ은 공식적 참여자이다.

④ ㄹ, ㅁ은 비공식 참여자이고 ㄴ, ㄷ, ㅇ은 공식적 참여자이다.

⑤ ㄹ, ㅅ은 비공식 참여자이고 ㄴ, ㄷ, ㅇ은 공식적 참여자이다.

01

정답 : ③

③ 다원화된 사회에서는 외부주도형 중심의 정책의제설정이 이루어진다. 한편 동원형은 정부의 힘이 강하고 민간부문의 이익집단이 취약한 후진국의 경우에 나타나고, 내부접근형은 부와 권력이 집중된 불평등 사회나 의도적으로 국민을 무시하는 정부에서 주로 나타난다.

① 정책문제가 중요하거나 사회적 파급효과가 클수록 정부의제로 채택될 가능성이 높다.

② 선례가 있는 사회문제는 쉽게 정부의제로 채택된다.

④ 문제가 단순할수록, 문제가 구체적일수록, 해결가능성이 높을수록 정부의제로 채택될 가능성이 높다.

⑤ 극적인 사건이나 위기, 점화장치 등이 발생할 경우 정부의제로 채택될 가능성이 높다.

02

정답 : ④

④ 공고화형은 대중의 지지가 높은 정책문제에 대한 정부의 주도적 해결을 설명한다.

① 내부접근형은 정책결정에 영향력을 가진 집단내부에서 정책의제 형성이 은밀하게 이루어지므로 대중들에게 정책을 공개하여 지지를 획득하려고 하지 않으며, 정부기관 내부의 집단이나 정책결정자와 빈번히 접촉하는 집단은 공중의제화하는 것을 꺼린다.

② 동원형은 영향력 있는 집단 및 정부 내 최고의사결정권자들이 주도하는 모형으로, 정부 내 최고 통치자나 고위정책결정자가 주도적으로 정부의제를 만든다.

③ 외부주도형은 외부집단이 주도하여 정책의제 채택을 정부에 강요하는 경우로 사회가 다원화되고 이익집단이 활발한 경우에 많이 나타난다.

📝 포인트 정리

공식적 참여자 vs 비공식적 참여자

공식적 참여자	비공식적 참여자
• 입법부 • 대통령과 행정수반 • 행정부처 • 사법부 • 지방정부	• 정당 • 이익집단 • 시민단체 • 언론 • 전문가집단 　(정책공동체) • 시민

정책의제설정에 영향을 주는 문제의 특성요인

문제의 중요성	영향을 받는 집단(이해관계집단)이 크고(많고) 문제의 내용이 대중적이고 중요한 것일수록 의제화 가능성이 높다.
쟁점화의 정도	관련집단들에 의하여 예민하게 쟁점화된 것일수록 의제화 가능성이 크다.
문제의 구체성	논란이 있으나 문제가 추상적일 때 의제화 가능성이 높다는 의견이 지배적이다. → 정책결정자의 지시가 구체적일수록 의제화 가능성이 높다.
사회적 중요성	사회 전체에 주는 충격의 강도(파급효과)가 클수록 의제화 가능성이 높다.
선례의 유무	관례화된 문제일수록 의제화 가능성이 높다.
해결책의 유무	해결책이 있을수록 의제화 가능성이 높다.
감정의 정도	감정(정서)적일수록 의제화 가능성이 높다.
문제의 단순성	문제가 단순할수록 의제화 가능성이 높다.

May의 정책의제설정 모형

구분		대중적 지지도	
		높음	낮음
논쟁의 주도자	사회적 행위자	외부 주도형	내부 주도형
	국가	굳히기형 (공고화형)	동원형

📌 정답

04 ③　01 ③　02 ④

03 콥(Cobb)과 로스(Ross)가 유형화한 정책의제설정모형 중 사회문제 → 정부의제 → 공중의제의 순서로 전개되는 것은?

2019 서울 7급

① 외부주도형　　　　　　　　　　　② 동원형

③ 내부접근형　　　　　　　　　　　④ 음모형

04 정책의제설정과정에서 일반대중의 관심과 주의를 받고 있으며, 정부가 개입하여 문제를 해결하여야 한다고 인정되지만, 정부가 문제 해결을 고려하기로 공식적으로 밝히지 않은 것은?

2015 지방 7급

① 사회문제(social problem)

② 사회적 쟁점(social issue)

③ 공중의제(public agenda) 또는 체제의제(system agenda)

④ 정부의제(governmental agenda) 또는 제도의제(institutional agenda)

05 정책의제에 대한 설명이 틀린 것은?

2012 경북전환특채

① 정부의제란 사회문제 중 정책적 해결을 위해 정부에 의하여 공식적으로 채택된 의제를 말한다.

② 체제의제는 일반국민들이 관심을 가지는 문제이다.

③ 국민들이 관심을 가지는 사항은 모두 다 공중의제가 된다.

④ 무의사결정은 사회문제가 정책의제로 채택되지 못하는 것이다.

06 다음 중 일반대중의 주목을 받을 만한 가치가 있으며 정부가 문제를 해결하는 것이 마땅한 것으로 인정되는 사회문제로서 올바르게 나열된 것은?

2011 경찰간부

㉠ 공중의제	㉡ 토의의제	㉢ 제도의제	㉣ 정부의제
㉤ 환경의제	㉥ 공식의제	㉦ 행동의제	㉧ 체제의제

① ㉠, ㉡, ㉤, ㉧　　　　　　　　　② ㉢, ㉣, ㉤, ㉧

③ ㉢, ㉣, ㉥, ㉦　　　　　　　　　④ ㉠, ㉡, ㉢, ㉦

03
정답 : ②

② 사회문제 → 정부의제 → 공중의제의 순서로 전개되는 정책의제설정모형은 동원형이다.

① 외부주도형은 사회문제 → 사회적 이슈 → 공중의제 → 정부의제의 순서로 전개된다.

③ 내부접근형은 사회문제 → 정부의제의 순서로 전개된다.

④ 음모형은 정부기관 내의 관료집단들이 사회문제를 정부의제화하는 경우로 내부접근형과 동일한 의미로 사용된다.

04
정답 : ③

③ 일반대중이 정부가 해결방안을 강구해야 한다고 공감하는 일련의 이슈이지만 문서화되거나 공식화·구체화되지 않은 의제는 공중의제 또는 체제의제이다.

① 사회문제는 불특정 다수인이 어떤 사안에 대해 불만족스럽다고 느끼는 상태가 지속되는 의제이다.

② 사회적 이슈는 어떤 사회문제의 성격·해결방법에 대해 집단 간 견해 차이와 논쟁이 발생되고 많은 사람들의 주목을 받게 되는 사회문제로, 주도자와 점화장치가 있어야 쟁점화되는 의제이다.

④ 정부의제(제도의제)는 정부가 공식적인 의사결정을 통해 해결을 고려하기로 명시적으로 밝힌 문제로, 정부기관에 의해 구체적 행동이 기대되는 의제이다.

05
정답 : ③

③ 공중의제는 일반국민이 정부의 소관사항에 속한다고 인정하는 의제로, 개인이나 민간차원에서 쉽사리 해결될 수 없어서 정부가 문제해결을 하는 것이 마땅한 것으로 여겨지는 의제이다. 따라서 국민들이 관심을 가지는 사항이 모두 공중의제가 되는 것은 아니며, 공중의제가 모두 제도의제가 되는 것도 아니다.

① 정부의제는 정책적으로 해결해야 하는 것이라고 정부가 인식한 것으로, 정부가 해결하기로 구체적으로 정의하고 공식적으로 채택한 의제이다.

② 체제의제는 일반대중의 주목을 받을 가치가 있으며 정부가 문제해결을 하는 것이 정당한 것으로 일반 국민이 인정하는 문제이다.

④ 무의사결정은 정책의제설정에서 지배엘리트의 이해관계와 일치하는 사회문제만 정책의제화된다는 이론이다.

06
정답 : ①

① 일반대중의 주목을 받을 만한 가치가 있으며 정부가 문제를 해결하는 것이 당연한 것으로 인정되는 사회문제를 공중의제라고 한다.

㉠, ㉡, ㉢, ㉤ [O] 공중의제는 채택이전에 나타나는 것으로 토의의제, 환경의제, 체제의제와 동의어로 사용된다.

㉣, ㉥, ㉦, ㉧ [X] 정부의제는 정책적으로 해결해야 하는 것이라고 정부가 인식한 것으로, 공중의제 중에서 해결하기로 정부가 공식적으로 밝히고 구체적으로 정의한 문제이며, 정부의제는 제도의제, 공식의제, 행동의제와 동의어로 사용된다.

콥과 로스(Cobb&Ross)의 정책의제 설정 모형

구분	외부 주도형	동원형	내부 접근형
진행 과정	사회문제 →사회적 이슈→공 중의제→ 정부의제	사회문제 → 정부의 제→ 공중의제	사회문제 → 정부 의제
공개성 및 참여도	높음	중간	낮음
공중의제 성립여부	구체화, 확산단계	확산단계	불성립
정부의제 성립	진입단계	주도단계	주도단계
사회적 배경	평등사회 (주로 선진국)	계층사회 (주로 후진국)	불평등 사회 (선·후 진국)
형성방향	외부 →내부	내부 →외부	내부 →내부

정책의제 구분

구분		Cobb &Elder	Eyestone	Anderson
채택 전	포괄적	체제 의제	공중 의제	토의 의제
채택 후	구체적	제도 의제	공식 의제	행동 의제

정답
03 ② 04 ③ 05 ③ 06 ①

01 다원주의(Pluralism)에 대한 설명으로 가장 옳지 않은 것은?
2019 서울 9급

① 권력은 다양한 세력들에게 분산되어 있다.

② 정책영역별로 영향력을 행사하는 엘리트들이 각기 다르다.

③ 이익집단들 간의 영향력 차이는 주로 정부의 정책과정에 대한 상이한 접근기회에 기인한다.

④ 이익집단들 간의 영향력 차이는 있지만 전체적으로 균형을 유지하고 있다.

02 정책과정에서 행위자 사이의 권력관계 이론에 대한 설명으로 가장 옳지 않은 것은?
2018 서울 9급

① 헌터(Hunter)는 지역사회연구를 통해 응집력과 동료의식이 강하고 협력적인 정치 엘리트들이 지역사회를 지배한다는 엘리트론을 주장하였다.

② 무의사결정(nondecision-making)론은 권력을 가진 집단은 자신들에게 불리하거나 바람직하지 않다고 생각되는 특정 이슈들이 정부 내에서 논의되지 못하도록 봉쇄한다고 설명한다.

③ 다원론을 전개한 다알(Dahl)은 New Haven시를 대상으로 한 연구에서 정책결정을 담당하는 엘리트가 분야별로 다른 형태를 보인다고 설명한다.

④ 신다원론에서는 집단 간 경쟁의 중요성은 여전히 인정하면서 집단 간 대체적 동등성의 개념을 수정하여 특정집단이 다른 집단보다 더욱 강력할 수 있다는 점을 인정하였다.

03 달(Dahl)이 주장하는 다원주의 사회의 특성으로 옳지 않은 것은?
2016 경찰간부

① 동일한 엘리트가 모든 정책영역에서 지배적인 영향을 행사하는 것은 아니다.

② 엘리트는 대중의 요구에 민감하게 움직인다.

③ 엘리트들간의 정치적 경쟁으로 대중의 선호가 정책에 반영된다.

④ 정책문제의 선정과정은 특정세력의 의도에 따라서 작위적인 과정을 거쳐서 결정된다.

04 다원주의적 민주국가의 정책과정에 대한 설명으로 옳은 것은?
2011 국가 9급

① 정책의제설정은 대부분 동원모형에 따라 이루어진다.

② 사법부가 정책결정과정에서 담당하는 역할이 미미하다.

③ 엘리트가 모든 정책영역에서 지배적인 권력을 행사한다.

④ 각종 이익집단은 정책과정에 동등한 정도의 접근기회를 갖는다.

01

정답 : ③

③ 이익집단들 간의 영향력 차이는 있지만, 정책과정에서 동등한 정도의 접근기회를 갖는다.

① 권력이 다양한 세력에 분산되어 있으며 국가는 여러 이익집단으로 구성되어 있는 브로커형 국가이다.

② 엘리트가 존재는 하지만 동일한 엘리트가 모든 정책영역에서 지배적 권력을 행사하는 것은 아니며 영역별로 참여하는 엘리트가 다르다.

④ 이익집단들 간에 영향력 차이는 있으나 게임의 규칙을 준수함에 따라 사회 전체적으로는 균형을 유지하며 특정세력이 정책을 주도하지는 못한다.

02

정답 : ①

① 헌터(Hunter)의 명성접근법에 따르면 지역사회연구를 통해 응집력과 동료의식이 강하고 협력적인 "기업" 엘리트들이 지역사회를 지배한다는 엘리트론을 주장하였다. 한편 정치엘리트들이 지역사회를 주도한다고 본 이론은 Mills의 지위접근법과 관련된다.

② 무의사결정론은 지배엘리트의 가치나 기득권에 대한 잠재적인 도전을 억압하거나 방해하는 것으로 엘리트들에게 안전한 이슈만을 논의하고 불리한 이슈는 거론조차 못하게 봉쇄한다.

③ 다알(Dahl)은 New Haven시를 대상으로 한 연구에서 정책결정을 담당하는 엘리트는 분야별로 다른 형태를 보이며, 동일한 엘리트가 모든 정책영역에서 지배적 권력을 행사하는 것은 아니라고 설명한다.

④ 신다원론은 이익집단 간 경쟁을 중시하고 정부의 전문적·능동적 역할을 강조함으로써 정경유착에 의한 우월적 집단의 존재를 인정한 모형이다.

03

정답 : ④

④ 달(Dahl)의 다원론에서 정책문제의 선정은 특정세력에 의하여 작위적·인위적으로 이루어지는 것이 아니라 무작위적·자동적으로 이루어진다고 가정한다.

① 다수에 의한 정치가 이루어지므로 어떠한 사회문제든지 정치체제로 침투할 수 있으며, 엘리트집단이 존재하기는 하나 정책결정을 담당하는 엘리트집단이 다르므로 모든 정책영역에서 동일한 엘리트가 지배적인 영향력을 행사하는 것은 아니다.

② 권한, 부, 지식 등과 같은 권력의 원천은 다양한 세력에 분산되어 있으며 엘리트 집단 전체가 대중의 요구에 민감하게 반응한다.

③ 엘리트들간 선거(정치적 경쟁)로 인해 일반대중의 선호가 정책에 반영된다.

04

정답 : ④

④ 다원주의(Pluralism)란 다양한 이익집단의 활동에 의하여 정책문제가 제기되며, 국가는 사회 내 이익집단간 힘의 균형을 반영하는 풍향계나 중립적인 심판관에 불과하다는 이론으로 각종 이익집단은 영향력은 서로 다르지만 차별적 접근을 허용하는 것은 아니며 정책과정에 동등한 정도의 접근기회를 갖는다고 본다.

① 다원주의에서 정책의제설정은 대부분 외부주도형에 따라 이루어진다.

② 미국 등 다원주의 사회에서는 행정부보다 사법부가 정책결정과정에서 담당하는 역할이 강한 편이다.

③ 엘리트가 모든 정책영역에서 지배적인 권력을 행사하는 것은 다원주의가 아니라 엘리트이론에 대한 설명이다.

📝 포인트 정리

지위접근법 vs 명성접근법

구분	미국의 엘리트이론	
	Mills의 지위접근법	Hunter의 명성접근법
공통점	계급이나 능력이 아닌 지위나 능력만으로 엘리트들의 권력을 설명함	
권력	사회적 지위	사회적 명성
주도세력	정치엘리트 (군-산업엘리트 복합체)	기업엘리트
연구범위	전국단위	지역단위 (아틀란타 시)

정답
01 ③ 02 ① 03 ④ 04 ④

정책론

PART 2

해커스공무원 미니행정학 기출 빅데이터 기팔코

05 엘리트이론과 다원주의론에 관한 설명으로 옳지 않은 것은?

2009 국회 8급

① 19세기 말의 고전적 엘리트이론가들은 엘리트들이 자율적이며 다른 계층에 대해 책임을 지지 않는다고 인식하였다.

② 1950년대 Mills는 지배적인 엘리트들이 공통의 사회적 배경과 이념 및 상호 관련된 이해관계를 공유하고 있다고 주장하였다.

③ 신엘리트이론에서는 무의사결정이라는 새로운 개념을 제시하였다.

④ 다원주의론에서는 정부가 적극적인 역할을 수행한다고 본다.

⑤ 신다원주의론은 사회에 존재하는 이익집단들 간에 정치이익의 균형과 조정이 민주주의의 핵심적 동력으로 작용한다고 본다.

CHAPTER 06 **무의사결정이론** 기출 필수 코스

01 바흐라흐(Bachrach)와 바라츠(Baratz)의 무의사결정론에 대한 설명으로 옳지 않은 것은?

2023 국가 9급

① 무의사결정의 행태는 정책과정 중 정책문제 채택단계 이외에서도 일어난다.

② 기존 정치체제 내의 규범이나 절차를 동원하여 변화 요구를 봉쇄한다.

③ 정책문제화를 막기 위해 폭력과 같은 강제력을 사용하기도 한다.

④ 엘리트의 두 얼굴 중 권력행사의 어두운 측면을 고려하지 못한다고 비판했기 때문에 신다원주의로 불린다.

02 무의사결정(non-decision making)에 관한 다음 설명 중 가장 옳지 않은 것은?

2018 경찰간부

① 무의사결정은 사회문제에 대한 정책과정이 진행되지 못하게 막는 행동으로 기득권 세력의 특권이나 이익 그리고 가치관이나 신념에 대한 잠재적 또는 현재적 도전을 좌절시키려는 것을 의미한다.

② 무의사결정은 고전적 다원주의를 비판하여 등장한 이론으로 신엘리트이론이라 불리며, 정치권력이 두 얼굴을 가지고 있다고 주장한다.

③ 무의사결정을 추진하는 수단이나 방법으로 정치체제의 규범, 규칙, 절차 자체를 수정·보완하여 정책요구를 봉쇄하는 방법은 사용되지만, 폭력이나 테러행위는 사용되지 않는다.

④ 무의사결정은 변화를 주장하는 사람으로부터 기존에 누리는 혜택을 박탈하거나 새로운 혜택을 제시하여 매수한다.

05 정답 : ④

④ 다원주의에서는 이익집단이 중심이 되어 정책이 결정된다고 보며, 정부는 중립적인 심판관 (풍향계 정부관)의 역할을 수행하는 데 그치므로 정부의 역할이 소극적·수동적이다.

① 엘리트론자들은 공통의 사회적 배경과 이념 및 상호 관련된 이해관계를 공유하고 있어 매우 자율적이고 다른 계층에 책임을 지지 않으며 사회전체나 일반대중의 이익보다는 자신들의 이해관계를 고려하여 정책을 결정한다.

② 미국의 엘리트론에서 Mills는 미국사회 전체를 지배하는 권력엘리트는 정치적으로 중요한 기관(정부, 군, 기업체)의 지도자로서 군·산복합체가 정책결정에서 중요한 역할을 수행한다는 입장이다.

⑤ 신다원주의론은 사회에 존재하는 이익집단들 간에 정치이익의 균형과 조정이 민주주의의 핵심적 동력으로 작용한다고 본다.

01 정답 : ④

④ Bachrach와 Baratz(1962)의 무의사결정이론은 권력의 '어두운 측면'은 보지 못했다고 비판하면서 제시한 신엘리트론이다.

① 정책문제 채택과정뿐만 아니라 정책결정과 집행과정에서도 무의사결정이 일어난다(넓은 의미의 무의사결정).

② 무의사결정은 엘리트의 가치나 이익에 대한 잠재적이거나 현재적인 도전을 억압하거나 제지한다.

02 정답 : ③

③ 무의사결정을 추진하는 수단이나 방법으로 정치체제의 규범, 규칙, 절차 자체를 수정·보완하여 정책요구를 봉쇄하는 방법 및 폭력이나 테러행위 등이 사용된다.

① 무의사결정은 대중에 대한 억압과 통제를 통해 엘리트들에게 유리한 이슈만 정책의제로 설정하고 기득권 세력의 특권이나 이익, 가치관 등에 대한 잠재적·현재적 도전을 좌절시키려는 것이다.

② 바흐라흐와 바라츠는 신엘리트론 관점에서 정치권력의 두 얼굴 중 어두운 얼굴이 무의사결정이라고 주장하였다.

④ 무의사결정의 구체적 방법으로 정책문제를 기각·방치하여 결과적으로 정책대안이 만들어지지 못하도록 하며 변화를 주장하는 사람으로부터 기존에 누리는 혜택을 박탈하거나 새로운 혜택을 제시하여 매수한다.

정답
05 ④ 01 ④ 02 ③

03 무의사결정(non-decision making)에 대한 설명으로 옳은 것은?

2017 국가 9급

① 지배적인 엘리트집단은 자신들의 이해관계와 부합하지 않는 이슈라도 정책의제설정단계에서 논의하려고 한다.

② 무의사결정은 중립적인 행동으로 다원주의이론의 관점을 반영한다.

③ 집행과정에서는 무의사결정이 일어나지 않는다.

④ 정책문제 채택과정에서 기존 세력에 도전하는 요구는 정책 문제화하지 않고 억압한다.

04 무의사결정(non-decision making)에 대한 설명 중 옳지 않은 것은?

2015 지방 9급

① 사회문제에 대한 정책과정이 진행되지 못하도록 막는 행동이다.

② 기득권 세력이 그 권력을 이용해 기존의 이익배분 상태에 대한 변동을 요구하는 것이다.

③ 기득권 세력의 특권이나 이익 그리고 가치관이나 신념에 대한 잠재적 또는 현재적 도전을 좌절시키려는 것을 의미한다.

④ 변화를 주장하는 사람으로부터 기존에 누리는 혜택을 박탈하거나 새로운 혜택을 제시하여 매수한다.

05 바흐라흐와 바라츠(P. Bachrach & M. S. Baratz)의 무의사결정(non-decision making)을 추진하는 수단이나 방법으로 옳지 않은 것은?

2014 국가 7급

① 폭력이나 테러행위는 사용되지 않는다.

② 정치체제의 규범, 규칙, 절차 자체를 수정·보완하여 정책 요구를 봉쇄한다.

③ 변화의 주창자에 대해서 현재 부여되고 있는 혜택을 박탈하거나 새로운 이익으로 매수한다.

④ 정치체제 내의 지배적 규범이나 절차를 강조하여 변화를 주장하는 요구가 제시되지 못하도록 한다.

06 바흐라흐와 바라츠가 설명한 바 있는 무의사결정(Non-Decision Making)의 발생원인에 속하지 않는 것은?

2011 군무원

① 정책의 모호성

② 편견의 동원

③ 상급자들에 대한 하급자들의 반발

④ 엘리트의 자기이익 보호

03

정답 : ④

④ 무의사결정은 엘리트의 가치나 이익에 대한 잠재적이거나 현재적인 도전을 억압·방해하는 결정을 말한다.

① 지배적인 엘리트집단의 경우 자신들의 이해관계와 부합하지 않는 이슈는 기각하고 폐기한다.

② 무의사결정은 신엘리트론이다.

③ 무의사결정은 정책의 모든 과정에서 나타날 수 있다.

04

정답 : ②

② 무의사결정은 소외계층 등이 기존의 이익배분 상태에 대한 변동을 요구하는 것을 기득권 세력이 의도적으로 기각·방치하여 정책의제로 채택되지 못하도록 하는 것이다.

① 정책문제 채택단계에서 기존 세력에 도전하는 요구는 정책문제화 하지 않고 억압함으로써 진행되지 못하도록 막는 행위이다.

③ 기득권 세력의 특권이나 이익 등에 대한 잠재적이고 현재적인 도전을 좌절시켜 엘리트들에게 유리한 이슈만 정책의제로 설정한다.

④ 변화를 요구하는 사람들로부터 기존에 누리는 혜택을 박탈하거나 새로운 특혜를 제공하고 회유하여 매수한다.

05

정답 : ①

① 무의사결정에서는 위협과 같은 폭력이나 테러, 권력의 수단 등을 통해 특정한 이슈의 등장을 방해하거나 논의하지 못하도록 억압한다.

② 지배 엘리트들이 규범이나 규칙, 절차 자체를 조작하여 정책의 요구를 봉쇄하거나 자신에게 유리한 상황을 만들어내는 행위는 편견의 수정으로 간접적이고 우회적인 방법에 해당한다.

③ 권력의 사용은 직접적인 방법이나 폭력보다 온건한 방법으로, 변화를 요구하는 개인이나 집단에게 현재 부여되고 있는 혜택을 박탈하거나 위협하는 소극적 방법과 새로운 혜택을 부여하겠다고 유혹하거나 매수하는 적극적 방법이 있다.

④ 정치체제 내의 지배적 규범(규칙)이나 제도적 과정(절차)을 강조하여 변화를 위한 주장을 억압하는 행위는 편견의 동원으로 간접적 방법에 해당한다.

06

정답 : ③

③ 상급자들에 대한 하급자들의 지나친 충성심(과잉충성)이 공론화를 차단함으로써 무의사결정이 발생한다.

① 정치체제가 구조적으로 어떤 종류의 이슈는 해결을 촉진하고 다른 것들은 그 해결이 이루어지지 못하도록 되어 있는 등의 정책 모호성으로 인해 무의사결정이 발생하기도 한다.

② 특정 문제들에 대해서 정치적 편견을 가지고 있을 때 무의사결정이 발생한다.

④ 지배계급이 자신들의 기득권이 불리하게 될 사태를 방지하기 위해 무의사결정이 발생한다.

포인트 정리

무의사결정의 사용방법(수단)

폭력 (테러)	가장 직접적 방법
권력의 사용	변화주창자에게 현재 부여되고 있는 혜택을 박탈·위협 or 새로운 혜택(이익)으로 매수하는 행위 or 적응적 흡수 → 직접적 방법이나 폭력보다 온건함
편견의 동원	정치체제 내의 지배적 규범(규칙), 미신이나 제도적 과정(절차)을 강조하여 변화를 위한 주장을 억압하는 행위 → 간접적 방법
편견의 수정	지배 엘리트들이 규범이나 규칙, 절차 자체를 조작하여 정책의 요구를 봉쇄하거나 자신에게 유리한 상황을 만들어 내는 행위 → 가장 간접적·우회적 방법

무의사결정의 발생원인

- 엘리트의 자기 이익 보호
  → 지배계급이 자신들의 기득권이 불리하게 될 사태를 방지하기 위해
- 하급자들의 과잉 충성
- 지배적 가치에 의한 집착
- 관료의 기득권이나 이익과의 상충
- 특정 문제들에 대한 정치적 편견

정답

03 ④ 04 ② 05 ① 06 ③

□□
01 이슈네트워크(Issue Network)와 정책공동체(Policy Community)에 관한 비교 중 가장 적절하지 않은 것은?

2020 경정승진

구분	이슈네트워크(이슈공동체)	정책공동체
① 참여자 범위	제한적 · 폐쇄적	광범위 · 개방적
② 기본가치 · 목표	공유감 약함	공유감 높음
③ 행위자 간 관계	경쟁적 · 갈등적	의존적 · 협력적
④ 정책산출	정책산출 예측 곤란	의도한 정책산출 가능

□□
02 정책공동체(policy community)에 대한 설명으로 가장 적절한 것은?

2019 경정승진

① 다양한 행위자들이 참여하며 개방적이다.
② 참여자들 사이의 권력배분이 불균등하다.
③ 지속적 · 안정적이며 결과에 대한 예측가능성이 높다.
④ 참여자들 간 공동체의식은 약하며 접촉빈도는 유동적이다.

□□
03 다음 정책환경의 상황에 적용할 수 있는 모형으로 옳은 것은?

2018 교행 9급

> ○ 참여자들 간의 제로섬 게임의 형태가 나타나고 있다.
> ○ 참여자들 간의 자원과 접근의 불균형이 발생하며 권력에서도 불평등을 초래하고 있다.
> ○ 참여자들의 진입 및 퇴장이 비교적 자유롭게 이루어지며 참여자 수가 매우 광범위하게 늘어나고 있다.

① 조합주의
② 정책공동체
③ 하위정부모형
④ 이슈네트워크

01

정답 : ①

① 이슈네트워크는 다양한 행위자들이 참여하는 광범위하고 개방적인 모형인 반면, 정책공동체는 주로 전문가들로 구성되며 단순한 이해관계자는 배제되므로 참여자의 범위가 제한적이고 폐쇄적이다.
② 이슈네트워크는 구성원 간 인식에 대한 공유감이 낮은 반면 정책공동체는 구성원 간 공유가 높다.
③ 이슈네트워크의 행위자들 간의 관계는 매우 유동적이고 불안정하며 경쟁적·갈등적인 반면 정책공동체는 상호의존적이고 협력적이다.
④ 이슈네트워크는 정책산출에 대한 예측이 곤란한 반면 정책공동체는 의도한 정책산출에 대한 예측이 가능하다.

02

정답 : ③

③ 정책공동체는 정책결정에 참여하는 집단의 범위는 한정적이며 단순한 이해관계자는 배제되고, 정책에 대한 예측가능성이 높은 편이다.
① 정책공동체는 제한되고 한정적 범위의 행위자들이 참여하며 폐쇄적이지만, 이슈네트워크는 다양한 행위자들이 참여하며 개방적이다.
② 정책공동체는 참여자들 사이의 권력배분이 균등하지만, 이슈네트워크는 불균등하다.
④ 정책공동체는 참여자들 간의 협력적·수평적인 관계 속에서 빈번하고 높은 수준의 상호작용이 일어나지만, 이슈네트워크는 갈등과 경쟁이 존재하며 접촉빈도와 강도가 유동적이다.

03

정답 : ④

④ 제시문은 이슈네트워크에 대한 설명으로, 이슈네트워크는 참여자들 간의 자원의 접근과 불균형이 발생하며 광범위한 다수가 참여한다.
① 조합주의는 다원주의에 대한 반발로 나타난 국가주의의 일종으로 정부주도의 관료제 경제기획체제를 강조한다.
② 정책공동체는 정책결정에 참여하는 집단이 제한적이고 정책결정이 비교적 안정적이며 계속성을 지닌다.
③ 하위정부모형은 정부의 전문관료, 의회 상임위원, 이익집단 대표로 구성된 삼자연합이 특정 정책영역에서 정책결정을 지배한다고 보는 이론이다.

정답

01 ① 02 ③ 03 ④

오늘날 정책결정 과정에서 정책네트워크(policy network)의 역할이 증대되고 있다. 다음 중 정책네트워크의 유형으로 가장 거리가 먼 것은?

2017 사복 9급

① 하위정부(subgovernment)

② 정책공동체(policy community)

③ 이음매 없는 조직(seamless organization)

④ 정책문제망(issue network)

05 정책네트워크 모형 중 하위 정부 모형과 이슈네트워크를 비교한 내용으로 옳지 않은 것은?

2017 국회 9급

		하위 정부	이슈네트워크
①	결정과정에 접근 –	폐쇄적	개방적
②	정치적 제휴 –	불안정적	안정적
③	이해관계 –	동맹적	경쟁적, 갈등적
④	문제해결 –	해결됨	종종 해결되지 않음
⑤	집단 참여 –	자발적	자발적

06 정책네트워크이론(모형)에 대한 설명으로 옳지 않은 것은?

2012 국가 9급

① 정책네트워크이론의 대두배경은 정책결정의 부분화와 전문화 추세를 반영한다.

② 철의 삼각(iron triangle)모형은 소수 엘리트 행위자들이 특정 정책의 결정을 지배한다는 점을 강조한다.

③ 이슈네트워크(issue network)모형은 쟁점을 둘러싼 정책참여자들 간의 상호작용을 중시한다.

④ 정책과정에 대한 국가중심 접근방법과 사회중심 접근방법이라는 이분법적 논리를 극복하지 못하고 있다.

07 이슈 네트워크(issue network)와 비교한 정책공동체(policy community)의 상대적 특성으로 옳지 않은 것은?

2010 국가 7급

① 정책결정을 둘러싼 권력게임은 공동의 이익을 추구하는 정합게임(positive-sum game)의 성격을 띤다.

② 참여자들이 기본가치를 공유하며 그들간의 접촉빈도가 높다.

③ 참여자의 범위가 넓고 경계의 개방성이 높다.

④ 모든 참여자가 교환할 자원을 가지고 참여한다.

04

③ 이음매 없는 조직은 업무를 과정 중심으로 설계하고 기능별·조직단위별 개별 업무를 재결합시켜 고객에게 온전한 서비스를 원활하게 제공하며 네트워크를 추구하는 탈관료제 모형으로, 정책네트워크와는 관련이 없는 모형이다.

① 하위정부모형은 이익집단과 관료조직, 의회상임위원회 간의 연계적 활동을 통해 정책이 결정되는 것으로 모든 정책분야에 가능한 것이 아니라 대통령의 관심이 덜하거나 영향력이 비교적 적은 분배정책 분야에서 주로 형성되고 있다.

② 정책공동체모형은 제한된 수의 행위자가 참여하는 폐쇄적·안정적·지속적 네트워크 모형으로 참여자들은 안정적이고 지속적인 관계를 맺고 높은 상호의존성을 띠며 정책에 대한 기본적인 이해를 공유해야 한다고 보는 모형이다.

④ 정책문제망 모형은 다양한 견해의 대규모 참여자들이 특정한 쟁점이 제기될 때 형성되는 개방적·유동적 네트워크로서 느슨하고 일시적인 관계와 유동적인 참여자를 특징으로 하는 모형이다.

05

② 하위정부모형은 정치적 제휴가 안정적인 반면, 이슈네트워크는 불안정적이다.

① 하위정부모형은 다른 이익집단의 참여를 배제하여 폐쇄적인 반면, 이슈네트워크는 경계의 개방성이 높다.

③ 하위정부모형은 정부관료제, 의회의원회, 이익집단 등 3자의 이해관계가 일치하여 동맹적이고 장기적인 반면, 이슈네트워크는 구성원간 인식에 대한 공유나 책임감이 없어 오히려 갈등을 증폭시키기도 한다.

④ 하위정부모형은 문제가 잘 해결되는 반면, 이슈네트워크는 해결되지 않는 문제들도 많다.

⑤ 하위정부모형과 이슈네트워크 모두 자발적인 집단 참여로 이루어진다.

06

④ 기존의 사회중심이론(다원주의)이나 국가중심이론은 한계가 있다는 인식이 대두되고, 사회중심주의와 국가중심주의라는 이분법적 논리를 극복함으로써 두 이론의 장단점을 보완·연계시키는 접근법으로서 정책네트워크이론이 등장하였다.

① 정책네트워크는 정책을 정책문제별로 형성하여 정책의 부분화·전문화를 이룬다.

② 철의 삼각은 정부관료, 의회위원회, 기업집단의 소수의 엘리트들이 특정 정책을 지배한다고 본다.

③ 정책네트워크는 참여자들의 상호작용을 규정하는 공식적·비공식적인 규칙의 총체이다.

07

③ 정책공동체가 아니라 이슈네트워크의 특징이다.

① 정책공동체는 행위자 간의 의존적·협력적·정합게임으로 정의한다.

② 정책공동체는 빈번한 상호작용을 통해 가치관·문화 등을 공유한다.

④ 정책공동체는 모든 참여자들이 자원과 권한을 가지고 교환하므로 권력관계가 균형을 이룬다.

하위정부모형 vs 이슈네트워크

구분	하위정부모형	이슈네트워크
정치적 제휴	안정적	불안정적
집단 참여	자발적	자발적
의사결정 과정에의 접근성	폐쇄적	개방적
이해관계	동맹적	경쟁적, 갈등적
문제해결	해결된	종종 해결되지 않음
참여자 수	제한됨	무제한
최종적인 의사결정점	각 부문별로 존재	존재하지 않음

정책네트워크(정책망) 모형의 특징

- 정책문제별 형성(정책의 부분화·전문화)
- 다양한 참여자: 정부와 민간의 공식적·비공식적 개인 또는 조직
- 연계의 형성
- 참여자와 비참여자를 구분하는 경계가 존재함
- 참여자들의 상호작용을 규정하는 공식적·비공식적 규칙의 총체
- 정책과정 전반을 지배하는 거시적·동태적·가변적 현상

정답

04 ③ 05 ② 06 ④ 07 ③

정책론 / PART 2 / 해커스공무원 마니행정학 기출 빅데이터 기본서

PART 2 정책론 **111**

01 다국적 기업과 같은 중요 산업조직이 국가 또는 정부와 긴밀한 동맹관계를 형성하고 이들이 경제 및 산업정책을 함께 만들어 간다고 설명하는 이론은? 　　　2013 국가 9급

① 신마르크스주의 이론

② 엘리트 이론

③ 공공선택 이론

④ 신조합주의 이론

02 조합주의론(corporatism)의 주요 내용과 가장 거리가 먼 것은? 　　　2010 서울 7급

① 집단의 비자율성

② 집단 간 상호 경쟁성

③ 공식 제도권 내 집단 간 합의의 존중

④ 국가의 비중립성

⑤ 조합구성원의 계층적 서열화

03 〈보기〉와 같은 정책결정 형태는? 　　　2010 국회 8급

> **보기**
>
> 정책결정에서 정부의 보다 적극적인 역할을 인정하고 이익집단과의 상호협력을 중시하는 이론이다. 정부는 집단 간 이익의 중재에 머물지 않고 국가이익이나 사회의 공동선을 달성하기 위한 주도적인 역할을 담당한다.

① 엘리트주의

② 조합주의

③ 이슈네트워크

④ 하위정부

⑤ 정책공동체

01

④ 다국적 기업과 같은 중요 산업조직이 국가 또는 정부와 긴밀한 동맹관계를 형성하고 이들이 경제 및 산업정책을 함께 만들어 간다고 설명하는 이론은 신조합주의이론에 해당한다.

① 신마르크스주의 이론은 국가의 상대적 자율성을 중시하는 이론이다.

② 엘리트이론은 사회는 권력을 가진 자와 이를 가지지 못한 일반대중으로 나뉘며 사회지배계급에 의하여 정책문제가 일방적으로 채택된다는 것으로 권력 엘리트가 정치체제를 지배엘리트의 가치와 선호에 부합하게 정책결정을 한다고 보는 이론이다.

③ 공공선택이론은 공공부문에 경제학적 관점을 도입하려는 접근법으로 시민이 자신의 선호에 따라 공공재를 선택할 수 있다고 보며 비시장적 영역의 경제학적 분석을 한다.

국가론의 유형

다원주의	이익집단이 의제 주도, 국가는 수동적 심판관	신다원론	국가가 능동적 개입
선량주의	엘리트들이 일반대중 지배	신엘리트주의	무의사결정론
마르크스주의	국가는 자본가계급의 도구 (K.Marx)	신마르크스주의	국가의 상대적 자율성 – 민간집단이 주도
국가주의 (베버주의)	정부관료의 절대적 자율성 (M.Weber)	신베버주의	국가의 상대적 자율성(Krasner) – 정부가주도
조합주의	국가가 이익집단 지배·억압	신조합주의	산업조직(다국적기업)의 영향력 강조

02

② 조합주의는 정부와 이익집단 간의 상호협력을 중시하며 정부의 주도적인 역할을 강조하는 이론으로, 이익집단들 간의 상호관계는 경쟁적이라기보다 협력적이며, 비경쟁적이다.

① 정책결정 과정에서 정부와 이익집단의 상호협력이 중시되므로 상대적으로 이익집단의 자율성은 제약된다.

③ 이익집단은 국가와의 긴밀한 동맹 속에서 활동하며, 정부와 이익집단 간 합의의 형성은 공식화된 제도적 참여를 통해 이루어진다.

④ 조합주의에서 국가는 자체의 이익을 가지면서 이익집단의 활동을 규정하고 포섭 또는 억압하는 독립적 실체로 간주된다.

⑤ 조합주의의 구성원인 이익집단은 단일적 조직형태를 가지며, 제한된 범주 내에서 위계적·계서적으로 조직화된다.

03

② 조합주의는 정책결정에서 정부의 적극적인 역할을 인정하고 이익집단과의 상호협력을 중시하는 이론으로 정부는 집단 간 이익의 중재뿐 아니라 국가이익이나 사회의 공동선을 달성하기 위해 주도적·적극적인 역할을 담당한다.

① 엘리트주의는 사회지배계급에 의하여 정책문제가 일방적으로 채택된다는 이론이다.

③ 이슈네트워크는 다양한 견해를 가진 대규모의 참여자들을 함께 묶는 불안정한 지식 공유집단으로 특정한 경계가 존재하지 않는 개방적·광범위한 정책연계망이다.

④ 하위정부모형은 관료, 상임위원, 이익집단이 상호 이해관계를 공유하면서 정책영역별로 결정과 집행에 영향을 미친다고 보는 이론이다.

⑤ 정책공동체는 정책결정에 필요한 전문지식은 제한된 사람들에 의해 획득되므로 정책결정에 참여하는 집단이 비교적 제한적이고 정책결정이 비교적 안정적이며 계속성을 지니는 모형이다.

📝 포인트 정리

이슈네트워크 vs 정책공동체

구분	이슈네트워크	정책공동체
정책 행위자	• 다양한 행위자, 이슈에 따라 수시로 변동 →개방적·불안정적·유동적 • 경계의 개방성 높음	• 공식적·조직화된 행위자에 한정 →폐쇄적·안정적·지속적 • 경계의 개방성 낮음
상호 관계	• 상호경쟁적(갈등적), 상호의존성 약함, 권력의 편차 심함 • negative-sum 게임	• 상호협력적(안정적), 상호의존성 강함, 비교적 균등한 권력 • positive-sum 게임
정책 결정	정책내용이 많이 변경(예측곤란)	처음 내용 대로 정책결정 (예측 가능)
정책 집행	결정된 정책내용과 다르게 집행되는 경우가 많음	결정된 정책내용과 크게 다르지 않음

정답

01 정책변동의 유형 중 정책유지에 관한 설명으로 가장 적절하지 않은 것은? 2020 경정승진

① 정책평가로부터 얻은 정보가 정책채택 단계에서 다시 활용되는 경우로 정책목표는 유지하면서 정책수단을 새로운 수단으로 대체하는 것이다.

② 정책의 기본적 성격이나 정책목표·수단 등이 큰 폭의 변화 없이 모두 그대로 유지되지만, 정책의 구체적 내용에 있어서 부분적 대체나 완만한 변동은 있을 수 있다.

③ 정책 대상집단의 범위가 변동된다거나 정책의 수혜수준이 달라지는 경우와 관련이 있다.

④ 저소득층 자녀에 대한 교육비 보조를 그 바로 위 계층의 자녀에게 확대하는 사례가 이에 해당한다.

02 정책변동의 유형 중 정책평가로부터 얻은 정보가 정책채택 단계에서 다시 활용되는 경우로 정책목표는 유지하면서 정책수단을 새로운 수단으로 대체하는 것은? 2014 사복 9급

① 정책유지
② 정책혁신
③ 정책종결
④ 정책승계

03 Hogwood와 Peters의 정책변동 유형 중 정책목적은 유지하되 세부적 정책수단을 변화시키는 유형은? 2013 서울 7급

① 정책창안
② 정책종결
③ 정책유지
④ 정책승계
⑤ 정책전환

01

① 정책평가로부터 얻은 정보가 정책채택 단계에서 다시 활용되는 경우로 정책목표는 유지하면서 정책수단을 새로운 수단으로 대체하는 것은 정책승계이다.

② 정책유지는 정책의 기본적 성격이나 목표·수단 등의 큰 변화 없이 그대로 유지되지만, 정책의 내용에 있어서 부분적 대체나 완만한 변동이 일어나기도 한다.

③ 정책유지는 본래의 정책목표를 달성하기 위하여 프로그램의 산출이나 정책수단의 일부나 집행절차를 조정하는 수준이므로 정책 대상집단의 범위가 변동되거나 정책의 수혜수준이 달라지는 경우와 관련된다.

④ 저소득층 자녀에 대한 교육비 보조를 그 바로 위 계층의 자녀에게 확대하는 사례는 정책 수혜 대상자의 일부 변경으로 정책유지에 해당된다.

02

④ 정책승계는 정책목적은 유지하되 세부적 정책수단을 변화시키는 것으로, 정책의 목표는 그대로 유지하되 정책수단인 사업, 조직, 예산에 중대한 변화가 일어나며, 정책평가로부터 얻은 정보가 정책채택 단계에서 다시 활용되기도 한다.

① 정책유지는 정책목표는 그대로 유지하되 정책의 구성요소나 구체적인 내용(사업내용, 예산액수, 집행절차)에 부분적인 대체나 완만한 변동이 일어나는 유형이다.

② 정책혁신은 완전히 새로운 정책을 채택하는 유형이다.

③ 정책종결은 새로운 정책 없이 기존 정책을 폐지하는 유형이다.

03

④ 정책승계는 정책의 기본적 성격을 바꾸는 것으로 정책의 근본적인 수정이나 정책을 없애고 완전히 새로운 정책으로 대체하는 경우를 포함하며, 정책의 목적(목표)은 그대로 유지하되 세부적 정책수단인 사업, 조직, 예산에 중대한 변화가 일어나는 유형이다.

① 정책혁신(정책착안)은 완전히 새로운 영역의 새로운 정책이 채택되는 유형이다.

② 정책종결은 정책목표가 완전히 달성되어 문제가 소멸되었거나 달성 불가능한 경우 정책을 완전히 소멸시키는 유형으로, 새로운 정책도 결정하지 않으며 정책수단도 완전히 사라지는 유형이다.

③ 정책유지는 정책의 기본적 특성이나 실질적인 내용 등의 큰 변화 없이 모두 그대로 유지되는 것으로, 정책의 구체적인 구성요소(사업내용, 예산액수, 집행절차)들을 지속적으로 완만하게 대체하거나 변경하는 유형이다.

⑤ 정책전환은 정책승계의 일종이지만, Hogwood와 Peters는 정책변동에 따라 정책혁신, 정책유지, 정책승계, 정책종결로 분류하였다. 따라서 정책전환은 호그우드와 피터스가 분류한 유형에 해당하지 않는다.

📝 포인트 정리

정책변동 유형

정책혁신	완전히 새로운 정책을 결정하는 유형
정책유지	정책수단의 기본골격은 달라지지 않고 정책투입, 대상집단의 범위와 같은 정책의 구체적 내용에 있어 부분적인 대체나 완만한 변동이 일어나는 유형
정책승계	정책의 기본적 성격을 바꾸는 것으로서 기본 정책을 없애고 새로운 정책으로 완전히 대체하는 경우를 포함하지만, 정책유지처럼 정책목표는 변동되지 않고 정책이나 정책수단을 근본적으로 수정하거나 대체하는 유형
정책종결	정책목표가 완전히 달성되어 문제가 소멸되었거나 달성 불가능한 경우 정책을 완전히 소멸시키는 것으로, 다른 정책에 의해 기존에 존재하던 정책을 폐지하는 유형

정책변동 유형

구분	정책목표 수정	정책의 기본성격 변경	정책수단 변경
정책혁신	○	○	○
정책승계	×	○	○
정책유지	×	×	△
정책종결	○	○	○

정답

04 각종 정책은 사회환경의 변화에 따라 변동이 있을 수 있다. 다음 정책변동에 대한 설명 중 가장 적절하지 않은 것은?

2013 경정승진

① 호그우드(Hogwood)와 피터스(Peters)는 정책변동의 유형으로 정책유지, 정책종결, 정책승계, 정책혁신을 들고 있다.

② '정책혁신'은 기존 정책수단이 없는 무(無)에서 새로운 정책을 만드는 것이다.

③ 정책의 기본적 성격은 유지한 채 정책수단인 사업이나 담당조직을 바꾸는 경우는 '정책승계'이다.

④ '정책종결'에 대한 저항원인으로는 매몰비용, 법적제약, 동태적 보수주의 등이 있다.

05 다음 중 정책종결의 원인이 아닌 것은?

2008 군무원

① 정통성 상실

② 조직의 위축 및 취약

③ 환경의 엔트로피

④ 정책의 임의 변경

CHAPTER 10 정책문제 구조화, 정책분석 유형

기출 필수 코스

01 정책문제의 구조화기법에 관한 설명으로 옳지 않은 것은?

2017 경찰간부

① 계층분석이란 문제에 대한 간접적이고 불확실한 원인에서 직접적이고 확실한 원인을 차례차례 계층적으로 확인해 나가는 기법이다.

② 분류분석이란 정책문제의 존속기간 및 형성과정을 파악하기 위해 사용하는 방법으로, 대표적으로 포화표본추출기법이 사용된다.

③ 유추분석이란 유사문제에 대한 비교와 유추를 통해 특정 문제를 명확하게 정의하는 기법이다.

④ 경계분석이란 문제의 경계를 설정함으로써 문제의 위치 및 범위 등을 명확히 하여 문제의 주요국면을 간과하는 일이 없도록 하기 위한 기법이다.

04

정답 : ③

③ 정책의 기본적 성격은 유지한 채 정책수단인 사업이나 담당조직을 바꾸는 것은 정책유지이다. 즉 정책유지는 정책의 기본적 성격(특성), 정책목표나 실질적인 내용 등이 모두 큰 폭의 변화 없이 모두 그대로 유지되며 정책수단의 기본골격이 달라지지 않고 정책투입이나 정책대상집단의 범위 또는 정책산출에 있어서만 부분적 변동이나 대체 등이 일어나는 유형이다. 한편 정책승계는 기존의 정책을 같은 영역의 새로운 정책으로 대체하므로 정책의 기본적 성격이 바뀌지만 정책목표는 변동되지 않으며 정책수단에 중대한 변화가 나타나는 유형이다.

① 호그우드와 피터스는 정책변동에 따라 정책혁신, 정책유지, 정책승계, 정책종결로 분류하였다.

② 정책혁신은 완전히 새로운 정책을 채택하는 유형으로 기존에 담당하던 정책수단이 없는 무에서 새로운 정책을 만드는 유형이다.

④ 정책종결은 새로운 정책 없이 기존의 정책을 없애는 유형으로, 저항원인으로 매몰비용, 정치적 연합, 법적 제약, 동태적 보수주의 등이 있다.

05

정답 : ④

④ 정책종결은 기존의 정책을 폐지하는 것으로 정책의 임의 변경과는 관련이 없다.

① 정통성 상실은 문제나 행정수요의 고갈 등으로 인해 정책을 존치할만한 정당성이 없는 것을 의미하는 것으로, 이는 정책종결의 원인에 해당한다.

② 조직의 위축 및 취약은 기구 및 인력(인원)이나 예산의 감축 등으로 인해 조직이 기능적으로 종결된 상황을 의미하는 것으로, 이는 정책종결의 원인에 해당한다.

③ 환경의 엔트로피는 현재의 정책이나 조직을 뒷받침해주는 환경의 능력이 저하되어 조직을 현행수준에서 유지할 수 없는 경우를 의미하는 것으로, 이는 정책종결의 원인에 해당한다.

01

정답 : ②

② 정책문제의 존속기간 및 형성과정을 파악하기 위해 사용하는 방법으로, 대표적으로 포화표본추출기법이 사용되는 것은 경계분석이다. 한편 분류분석은 문제상황을 정의하고 분류하기 위해 사용되는 개념을 명확하게 하거나 구성요소를 식별하기 위한 기법이다.

① 계층분석은 문제의 원인(가능한 원인, 개연적 원인, 행동가능한 원인)을 식별하기 위한 기법이다.

③ 유추분석은 유사한 문제에 대한 관계를 비교·분석하여 특정 문제를 정의하는 기법으로 개인적 유추, 직접적 유추, 상징적 유추, 환상적 유추로 구분한다.

④ 경계분석은 문제의 경계, 즉 분석가가 다루어야 할 문제의 범위를 설정하는 것으로 포화표본추출기법(눈덩이표본추출기법)을 통해 관련 이해당사자를 선정한 후에 문제표현을 도출하고 경계를 추정하는 기법이다.

★ 포인트 정리

정책유지 vs 정책승계

구분	정책유지	정책승계
정책의 기본적 성격	• 변화 X (그대로 유지)	• 변화 O (완전히 새로운 정책으로 대체)
정책목표	• 변화 X (그대로 유지)	• 변화 X (그대로 유지)
정책수단	• 변화 X • 구체적인 요소나 내용상 부분적이고 완만한 대체 or 변동 • 집행절차, 예산액 사업내용, 정책투입대상집단 범위·정책산출에의 일부 변화	• 변화 O • 정책수단의 근본적인 수정 또는 대체 • 조직, 예산, 사업내용, 기구, 인력 등과 같은 정책수단의 중대한 변화

정책종결에 대한 저항원인

- 매몰비용
- 정치적 연합
- 법적 제약
- 동태적 보수주의

문제 구조화 기법의 종류

기법	의미	특징
경계분석	메타문제의 경계 추정	포화표본추출, 문제도출, 축적
분류분석	개념의 명료화	개념의 논리적 분할 및 분류
계층분석	가능하고 개연적이고, 행동가능한 원인의 식별	원인의 논리적 분할 및 분류
가정분석	갈등있는 가정들의 창조적 통합	이해관련사 식별, 가정도출, 도전 등
시네틱스	문제들 사이의 유사성 인식	개인적·직접적·상징적·환상적 유추의 구성

정답

04 ③ 05 ④ 01 ②

02 정책분석에 관한 설명으로 옳지 않은 것은?

2012 국회 8급

① 정책분석은 체제분석과는 달리 가치의 문제를 포함한다.
② 정책분석은 협상이나 타협 그리고 권력 작용이 이루어지는 정치적 접근을 포함한다.
③ 정책분석은 정책대안이 가져올 비용과 효과의 분배적 측면을 분석한다.
④ 정책분석은 정책대안의 실현가능성을 분석한다.
⑤ 정책분석은 정책대안이 가져올 정치·경제·사회적 영향을 분석한다.

03 정책과정모형에 대한 설명이 틀린 것은?

2012 군무원 9급

① 정책분석은 정책과정을 분석하는 것이다.
② 산출지향적 모형은 내용을 분석하는 것이다.
③ 정치학자들이 중시하는 정책의제론은 과정을 분석하는 것이다.
④ 정책결정이론모형은 내용을 분석하는 것이다.

04 정책문제를 올바르게 정의하기 위해서 고려해야 할 요소로 보기 어려운 것은?

2011 서울 9급

① 정책목표의 설정
② 관련 요소 파악
③ 역사적 맥락 파악
④ 인과관계 파악
⑤ 가치판단

02

정답 : ②

② 정책분석은 정책형성 단계에서 요구되는 정책관련 지식을 생산하고 비판적으로 평가하고 합리적인 이성과 증거를 토대로 이루어지는 분석적인 활동으로, 협상이나 타협 그리고 권력적 측면을 중심으로 의사결정이 이루어지는 정치적 접근을 포함하지 않는다.

① 정책분석은 가치문제를 고려하는 목표분석이지만, 체제분석은 가치를 고려하지 않는 수단분석이다.

③ 정책분석은 정책대안이 가져올 비용·효과의 사회적·외적 배분을 분석하고 정치적 효과를 고려한다.

④ 정책분석은 정치적 합리성과 공익성 등 정치적 실현가능성을 고려하며 정책목표의 최적화를 추구한다.

⑤ 정책분석은 정책대안의 실현가능성뿐 아니라 정책대안이 가져올 정치·경제·사회적 영향도 분석한다.

03

정답 : ①

① 정책분석은 정책내용을 분석하는 것이다. 한편 정책과정을 분석하는 것은 정책의제모형이다.

② 산출지향적 모형은 정책의 내용을 분석하는 규범적·처방적·이상적 모형으로 행정학자들이 중시한다.

③ 정책의제론은 과정지향적 모형으로 정치학자들이 중시하는 설명적·서술적 모형이다.

④ 정책결정이론모형은 정책내용을 분석하는 산출지향적 모형에, 정책의제모형은 정책과정을 분석하는 과정지향적 모형에 해당한다.

04

정답 : ①

① 정책목표의 설정은 정책문제를 정의한 이후에 이루어지는 활동이다. 한편 정책문제의 정의는 정책문제의 구성요소, 원인, 결과 등을 규정하여 무엇이 문제인지를 밝히는 것이다.

② 관련 요소 파악은 정책문제를 유발하는 사람들과 사물의 존재, 상황요소를 찾아내는 작업으로 정책문제를 정의하는 첫 단계이다.

③ 역사적 맥락 파악은 관련 요소들의 역사적 발전 과정, 변수들 사이의 관계의 변화과정을 파악하는 것으로 인과관계 파악 이후에 이루어지는 작업이다.

④ 인과관계 파악은 관련 요소들의 관계를 원인, 매개, 결과로 나누어 파악하는 것으로 가치판단 이후에 이루어지는 작업이다.

⑤ 가치판단은 문제의 심각성을 파악하고 피해계층이나 피해집단을 파악하여 관련된 사람들이 원하는 가치가 무엇인지를 판단하는 것으로 관련 요소 파악 이후에 나타나는 작업이다.

📌 포인트 정리

정책분석(PA) vs 체제분석(SA)

구분	정책분석(PA)	체제분석(SA)
고려 요인	정치적 합리성, 공익성, 가치 등	경제적 합리성
분석 방법	비계량적·질적 분석 중심	계량적·양적 분석 중심
자원 배분	자원의 사회적 배분(형평성 고려)	자원배분의 효율성(능률성)
분석 수준	가치까지 고려 (목적 분석)	가치는 고려하지 않음 (수단 분석)
비합리성	비합리적 요인까지 고려	비합리적 요인은 고려하지 않음
최적화	정책목표의 최적화	정책목표의 부분적 최적화

정책결정의 산출지향적 모형 vs 과정지향적 모형

구분	산출지향적 모형 (합리성 모형)	과정지향적 모형 (권력성 모형)
특징	• 행정학자들이 중시하는 규범적·이상적 모형 • 정책결정기준으로서의 합리성을 중시함 • 정책의 내용을 분석하는 정책결정모형	• 정치학자들이 중시하는 설명적·서술적 모형 • 정책과정에의 참여자로서의 권력성을 중시함 • 정책과정을 다루는 정책의제모형
주요 모형	합리모형, 만족모형, 점증모형, 혼합주사모형, 최적모형	국가주의(조합주의), 다원론(집단모형), 엘리트모형, 체제모형, 마르크스주의

정책문제의 정의(파악)

(1) 관련 요소 파악	정책문제를 유발하는 사람들과 사물의 존재, 상황요소를 찾아내는 작업
(2) 가치판단	문제의 심각성을 파악하고 피해계층이나 피해집단을 파악하여 관련된 사람들이 원하는 가치가 무엇인가를 판단
(3) 인과관계 파악	관련 요소들의 관계를 원인, 매개, 결과로 나누어 파악
(4) 역사적 맥락 파악	관련 요소들의 역사적 발전 과정, 변수들 사이의 관계의 변화 과정 파악

정답

02 ② 03 ① 04 ①

05 나카무라(R. Nakamura)와 스몰우드(F. Smallwood)가 정책대안의 소망스러움(desirability)을 평가하는 기준으로 제시하지 않은 것은?

2011 지방 9급

① 노력
② 능률성
③ 효과성
④ 실현가능성

06 정책을 세웠으나 인력 부족으로 실현할 수 없을 때 어떤 실현가능성을 고려하지 못한 것인가?

2011 인천전환특채

① 기술적 실현가능성
② 정치적 실현가능성
③ 재정적 실현가능성
④ 행정적 실현가능성

CHAPTER 11 불확실성과 미래예측기법(1)

기출 필수 코스

01 정책환경의 불확실성을 극복하는 대처방안 중 소극적 대처방안으로 가장 적절하지 않은 것은?

2020 경정승진

① 보수적 결정 – 미래에 발생할 수 있는 최악의 상황을 전제하고, 정책대안의 결과를 예측
② 민감도 분석 – 모형의 패러미터가 불확실할 때 여러가지 가능한 값에 따라 대안의 결과가 어떻게 달라지는지를 분석
③ 불확실성을 유발하는 환경의 통제 – 경쟁기관과의 협상이나 타협
④ 분기점 분석 – 불확실한 상황에서도 동등한 결과를 산출하기 위한 가정을 도출하는 결과예측 방법

02 행정에서 불확실성의 문제를 해소하기 위한 대처방안과 가장 거리가 먼 것은?

2014 지방 7급

① 일반적으로 불확실성이 높다고 생각하는 경우에는 정보와 지식의 수집활동에 소극적으로 대응하기 쉽다.
② 작업과정에서 행정의 표준화를 통해 개인의 자의적 행위를 예방하여 확실성을 확보하고자 한다.
③ 주요 정책결정에 있어 가외성(redundancy)을 감안할 수 있는 제도적 장치를 준비한다.
④ 행정 조직은 통제할 수 없는 환경에 대하여 구조적으로 대응할 수 있는 방책을 마련한다.

05

④ 실현가능성은 나카무라와 스몰우드가 제시한 소망성 평가기준에 해당하지 않는다.

① 노력은 투입된 노력의 양과 질을 의미하는 것으로 소망성 평가기준에 해당한다.

② 능률성은 투입 대비 산출을 의미하는 것으로 가장 일차적 기준 해당하며 파레토의 최적기준, 칼도-힉스의 보상기준 등이 있다.

③ 효과성은 목표의 달성가능성을 의미하는 것으로 소망성 평가기준에 해당한다.

06
정답 : ④

④ 행정적 실현가능성은 조직, 요원 및 전문인력 등을 활용할 수 있는가를 의미하는 것으로, 이를 고려하지 못했을 경우 정책을 세웠으나 인력 부족으로 실현할 수 없는 상황이 발생한다.

① 기술적 실현가능성은 현재 이용 가능한 기술로서 실현 가능한 정도를 의미한다.

② 정치적 실현가능성은 정치체제에 의해 정책결정 과정에서 정책으로 채택되고 이것이 집행될 가능성을 의미한다.

③ 재정적(경제적) 실현가능성은 정책대안이 실현되는 데 소요되는 비용을 현재의 재정적 수준 또는 이용 가능한 자원으로 부담할 수 있는가를 의미한다.

01
정답 : ③

③ 불확실성을 유발하는 환경이나 상황 및 변수를 통제하는 것은 적극적 대처방안에 해당한다.

① 보수적 결정(접근)은 최악의 불확실성을 가정하고 대안을 모색하는 것으로 소극적 대처방안에 해당한다.

② 민감도분석은 미리 산정한 매개변수값(파라미터)이 변경되거나 불확실할 때 결과가 어떻게 달라지는가에 대해 추가적으로 분석하는 것으로 소극적 대처방안에 해당한다.

④ 분기점 분석은 악조건 가중분석의 결과 대안의 우선순위가 달라질 경우 동등한 결과를 가져오기 위해서는 어떤 가정이 필요한지를 밝히는 것으로 소극적 대처방안에 해당한다.

02
정답 : ①

① 상황에 대한 충분한 정보와 지식의 수집활동은 일반적으로 불확실성에 대한 적극적 대처방안에 해당한다.

② 행정의 표준화·공식화 등을 통해 개인의 자의적 행위를 예방함으로써 불확실성을 극복할 수 있다.

③ 가외성(redundancy)은 여유분을 확보하는 것으로 불확실성에 대한 소극적 대처방안이다.

④ 불확실성을 발생시키는 상황이나 변수 자체를 통제함으로써 불확실성에 대처할 수 있다.

03 W. N. Dunn은 예측의 기법을 연장적 예측, 이론적 예측, 직관적 예측으로 분류하였다. 〈보기〉에서 이론적 예측 기법은 모두 몇 개인가?

2011 국회 9급

보기

ㄱ. 시계열분석   ㄴ. 선형경향추정
ㄷ. 구간추정   ㄹ. 회귀분석
ㅁ. 상관분석   ㅂ. 정책델파이
ㅅ. 교차영향분석   ㅇ. 브레인스토밍

① 2개   ② 3개
③ 4개   ④ 5개
⑤ 6개

04 불확실성 극복을 위한 미래예측의 유형 중 연장적 예측기법은?

2011 경찰간부

① 선형경향추정   ② 선형회귀분석
③ 교차영향분석   ④ 선형계획

05 계층화분석법(Analytical Hierarchy Process: AHP)에 대한 설명으로 옳지 않은 것은?

2009 지방 7급

① 1970년대 사티(Thomas Saaty) 교수에 의해 개발되어 광범위한 분야의 예측에 활용되어 왔다.
② 불확실성을 나타내는 데 확률 대신에 우선순위를 사용한다.
③ 두 대상의 상호비교가 불가능한 경우에도 사용할 수 있다는 장점을 지니고 있다.
④ 기본적으로 시스템 이론에 기초를 두고 있다.

03

정답 : ②

② ㄷ, ㄹ, ㅁ만 이론적 예측기법에 해당한다.

ㄷ. [O] 구간추정은 통계적 확률이 적용될 수 있는 신뢰구간을 측정하는 것으로, 이론적 예측기법에 해당한다.

ㄹ. [O] 회귀분석은 독립변수 한 단위 변화에 따른 종속변수의 변화량을 알고자 할 때 사용하는 분석기법으로, 이론적 예측기법에 해당한다.

ㅁ. [O] 상관분석은 변수 간 관계의 밀접한 정도로 상관관계를 분석하는 통계적 분석방법으로, 이론적 예측기법에 해당한다.

ㄱ. [X] 시계열분석은 시간을 독립변수로 하여 미래를 예측하려는 동태적인 종단분석으로, 연장적 예측기법에 해당한다.

ㄴ. [X] 선형경향추정은 시간을 독립변수로 하는 선형 시계열분석으로, 연장적 예측기법에 해당한다.

ㅂ. [X] 정책델파이는 정책문제 해결을 위해 전문가들을 활용하여 정책대안을 개발하고 그 결과를 예측하기 위해 만들어진 것으로, 직관적 예측기법에 해당한다.

ㅅ. [X] 교차영향분석은 사건 간의 상호관련성 식별에 도움을 주는 기법으로, 직관적 예측기법에 해당한다.

ㅇ. [X] 브레인스토밍은 문제상황을 식별하고 개념화하는 데 도움을 주는 아이디어 등을 끌어내기 위한 방법으로, 직관적 예측기법에 해당한다.

04

정답 : ①

① 연장적 예측기법은 역사적 반복성을 가정하고 추세연장이나 경향분석에 의해 미래를 예측하는 귀납적 방법으로, 대표적으로 선형경향추정, 자료변환법, 시계열분석 등이 있으며, 선형경향추정은 선형성이 강한 시계열 분석으로 시간을 독립변수로 한 회귀분석을 이용하여 미래의 정확한 추정치를 얻는 절차이다.

② 선형회귀분석은 선형성이 강한 회귀분석으로 독립변수와 종속변수 간의 상관관계를 통해 미래를 추정하는 이론적 예측기법에 해당한다.

③ 교차영향분석은 사건 간의 상호관련성을 식별하는데 도움을 주는 기법으로 한 사건의 발생확률이 다른 사건에 종속적이라는 전제하여 조건확률을 이용하는 직관적 예측기법이다.

④ 선형계획은 주어진 제약조건에서 생산량이나 편익을 극대화하거나 비용을 극소화할 수 있는 자원들의 최적배분점을 알아내기 위한 기법으로 이론적 예측기법에 해당한다.

05

정답 : ③

③ 계층화분석법은 당면한 문제를 계층화하여 주요요인과 세부요인들로 분해하고 이러한 요인들을 특징별로 한 쌍씩 상호비교를 통해 우선순위를 파악해 나가는 기법으로, 상호비교가 불가능한 경우에는 사용하기 어렵다는 단점이 있다.

① 계층화분석법은 1970년대 사티교수가 개발한 예측기법으로 의사결정분석과 함께 대안이나 우선순위를 선택하는데 널리 사용되는 기법이다.

② 계층화분석법은 불확실한 상황에서 확률 추정이 불가능한 경우에 사용하는 것으로, 확률 대신 쌍대비교를 통한 우선순위를 사용한다.

④ 계층화분석법은 하나의 문제를 시스템으로 보고 당면한 문제를 해결하고 예측하므로 기본적으로 시스템 이론에 기초를 두고 있다.

📝 **포인트 정리**

Dunn이 분류한 예측기법

객관적·양적	연장적 예측	시계열분석, 선형경향추정, 최소자승경향추측, 지수가중치법, 자료전환법, 격변방법 등
	이론적 예측	선형계획, 투입산출분석, 회귀분석, 상관분석, 경로분석, 구간추정, PERT 등
주관적·질적	직관적 예측	전통적 델파이, 정책델파이, 브레인스토밍, 교차영향분석, 실현가능성 분석 등

01 다음 설명을 특징으로 하는 정책분석기법의 기본 원칙이 아닌 것은? 2020 국가 7급

> 그리스 현인들이 미래를 예견하던 아폴로 신전이 위치한 도시의 이름을 따서 붙여졌다. 1948년 미국 랜드(RAND)연구소의 연구진에 의해 개발되어 공공부문이나 민간부문의 예측 활동에서 활용된다.

① 조건부확률과 교차영향행렬의 적용

② 익명성 보장과 반복

③ 통제된 환류와 응답의 통계처리

④ 전문가 합의

02 집단의 의사결정 기법 중 미래 예측을 위해 전문가 집단의 반복적인 설문조사 과정을 통하여 의견 일치를 유도하는 방법은? 2017 서울 9급

① 델파이 기법(Delphi method)

② 브레인스토밍(Brainstorming)

③ 지명반론자 기법(Devil's advocate method)

④ 명목집단 기법(Normal group technique)

03 집단적 의사결정기법에 대한 설명으로 옳지 않은 것은? 2016 사복 9급

① 델파이기법(Delphi method)은 미래 예측을 위해 전문가집단을 활용하는 의사결정방법이다.

② 브레인스토밍(brainstorming)을 통하여 새로운 아이디어를 만들기 위해서는 초기 단계에서 타인의 아이디어를 비판하거나 평가하지 말아야 한다.

③ 지명반론자기법(devil's advocate method)이 성공하려면 반론자들이 고의적으로 본래 대안의 단점과 약점을 적극적으로 지적하여야 한다.

④ 명목집단기법(normal group technique)은 집단구성원 간 의사소통을 원활하게 진행할 수 있다는 장점이 있다.

04 정책예측기법 중 하나인 전통적 델파이기법에 관한 설명으로 가장 적절하지 않은 것은? 2016 경정승진

① 참여하는 모든 전문가나 지식인들의 익명성을 보장한다.

② 의견차이나 갈등을 부각시키는 양극화된 통계처리를 한다.

③ 해당 분야에 대한 체계적인 지식이 풍부한 전문가들을 활용한다.

④ 개인의 주관적인 판단에 의존하기 때문에 응답결과의 추상성을 극복하기 곤란하다.

01

정답 : ①

① 제시문은 전통적 델파이에 해당한다. 한편 조건부확률과 교차영향행렬의 적용은 교차영향분석의 특징이다.
② 전통적 델파이는 참여하는 모든 전문가의 익명성을 철저히 보장하며, 익명성이 보장된 상태에서 답변하므로 자신의 답변을 수정할 수 있는 반복성을 특징으로 한다.
③ 전통적 델파이는 응답을 요약하여 종합적 판단을 수치로 전달하는 통제된 환류 및 응답의 통계처리를 특징으로 한다.
④ 전통적 델파이는 전문가들 사이의 합의를 도출하는 것을 최종 목표로 삼는다.

02

정답 : ①

① 델파이 기법은 미래 예측을 위해 전문가 집단의 반복적인 설문조사 과정을 통해 의견일치를 유도하여 최종적으로 전문가의 합의를 도출하는 것을 목적으로 하지만, 정책델파이는 정반대의 입장에 있는 관련자들의 서로 대립되는 의견을 표출시키고 갈등을 의도적으로 부각시키는 것을 목적으로 한다.
② 브레인스토밍은 어떠한 제약 없이 즉흥적이고 자유로운 분위기하에서 전문가의 창의적 의견이나 기발한 아이디어를 직접적인 대면접촉 토의를 통하여 창안하는 주관적·질적 분석기법이다.
③ 지명반론자 기법은 대안의 장단점을 최대한 노출시키기 위해 찬·반 두 팀으로 나누어 토론을 진행하는 예측기법이다.
④ 명목집단 기법은 문제해결에 참여하는 개인들이 개별적으로 해결방안을 구상하고 그에 대한 제한된 집단적 토론만을 거친 후에 해결방안에 대해 표결하는 기법이다.

03

정답 : ④

④ 명목집단기법은 문제해결에 참여하는 개인들이 개별적으로 해결방안을 구상하고 제한된 집단토론을 거친 후 도출된 해결방안에 대해 표결하는 기법으로, 집단 구성원 간 의사소통을 제한한다.
① 델파이 기법은 전문가 직관에 의한 주관적 미래예측기법에 해당한다.
② 브레인스토밍의 아이디어 개발단계에서는 다른 사람의 아이디어를 평가하거나 비판하지 말아야 한다.
③ 지명반론자 기법은 변증법적 토론으로 찬·반 두 팀으로 나누어 토론을 진행하여 대안의 장·단점을 도출하는 기법이다.

04

정답 : ②

② 의견차이나 갈등을 부각시키는 양극화된 통계처리를 하는 것은 정책델파이의 특성이며, 전통적 델파이는 의견의 대푯값·평균치를 중시한다.
① 익명성으로 솔직한 답변을 얻기가 쉽다.
③ 전통적 델파이는 동일영역의 전문가들을 활용한다.
④ 특정 분야의 전문가들이 자기의 영역에 집착하여 거시적인 예측을 못하고, 주관적 판단에 의존하기 때문에 응답결과의 추상성을 극복하기 곤란하다는 단점이 있다.

포인트 정리

전통적 델파이 vs 정책델파이

구분	전통적 델파이	정책델파이
적용	일반문제(기술적인 문제)에 대한 예측	정책문제(정책적인 문제)에 대한 예측
응답자	동일영역의 일반전문가	이해관계자 등 식견 있는 다양한 창도자
익명성	철저한 격리성과 익명성 보장	선택적 익명성 보장
통계처리	대푯값·평균치(중윗값) 중시	갈등을 부각시키는 양극화된 통계처리
합의	합의(근접된 의견) 도출	구조화된 갈등
토론	없음	컴퓨터를 통한 회의 및 대면토론

정답

01 ① 02 ① 03 ④ 04 ②

05 정책델파이에 대한 설명으로 옳지 않은 것은?

2012 지방 9급

① 일반적인 델파이와 달리 개인의 이해관계나 가치판단이 개입될 수 있다.

② 정책문제 해결을 위한 정책대안을 개발하고 그 결과를 예측하기 위해 만들어진 방법이다.

③ 대립되는 정책대안이나 결과가 표면화되더라도 모든 단계에서 익명성이 보장되어야 한다.

④ 정책문제의 성격이나 원인, 결과 등에 대해 전문성과 통찰력을 지닌 사람들이 참여한다.

06 미래예측기법 중 브레인스토밍(Brain Storming)에 관한 설명으로 옳지 않은 것은?

2009 국가전환특채

① 우스꽝스럽거나 비현실적인 아이디어의 제안도 허용해야 한다.

② 각각의 아이디어에 대한 평가가 현장감 있게 진행되어야 한다.

③ 제안되는 아이디어는 많을수록 좋다.

④ 관련분야의 전문가가 아니라도 아이디어를 제안할 수 있다.

CHAPTER 13 | 비용편익분석, 비용효과분석 | 기출 필수 코스

01 비용편익분석에 대한 설명으로 옳지 않은 것은?

2020 소방간부

① 정책대안의 비교 · 평가 기준으로서 효과성을 강조한다.

② 다양한 정부 정책이나 사업들을 비교하는 데 용이하다.

③ 경제적 합리성에 기반한 객관적이고 과학적인 의사결정을 가능하게 한다.

④ 비용과 편익을 모두 동일한 척도로 추정한다.

⑤ 비용과 편익의 가치에 대한 각 개인의 주관적 차이를 반영하지 못한다.

02 정책, 사업 등에 대한 타당성을 평가하는 비용 · 편익분석(Cost Benefit Analysis) 결정을 위한 기준에 해당하지 않는 것은?

2019 서울 7급

① 편익 · 비용 비율(Benefit/Cost ratio)

② 생산성(Productivity) 지표

③ 순현재 가치(Net Present Value)

④ 내부 수익률(Internal Rate of Return)

05
정답 : ③

③ 철저한 익명성이 보장되는 의견수렴기법은 전통적 델파이에 해당하며, 정책델파이는 어느 정도 결론이 표면화되고 나면 컴퓨터상의 회의·대화나 면대면 토론이 허용되는 선택적 익명성을 특징으로 한다.

① 정책델파이는 개인의 주관적인 판단에 의존하기 때문에 개인의 이해관계나 가치판단이 개입될 수 있다.

② 정책델파이는 직관적 예측의 기법으로 다양한 정책관계자들의 의견을 모아 정책문제를 해결하기 위해 정책대안을 개발하고 결과를 예측하기 위해 만들어진 기법이다.

④ 정책델파이는 이해관계자 등 식견 있는 다양한 창도자가 참여한다.

06
정답 : ②

② 초기 아이디어의 개발단계에서는 많은 아이디어를 얻는 것이 목적이므로 각각의 아이디어에 대한 비판과 평가는 최대한 자제되어야 한다.

① 우스꽝스럽거나 비현실적인 아이디어의 제안도 허용해야 한다.

③ 브레인스토밍은 제안되는 아이디어의 질보다 양을 중시한다.

④ 브레인스토밍은 주로 관련분야의 전문가로 구성하지만 식견 있는 사람들이 포함되기도 한다.

01
정답 : ①

① 정책대안의 비교·평가 기준으로서 효과성을 강조하는 것은 비용효과분석이다. 한편 비용편익분석은 효율성을 강조한다.

② 다양한 공공사업에 대한 정책대안의 편익과 비용을 계량적으로 비교·평가하여 가장 합리적이고 경제적인 대안을 선택하는 것으로 동일한 사업뿐 아니라 다른 사업에도 적용될 수 있다.

③ 경제적 합리성을 통해 사업의 타당성과 우선순위를 식별하므로 객관적이고 과학적인 의사결정이 가능하다.

④ 비용과 편익을 모두 공통단위인 화폐가치로 계량화하여 추정한다.

⑤ 능률성(경제적 합리성)에 입각하여 비용과 편익을 비교·평가하므로 가치문제를 고려하지 않으며 개인 간 효용비교도 곤란하다.

02
정답 : ②

② 비용·편익분석은 경제적 합리성을 강조하는 능률성 분석이므로 생산성 지표와는 관련이 없다. 한편 비용효과분석은 목표와 수단 간의 기술적·도구적 합리성을 강조하는 효과성 분석이다.

① 편익·비용 비율은 편익의 현재가치 / 비용의 현재가치로, 편익·비용 비율이 1보다 크면 경제적 타당성이 있다고 본다.

③ 순현재가치는 편익의 현재가치에서 비용의 현재가치를 뺀 것으로 순현재가치가 0보다 크면 사업의 타당성이 있다고 보며, 이는 경제적 타당도를 평가하는 척도로서 가장 보편적으로 활용된다.

④ 내부수익률은 편익의 현재가치와 비용의 현재가치를 같도록 해주는 할인율로 할인율이 주어져 있지 않아 현재가치를 계산할 수 없을 때 사용된다.

📝 **포인트 정리**

비용편익분석의 평가기준

평가 기준	개념	특징
순현재 가치	편익의 현재가치 −비용의 현재가치	B−C〉0이면 타당성O
비용 편익 비율	편익의 현재가치 / 비용의 현재가치	B/C〉1이면 타 당성O
내부 수익률	비용과 편익의 현재가치를 같게 해주는 때의 할 인율	내부수익률〉 기준할인율 타당성O
자본회수 기간	투자원금을 회수하 는데 걸리는 시간	짧을수록 좋음

정답

05 ③ 06 ② 01 ① 02 ②

03 정책결정도구로서 비용편익분석(cost-benefit analysis)의 특징으로 가장 옳지 않은 것은? 2014 해경간부

① 유형적·무형적 요인을 계량적으로 분석한다.

② 경제적 합리성을 추구한다.

③ 기회비용 개념을 도입한다.

④ 비용편익분석은 효율성뿐만 아니라 형평성도 똑같이 추구한다.

04 다음 비용효과분석에 대한 설명 중 틀린 것은? 2005 경기 9급

① 화폐단위로 측정하는 문제를 피하기 때문에 비용편익분석보다 훨씬 쉽게 적용할 수 있다.

② 비용효과분석은 기술적 합리성을 요약해서 나타낸다.

③ 비용효과분석은 시장가격에 의존한다.

④ 비용효과분석은 외부효과나 무형적인 것의 분석에 적합하다.

05 다음 대안의 평가기법에 대한 설명으로 틀린 것은? 2005 전북 9급

① 대안의 B/C 비율이 1보다 클 때 그 사업은 추진할 가치가 있다.

② 순현재가치가 0보다 클 때 그 사업은 추진할 가치가 있다.

③ 복수의 대안 평가 시 내부수익률이 큰 사업을 선택해야 오류가 없다.

④ 내부수익률이 기준할인율보다 클 때 그 사업은 추진가치가 있다.

⑤ 내부수익률법이 현재가치법보다 오류가 적다.

CHAPTER 14 정책결정모형(1) – 개인산출지향 기출 필수 코스

01 정책결정모형에 대한 설명으로 옳은 것은? 2023 지방 9급

① 혼합주사모형(mixed scanning approach)은 1960년대 미국의 쿠바 미사일 위기사건을 설명하기 위해 연구된 모형이다.

② 사이버네틱스모형을 설명하는 예시로 자동온도조절장치를 들 수 있다.

③ 쓰레기통모형은 갈등의 준해결, 문제 중심의 탐색, 불확실성 회피, 표준운영절차의 활용을 설명하는 모형이다.

④ 합리모형은 만족할 만한 수준에서 의사결정이 이루어진다고 설명하는 모형이다.

03

정답 : ④

④ 비용편익분석은 일반적으로 경제적 비용편익분석을 말하며, 효율성을 판단할 뿐 형평성은 고려하지 못한다.

① 비용편익분석은 경제적 관점에서 공공사업의 경제적 타당성을 계량적으로 비교·분석하는 기법이다.

② 비용편익분석은 경제적 합리성을 중시하는 반면, 비용효과분석은 기술적 합리성을 강조한다.

③ 기회비용은 하나의 재화를 선택했을 때, 그로 인해 포기한 다른 재화의 가치를 의미하는 것으로, 비용편익분석은 기회비용의 관점에서 평가한다.

04

정답 : ③

③ 비용효과분석은 비용과 효과가 서로 다른 단위로 측정되며, 비용은 시장가격이 아닌 잠재가격으로 평가한다.

① 비용효과분석은 편익(효과)의 화폐가치의 계산이 힘들거나 비용과 효과의 측정단위가 달라 순현재가치(NPV)나 B/C비율과 같은 기준으로 양자를 단순하게 비교하기 곤란할 때 사용하는 기법으로 B/C분석보다 공공부문에 훨씬 쉽게 적용할 수 있다.

② 비용효과분석은 도구적·기술적 합리성을 중시한다.

④ 비용효과분석은 외부효과나 무형적·질적인 가치 분석에 적합하다.

05

정답 : ⑤

⑤ 내부수익률은 그 값이 복수가 될 수도 있고 기회비용을 고려하지 못하므로, 내부수익률보다는 현재가치법이 오류가 적은 편이다.

① B/C비율은 편익을 비용으로 나눈 값을 말하며 B/C비율>1인 경우 경제적 타당성이 있다고 보아 그 사업은 채택되며 복수의 사업대안인 경우 B/C비율이 가장 큰 대안을 선택한다.

② 순현재가치(NPV)는 오류가 가장 적어 일차적으로 사용되는 평가기준으로 순현재가치>0이면 사업의 타당성이 있다고 보아 그 사업은 채택되며 복수의 사업대안인 경우 NPV가 가장 큰 대안을 선택한다.

③ 내부수익률은 비용과 편익의 현재가치를 같게 해주는 때의 할인율로 복수의 대안인 경우에는 내부수익률이 가장 큰 대안을 선택한다.

④ 내부수익률은 기준할인율보다 클수록 타당성이 있다.

01

정답 : ②

① 혼합주사모형은 합리모형과 점증모형의 결합이다. 쿠바미사일 사건과 관련된 것은 앨리슨모형이다.

③ 쓰레기통 모형은 우연성에 의한 결정을 연구한 것이고, 갈등의 준해결, 문제중심의 탐색, 불확실성의 회피, 표준운영절차 활용은 회사모형의 특징이다.

④ 합리모형은 완전정보를 전제로 한 효용의 극대화를 추구하고, 만족모형은 제한된 합리성을 전제로 만족할 만한 수준에서 의사결정이 이루어진다고 본다.

포인트 정리

비용편익분석 vs 비용효과분석

구분	비용편익분석	비용효과분석
표현 방식	비용·편익 → 금전적 가치	비용 → 금전적 가치, 편익 → 금전외 산출물
성격	• 양적 분석 • 형평성·주관적 가치문제 다루지 못함	• 질적 분석 • 외부효과, 무형적·질적 가치 분석에 적합
중점	경제적 합리성	도구적·기술적 합리성
비용효과 고정 여부	가변비용, 가변효과분석에 사용	고정비용, 고정효과 분석에 사용

정답

03 ④ 04 ③ 05 ⑤ 01 ②

02 의사결정 모형에 대한 설명으로 옳지 않은 것은?

① '최적모형'은 정책결정자의 합리성뿐 아니라 직관·판단·통찰 등과 같은 초합리성을 아울러 고려한다.

② '쓰레기통 모형'은 대학조직과 같이 조직구성원 사이의 응집력이 아주 약한 상태, 즉 조직화된 무정부상태(organized anarchy)에서 의사결정이 이루어지는 과정을 설명하려고 시도한다.

③ '점증모형'은 실제 정책의 결정이 점증적인 방식으로 이루어질 뿐 아니라 정책을 점증적으로 결정하는 것이 바람직하다는 입장을 견지한다.

④ '회사모형'은 조직의 불확실한 환경을 회피하고 조직 내 갈등을 극복하기 위하여 장기적인 전략과 기획의 중요성을 강조한다.

03 정책 관련 모형에 관한 설명으로 옳지 않은 것은?

① 점증모형은 기존 정책을 수정 보완해 약간 개선된 상태의 정책대안을 채택한다고 본다.

② 만족모형은 미래에 발생할 현상을 예측하고 모든 대안을 검토한 후, 가장 만족스러운 대안을 채택한다.

③ 쓰레기통모형은 정책문제, 문제의 해결책, 선택 기회, 참여자 등의 요소가 개별적으로 떠다니다가 우연한 계기로 교차되면 정책결정이 된다고 본다.

④ 최적모형은 기존의 계량적 분석뿐만 아니라 직관적 판단에 의한 결정도 중요하다고 본다.

⑤ 회사모형은 갈등의 준해결, 문제 중심의 탐색, 불확실성의 회피, 조직의 학습, 표준운영절차(SOP)의 활용 등을 특징으로 한다.

04 다음 설명에 해당하는 정책결정모형은?

> 지난 30년간 자료를 중심으로 전국의 자연재난 발생현황을 개략적으로 파악한 다음, 홍수와 지진 등 두 가지 이상의 재난이 한 해에 동시에 발생한 지역을 중심으로 다시 면밀하게 관찰하며 정책을 결정한다.

① 만족모형

② 점증모형

③ 최적모형

④ 혼합탐사모형

02

④ 회사모형은 조직의 불확실한 환경을 회피하고 환경에 대해 단기적으로 대응하고 단기적인 전략과 기획의 중요성을 강조함으로써 단기적 환류를 활용한다.

① 최적모형은 정책결정의 성과를 최적화하기 위하여 기존 모형에서 연구되지 못한 초합리성과 초정책결정이란 개념이 도입된 포괄적이고 광범위한 결정모형으로, 초합리적 요소를 강조한다.

② 쓰레기통모형은 정책문제, 해결책, 선택기회, 참여자의 네 요소가 독자적으로 흘러 다니다가 어떤 계기로 교차하여 만나게 될 때 의사결정이 이루어진다고 보는 것으로 조직화된 무정부 상태 속에서 조직이 어떠한 결정행태를 나타내는가에 연구의 초점을 둔다.

③ 점증모형은 기존 정책을 토대로 하여 그보다 약간 개선된 정책을 추구하는 방식으로 결정하는 정책결정모형으로 과거의 정책뿐만 아니라 다른 정부의 정책대안도 주요 대안으로 본다.

03

정답 : ②

② 만족모형은 제한된 합리성을 중시하는 모형으로 몇 개의 중요한 대안과 결과만을 순차적으로 검토하고 만족스러운 대안을 채택한다.

① 점증모형은 기존 정책을 토대로 하여 그보다 약간 수정된 정책대안을 채택한다.

③ 쓰레기통모형은 정책문제, 해결책, 선택기회, 참여자의 4가지 요소가 독자적으로 흘러 다니다가 우연한 계기로 한 곳에 만나 정책결정이 이루어진다.

④ 최적모형은 경제적 합리성뿐 아니라 직관이나 판단 등의 초합리성도 동시에 강조한다.

⑤ 회사모형은 개인적 차원의 만족모형을 조직차원의 의사결정에 적용한 모형으로, 갈등의 준해결, 문제중심의 탐색, 불확실성의 회피, 조직적 학습, 표준운영절차의 활용 등을 특징으로 한다.

04

정답 : ④

④ 제시문은 혼합탐사모형이다. 지난 30년간 자료를 중심으로 전국의 자연재난 발생현황을 개략적으로 파악하는 것은 근본적 결정에 해당하고, 홍수와 지진 등 두 가지 이상의 재난이 한 해에 동시에 발생한 지역을 중심으로 다시 면밀하게 관찰하는 것은 세부적 결정으로, 혼합탐사모형은 이 둘을 혼용하는 것이다.

① 만족모형은 최선의 합리성을 추구하기보다는 여러 요인을 고려해 만족할 만한 수준에서 정책을 결정하는 모형이다.

② 점증모형은 현재의 상황보다 소폭적인 변화만을 고려하여 현실적이고 실증적으로 정책을 결정한다.

③ 최적모형은 합리적 분석뿐만 아니라 결정자의 직관이나 판단력 등 초합리적인 요소도 중요한 요소로 간주하여 정책을 결정한다.

05 사이먼(H. A. Simon)의 정책결정만족모형에 대한 설명으로 옳지 않은 것은? 2020 군무원 9급

① 사이먼(H. A. Simon)은 합리모형의 의사결정자를 경제인으로, 자신이 제시한 의사결정자를 행정인으로 제시한다.

② 경제인은 목표달성의 극대화를, 행정인은 만족하는 선에서 그친다.

③ 경제인은 합리적 분석적 결정을, 행정인은 직관, 영감에 기초한 결정을 한다.

④ 경제인은 복잡하고 동태적인 모든 상황을 고려하지만, 행정인은 실제 상황을 단순화시키고, 무작위적이고 순차적으로 대안을 탐색한다.

06 합리성의 제약요인으로 가장 옳지 않은 것은? 2019 서울 9급

① 다수 간의 조화된 가치선호

② 감정적 요소

③ 비용의 과다

④ 지식 및 정보의 불완전성

07 에치오니(Etzioni)가 제시한, 근본적인 결정은 합리모형에 의하고 세부적인 대안은 점증모형에 의하는 정책결정모형은? 2019 국회 9급

① 혼합주사모형(Mixed Scanning Model)

② 사이버네틱스모형(Cybernetics Model)

③ 최적모형(Optimal Model)

④ 만족모형(Satisficing Model)

⑤ 쓰레기통모형(Garbage Can Model)

08 정책결정 모형에 대한 설명으로 옳지 않은 것은? 2017 지방 7급

① 점증주의 모형은 정책이 결정되는 현실적인 모습을 반영하고 있다.

② 쓰레기통 모형은 정책결정의 우연성을 강조하여 정책결정이 이루어지게 되는 계기에 주목한다.

③ 혼합주사 모형에서 세부적 결정은 합리모형의 의사결정 방식으로 개선된 대안을 제시한다.

④ 최적 모형은 계량적 분석뿐만 아니라 직관적 판단에 의한 결정의 중요성을 강조한다.

05

정답 : ③

③ 경제인은 합리적·분석적 결정을, 행정인은 한정된 대안의 순차적 탐색의 결과 만족할만한 수준에서 결정을 한다. 한편 직관, 영감에 기초한 결정을 중시한 것은 드로(Dror)의 최적모형에 대한 설명이다.

① 사이먼은 경제인을 합리모형에서 가정하는 의사결정자로 보고, 행정인은 합리성의 제약을 받는 의사결정자로 본다.

② 경제인(합리모형)은 목표를 극대화하는 최적의 대안을, 행정인(만족모형)은 만족할만한 대안을 선택한다.

④ 경제인(합리모형)은 모든 대안을 광범위하게 탐색하지만, 행정인(만족모형)은 무작위적이고 순차적으로 대안을 탐색한다.

📝 포인트 정리

합리모형 vs 만족모형

구분	합리모형	만족모형
합리성	완전한 합리성	제한된 합리성
인간관	경제인	행정인
대안 선택	최적의 대안선택 – 전체 최적화, 목표극대화	만족할 만한 대안선택 –부분최적화, 심리적 만족 추구
대안 탐색	모든 대안을 광범위하게 탐색	(몇 개의 대안을) 무작위적·순차적 탐색
결과 예측	모든 대안의 결과 예측 (총체적 예측)	중요한 요소만 고려하여 결과 예측 (부분적 예측)
접근	규범적·이상적 접근	현실적·실증적 접근

06

정답 : ①

① 다수 간의 조화된 가치선호는 합리성을 높이는 방안이다. 합리성은 어떤 행위가 궁극의 목적 달성에 최적의 수단이 되는가의 문제로 행위자가 모든 정보와 능력을 소유하고 있다고 가정했을 때 가장 이상적이라고 본다.

②, ③, ④ 감정적 요소, 비용의 과다, 지식 및 정보의 불완전성, 매몰비용의 고려, 선례에 얽매이는 태도, 자유로운 의사소통의 방해 등은 모두 합리성을 저해하는 요인이다.

07

정답 : ①

① 혼합주사모형은 에치오니가 제시한 것으로, 세부적 결정단계에서는 대안의 범위를 제한적(점증모형)으로 고려하지만 대안의 결과는 포괄적으로 검토(합리모형)한다.

② 사이버네틱스모형은 일정한 변수를 중심으로 설정된 상태를 유지하기 위해 지속적이고 적응적 의사결정을 강조하며 정보제어와 환류과정을 통해 정책결정이 이루어진다.

③ 최적모형은 드로어가 제시한 것으로, 정책결정자의 직관이나 판단력 등 초합리적인 요소를 중시하는 규범적이고 처방적인 모형이다.

④ 만족모형은 완전한 합리성보다는 제한된 합리성을, 최적의 대안보다는 현실적으로 만족할 만한 대안을 중시하는 현실적이고 실증적·귀납적인 모형이다.

⑤ 쓰레기통모형은 정책문제, 해결방안, 참여자, 선택기회가 연관성 없이 독자적으로 흘러 다니다가 우연히 만나 의사결정이 이루어진다.

08

정답 : ③

③ 혼합주사 모형은 세부적인 결정은 점증모형의 의사결정방식으로 개선된 대안을 제시하지만, 기본적인 결정은 합리모형의 의사결정방식으로 전반적이고 근본적인 방향을 설정한다.

① 점증주의 모형은 현실적인 모습을 반영하는 실증적·귀납적인 모형이다.

② 쓰레기통 모형은 의사결정의 네 가지 요소인 정책문제, 해결방안, 참여자, 선택기회가 연관성 없이 독자적으로 흘러 다니다가 우연히 만나 의사결정이 이루어진다.

④ 최적 모형은 합리적 분석뿐만 아니라 결정자의 직관적 판단도 중요한 요소로 간주하며, 정책결정자의 직관이나 판단력 등 초합리적 요소를 중시하는 규범적·처방적 모형이다.

정답
05 ③ 06 ① 07 ① 08 ③

09 정책결정모형 가운데 드로(Y.Dror)의 최적모형에 대한 설명으로 옳지 않은 것은? 2015 국회 8급

① 합리적 정책결정모형이론이 과도하게 계량적 분석에 의존해 현실 적합성이 떨어지는 한계를 보완하기 위해 제시되었다.

② 정책결정자의 직관적 판단도 중요한 요소로 간주한다.

③ 경제적 합리성의 추구를 기본원리로 삼는다.

④ 느슨하게 연결되어 있는 조직의 결정을 다룬다.

⑤ 양적 분석과 함께 질적 분석결과도 중요한 고려 요인으로 인정한다.

10 정책결정모형 중 합리모형에 관한 설명 중 가장 적절하지 않은 것은? 2015 경정승진

① 정책대안의 분석과 비교가 총체적·종합적으로 이루어진다.

② 달성하고자 하는 목표가 명확하다.

③ 기존 정책에 대한 추가와 삭제의 형태로 정책이 결정된다.

④ 완전한(객관적) 합리성을 추구한다.

11 정책결정모형 중에서 점증모형을 주장하는 논리적 근거로 적절하지 않은 것은? 2014 국가 9급

① 정치적 실현 가능성

② 정책 쇄신성

③ 매몰비용

④ 제한적 합리성

12 의사결정의 만족모형의 특징에 대한 다음 설명 중 틀린 것은? 2010 국가전환특채

① 인간의 인지능력은 제한되어 있다고 가정한다.

② 모든 대안을 탐색하기보다는 몇 개의 대안을 무작위로 추출하여 순차적으로 대안을 탐색한다.

③ 모든 대안과 모든 결과를 탐색하여 최선의 대안을 선택한다.

④ 절대적 합리성보다는 제한된 합리성을 추구할 수밖에 없다고 본다.

09
정답 : ④

④ 느슨하게 연결되어 있는 조직의 결정을 다루는 것은 회사모형에 대한 설명이다.

① 최적모형은 합리모형의 비현실성과 점증모형의 타성적 방식에 반발하여 나온 모형으로 정책결정의 성과를 최적화하기 위하여 기존 모형에서 연구되지 못한 '초합리성'과 '초정책결정'이란 개념이 도입된, 포괄적이고 광범위한 결정모형이다.

② 최적모형은 합리적 요소 이외에 결정자의 주관·직관·판단이나 영감 혹은 육감 등과 같은 초합리적 요인도 중시해야 한다고 본다.

③ 최적모형은 기본적으로 경제적 합리성을 중시하는 합리모형에 가깝다고 볼 수 있다.

⑤ 최적모형은 합리성 외에 초합리성을 중시하므로 양적 분석과 함께 질적 분석결과도 중요한 요인으로 인정한다.

10
정답 : ③

③ 기존 정책에 대한 추가와 삭제의 형태로 정책이 결정되는 것은 점증모형의 특징이다. 한편 합리모형은 총체적·포괄적·종합적인 형태로 정책이 결정된다.

① 합리모형은 전체적인 최적화를 추구하므로 포괄적인 대안탐색과 분석을 실시한다.

② 목표와 수단을 분리하여 달성하고자 하는 목표를 명확하게 분석한다.

④ 효용을 극대화하는 대안을 선택하기 위해 완전한 합리성에 따라 모든 대안을 검토한다.

11
정답 : ②

② 정책 쇄신성은 합리모형의 특성이다. 한편 점증모형은 급격한 정책의 쇄신보다는 현재보다 약간 향상된 대안을 중시하므로 근본적인 변화(쇄신)가 어려우며 점진적(한계적) 변화를 추구한다.

① 대안의 정치적 합리성이나 실현가능성을 강조한다.

③ 기존의 정책에다가 가감하여 진행하므로 매몰비용을 중시하고 대폭적인 변화를 기대하기 곤란하다.

④ 제한된 합리성 자체는 만족모형과 연관되지만, 점증모형도 이를 수용했다는 점에서 제한된 합리성이 점증모형과도 연관된다고 볼 수 있다.

12
정답 : ③

③ 모든 대안과 모든 결과를 탐색하여 최선의 대안을 선택하는 것은 합리모형의 특징이다.

① 만족모형은 인간의 인지능력상의 한계로 인해 완전한 합리성이 이루어지지 못하다고 전제한다.

② 만족모형은 습득가능한 몇 개의 중요한 대안과 탐색가능한 몇 가지의 중요한 결과만을 순차적 관심에 의하여 단계적으로 검토한다.

④ 만족모형은 완전한 합리성보다는 제한된 합리성을 중시하는 현실적·실증적·귀납적인 모형이다.

📝 포인트 정리

합리모형 vs 점증모형

구분	합리모형	점증모형
합리성	경제적 합리성 (자원배분의 효율성)	정치적 합리성 (타협과 조정 중시)
목표· 수단 분석	실시	미실시
최적화	전체적·포괄적 최적화	부분적 최적화
정책 결정 방식	• 근본적·쇄신적 결정 • 분석적·합리적 결정 • 포괄적·일회적 결정	• 지엽적·개량적 결정 • 부분적·분산적 결정 • 연속적·순차적 결정
결정 방향	하향식 (top-down)	상향식 (bottom-up)
적용 국가	불안정한 사회에 적합(개도국)	안정된 사회에 적합(선진국)
상황	확실한 상황에 적합(∵예측용이)	불확실한 상황에 적합(∵±α)
접근 방식	연역적 접근, 이론에 의존	귀납적 접근, 이론에 의존하지 않음
배경 이론	엘리트론	다원론

정답

09 ④ 10 ③ 11 ② 12 ③

13 점증모형에 관한 설명으로 옳지 않은 것은?

2009 국회 9급

① 기존 정책에 대한 추가와 삭제의 형태로 정책이 결정된다.

② 환경변화를 고려한 계속적 결정이다.

③ 급격한 사회변화기에 적용 가능한 방식이다.

④ 목표와 수단의 상호조절이 가능하다.

⑤ 이해관계를 가지는 집단 간의 합의를 중시하는 방식이다.

14 정책결정은 합리성을 지향하지만 행정조직에 있어서 합리성을 제약하는 여러 요인이 있는데 다음 중 구조적 요인에 해당하는 것은?

2007 국가 7급

① 정보의 제약 　　　　　　　　　② 개인의 가치관 및 태도

③ 외부 준거집단의 영향 　　　　　④ 문제와 목표의 다양성

CHAPTER 15 　정책결정모형(2) - 집단산출지향 　　　　　　기출 필수 코스

01 대형 참사를 계기로 그동안 해결하지 못했던 정책문제에 관한 대책을 마련하게 되는 상황을 설명하는 정책결정모형으로 가장 적절한 것은?

2020 경정승진

① 혼합모형 　　　　　　　　　　　② 쓰레기통모형

③ 점증모형 　　　　　　　　　　　④ 합리모형

02 〈보기〉는 정책결정에 관한 어떤 모형을 설명하고 있다. 이 모형을 제안한 학자는?

2019 서울 7급(2월)

> **보기**
>
> 이 모형은 조직화된 혼란상태에서의 의사결정을 다루고 있다. 이 모형은 합리모형이 전제하고 있는 것처럼 모든 대안을 비교, 평가해 최선의 대안을 선택할 수 없다고 전제하고 문제의 선호, 불분명한 기술, 유동적 참여의 세 가지 요인이 의사결정 기회를 찾아 끊임없이 움직이며 이들의 흐름이 교차하는 시점에서 의사결정이 이루어진다고 설명한다.

① 드로(Y. Dror) 　　　　　　　　② 스미스와 메이(Smith & May)

③ 코헨, 마치와 올슨(Cohen, March &Olsen) 　　④ 에치오니(A. W. Etzioni)

13

③ 급격한 사회변화기에 적용 가능한 것은 합리모형이다. 한편 점증모형은 조금씩 변화하므로 급격한 환경이나 사회적 변화에 대한 적응력이 취약하여 사회가 불안정적일 때 적용이 곤란하다.

① 점증모형은 계속적인 분석과 평가를 통해 당면한 문제를 부분적·순차적으로 검토하며 기존의 정책에 덧붙이거나 삭제하는 식으로 정책결정이 이루어진다.

② 점증모형은 정책을 시행하면서 환류된 정보를 통하여 계속적으로 수정·보완해 나가므로 소폭적이고 점진적인 변화가 나타난다.

④ 점증모형은 목표와 수단을 구분하지 않으며, 목표와 수단은 상호조절이 가능하다고 본다.

⑤ 점증모형은 참여자 간 합의나 이해관계의 원만한 타협과 협동·조정을 통한 정치적 합리성을 중시한다.

14

정답 : ①

① 정보의 부족과 부정확성 등 제한된 정보는 조직구조적 요인에 해당한다.

② 개인의 가치관 및 태도(인식)의 차이는 인적요인에 해당한다.

③ 외부 준거집단의 영향은 환경적 요인에 해당한다.

④ 사회문제의 복잡성과 정책목표의 다양성은 환경적 요인에 해당한다.

01

정답 : ②

② 쓰레기통모형은 문제, 해결책, 의사결정 기회, 참여자의 의사결정 흐름이 서로 아무 관계없이 독자적으로 흘러 다니다가 대형참사나 극적인 사건 또는 정치적 사건 등 점화계기가 발생하면 하나의 쓰레기통 안으로 들어와 한 곳에 모여지게 될 때 의사결정이 이루어진다고 본다.

① 혼합모형은 Etzioni가 제시한 모형으로 정책결정을 근본적 결정과 세부적 결정으로 나누고 근본적 결정은 합리모형을, 세부적 결정은 점증모형을 전략적으로 절충한 모형이다.

③ 점증모형은 Lindblom, Wildavsky 등이 주장한 것으로 기존의 정책을 토대로 하여 그보다 약간 수정된 정책을 추구하는 방식으로 정치적 합리성을 중시하는 정책결정모형이다.

④ 합리모형은 목표달성을 위한 합리적 대안의 탐색이나 선택을 추구하는 방식으로 모든 대안과 모든 결과를 고려하며 완전한 합리성을 중시하는 정책결정모형이다.

02

정답 : ③

③ 〈보기〉는 코헨, 마치와 올슨(Cohen, March & Olsen) 등이 제안한 쓰레기통 모형에 대한 설명이다. 쓰레기통 모형은 조직화된 혼란상태에서 문제의 선호, 불분명한 기술, 유동적 참여의 세 가지 요인이 의사결정의 4가지 요소와 우연히 만나 교차하는 시점에서 의사결정이 이루어지는 정책결정모형이다.

① 드로(Y. Dror)는 최적모형을 제안하였다.

② 스미스와 메이(Smith & May)는 정책의제설정을 중심으로 한 의제설정 유형과 정책네트워크를 제안하였다.

④ 에치오니(A. W. Etzioni)는 혼합주사모형을 제안하였다.

합리적 정책결정을 저해하는 요인

인적 요인	• 가치관과 태도(인식)의 차이 • 인지능력의 한계 • 권위주의적 성격 • 관료제의 병리
구조적 요인	• 정보에 의한 제약 • 집권적 구조 • 참모기관의 약화와 시간적 제약 • 행정선례와 SOP의 존중 • 정책전담기구의 결여 • 부처할거주의 • 집단사고
환경적 요인	• 정책문제와 목표의 다양성 • 외부 준거집단의 영향 • 매몰비용 중시 • 피동적 사회문화적 관습 • 정치사회환경의 불안정 • 정당이나 이익집단의 반발

정답

13 ③ 14 ① 01 ② 02 ③

정책론 PART 2 해커스공무원 미니행정학 기출 빅데이터 기본서

PART 2 정책론 **137**

03 정책결정모형에 대한 설명 중 가장 옳지 않은 것은?

① 만족모형은 제한된 합리성을 반영하고 있다.

② 점증모형은 기존 정책을 중요시한다.

③ 회사모형은 의사결정자에 의해 조직의 의사결정이 통제된다고 본다.

④ 앨리슨(G.T.Allison)은 관료정치모형의 중요성을 언급하였다.

04 앨리슨(Allison)의 의사결정 모형에 관한 설명 중 가장 적절하지 않은 것은?

① 합리모형(모형 I)은 구성원 간의 응집성이 강하다.

② 조직과정모형(모형 II)은 정부를 독립적인 개별 행위자들의 집합체로 간주하고 장래의 불확실성을 회피하기 위하여 SOP(표준운영절차)에 의존하여 의사결정을 한다.

③ 관료정치모형(모형 III)은 정책결정의 방식을 정치적 게임의 규칙에 따라 협상, 타협 등에 의해 이루어지는 것으로 본다.

④ 실제 정책결정에서는 어느 한 모형이 아니라 세 가지 모형이 모두 적용될 수 있다.

05 다음 중 정책결정모형과 그 내용의 연결이 옳지 않은 것은?

① 쓰레기통모형 – 문제, 해결책, 수혜자, 선택기회의 흐름

② 만족모형 – 행정인(administrative man)

③ 조직과정모형 – SOP와 프로그램 목록

④ 최적모형 – 초합리성 강조

03

정답 : ③

③ 회사모형은 협상을 통한 의사결정과 갈등의 준해결로 갈등이 항상 잠재되어 있다고 본다. 따라서 의사결정자에 의하여 조직의 의사결정이 완전하게 통제되지 않는다고 본다.

① 만족모형은 지식·학습능력·계산능력 부족 등의 인지적 제약과 환경적 제약 때문에 합리성이 제한받게 되며 인간을 제한된 합리성을 가진 존재로 본다.

② 점증모형은 대폭적인 정책변화보다는 조금씩 향상된 대안에 관심을 가지며 기존 정책을 토대로 하여 그보다 약간 수정된 내용을 추구하는 모형이다.

④ 앨리슨은 과거부터 논의되었던 합리적 행위자 모형과 조직과정모형에다가 그동안 소홀하게 취급하였던 관료정치모형의 중요성을 언급하였다. 관료정치모형은 참여자들의 정치적 게임(갈등과 타협, 흥정 등)에 의해 이루어지는 정책결정모형이다.

04

정답 : ②

② 조직과정모형(model Ⅱ)은 정부를 느슨하게 연결된 반독립적인 하위조직들의 연합체로 간주하고 장래의 불확실성을 회피하기 위하여 SOP(표준운영절차)에 의존하여 의사결정을 한다. 한편 정부를 독립적인 개별 행위자들의 집합체로 간주하는 것은 관료정치모형(model Ⅲ)에 대한 설명이다.

① 합리적 행위자모형은 국가의 전략적 목표가 중시되며 의사결정이 단일지도자에 의해 집권적으로 이루어지므로 구성원 간 응집성이 매우 강하며 목표에 대한 공유감 및 정책의 일관성이 매우 높다.

③ 관료정치모형에서는 정치적 게임에 의한 타협이나 협상, 연합, 흥정 등에 의해 의사결정이 이루어진다.

④ 3가지 모형이 서로 배타적인 모형이지만, 하나의 정책결정 사례에 적용할 때에는 3가지 모형을 모두 적용해야 보완적으로 해석할 수 있다고 보았다.

05

정답 : ①

① 쓰레기통모형의 4가지 의사결정요소는 문제, 해결책, 수혜자가 아닌 참여자, 선택기회(의사결정)의 흐름이다. 쓰레기통모형은 문제, 해결책, 참여자, 의사결정의 흐름이 조직화된 무정부상태에서 독자적으로 흘러 다니다가 점화계기가 발생하면 우연히 한 곳에 모여 의사결정이 이루어지는 모형이다.

② 만족모형은 최선의 대안을 선택하는 경제인이 아닌 제한된 합리성을 인정하고 대안 중에서 만족할 만한 대안을 선택하는 행정인을 전제한다.

③ 앨리슨 모형 중 조직과정모형은 표준운영절차에 의한 프로그램 목록에서 대안을 추출하는 모형이다.

④ 최적모형은 합리적 요소뿐 아니라 직관과 통찰력과 같은 초합리적 요소도 함께 고려하며 이를 강조하는 모형이다.

포인트 정리

앨리슨(Allison) 모형 간 비교 정리

구분	합리적 행위자모형 (model Ⅰ)	조직과정모형 (model Ⅱ)	관료정치모형 (model Ⅲ)
조직관	조정과 통제가 잘되는 유기체	느슨하게 연결된 하위조직들의 연합체	독립적·개별적 집합체
집단응집력	강함	약함	매우 약함
의사결정권 위치	최고 결정권자	반독립적인 하위조직들	독립적인 개별적 행위자
정책결정 일관성	강함	약함	매우 약함
조직 내 적용 계층	조직 전체계층	하위계층	상위계층

정답

03 ③ 04 ② 05 ①

06 앨리슨(Allison)은 1962년 쿠바 미사일 사건과 관련하여 미국의 외교정책을 분석한 후 정부의 정책결정과정을 설명하고 예측하였는데, 다음 중 앨리슨이 제시한 모형이 아닌 것은?

2015 경찰간부

① 합리적 행위자모형

② 회사모형

③ 조직과정모형

④ 관료정치모형

07 사이어트(R. Cyert)와 마치(J. March)가 주장한 회사모형(firm model)의 내용이 아닌 것은?

2014 서울 9급

① 조직의 전체적 목표 달성의 극대화를 위하여 장기적 비전과 전략을 수립·집행한다.

② 조직 내 갈등의 완전한 해결은 불가능하며 타협적 준해결에 불과하다.

③ 정책결정능력의 한계로 인하여 관심이 가는 문제 중심으로 대안을 탐색한다.

④ 조직은 반복적인 의사결정의 경험을 통하여 결정의 수준이 개선되고 목표달성도가 높아진다.

⑤ 표준운영절차(SOP : Standard Operation Procedure)를 적극적으로 활용한다.

08 앨리슨(Allison)의 정책결정모형 중 Model Ⅱ(조직과정모형)에 대한 설명으로 옳지 않은 것은?

2013 국가 9급

① 정부는 느슨하게 연결된 연합체이다.

② 권력은 반독립적인 하위조직에 분산된다.

③ 정책결정은 SOP에 의해 프로그램 목록에서 대안을 추출한다.

④ 정책결정의 일관성이 강하다.

09 쓰레기통모형에 대한 설명으로 옳지 않은 것은?

2008 선관위 9급

① 조직의 구조는 체계적이기보다는 느슨한 형태로 구조화되어 운영된다.

② 조직화된 혼란의 주요 원인은 시간적 제약 때문이다.

③ 쓰레기통은 의사결정을 위한 선택의 기회를 의미한다.

④ 최종의사결정은 간과(oversight) 또는 탈피(flight)보다는 문제해결에 의해 이루어진다.

06

② 회사모형은 관료정치모형과 유사하지만 이를 독립된 모형으로 제시하지는 않았으며, 앨리슨은 회사모형을 집단적 국가정책결정에 적용한 모델로 조직과정모형을 제시하였다.
① 앨리슨은 쿠바 미사일 사건과 관련하여 미국의 외교정책과정을 분석한 후 정책결정과정을 3가지(합리적 행위자모형, 조직과정모형, 관료정치모형)로 설명하였는데, model I 인 합리적 행위자모형은 개인차원의 합리모형을 국가정책에 적용한 것으로 조정과 통제가 잘된 유기체적 조직이다.
③ 앨리슨 모형의 model II 인 조직과정모형은 회사모형의 전제와 유사한 모형으로 국가를 느슨하게 연결된 반독립적인 하위조직들의 연합체로 본다.
④ 앨리슨 모형의 model III 인 관료정치모형은 쓰레기통모형의 선세와 유사한 모형으로 독립적인 개별적인 행위자들의 집합체이며 정치적 게임에 의해 정책결정이 이루어진다.

07

① 조직의 전체적 목표 달성의 극대화를 위하여 장기적 비전과 전략을 수립·집행하는 것은 합리모형에 대한 설명이다. 한편 회사모형은 단기적 환류를 이용하여 단기적인 대응책을 수립·집행한다.
② 관련 집단들의 요구가 모두 성취되기보다는 서로 나쁘지 않을 정도의 수준에서 타협점을 찾는 모형으로, 타협적인 준해결에 그친다.
③ 시간과 능력의 제약으로 인해 정책결정자들은 모든 상황을 고려하기보다 특별히 관심을 끄는 부분에 대해서만 고려하는 문제중심의 탐색을 중시한다.
④ 경험에 의해 탐색절차를 수정해나가면서 결정수준이 개선되고 탐색규칙에서의 적응적 행태를 보인다.
⑤ 환경의 불확실성으로 인해 표준운영절차에 의한 단기적 대응과 단기적인 피드백·환류를 중시한다.

08

④ 조직과정모형은 정책결정의 일관성이 약하다. 한편 정책결정의 일관성이 강한 것은 합리적 행위자모형(모형 I)이며, 정책결정의 일관성이 매우 약한 것은 관료정치모형이다.
① 정부를 느슨하게 연결된 하위조직들의 연합체로 본다.
② 권력은 반독립적인 하부조직들이 분산하여 소유하고 있으며 하부조직이 의사결정의 주체가 된다.
③ 정책결정은 SOP에 의한 추출을 통해 순차적으로 해결해나간다.

09

④ 쓰레기통모형에서 최종의사결정은 간과(날치기 통과)나 탈피(진빼기 결정)에 의해 이루어진다. 한편 문제해결 전략에 의해 이루어지는 것은 합리모형에 해당한다.
① 쓰레기통모형은 Cohen & March 등이 제안한 것으로 계층제적 질서가 존재하지 않는 조직화된 무질서 상태 속에서 느슨하고 분권화된 조직의 의사결정을 설명하는 모형이다.
② 쓰레기통모형은 조직화된 혼란과 전제조건(불분명한 선호, 불명확한 인과기술, 수시적·일시적 참여)하에서 의사결정의 네 가지 요소들이 시간적 제약으로 인해 상호 연계성 없이 독자적으로 흘러다니다가 우연한 점화계기로 인해 의사결정이 이루어진다고 보는 모형으로, 혼란의 원인을 시간적 제약으로 본다.
③ 쓰레기통은 의사결정을 위한 선택의 기회를 의미하는 용어이다.

포인트 정리

앨리슨(Allison) 모형 간 비교 정리

구분	합리적 행위자모형 (model I)	조직과정 모형 (model II)	관료정치 모형 (model III)
조직관	조정과 통제가 잘되는 유기체	느슨하게 연결된 하위조직들의 연합체	독립적·개별적 집합체
집단 응집력	강함	약함	매우 약함
의사 결정권 위치	최고 결정권자	반독립적인 하위조직들	독립적인 개별적 행위자
정책 결정 일관성	강함	약함	매우 약함
조직 내 적용 계층	조직 전체계층	하위계층	상위계층

정답

06 ② 07 ① 08 ④ 09 ④

10 사이버네틱스(Cybernetics)모형의 특징으로 가장 거리가 먼 것은?

2008 국회 8급

① 습관적 의사결정

② 적응적 의사결정

③ 인과적 학습 강조

④ 불확실성의 통제

⑤ 집단적 의사결정

11 위기관리 의사결정에 나타나는 특징이 아닌 것은?

2006 경기 7급

① 의사결정의 집권화

② 비공식적 과정과 즉시적 결정의 증대

③ 상향적 · 하향적 커뮤니케이션의 감소

④ 정보의 내용보다 정보의 출처에 더 높은 우선순위

CHAPTER 16 정책결정 과정 기타

기출 필수 코스

01 딜레마이론에 대한 설명으로 옳은 것은?

2017 지방 9급(추)

① 부정확한 정보와 의사결정자의 결정 능력 한계로 인해 발생하는 딜레마 상황에 주목한다.

② 대안을 선택하지 않는 비결정도 딜레마에 대한 하나의 대응 형태로 볼 수 있다.

③ 두 대안이 추구하는 가치 간 충돌이 있는 경우 결국 절충안을 선택하게 된다.

④ 딜레마의 구성요건으로서 단절성(discreteness)이란 시간의 제약이 존재하므로 어떤 식의 결정이든 해야 함을 의미한다.

02 정책딜레마 상황에서 정책결정자의 대응행동이라고 보기 어려운 것은?

2013 국회 9급

① 갈등집단 간의 권력균형 유지

② 정책문제의 재규정

③ 상황의 호도

④ 상충되는 정책대안의 동시 선택

⑤ 정책결정의 회피와 지연

10

정답 : ③

③ 사이버네틱스모형은 도구적·시행착오적 학습을 강조한다. 한편 대안과 결과를 광범위하게 예측한 후 합리적 대안을 선택하는 인과적 학습은 합리모형의 특징이다.

① 사이버네틱스모형은 인과적 학습에 의한 반복적·습관적 의사결정 및 수정을 특징으로 한다.

② 사이버네틱스모형은 결과예측이 어려운 복잡한 문제를 단순화시켜 바람직한 상태로 유지시키고자 하는 비목적적 적응모형이다.

④ 사이버네틱스모형은 대안이 가져올 결과의 불확실성을 문제삼거나 극복하려 하지 않으며 한정된 범위와 변수에만 관심을 가짐으로써 불확실성을 통제한다.

⑤ 사이버네틱스모형은 집단적 의사결정모형으로 합리모형과 대립되는 적응적·관습적 모형이다.

11

정답 : ③

③ 위기상황에서는 상향적·하향적 커뮤니케이션의 양이 증가하고 그 속도 또한 빨라지게 된다.

① 위기상황에서의 의사결정은 집권화된다.

② 위기상황에서는 공식적인 규칙이나 절차는 비공식적인 과정과 즉시적인 결정으로 대치됨에 따라 비공식적 결정이 더욱 증가하게 된다.

④ 위기상황에서 의사결정자는 정보의 내용보다 정보의 출처(소스)에 더 놓은 우선순위를 둔다.

01

정답 : ②

② 대안을 선택하지 않는 비결정이나 결정의 지연 등은 딜레마 상황에 대한 소극적 대응 형태이다.

① 딜레마이론은 정책결정자가 선택을 하지 못하고 있는 곤란한 상황에서 무엇인가를 선택해야 하는 상황에 처해있는 상태로, 상충하는 가치 간의 충돌이나 비교의 어려움으로 인해 발생하는 딜레마 상황에 주목한다.

③ 두 대안이 추구하는 가치 간 충돌이 있는 경우 절충안을 선택하는 것이 불가능하다.

④ 딜레마의 구성요건으로서 선택불가피성이란 시간의 제약이 존재하므로 어떤 식의 결정이든 해야 함을 의미한다.

02

정답 : ①

① 갈등집단 간의 권력균형 유지는 정책딜레마가 발생하는 행태적·상황적 조건으로 딜레마의 증폭요인에 해당한다.

② 정책문제의 재규정은 딜레마 상황에 대한 적극적 대응방안에 해당한다.

③ 상황의 호도는 다른 정책에 의해 문제가 해결된 것처럼 보이게 하는 것으로 소극적 대응방안에 해당한다.

④ 상충되는 정책대안들을 동시 선택하는 것은 딜레마 상황에 대한 적극적 대응방안에 해당한다.

⑤ 대안을 선택하지 않는 회피(비결정)나 결정의 지연은 딜레마 상황에 대한 소극적 대응방안에 해당한다.

☆ 포인트 정리

사이버네틱스모형의 특징

- 적응적·습관적 의사결정
- 집단적 의사결정
- 도구적·적응적 학습
- 불확실성의 통제
- 하위단위 맥락과 순차적 해결

위기상황에서의 의사결정 특징

- 의사결정의 집권화
- 비공식적 결정
- 관료정치의 성행
- 의사소통의 증가
- 정보의 소스에 의존
- 정보흐름을 통제해야 하는 중대한 문제에 직면함
- 상황의 재정의 곤란
- 집단사고의 우려

딜레마이론의 구성요건

분절성 (단절성)	대안 간 절충 불가
상충성	대안 간 충돌
균등성	대안들의 비슷한 결과가치, 기회손실
선택 불가피성	선택 압력
명료성	대안의 구체성

정책딜레마 대응방안

소극적 대응	• 결정의 회피(비결정, 포기) • 결정책임의 전가 • 결정의 지연, 무의사결정 • 상황의 호도
적극적 대응	• 딜레마 상황의 변화 유도 • 새로운 딜레마 상황의 조성 • 상충되는 대안의 동시선택 • 정책문제의 재규정 • '스톱-고'정책(섞바꾸기 전략)

정답

10 ③ 11 ③ 01 ② 02 ①

03 혼돈이론(chaos theory)에 대한 설명으로 옳지 않은 것은?

2011 지방 9급

① 현실의 복잡성과 불확실성을 극복하기 위해 단순화, 정형화를 추구한다.

② 비선형적, 역동적 체제에서의 불규칙성을 중시한다.

③ 전통적 관료제 조직의 통제중심적 성향을 타파하도록 처방한다.

④ 조직의 자생적 학습능력과 자기조직화 능력을 전제한다.

04 우리나라 품의제에 대한 설명으로 볼 수 없는 것은?

2005 국가 7급

① 토론 및 회의를 통한 합리적 · 분석적 결정을 저해한다.

② 하의상달을 통해 하급직원의 사기를 앙양한다.

③ 실무자선에서 횡적 업무 협조를 강화하는 기회가 된다.

④ 정책결정과 집행의 유기적 연계가 가능하다.

CHAPTER 17 **정책집행론, 일선관료제**

기출 필수 코스

01 다음 설명에 해당하는 정책집행 모형을 제시한 학자는?

2022 국가 7급

- 효과적인 정책집행을 위해 갖추어야 할 조건으로서 정책결정의 내용은 타당한 인과이론에 바탕을 두어야 하며 정책 내용으로서 법령은 명확한 정책지침을 가지고 있어야 한다.
- 집행과정에서 발생할 수 있는 변수들을 미리 예견할 수 있도록 해 주는 체크리스트로서의 기능을 한다는 장점이 있다.
- 정책집행 현장의 일선관료들이나 대상집단의 전략 등을 과소평가하거나 쉽게 파악할 수 없다는 단점이 있다.

① 사바티어(Sabatier)와 마즈매니언(Mazmanian)

② 린드블럼(Lindblom)

③ 프레스만(Pressman)과 윌다브스키(Wildavsky)

④ 레인(Rein)과 라비노비츠(Rabinovitz)

03

정답 : ①

① 혼돈이론은 현실의 복잡성과 불확실성을 극복하기 위해 단순화, 정형화하려고 하지 않고 이를 있는 그대로 파악한다.

② 혼돈이론은 혼돈 상태를 연구하여 폭넓고 장기적인 변동의 경로와 양태를 찾아보려는 것으로 결정론적인 비선형적·역동적 체제에서의 불규칙성을 강조하는 질적 연구이론이다.

③ 혼돈이론은 탈관료제적인 처방을 중시하며 창의적 학습과 개혁을 위해 제한된 무질서를 용인하도록 조성한다.

④ 혼돈이론은 조직의 자생적 학습능력과 자기조직화 능력을 전제하므로 혼돈을 회피나 통제의 대상으로 보지 않고 긍정적인 활용의 대상으로 볼 수 있다.

04

정답 : ③

③ 품의제는 상급자의 결재를 통하지 않고서는 실무자간 직접적인 협조가 곤란하므로 할거주의를 초래한다.

① 품의제는 개인별 결재의 단계로 이루어지므로 전체 회의가 이루어지지 않으므로 토론이나 회의를 통한 합리적·분석적 결정이 저해된다.

② 품의제는 하의상달적 정책결정체제로 하급자의 참여하에 상향적으로 이루어지므로 하급자의 참여의식과 사기앙양에 기여한다.

④ 정책결정과 집행의 유기적 연계가 가능하여 정책과 집행을 연계시킨다.

01

정답 : ①

① 제시문은 사바티어와 마즈매니언이 제시한 하향적 접근방법에 대한 설명이다.

★ 포인트 정리

정답
03 ① 04 ③ 01 ①

02 현대적·상향적 집행(Bottom-up) 방식에 대한 설명으로 가장 옳은 것은?

① 정책목표의 설정과 정책목표 간 우선순위는 명확하다.

② 엘모어(Elmore)는 전향적 집행이라고 하였다.

③ 버먼(Berman)은 정형적 집행이라고 하였다.

④ 일선관료는 정책집행과정에서 가장 큰 영향력을 행사한다.

03 다음 특징을 가진 정책변동 모형은?

2019 지방 9급

○ 분석단위로서 정책하위체제(policy sub system)에 초점을 두고 정책 변화를 이해한다.
○ 신념체계, 정책학습 등의 요인은 정책변동에 영향을 준다.
○ 정책변동 과정에서 정책중재자(policy mediator)가 중요한 역할을 한다.

① 정책흐름(Policy stream) 모형

② 단절적 균형(Punctuated Equilibrium) 모형

③ 정책지지연합(Advocacy Coalition Framework) 모형

④ 정책패러다임 변동(Paradigm Shift) 모형

04 립스키(M. Lipsky)의 일선관료제(Street-Level Bureaucracy) 이론에 대한 설명으로 옳은 것은?

2018 국가 9급

① 일선관료는 고객에 대한 고정관념(stereotype)을 타파함으로써 복잡한 문제와 불확실한 상황에 대처한다.

② 일선관료가 업무를 수행하는 기관에 대한 고객들의 목표기대는 서로 일치하고 명확하다.

③ 일선관료는 집행에 필요한 자원이 부족한 경우 대체로 부분적이고 간헐적으로 정책을 집행한다.

④ 일선관료는 계층제의 하위에 위치하고 있기 때문에 직무의 자율성이 거의 없고 의사결정에 있어서 재량권의 범위가 좁다.

05 정책집행의 상향적 접근방법에 대한 설명으로 옳은 것은?

2017 국가 9급

① 대표적인 모형은 사바티어(Sabatier)의 정책지지 연합모형(Advocacy Coalition Framework)이다.

② 정책결정과 정책집행은 뚜렷하게 구분된다고 본다.

③ 집행현장에서 일선관료의 재량과 자율을 강조한다.

④ 안정되고 구조화된 정책상황을 전제로 한다.

02

④ 상향적 집행은 집행이 일어나는 현장에 초점을 맞추고 정책집행이 실제로 현장에서 어떻게 이루어지는지를 설명하는 것으로, 현장에서 직접 정책집행을 담당하는 일선관료가 가장 큰 영향력을 행사한다.

① 정책목표의 설정과 정책목표 간 우선순위가 명확하다고 보는 것은 하향적 집행에 대한 설명이다.

② 엘모어가 전향적 집행이라고 한 것은 하향적 집행이다. 한편 엘모어는 상향적 집행을 후향적 집행이라고 하였다.

③ 버먼이 정형적 집행이라고 한 것은 하향적 집행이다. 한편 버먼은 상향적 집행을 적응적 집행이라고 하였다.

03

정답 : ③

③ 제시문은 정책지지연합(Advocacy Coalition Framework) 모형에 대한 설명이다. 정책지지연합 모형은 정책하위체제를 분석단위로 하며, 정책과정 참여자의 신념체계(belief system)를 강조하는 모형이다.

① 정책흐름모형은 킹던이 제시한 것으로 문제의 흐름, 정치의 흐름, 정책의 흐름들이 상호 독립적인 경로를 따라 진행되다가 어떤 계기로 서로 결합될 때 정책의 창이 열리고 정책변동이 이루어진다고 본다.

② 단절균형모형에 의하면 정책변동(제도변화)은 사회경제적 위기나 군사적 갈등과 같은 강력한 외부적 충격(중요한 분기점)에 의해 단절적으로 급격하게 발생한다고 본다.

④ 정책패러다임변동모형(P.Hall)은 정책목표와 수단에 있어서 급격한 변화를 가져올 수 있다고 보는 점에서 근본적 정책변동이 쉽게 일어나지 않는다는 사바티어(Sabatier)의 정책지지연합 모형과 다르다.

04

정답 : ③

③ 일선관료는 자원이 부족할 경우 부분적이고 간헐적으로 집행하는 경향이 있다.

① 일선관료는 고객에 대한 고정관념 등으로 인하여 복잡한 문제와 불확실한 상황에 제대로 대처하지 못한다.

② 일선관료에 대한 고객들의 목표기대는 명확하지 못하며 성과평가 기준 또한 객관적이지 않다.

④ 일선관료는 많은 재량권을 가지고 있지만 인적·물적 자원 및 시간이 부족하여 업무가 지연된다.

05

정답 : ③

③ 상향적 접근방법은 일선관료의 재량과 자율을 중시하지만 하향적 접근방법은 집행자의 재량권을 인정하지 않는다.

① 사바티어(Sabatier)의 정책지지 연합모형(Advocacy Coalition Framework)은 통합모형의 대표적 모형이다.

② 정책결정과 정책집행이 뚜렷하게 구분된다고 보는 것은 하향식 접근법방에 대한 설명이다. 한편 상향적 접근방법은 정책결정과 정책집행이 통합된다고 본다.

④ 안정되고 구조화된 정책상황을 전제로 하는 것은 하향식 접근방법에 대한 설명이다. 한편 상향적 접근방법은 유동적이고 동태화된 정책상황을 전제로 한다.

포인트 정리

하향적 접근방법 vs 상향적 접근방법

구분	하향적·고전적 접근방법	상향적·현대적 접근방법
목적	결정자에 대한 규범적 처방 제시	집행과정의 기술과 인과론적 설명
논의의 초점	결정자에 의한 집행과정의 효과적 통제	일선관료에게 적절한 재량과 자원 부여
집행 절차	표준운영절차(SOP) 사용	상황에 맞는 절차 사용
평가 기준	충실한 정책집행과 성과(정책목표의 달성도)	현장에의 적응성과 문제해결력
성공 요건	결정자의 통제력과 집행자의 순응	집행자의 역량과 재량
이론적 배경	정치행정이원론	정치행정일원론
Elmore	전향적 접근	후향적 접근
Berman	정형적 집행	적응적 집행

정답

06 나카무라(Nakamura)와 스몰우드(Smallwood)가 제시한 가장 광범위한 재량을 갖는 정책집행자의 유형은?

2017 지방 7급

① 지시적 위임자형
② 관료적 기업가형
③ 협상가형
④ 재량적 실험가형

07 다음 중 정책집행에 영향을 미치는 요인들에 대한 설명으로 옳지 않은 것은?

2014 국회 8급

① 정책집행자의 전문성, 사기, 정책에 대한 인식 등이 집행효율성에 상당한 영향을 미친다.
② 정책결정자의 관심과 지도력은 정책집행의 성과에 큰 영향을 미친다.
③ 정책집행은 대상집단의 범위가 광범위하고 활동이 다양한 경우 더욱 용이하다.
④ 정책을 통해 해결하려는 문제가 정책집행 체계의 역량을 넘어서는 경우에는 정책집행이 지체된다.
⑤ 집행효율성은 정책문제를 해결할 수 있는 기술이 확보되어 있다면 높아질 수 있다.

08 정책집행에 대한 설명 중 옳지 않은 것은?

2013 서울 9급

① 정책의 희생집단보다 수혜집단의 조직화가 강하면 정책집행이 곤란하다.
② 집행은 명확하고 일관되게 이루어져야 한다.
③ 규제정책의 집행과정에서도 갈등은 존재한다고 본다.
④ 정책집행 유형은 집행자와 결정자와의 관계에 따라 달라진다.
⑤ 정책집행에는 환경적 요인도 작용한다.

09 립스키(Lipsky)가 주장하는 일선관료제의 특징으로 가장 옳지 않은 것은?

2013 경찰간부

① 직무수행에 필요한 자원이 부족하다.
② 목표달성을 지향하는 성과의 측정이 어렵다.
③ 정책고객을 범주화하여 선별한다.
④ 일선관료는 재량이 거의 없다.

06
정답 : ②

② 나카무라(Nakamura)와 스몰우드(Smallwood)가 제시한 가장 광범위한 재량을 갖는 정책집행자의 유형은 관료적 기업가형에 해당한다. 고전적 기술자형 → 지시적 위임자형 → 협상자형 → 재량적 실험가형 → 관료적 기업가형 순으로 정책결정자의 통제는 약해지고 정책집행자의 재량은 커진다.

① 지시적 위임자형은 정책결정자가 정책목표를 달성하는데 필요한 관리적 행위에 관한 권한들을 정책집행자에게 위임하는 유형이다.

③ 협상가형은 정책결정자가 정책을 결정하지만 독단적으로 채택하는 것이 아니라, 정책목표와 정책수단에 대해서 정책결정자와 정책집행자 간에 타협과 흥정을 하는 유형이다.

④ 재량적 실험가형은 정책의 대략적인 방향을 정책결정자가 정하고 정책집행자들은 구체적 집행에 필요한 폭넓은 재량을 위임받아 정책을 집행하는 유형이다.

07
정답 : ③

③ 정책집행은 대상집단의 범위나 행태가 광범위하고 활동이 다양하고 복잡할수록 더욱 곤란하다.

① 정책집행자의 지적 능력, 전문기술, 적극적 태도, 문제해결 중심적 태도 등이 집행효율성에 상당한 영향을 미친다.

② 집행담당자의 집행역량 및 지도력은 정책집행의 성과에 큰 영향을 준다.

④ 정책을 통해 해결하려는 문제가 역량을 넘어서는 경우 정책집행이 지체될 수 있다.

⑤ 인적·물적 자원, 정보·권한 등의 무형자원, 정책문제를 해결할 수 있는 기술 등이 확보되어 있다면 정책효율성은 높아질 수 있다.

08
정답 : ①

① 정책의 희생집단보다 수혜집단의 조직화가 강하면 정책집행이 용이하다.

② 집행은 명확성과 일관성이 확보되어야 한다.

③ 규제정책은 정부가 정책으로 인해 혜택을 보는 자와 피해를 보는 자를 선택하게 되는데 이 과정에서 많은 갈등이 발생할 수 있다.

④ 정책집행의 유형은 집행자와 결정자의 관계에 따라 달라진다(Nakamura & Smallwood).

⑤ 정책집행에는 경제적·정치적 여건의 변화, 대중의 지지나 여론의 반응, 정책결정기관의 역할 등 환경적 요인도 작용한다.

09
정답 : ④

④ Lipsky에 따르면 일선관료는 상당한 재량권을 가진다고 전제한다.

① 일선관료는 직무수행에 필요한 인적·물적 자원이나 시간·기술적 지원이 부족하다.

② 목표를 달성하는 객관적 업무 성과평가 기준이 결여되어 있다.

③ 일선관료는 고객을 재정의한 후 범주화하여 선별한다.

★ 포인트 정리

나카무라(Nakamura)와 스몰우드(Smallwood)의 정책집행모형(정책집행자역할)

유형	정책집행자의 역할
고전적 기술자형	• 정책결정자의 목표를 지지하고 그 목표를 달성하기 위한 기술적 권한 행사
지시적 위임자형	• 정책결정자의 목표를 지지하고 그 목표를 달성하기 위해 행정적 권한을 행사하고, 집행자 상호간에 협상하고 교섭을 벌임
협상자형	• 결정자가 목표 설정 • 목표와 목표달성을 위한 수단에 관하여 정책결정자와 집행자가 협상함
재량적 실험가형	• 정책결정자를 위해 목표와 수단을 명백히 하고, 목표와 수단을 재정의
관료적 기업가형	• 집행자는 목표와 그 목표달성을 위한 수단을 획득하기 위해 협상함

정답

06 ② 07 ③ 08 ① 09 ④

10 정책집행연구에 있어서 하향적 접근방법에 대한 설명으로 옳지 않은 것은?

2011 지방 7급

① 집행과정에서 나타나는 다양한 요인들을 연역적으로 도출한다.

② 명확한 정책목표와 그 실현을 위한 정책수단을 가지고 있다는 가정을 한다.

③ 집행을 주도하는 집단이 없거나, 집행이 다양한 기관에 의해 주도되는 경우를 설명하는데 유용하다.

④ 집행의 비정치적이고 기술적인 성격을 강조하는 입장이다.

11 현대적 정책집행의 특징에 대한 설명 중 맞는 것은?

2011 국가전환특채

① 정치와 행정을 분리하여 접근한다.

② 정책집행과정을 정책목표의 달성과정이라고 보는 하향적 관점을 취한다.

③ 정책집행과정은 정치적·동태적이다.

④ 정책결정권자의 리더십이 성공적 집행의 요건이다.

CHAPTER 18 정책평가

기출 **필**수 **코스**

01 정책평가에 대한 설명으로 가장 옳지 않은 것은?

2018 서울 9급

① 총괄평가(summative evaluation)는 정책이 종료된 후에 그 정책이 당초 의도했던 효과를 가져왔는지의 여부를 판단하는 활동이다.

② 메타평가(meta evaluation)는 평가자체를 대상으로 하며, 평가활동과 평가체제를 평가해 정책평가의 질을 높이고 결과활용을 증진하기 위한 목적으로 활용된다.

③ 평가성 사정(evaluability assessment)은 영향평가 또는 총괄평가를 실시한 후에 평가의 유용성, 평가의 성과증진 효과 등을 평가하는 활동이다.

④ 형성평가(formative evaluation)란 프로그램이 집행과정에 있으며 여전히 유동적일 때 프로그램의 개선을 위해서 실시하는 평가이다.

10

정답 : ③

③ 집행을 주도하는 집단이 없거나 집행이 다양한 기관에 의해 주도되는 경우를 설명하는데 유용한 것은 상향적 접근방법이다.

① 하향적 접근방법은 모든 구조적 변수를 포괄하는 거시적 접근이며 집행에 대한 일반원칙을 도출한 후 현실에 적용하는 연역적 접근법이다.

② 하향적 접근방법은 정책목표 달성을 위해 채택된 정책결정을 내용을 충실히 집행하는 것을 중시하므로 명확하고 일관된 정책목표와 그 실현을 위한 정책수단을 전제로 한다.

④ 하향적 접근방법은 정치행정이원론의 입장으로 집행의 비정치적이고 기술적인 성격을 강조한다.

11

정답 : ③

③ 현대적 정책집행과정은 동태적·유동적인 상황하에서 많은 정치적 변수 등이 작용하는 역동적·상향적·정치적이다. 한편 정책집행과정을 정태적·기계적·자동적인 과정으로 보는 것은 고전적 정책집행의 특징이다.

① 현대적·상향적 정책집행은 정치와 행정을 통합하여 접근한다. 한편 고전적·하향적 정책집행은 정치와 행정을 분리하여 접근한다.

② 현대적·상향적 정책집행은 실제 정책은 집행과정에서 구체화되므로 현장에의 적응성과 문제해결력을 중시한다. 한편 고전적·하향적 정책집행은 정책목표의 달성을 위해 충실한 정책집행과 성과를 중시한다.

④ 현대적·상향적 접근방법에서의 성공적 집행의 요건은 일선관료에게 적절한 재량과 자원을 부여하는 것이다. 한편 고전적·현대적 접근방법에서는 정책결정권자의 리더십 및 결정자에 의한 효과적인 통제를 성공적 집행의 요건으로 본다.

01

정답 : ③

③ 평가성 사정은 영향평가 또는 총괄평가를 실시하기 전에 평가의 유용성. 평가의 성과증진 효과 등을 미리 평가하는 활동이다.

① 총괄평가는 정책이 집행되고 난 후에 정책이 의도했던 정책효과가 발생하였는지를 평가하는 활동이다.

② 메타평가는 평가결과에 대해 기존 평가자가 아닌 제3자가 다시 평가하는 것으로 평가자체가 제대로 되었는지를 재평가하며, 평가기획, 진행 중인 평가, 완료된 평가를 평가하여 정책평가의 질을 높이고 결과활용을 증진시키기 위한 목적으로 활용된다.

④ 형성평가는 정책이 의도했던 집행계획이나 집행설계에 따라 집행되었는지를 평가·점검하고 모니터링하는 것이다.

포인트 정리

하향적 접근방법 vs 상향적 접근방법

구분	하향적 접근방법	상향적 접근방법
목적	결정자에 대한 규범적 처방 제시	집행과정의 기술과 인과론적 설명
연구방법	거시적·연역적	미시적·귀납적
정책상황	안정적·구조화된 상황	유동적·동태화된 상황
정책목표수정	목표가 명확하여 수정필요성 낮음	수정필요성 높음
합리성	도구적 합리성 (목표를 달성시키는 수단)	제한적 합리성. 절차적 합리성
논의의 초점	결정자에 의한 집행과정의 효과적 통제	일선관료에게 적절한 재량과 자원 부여
집행절차	표준운영절차(SOP) 사용	상황에 맞는 절차 사용
평가기준	충실한 정책집행과 성과 (정책목표의 달성도)	현장에의 적응성과 문제해결력
성공요건	결정자의 통제력과 집행자의 순응	집행자의 역량과 재량
결정과 집행	결정과 집행 분리(이원론)	결정과 집행 통합(일원론)

정답

10 ③ 11 ③ 01 ③

일반적인 정책평가의 절차를 순서대로 연결한 것은? 2017 사복 9급

(ㄱ) 인과모형의 설정	(ㄴ) 자료 수집 및 분석
(ㄷ) 정책목표의 확인	(ㄹ) 정책평가 대상 및 기준의 확정
(ㅁ) 평가 결과의 환류	

① (ㄱ) - (ㄴ) - (ㄷ) - (ㄹ) - (ㅁ)
② (ㄴ) - (ㄷ) - (ㄱ) - (ㄹ) - (ㅁ)
③ (ㄷ) - (ㄹ) - (ㄱ) - (ㄴ) - (ㅁ)
④ (ㄹ) - (ㄱ) - (ㄴ) - (ㄷ) - (ㅁ)

03 **정책평가의 목적에 관한 설명으로 옳지 않은 것은?** 2014 행정사

① 목표가 얼마나 잘 충족되었는지 파악할 수 있다.
② 정책 성공과 실패의 원인을 구체적으로 제시할 수 있다.
③ 정책 성공을 위한 원칙 발견과 향상된 연구를 위한 토대를 마련할 수 있다.
④ 목표달성을 위해 사용된 수단과 하위 목표들을 재확인할 수 있다.
⑤ 정책문제의 구조화와 정책담당자의 자율성을 확보하는 데 있다.

04 **Nakamura와 Smallwood가 제시한 정책집행 성공의 판단기준에 대한 설명 중 옳지 않은 것은?** 2006 국가 7급

① 정책목표가 얼마나 충실히 달성되었는지를 측정하는 정책목표 달성도
② 정책이 가난한 사람들의 삶의 질을 얼마나 향상시켰는지를 평가하는 형평성
③ 정책집행에 의해 이익과 손해를 보는 여러 관련 집단의 만족도와 정책지지
④ 정책을 직접 전달받는 고객의 요구에 정책이 얼마나 부응하고 있는지를 평가하는 정책 수혜집단의 요구 대응성

05 **정책평가에 있어서 과정평가의 내용과 관련이 없는 것은?** 2004 경기 9급

① 정책목표 달성 여부를 판단한다.
② 정책지침의 준수 여부를 확인한다.
③ 계획된 대로 자원이 투입되었는지 확인한다.
④ 정책이 의도한 대로 집행되었는지 점검한다.

02

③ 정책평가의 과정은 (ㄷ) 정책목표의 확인 → (ㄹ) 대상 및 기준의 설정 → (ㄱ) 인과모형의 설정 → (ㄴ) 자료의 수집 및 분석 → (ㅁ) 평가 결과의 환류 순으로 진행된다.

(ㄷ) 정책목표의 확인은 조직의 공식적 목표뿐 아니라 실질적 목표까지도 확인해야 하는 단계이다.

(ㄹ) 대상 및 기준의 설정은 효과성, 능률성, 주민만족도, 수익자 대응성, 체제유지도 외의 형평성 평가 등의 평가 기준을 선정하는 단계로, 평가 기준은 목표에 따라 변화될 수 있다.

(ㄱ) 인과모형의 설정은 독립변수, 매개변수, 종속변수 간의 관계를 가설로 설정하는 단계로 대체로 정책은 독립변수가 되고 정책 결과는 종속변수가 된다.

(ㄴ) 자료의 수집 및 분석은 관찰, 면접, 설문 등을 이용하여 자료를 수집하고 양적·질적 분석을 통해 자료를 해석하는 단계이다.

(ㅁ) 평가 결과의 환류는 가장 마지막 단계로 평가 결과는 정책결정 및 집행체제에 환류되어야 한다.

03

⑤ 정책문제의 구조화는 정책문제를 정확하게 정의하는 것으로 정책목표의 설정 이전의 단계이다. 한편 정책평가는 정책이 집행된 다음 정책의 효과를 평가하는 것으로 정책담당자의 정치적, 법적, 관리적 책임을 확보하기 위한 것이다.

① 정책평가를 통해 정책목표가 얼마나 잘 충족되었는지를 파악할 수 있다.

② 정책평가를 통해 정책 성공과 실패의 원인을 구체적으로 제시할 수 있다.

③ 정책평가를 통해 정책 성공을 위한 원칙을 발견하고 대안적 기법의 상대적 성공을 위해 향상된 연구의 기본적 토대를 마련할 수 있다.

④ 정책평가를 통해 목표달성을 위해 사용된 수단과 하위 목표들을 재규정하고 재확인할 수 있다.

04

② 형평성은 W.Dunn이 제시한 기준이다.

①, ③, ④ Nakamura와 Smallwood가 제시한 정책평가기준은 효과성, 능률성, 주민만족도, 수익자 대응성, 체제유지도에 대한 설명이다.

05

① 과정평가에는 정책이 의도했던 대로 집행되었는지를 확인·점검하는 협의의 형성평가(집행과정평가)와 총괄평가의 완성을 위한 보완적 수단으로서 정책효과 발생의 인과관계 경로를 검증·확인하는 협의의 과정평가(인과관계 경로평가)가 있다. 한편 정책목표 달성 여부를 판단하는 것은 집행이 완료된 이후에 정책이 의도했던 효과나 사회에 미친 영향·충격을 평가하는 총괄평가(효과평가, 영향평가)에서 이루어진다.

② 법규나 정책지침의 준수 여부 등을 계획과 대비하여 확인·점검하는 것은 협의의 형성평가(집행과정평가)에서 이루어진다.

③ 계획된 대로 자원이 투입되었는지를 확인·점검하는 것은 협의의 형성평가(집행과정평가)에서 이루어진다.

④ 정책이 의도한 대로 집행되었는지를 확인·점검하는 것은 협의의 형성평가(집행과정평가)에서 이루어진다.

★ 포인트 정리

정책대안평가 vs 정책평가 기준

정책대안 평가기준 (Nakamura & Smallwood)	소망성	형평성, 대응성, 적절성, 적정성, 효과성, 능률성, 노력
	실현 가능성	기술적, 경제적, 법적, 윤리적, 행정적, 정치적 실현 가능성
정책평가 기준	Nakamura & Smallwood	효과성, 능률성, 주민만족도, 수익자 대응성, 체제유지도
	W.Dunn	효과성, 능률성, 형평성, 대응성, 적합성, 적정성

협의의 형성평가(집행분석, 집행과정평가)시 착안점

- 집행계획상 활동들이 이루어졌는가?
- 계획된 자원이 일정 내에 투입되었는가?
- 의도한 정책대상집단에게 실시되었는가?
- 법률이나 규정을 준수하고 순응하고 있는가?

정답

02 ③ 03 ⑤ 04 ② 05 ①

CHAPTER 19

정책실험, 타당도, 신뢰도　　　　　　　　　　　　　　　

□□
01 정책분석 및 평가연구에 적용되는 기준 중 내적 타당성에 대한 설명으로 옳은 것은?　　2023 국가 9급

① 분석 및 평가 결과를 다른 상황에서도 적용할 수 있는 정도를 의미한다.

② 이론적 구성요소들의 추상적 개념을 성공적으로 조작화한 정도를 의미한다.

③ 집행된 정책내용과 발생한 정책효과 간의 관계에 대한 인과적 추론의 정확성 정도를 의미한다.

④ 반복해서 측정했을 때 일관성 있는 결과를 얻는 정도를 의미한다.

□□
02 정책평가의 논리에서 수단과 목표 간의 인과관계에 대한 설명으로 옳은 것만을 모두 고르면?　　2020 지방, 서울 9급

　　ㄱ. 정책목표의 달성이 정책수단의 실현에 선행해서 존재해야 한다.
　　ㄴ. 특정 정책수단 실현과 정책목표 달성 간 관계를 설명하는 다른 요인이 배제되어야 한다.
　　ㄷ. 정책수단의 변화 정도에 따라 정책목표의 달성 정도도 변해야 한다.

① ㄱ　　　　　　　　　　　　　　　② ㄷ

③ ㄱ, ㄴ　　　　　　　　　　　　　④ ㄴ, ㄷ

□□
03 정책평가에서 내적 타당성에 대한 설명으로 옳지 않은 것은?　　2019 국가 7급

① 역사요인은 외부환경에서 발생하여 사전 및 사후 측정값이 달라지게 만드는 어떤 사건을 말한다.

② 성숙효과는 실험 대상자들이 사전측정의 내용에 대해 친숙하게 되어 사후 측정값이 달라지는 것이다.

③ 상실요인은 정책집행 기간에 대상자 일부가 이탈하여 사전 및 사후 측정값이 달라지는 것과 관련이 있다.

④ 선발요인은 실험집단 및 통제집단에 대한 무작위 배정과 사전측정을 통해 어느 정도 통제할 수 있다.

□□
04 정책의 변수에 대한 설명으로 가장 적절하지 않은 것은?　　2019 경정승진

① 선행변수는 독립변수에 선행하여 작용함으로써 독립변수에 영향을 미치는 변수이다.

② 왜곡변수는 독립변수와 종속변수 간에 상관관계가 있는데도 없는 것처럼 보이도록 하는 제3의 변수이다.

③ 허위변수는 독립변수와 종속변수 간 전혀 관계가 없음에도 불구하고 마치 상관관계가 있는 것처럼 보이도록 하는 제3의 변수이다.

④ 혼란변수는 독립변수와 종속변수 간에 상관관계가 있는 상태에서 두 변수 간의 관계를 과대 또는 과소평가하게 만드는 제3의 변수이다.

01
정답 : ③

① 외적타당도이다.
② 구성적 타당도이다.
④ 신뢰도이다.

02
정답 : ④

④ ㄴ, ㄷ이 옳은 내용이다.
ㄴ. [O] 특정 정책수단 실현과 정책목표 달성 간 관계를 설명하는 다른 요인이 배제되어야 한다는 것은 인과관계의 조건 중 경쟁가설의 배제에 대한 설명이다.
ㄷ. [O] 정책수단의 변화 정도에 따라 정책목표의 달성 정도도 변해야 한다는 것은 인과관계의 조건 중 공동변화에 대한 설명이다.
ㄱ. [X] 정책수단의 실현이 정책목표의 달성에 선행해서 존재해야 한다는 것은 인과관계의 조건 중 시간적 선행성에 해당한다.

03
정답 : ②

② 성숙효과는 시간의 경과에 따른 대상집단의 변화로 순전히 시간이 경과함에 따라 발생되는 조사대상집단의 변화와 관련된다. 한편 실험 대상자들이 사전측정의 내용에 대해 친숙하게 되어 사후 측정값이 달라지는 것은 검사요인에 대한 설명이다.
① 역사요인은 실험기간 동안에 외부에서 일어난 역사적 사건이 실험에 영향을 미치는 경우에 나타나는 현상이다.
③ 상실요인은 연구기간 중 집단으로부터 구성원의 이탈 등 두 집단간 구성상의 변화로 인해 사후 측정값이 달라지는 현상이다.
④ 선발요인은 선발의 차이로 인한 오류로 집단을 구성할 때 발생하는 현상이다.

04
정답 : ②

② 억제변수는 독립변수와 종속변수 간에 상관관계가 있는데도 없는 것처럼 보이도록 하는 제3의 변수이다. 한편 왜곡변수는 독립변수와 종속변수 간에 상관관계가 있는데도 오히려 반대로 보이도록 하는 제3의 변수이다.
① 선행변수는 독립변수에 선행하여 작용하는 변수로 독립변수에 유효한 영향력을 미치는 변수이다.
③ 허위변수는 독립변수와 종속변수 간 전혀 상관관계가 없는데도 상관관계가 있는 것처럼 나타나도록 하는 제3의 변수이다.
④ 혼란변수는 변수 간에 상관관계가 있는 상태에서 두 변수 모두에 영향을 미치는 제3의 변수이다.

📘 포인트 정리

인과관계의 세 가지 조건

시간적 선행성	정책(독립변수)은 목표 달성(종속변수)보다 시간적으로 선행해야 함
공동 변화	정책과 목표 달성은 모두 일정한 방향으로 변화해야 함
경쟁 가설 배제 (비허위적 관계)	그 정책 이외의 다른 요인이 목표 달성에 영향을 미치지 않았음을 입증해야 함

제3의 정책변수

허위 변수	두 변수가 관계가 없음에도 불구하고 서로 관계가 있게끔 보이도록 하는 변수
혼란 변수	두 변수 간의 관계를 과대 또는 과소평가하게 만드는 변수
매개 변수	독립변수와 종속변수 사이를 매개하는 변수
선행 변수	독립변수에 선행하여 작용함으로써 독립변수에 영향을 미치는 변수
억제 변수	독립·종속변수가 실제로는 인과관계가 있는 데도 관계가 없는 것으로 나타나게 하는 변수
왜곡 변수	독립·종속변수 사이의 관계를 정 반대의 관계로 나타나게 하는 변수

정답

01 ③ 02 ④ 03 ② 04 ②

05 정책평가에 있어서 조건이 양호한 집단을 대상으로 정책수단을 실시한 후 그 결과가 좋게 나타난 정책수단을 다른 상황에 적용하려고 하는 경우에 나타나는 외적 타당성의 문제는?

2017 국가 9급(추)

① 크리밍효과(creaming effect) ② 성숙효과(maturation effect)

③ 허위상관(spurious correlation) ④ 호손효과(Hawthorne effect)

06 실험적 정책평가의 방법에 대한 설명으로 가장 적절한 것은?

2017 경정승진

① 진실험적 방법을 사용할 경우 외적 타당도는 확보할 수 있지만, 내적타당성의 문제가 심각하게 발생할 수 있다.

② 진실험적 방법은 실험이라는 특수한 상황에 의한 호손 효과(hawthorne- effect), 대표성 부족 발생 등의 내적 타당성 저해요인이 발생할 수 있다.

③ 준실험적 방법에서 회귀불연속 설계는 사전측정을 통해 비슷한 점수를 받은 대상자끼리 짝을 지어 배정(matching)한 후 실험하는 방식을 말한다.

④ 준실험적 방법은 비실험적 방법의 약점인 선발효과(선정효과)와 성숙효과를 어느 정도 분리해 낼 수 있어 내적 타당성을 상대적으로 확보할 수 있다.

07 정책평가의 내적 타당성 저해요인에 대한 설명으로 가장 옳지 않은 것은?

2017 해경간부

① 역사요인: 시간의 흐름에 따라 자연스럽게 나타나는 실험 전과 실험 후 상태의 차이를 정책효과로 잘못 평가하는 경우에 발생한다.

② 회귀요인: 실험집단의 구성에 있어 극단치가 포함되는 경우 그 효과는 재실험을 통해 감소되는 경향을 보인다.

③ 도구요인: 실험집단과 비교집단의 측정수단을 달리하거나, 정책 실시 전과 실시 후의 정책효과 측정수단이 다른 경우에 발생한다.

④ 상실요인: 정책집행기간 중 대상 집단의 일부가 탈락해서, 남아 있는 대상이 처음과 다른 경우에 발생한다.

08 정책평가의 타당도 중에서 원인변수와 결과변수 간의 인과관계 추론의 정확도를 의미하는 타당도는 무엇인가?

2015 경찰간부

① 외적 타당도

② 구성적 타당도

③ 통계적 결론의 타당도

④ 내적 타당도

05
정답 : ①

① 설문은 정책평가의 외적타당성을 저해하는 요인의 하나인 크리밍효과에 대한 설명이다. 크리밍효과는 실험의 효과가 비교적 잘 나타날 가능성이 있는 조건이 좋은 집단을 실험집단으로 선정하고 그렇지 못한 집단을 통제집단으로 선정하여 실험의 효과를 과장하는 것을 의미한다.

② 성숙효과는 내적타당성을 저해하는 요인의 하나로 실험 대상 집단이 시간이 변화함에 따라 자연히 변화함으로써 발생하는 것을 의미한다.

③ 허위변수는 독립변수와 종속변수 간에 실제로는 전혀 상관관계가 없는데도 상관관계가 있는 것처럼 나타나도록 하는 제3의 변수로, 독립변수인 정책수단의 효과가 전혀 없을 때 숨어서 정책효과를 가져오는 변수이므로 정책수단과 정책 효과 사이의 인과관계를 완전히 왜곡한다.

④ 호손효과는 외적타당성을 저해하는 요인의 하나로 실험집단이 자신들이 실험 대상자라는 인식 때문에 심리적 긴장감으로 인하여 평소와 다른 행동을 하는 것을 의미한다.

06
정답 : ④

④ 준실험 방법은 선발효과와 성숙효과를 어느 정도 분리해 낼 수 있기 때문에 내적 타당성을 상대적으로 확보할 수 있다.

① 진실험 방법을 사용할 경우 내적 타당도는 확보할 수 있지만, 외적타당성의 문제가 심각하게 발생할 수 있다.

② 진실험적 방법은 실험이라는 특수한 상황에 의한 호손효과, 대표성 부족 발생 등의 외적타당성 저해요인이 발생할 수 있다.

③ 준실험적 방법에서 사전측정을 통해 비슷한 점수를 받은 대상자끼리 짝을 지어 배정한 후 실험하는 방식은 비동질적 통제집단설계에 대한 설명이다. 한편 회귀불연속 설계는 실험집단과 통제집단에 실험대상을 배정할 때 분명하게 알려진 자격기준을 적용하는 방식이다.

07
정답 : ①

① 시간의 흐름에 따라 자연스럽게 나타나는 실험 전과 실험 후 상태의 차이를 정책효과로 잘못 평가하는 경우에 발생하는 것은 성숙효과에 해당한다. 한편 역사요인은 실험기간 중 일어난 사건에 의한 대상집단의 특성변화를 의미한다.

② 회귀요인은 실험대상이 극단적인 값을 갖기 때문에 재측정시 평균으로 회귀하려는 경향 때문에 나타나는 차이를 의미한다.

③ 도구요인은 사전검사에 대한 친숙도가 사후측정에 미치는 영향에 따른 차이를 의미한다.

④ 상실요인은 실험기간 중 실험대상의 중도포기 또는 탈락 때문에 나타나는 차이를 의미한다.

08
정답 : ④

④ 원인변수와 결과변수 간의 인과관계 추론의 정확도를 의미하는 타당도는 내적 타당도이다.

① 외적 타당도는 특정 상황에서 얻은 인과적 결론의 적합성을 다른 상황에 일반화시킬 수 있는 것으로, 연구 결론을 다른 모집단, 상황에 일반화시킬 수 있는지의 정도를 의미한다.

② 구성적 타당도는 처리, 결과, 모집단 및 상황들에 대한 이론적 구성요소들이 성공적으로 조작화된 정도를 의미한다.

③ 통계적 결론의 타당도는 정책 결과가 존재하고 이것이 제대로 조작화 되었다고 할 때 추정된 원인과 결과 사이에 관련 여부에 관한 통계적 의사결정의 타당성을 의미한다.

포인트 정리

내적 타당성 저해요인

표본의 구성 및 대표	선정효과, 상실효과, 회귀요인
대상집단의 특성 변화	성숙효과, 사건효과
관찰 및 측정	검사요인, 측정수단요인
요소 간 상호작용	선발과 성숙의 상호작용, 처리와 상실의 상호작용
집단 간 상호접촉 및 통제불능	확산효과(오염현상), 부자연스러운 변이
연구자의 개입	피그말리온 효과, 플라세보 효과

정답

05 ① 06 ④ 07 ① 08 ④

09 정책평가에 대한 설명으로 옳은 것은?

2013 국회 9급

① 총괄적 평가는 사업계획을 개발하는 단계에서 이루어지는 평가로 진행평가라고도 한다.

② 형성적 평가는 과정평가와 영향평가를 모두 포함하는 평가로 정책결정자에게 정책의 성패를 판단하는 중요한 정보를 제공한다.

③ 실험집단과 통제집단을 구성할 때 두 집단에 서로 다른 개인들이 할당되면서 발생하는 편의(bias)는 구성적 타당도를 저해한다.

④ 진실험적 방법을 사용할 경우 내적 타당도는 확보할 수 있지만 외적타당성의 문제가 심각하게 발생할 수 있다.

⑤ 준실험적 방법은 현실적으로 어렵지만 실험집단과 통제집단을 서로 동질적인 것으로 구성하여 정책을 평가하는 방법이다.

10 실험적 정책평가방법에 대한 설명으로 옳지 않은 것은?

2009 군무원 9급

① 진실험적 평가방법은 무작위 배정에 의해 실험집단과 통제 집단의 동질성을 확보한다.

② 준실험적 평가방법은 진실험적 평가방법에 비해 내적 타당도가 높다.

③ 준실험적 평가방법에서 외적 타당도의 문제 가운데 가장 전형적인 것이 크리밍효과이다.

④ 준실험적 평가방법은 복잡한 사회적 요인들이 작용하는 경우에 사용할 수 있다.

CHAPTER 20 정부업무평가 및 기타

기출 필수 코스

01 「정부업무평가 기본법」상 우리나라 정부업무평가제도에 대한 설명으로 옳지 않은 것은?

2022 국가 9급

① 특정평가는 국무총리가 중앙행정기관과 공공기관을 대상으로 국정을 통합적으로 관리하기 위한 목적을 갖는다.

② 국무총리 소속하에 심의·의결기구로서 정부업무평가위원회를 둔다.

③ 지방자치단체의 자체평가에 있어서 행정안전부장관은 평가 관련 사항에 대하여 지방자치단체를 지원할 수 있다.

④ 자체평가는 중앙행정기관 또는 지방자치단체가 소관 정책 등을 스스로 평가하는 것을 말한다.

02 「정부업무평가 기본법」상 정부업무평가의 종류가 아닌 것은?

2017 지방 9급

① 중앙행정기관의 자체평가　　　　　　② 공공기관에 대한 평가

③ 환경영향평가　　　　　　　　　　　④ 지방자치단체의 자체평가

09

정답 : ④

④ 진실험 방법은 실험집단과 비교집단의 동질성을 확보함으로써 진행되는 방법으로 내적 타당도는 상대적으로 높지만, 윤리 등의 외적 타당성의 문제가 발생할 우려가 있다.

① 총괄적 평가는 집행이 완료된 후에 정책효과나 영향을 평가하는 사후평가이다.

② 형성적 평가는 과정평가와 연관되며 집행도중에 프로그램의 문제점을 발견하여 시정하기 위한 도중평가이다.

③ 실험집단과 통제집단을 구성할 때 두 집단에 서로 다른 개인들이 할당되면서 발생하는 편의는 내적 타당도를 저해한다.

⑤ 현실적으로 어렵지만 실험집단과 통제집단을 서로 동질적인 것으로 구성하여 정책을 평가하는 방법은 진실험적 방법에 대한 설명이다.

10

정답 : ②

② 준실험적 평가방법은 진실험적 평가방법에 비해 내적 타당도가 낮다.

① 진실험적 평가방법은 실험집단과 통제집단의 동질성을 확보해 행하는 실험적 평가방법이다.

③ 준실험적 평가방법은 조건이 좋은 실험집단의 인위적 구성에 의한 크리밍 효과의 발생 가능성이 있다.

④ 준실험은 통제할 수 없는 복잡한 사회적 요인이 작용한 상황에도 적용할 수 있다.

01

정답 : ①

① 특정평가는 국무총리가 중앙행정기관을 대상으로 국정을 통합적으로 관리하기 위하여 필요한 정책 등을 평가하는 것을 의미한다.

② 국무총리 소속하에 정부업무평가위원회를 둔다.

③ 행정안전부장관은 평가의 객관성 및 공정성을 높이기 위하여 평가지표, 평가방법, 평가기반의 구축 등에 관하여 지방자치단체를 지원할 수 있다.

④ 자체평가는 중앙행정기관 또는 지방자치단체가 소관 정책 등을 스스로 평가하는 것을 의미한다.

02

정답 : ③

③ 환경영향평가는 정부업무평가에 해당하지 않는다.

①, ②, ④ 「정부업무평가기본법」상 정부업무평가의 종류로는 중앙행정기관의 자체평가, 지방자치단체의 자체평가, 특정평가, 공공기관에 대한 평가가 있다.

☆ 포인트 정리

정책실험의 종류

비실험	실험집단만 선정	대표적 비실험	실험집단에게 처리를 가한 후 결과분석
		통계적 비실험	통계적 분석
실험	실험집단과 비교집단을 선정	준실험	실험집단과 비교집단의 동질성 미확보
		진실험	실험집단과 비교집단의 동질성 확보

정부업무평가의 종류

중앙행정기관 평가	자체평가, 필요시 재평가 (국무총리)
지방자치단체 평가	자체평가, 필요시 평가지원 (행안부장관)
특정평가	국정의 통합적 관리가 필요한 정책평가(국무총리)
공공평가	외부평가(자체평가 불인정)

정답

09 ④ 10 ② 01 ① 02 ③

03 정부업무평가 제도에 대한 설명으로 가장 옳지 않은 것은? 2016 서울 9급(수정)

① 「정부업무평가 기본법」에 의한 정부업무평가 대상은 중앙행정기관과 지방자치단체를 포함하며, 공공기관은 제외된다.

② 지방자치단체 합동평가위원회는 행정안전부 소속 위원회로 「정부업무평가 기본법」에 설치근거를 둔다.

③ 정부업무평가 중 특정평가는 국무총리가 중앙행정기관을 대상으로 정책을 평가하는 것을 의미한다.

④ 중앙행정기관의 장은 그 소속 기관의 정책 등을 포함하여 자체평가를 실시하여야 한다.

04 「정부업무평가 기본법」상 정부업무 평가제도에 대한 설명으로 옳지 않은 것은? 2015 사복 9급

① 중앙행정기관의 장은 그 소속기관의 정책 등을 포함하여 자체평가를 실시하여야 한다.

② 지방자치단체의 자체평가위원회는 공정성과 객관성을 담보하기 위하여 2분의 1 이상의 민간위원으로 구성되어야 한다.

③ 지방자치단체가 위임받은 국가사무에 대해 행정안전부장관이 관계중앙행정기관의 장과 합동평가를 실시할 수 있다.

④ 공공기관의 경우 기관의 특수성과 전문성을 고려하고 평가의 객관성 및 공정성을 확보하기 위하여 공공기관 외부의 기관이 평가하여야 한다.

05 다음 중 정부 조직의 미션, 비전, 핵심가치에 대한 설명으로 옳지 않은 것은? 2013 국회 8급

① 미션은 '왜 우리 조직이 존재해야 하는지?' 또는 '우리 조직이 없으면 무엇이 문제인지?'에 대한 답을 담고 있다.

② 비전은 조직의 미래의 모습에 대한 '머릿속의 그림'이자 '언어로 그린 그림'이다.

③ 핵심가치는 미션과 비전을 달성하는 과정에서 '어떻게 행동하여야 하는가'에 대한 기준을 말한다.

④ 비전의 설정은 리더가 갖추어야 할 중요한 역량의 하나이므로, 리더의 판단으로 비전을 세우는 것이 바람직하다.

⑤ 미션선언문은 무엇은 할 일이고 무엇은 할 일이 아닌지에 대한 지침 내지 기준을 제공해야 한다.

03

① 정부업무평가 대상기관은 중앙행정기관, 지방자치단체, 중앙행정기관 또는 지방자치단체의 소속기관, 공공기관을 포함한다.

② 행정안전부장관은 지방자치단체에 대한 합동평가를 효율적으로 추진하기 위하여 행정안전부장관 소속하에 지방자치단체 합동평가위원회를 설치·운영할 수 있다.

③ 특정평가는 국무총리가 중앙행정기관을 대상으로 국정을 통합적으로 관리하기 위하여 필요한 정책 등을 평가하는 것을 의미한다.

④ 중앙행정기관의 장은 그 소속기관의 정책 등을 포함하여 자체평가를 실시하여야 한다.

04

정답 : ②

② 지방자치단체의 자체평가위원회는 공정성과 객관성을 담보하기 위하여 3분의 2 이상의 민간위원으로 구성되어야 한다.

① 중앙행정기관의 장은 그 소속기관의 정책 등을 포함하여 자체평가를 실시하여야 한다.

③ 지방자치단체가 위임받은 국가사무에 대해 행정안전부장관이 관계중앙행정기관의 장과 합동평가를 실시할 수 있다.

④ 공공기관의 경우 기관의 특수성과 전문성을 고려하고 평가의 객관성 및 공정성을 확보하기 위하여 공공기관 외부의 기관이 평가하여야 한다.

05

정답 : ④

④ 비전이 구성원에 의하여 공유되기 위해서는 비전을 리더와 부하가 함께 설정하는 것이 바람직하다.

① 미션은 기관의 존재이유로 결정과 행동의 방향을 제시하고 불확실성의 감소와 동기부여 및 조직의 존립과 활동에 대한 정당성의 근거이다.

② 비전은 임무를 달성하기 위한 전략적 방향과 핵심가치로 구성원과 함께 설정한 미래에 대한 언어적 그림 또는 청사진이다.

③ 핵심가치는 미션과 비전을 어떻게 달성해야 하는가에 대한 기준이다.

⑤ 미션선언문은 할 일과 하지 않을 일에 대한 지침을 의미한다.

포인트 정리

정답

03 ① 04 ② 05 ④

정책론

PART 2

해커스공무원 미니행정학 기출 빅데이터 **기본서**

PART 2 정책론 161

01 다음 중 기획이 시장질서를 교란시키고 국민의 자유권을 침해하며 자유민주주의에 위배된다고 주장한 학자는?

2012 서울 9급

① 하이에크(F. A. Hayek)　　　② 파이너(H. Finer)

③ 오스트롬(V. Ostrom)　　　　④ 사이몬(H. Simon)

⑤ 테일러(F. Taylor)

02 기획의 그레샴 법칙의 원인인 것으로만 연결된 것은?

2012 경찰간부

① 환경의 불확실성과 미래예측 능력의 한계 – 목표의 유형성

② 시간·비용·노력의 부족 – 외부 환경요소의 중시

③ 과두제의 철칙 – 관례·선례의 경시

④ 기획담당자의 무사안일과 소극적 성향 – 일상적 집행업무의 중시

03 이른바 계획적 민주정부(government in planned democracy)를 주창하면서 인간자원의 합리적 이용을 위하여서는 제3자인 국가의 힘에 의한 기획제도가 필요하다고 한 사람은?

2007 전북 9급

① Holcomb　　　　　　② Dunn

③ Mannheim　　　　　④ Friedmann

⑤ Keynes

04 다음 기획에 관한 설명 중 틀린 것은?

2001 국회 8급

① 서구 선진국 중에서는 프랑스가 제일 먼저 국가기획을 도입했다.

② 우리나라도 국가기획을 수립·시행했다.

③ 자본주의의 수정, 경제대공황 등의 극복을 위해 국가기획이 필요하게 되었다.

④ 현대기획은 종합적 기획체제에서 부분적 계획으로 전환되고 있다.

01

① 하이에크(F.A.Hayek)는 「노예로의 길」을 통해 기획이 시장질서를 교란시키고 국민의 자유권을 침해하며 자유민주주의에 위배된다고 보았다.

② 파이너(H.Finer)는 「반동에로의 길」을 통해 국가의 기획이 오히려 개인의 자유를 확보하는 데 도움을 준다고 보았다.

02

정답 : ④

④ 기획의 그레샴 법칙은 '악화가 양화를 구축한다'는 경제학적 법칙을 기획에 응용한 것으로 쇄신적인 기획보다 일상적인 단순 집행업무가 더 중시되는 현상을 의미하며, 기획담당자의 무사안일이나 소극적 성향 및 일상적 집행업무의 중시 등을 원인으로 한다.

① 정확한 미래예측이 곤란한 것은 기획의 제약요인이며 목표의 유형성이 아닌 무형성이 기획 수립상의 제약요인에 해당한다.

② 시간·비용상의 제약은 기획수립상의 제약요인에 해당한다.

③ 과두제의 철칙이나 관례·선례를 중시하는 것은 기획의 정치적·행정적 저해요인에 해당한다.

기획의 그레샴 법칙의 원인

- 기획담당자의 무사안일과 소극적 성향
- 일상적 집행업무의 중시
- 기획목표의 추상성

03

정답 : ①

① 홀콤(A.N.Holcomb)은 기획의 불가피성을 제창한 학자로, 「계획적 민주정부론」에서 사유재산과 사기업의 절대성을 전제하면서 정부가 재정, 금융, 공공사업 등에 적극적 정책이 필요하다고 보았으며, 인간자원의 합리적 이용을 위해 제3자인 국가의 힘에 의한 기획제도가 필요하다고 주장하였다.

04

정답 : ④

④ 현대기획은 과거의 부분적 기획체제에서 종합적 기획으로 전환되고 있다.

① 제2차 세계대전 이후 'Monnet Plan'이란 이름으로 기획이 본격화되었다.

② 우리나라의 경우 1·2·3차 경제개발 5개년 계획을 수립·시행하였다.

③ 국가기획은 1929년 경제대공황을 극복하는 과정에서 자본주의의 수정을 위한 계획경제 등에 의해 발전하게 되었다.

정답

01 ① 02 ④ 03 ① 04 ④

PART 3
조직론

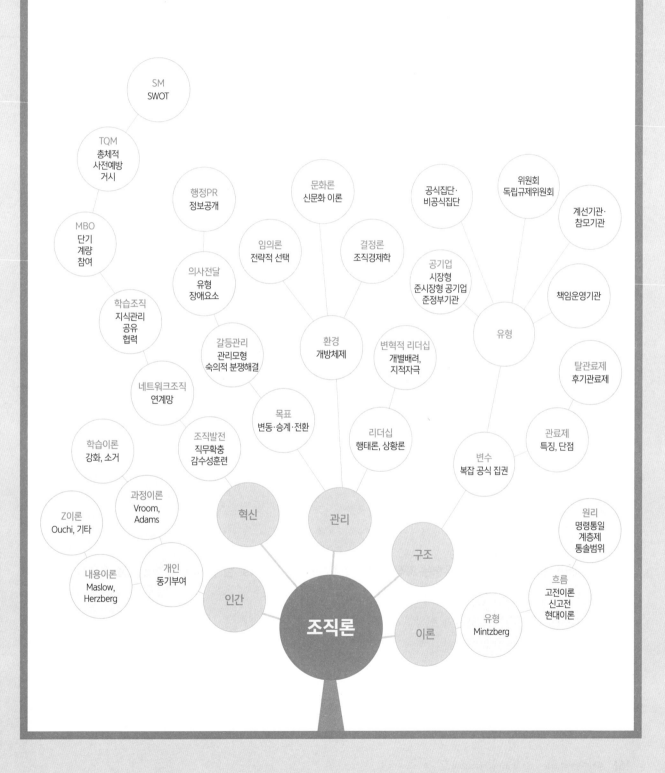

SM
SWOT

TQM
총체적
사전예방
거시

MBO
단기
계량
참여

행정PR
정보공개

문화론
신문화 이론

공식집단·
비공식집단

위원회
독립규제위원회

계선기관·
참모기관

임의론
전략적 선택

결정론
조직경제학

학습조직
지식관리
공유
협력

의사전달
유형
장애요소

공기업
시장형
준시장형 공기업
준정부기관

책임운영기관

네트워크조직
연계망

갈등관리
관리모형
숙의적 분쟁해결

환경
개방체제

변혁적 리더십
개별배려,
지적자극

유형

탈관료제
후기관료제

학습이론
강화, 소거

조직발전
직무확충
감수성훈련

목표
변동·승계·전환

리더십
행태론, 상황론

관료제
특징, 단점

과정이론
Vroom,
Adams

변수
복잡 공식 집권

Z이론
Ouchi, 기타

혁신

관리

원리
명령통일
계층제
통솔범위

내용이론
Maslow,
Herzberg

개인
동기부여

구조

흐름
고전이론
신고전
현대이론

인간

조직론

이론

유형
Mintzberg

01 신고전 조직이론에 대한 설명으로 옳은 것은?

2022 국가 7급

① 조직군생태론, 자원의존이론 등이 대표적이다.

② 인간을 복잡한 내면구조를 가진 복잡인으로 간주한다.

③ 환경과 상호작용하는 개방적·동태적·유기적 조직을 강조한다.

④ 조직 내 사회적 능률을 강조하고, 조직의 비공식적 구조나 요인에 초점을 둔다.

02 파슨스(T. Parsons)의 조직유형 중 조직체제의 목표달성기능과 관련된 유형으로 옳은 것은?

2020 군무원 9급

① 경제적 생산조직

② 정치조직

③ 통합조직

④ 형상유지조직

03 Etzioni의 조직통제 유형과 수용 태도의 연결이 틀린 것은?

2006 충남 9급

① 강제적 – 소외적

② 보수적 – 계산적(타산적)

③ 자의적 – 자발적

④ 규범적 – 도덕적

04 P.Blau와 W.R.Scott의 조직 유형은 조직활동의 최대수혜자를 기준으로 한 것이다. 설명이 틀린 것은? 2005 광주 9급

① 군대, 검찰, 경찰, 행정기관 등은 공익조직이다.

② 봉사조직은 전문적 봉사와 행정적 절차 사이에 마찰(갈등)이 심하다.

③ 호혜조직은 갈수록 분권화된다.

④ 사익조직은 능률성을 중시한다.

01

정답 : ④

④ 신고전 조직이론은 사회적 능률을 강조하고 조직의 비공식적 관계를 중시한다.

① 조직군생태론, 자원의존이론 등은 현대적 조직이론에 해당한다.

② 인간을 복잡한 내면구조를 가진 복잡인으로 간주하는 것은 현대적 조직이론에 대한 설명이다.

③ 환경과 상호작용하는 개방적·동태적·유기적 조직을 강조하는 것은 현대적 조직이론에 대한 설명이다.

02

정답 : ②

② 파슨스의 조직유형 중 조직체제의 목표달성기능과 관련된 조직은 정치조직이다.

① 경제적 생산조직은 적응기능과 관련된다.

③ 통합기능조직은 통합기능과 관련된다.

④ 형상유지조직은 잠재적 형상유지기능과 관련된다.

Parsons의 조직분류

유형	사회적 기능	예
경제적 조직	적응기능(A)	기업, 은행 등의 사기업체
정치 조직	목표달성기능(G)	정당, 행정기관
통합기능 조직	통합기능(I)	법원, 경찰 등 사법기관
체제(형상) 유지 조직	잠재적형상 유지기능(L)	교육기관(학교), 종교기관(교회)

03

정답 : ③

③ 자의적 조직은 Etzioni가 유형화한 조직에 포함되지 않는다.

에치오니(A. Etzioni)의 조직유형

구분	권력	조직구성원 관여(복종)
강제적 조직	강제적 권력	소외적(굴종적) 관여
공리적 조직	보상적 권력	타산적·계산적 관여
규범적 조직	규범적 권력	도의적·도덕적 관여

Blau와 Scott의 조직유형

조직유형	예	수혜자
호혜(상호) 조직	정당, 노조	구성원
기업(사익) 조직	민간기업체, 은행	소유주
봉사조직	병원, 학교	고객
공익조직	행정기관, 경찰	일반국민

04

정답 : ③

③ 호혜적 조직은 갈수록 집권화가 될 가능성이 높으므로 구성원에 의한 참여와 통제를 보장하는 민주적 절차를 유지하는 것이 가장 중요한 문제이다.

① 공익조직은 국민 일반이 주된 수혜자로 국민에 의한 외재적 통제가 가능하도록 민주적 장치를 발전시키는 것이 중요한 문제이다. 군대, 검찰, 행정기관이 그 예이다.

② 봉사조직의 주된 수혜자는 고객으로, 고객의 서비스와 전문적 봉사에 중점을 둔다.

④ 사익조직(기업조직)의 주된 수혜자는 소유주로, 경쟁적인 상황 속에서 운영의 능률성을 극대화하여 이익을 창출하는 것이 중요하다.

정답

01 ④ 02 ② 03 ③ 04 ③

01 후기 인간관계론에 대한 설명으로 옳지 않은 것은?

2019 국가 7급

① 합리적·경제적 인간관보다는 자아실현적 인간관과 더 부합한다.

② 개인은 다양한 차원에서 다양한 특성을 지니고 있으므로 상황에 따라 다양한 시각으로 이해할 필요가 있다.

③ 대표하는 이론으로는 맥그리거(McGregor)의 Y이론, 아지리스(Agyris)의 성숙인 등을 들 수 있다.

④ 의사결정 과정에 개인을 참여시키는 관리전략이 필요하다.

02 조직이론의 유형들을 발달 순으로 옳게 나열한 것은?

2018 서울 9급

ㄱ. 체제이론	ㄴ. 과학적 관리론
ㄷ. 인간관계론	ㄹ. 신제도이론

① ㄱ → ㄴ → ㄹ → ㄷ

② ㄴ → ㄷ → ㄱ → ㄹ

③ ㄴ → ㄱ → ㄷ → ㄹ

④ ㄷ → ㄴ → ㄹ → ㄱ

03 다음 중 고전적 조직이론(classic organization theory)의 특징에 대한 설명으로 가장 옳지 않은 것은? 2015 국회 9급

① 기계론적 조직관에 입각하고 있다.

② 공조직과 사조직의 관리는 완전히 다르다는 공사행정이원론에 입각하고 있다.

③ 공식적인 조직구조를 강조한다.

④ 과학적 관리론과 밀접한 관련을 가지고 있다.

⑤ Taylor와 Gulick 등은 고전적 조직 이론가들이다.

04 신고전 조직이론에 대한 설명으로 옳지 않은 것은?

2015 지방 9급

① 메이요(Mayo) 등에 의한 호손(Hawthorne)공장 실험에서 시작되었다.

② 공식조직에 있는 자생적, 비공식적 집단을 인정하고 수용한다.

③ 인간의 사회적 욕구와 사회적 동기유발 요인에 초점을 맞춘다.

④ 조직이란 거래비용을 감소하기 위한 장치로 기능한다고 본다.

01

② 후기 인간관계론은 인간의 사회심리적 측면을 강조함으로써 조직에 어떠한 영향을 미치는가를 연구하였다. 한편 개인은 다양한 특성을 지니고 있으므로 상황에 따라 달리 이해해야한다고 보는 것은 Schein의 복잡한 인간관에 부합하는 내용이다.

③ 인간의 고급의 욕구를 전제로 하는 이론들이다.

④ 참여형 관리를 강조한다.

02

② 조직이론은 과학적 관리론 → 인간관계론 → 체제이론 → 신제도이론 순으로 발달하였다.

ㄴ. 과학적 관리론은 1880~1910년대에 발달한 것으로 행정학 성립기 때의 고전적 행정이론이다.

ㄷ. 인간관계론은 1930년대에 발달한 것으로 신고전적 행정이론이다.

ㄱ. 체제론은 1950~1960년대에 발달한 것으로 행정환경과의 관계를 연구한 거시이론이다.

ㄹ. 신제도론은 1980~1990년대에 발달한 것으로 개인의 행동에 대한 제도적 제약을 연구한 이론이다.

03

② 고전적 조직이론은 19C 말부터 1930년대까지 형성되었던 전통적 조직이론으로 공조직과 사조직의 관리는 다르지 않다는 공사행정일원론(정치·행정이원론)적 성격을 가진다.

① 고전적 조직이론은 조직은 기계로 구성원은 부품으로 보는 기계적 조직관에 입각하고 있다.

③ 고전적 조직이론의 특성으로 공식적 구조를 중시하였다.

④ 고전적 조직이론은 1900년대 초 과학적 관리법의 영향으로 성립·발전하였다.

⑤ 고전적 조직이론에는 과학적 관리론(Taylor), 관료제론(Weber), 행정관리론(Wilson, Gulick) 등이 있다.

04

④ 조직을 거래비용을 감소하기 위한 장치로 보는 것은 현대적 조직이론 중 거래비용이론에 해당한다.

① 신고전적 조직이론은 호손실험에 의한 인간관계론과 함께 등장하였다.

② 신고전적 조직이론은 비공식적·사회적·비경제적 요소를 인정하고, 자생적·비공식적 집단을 인정한다.

③ 신고전적 조직이론은 인간을 사회적 욕구를 지닌 존재로 인정하고 사회적·심리적 측면을 중시한다.

☆ 포인트 정리

조직이론의 분류

폐쇄-합리 (~1930)	과학적 관리론, 관료제론, 행정관리설 등
폐쇄-자연 (1930~1960)	인간관계론, 환경유관론, 행태론, X·Y이론
개방-합리 (1960~1970)	개방체제이론, 구조적 상 황이론, 조직경제학 등
개방-자연 (1970~)	거시조직이론(조직군생태 론, 자원의존이론, 조직화 이론), 혼돈이론 등

왈도(D. Waldo)의 조직이론 비교

구분	고전적 이론	신고전적 이론	현대적 이론
관련 이론	과학적 관리론 등	인간 관계론· 행태론	체제론 이후
인간 관	합리적· 경제적 인간	사회적 인간	복잡한 인간
가치	기계적 능률성	사회적 능률성	다원적 목표· 가치·이념
주요 연구 대상	공식적 구조 (관료제· 계층제)	비공식적 구조	동태적· 유기체적 구조
주요 변수	구조	인간	환경
환경 과의 관계	폐쇄적 (조직·환경)	대체로 폐쇄적	개방적 (조직 ≒ 환경)
연구 방법	원리접근 (형식적 과학성)	경험적 접근 (경험적 과학성)	복합적 접근 (경험과학, 관련과학 등)

정답

01 ② 02 ② 03 ② 04 ④

05 Scott의 조직이론 체계와 발달에서 이론이 전개된 시대적 순서로 올바른 것은?

2004 부산 9급

① 폐쇄합리적 이론 – 폐쇄자연적 이론 – 개방합리적 이론 – 개방자연적 이론

② 폐쇄자연적 이론 – 폐쇄합리적 이론 – 개방자연적 이론 – 개방합리적 이론

③ 개방합리적 이론 – 개방자연적 이론 – 폐쇄합리적 이론 – 폐쇄자연적 이론

④ 개방자연적 이론 – 개방합리적 이론 – 폐쇄자연적 이론 – 폐쇄합리적 이론

CHAPTER 03 동기부여 이론(내용이론)

기출 필수 코스

---

01 동기부여이론에 대한 설명으로 옳지 않은 것은?

2022 국가 7급

① 앨더퍼(Alderfer)의 욕구내용 중 관계욕구는 머슬로(Maslow)의 생리적 욕구와 안전욕구에 해당한다.

② 브룸(Vroom)의 기대이론은 과정이론에 해당한다.

③ 허즈버그(Herzberg)는 위생요인이 충족되었다고 하더라도 동기부여가 되는 것은 아니라고 하였다.

④ 애덤스(Adams)는 투입한 노력 대비 얻은 보상에 대해서 준거인과 비교해 상대적으로 느끼는 공평함의 정도가 동기부여에 영향을 미친다고 하였다.

---

02 허즈버그(F. Herzberg)가 제시한 위생요인이 아닌 것은?

2020 행정사

① 인정감

② 봉급

③ 대인관계

④ 근무조건

⑤ 조직정책

---

03 동기이론 중 내용이론에 해당하지 않는 것은?

2019 서울 9급(2월)

① 앨더퍼(C. Alderfer)의 ERG 이론

② 허즈버그(F. Herzberg)의 욕구충족요인이원론

③ 맥클리랜드(D. McClelland)의 성취동기이론

④ 브룸(V. H. Vroom)의 기대이론

05 정답 : ①

① Scott는 조직이론을 폐쇄와 개방, 합리와 자연이라는 척도를 기준으로 네 가지 이론의 유형으로 구분하였고, 폐쇄합리적 이론(1900~1930), 폐쇄자연적 이론(1930~1960), 개방합리적 이론(1960~1970), 개방자연적 이론(1970~) 순으로 전개되었다.

ㄱ. 폐쇄합리적 이론은 조직을 외부환경과 단절된 폐쇄체제로 보면서 구성원들이 합리적으로 행동한다고 간주하는 고전적 이론으로 과학적 관리론, 행정관리론 등이 대표적이다.

ㄴ. 폐쇄자연적 이론은 조직을 외부환경과 단절된 폐쇄체제로 보지만 구성원들의 인간적 가치나 문제에 관심을 두는 것으로 인간관계론, 행태론 등이 대표적이다.

ㄷ. 개방합리적 이론은 외부환경을 중시하는 개방체제로 보지만 조직이나 인간의 합리성을 더욱 강조하는 것으로 개방체제론이나 상황적응론 등이 대표적이다.

ㄹ. 개방자연적 이론은 조직을 외부환경과 상호작용하는 개방체제로 보고 조직의 비합리적이고 동기적인 측면을 강조하는 것으로 거시조직이론, 혼돈이론 등이 대표적이다.

01 정답 : ①

① 앨더퍼의 욕구내용 중 관계욕구는 머슬로의 사회적 욕구에 해당한다.

02 정답 : ①

① 직무수행에 기인한 상사로부터의 인정감은 위생요인이 아니라 만족요인에 해당한다.

②, ③, ④, ⑤ 대인관계, 작업조건, 조직의 방침과 관행, 임금(보수), 지위, 상관의 감독방식 등은 직무환경과 관련된 위생요인이다.

03 정답 : ④

④ 브룸의 기대이론은 욕구가 동기를 유발하는 과정과 동기가 행동을 야기하는 과정에 초점을 두는 과정이론에 해당한다.

①, ②, ③ 앨더퍼의 ERG 이론, 허즈버그의 욕구충족요인이원론, 맥클리랜드의 성취동기이론은 모두 동기를 유발하는 요인의 내용을 설명하는 내용이론에 해당한다.

📖 포인트 정리

W. Scott의 조직이론 유형

구분	합리적	자연적
폐쇄적	폐쇄·합리적 이론	폐쇄·자연적 이론
개방적	개방·합리적 이론	개방·자연적 이론

동기요인 vs 위생요인

구분	동기요인 (만족요인)	위생요인 (불만요인)
의의	직무 그 자체	직무의 환경
예	성취감, 책임감, 직무내용, 타인의 인정, 성장, 승진, 칭찬, 자아실현, 직무성과 등	조직의 정책·관리·관행, 감독, 근무환경, 대인관계, 보수 등

정답

05 ① 01 ① 02 ① 03 ④

04 〈보기〉 이론의 내용과 잘 부합하는 조직관리 전략으로 가장 옳지 않은 것은?

> **보기**
>
> 대부분의 사람들은 본질적으로 일을 싫어하며 가능하면 일을 하지 않으려고 한다. 또한 안전을 원하고 변화에 저항적이다.

① 정확한 업무지시와 감독을 강화해야 한다.
② 의사결정 시 부하직원을 참여시키고 권한을 확대해서 자율적으로 업무를 수행할 수 있게 한다.
③ 업무 평가 결과에 따른 엄격한 상벌의 원칙을 제시한다.
④ 관리자가 조직구성원에게 적절한 업무량을 부과하여 업무를 수행하게 해야 한다.

05 허즈버그(Herzberg)의 욕구충족요인 이원론에 대한 설명으로 옳지 않은 것은?

① 욕구의 계층화를 시도한 점에서 매슬로(Maslow)의 욕구단계 이론과 유사하다.
② 불만을 주는 요인과 만족을 주는 요인은 서로 다르다고 주장한다.
③ 무엇이 동기를 유발하는가에 초점을 두는 내용이론으로 분류된다.
④ 작업조건에 대한 불만을 해소한다고 하더라도 근무태도에 장기적인 영향을 미치지는 않는다고 본다.

06 동기이론에 대한 설명으로 옳지 않은 것은?

① 매슬로우(Maslow)는 상위 차원의 욕구가 충족되지 못하거나 좌절될 경우, 하위 욕구를 더욱 더 충족시키고자 한다고 주장하였다.
② 앨더퍼(Alderfer)는 ERG이론에서 매슬로우의 욕구 5단계를 줄여서 생존욕구, 대인관계 욕구, 성장욕구의 세 단계를 제시하였다.
③ 허츠버그(Herzberg)는 욕구충족요인 이원론에서 불만족 요인(위생요인)을 제거한다고 해서 만족을 보장하는 것은 아니라고 주장하였다.
④ 애덤스(Adams)는 형평성이론에서 자신의 노력과 그 결과로 얻어지는 보상과의 관계를 다른 사람의 것과 비교해 상대적으로 느끼는 공평한 정도가 행동동기에 영향을 준다고 본다.

04

정답 : ②

② 〈보기〉의 이론은 맥그리거의 X · Y 이론에서 X이론 인간관에 해당하는 내용이다. 한편 의사결정 시 부하직원을 참여시키고 권한을 확대해서 자율적으로 업무를 수행할 수 있게 하는 것은 Y이론 관리전략이다.

① 정확한 업무지시와 감독의 강화는 X이론 관리전략에 해당한다.

③ 업무 평가 결과에 따른 엄격한 상벌의 원칙은 X이론 관리전략에 해당한다.

④ 관리자가 조직구성원에게 적절한 업무량을 부과하여 업무를 수행하도록 하는 것은 X이론 관리전략이다.

X이론 관리전략 vs Y이론 관리전략

X이론 관리전략	Y이론 관리전략
직무의 엄격한 통제, 금전적 보상체계의 강화, 권위주의적 리더십, 집권적 의사결정, 처벌의 위협, 관용과 설득으로 갈등 회피 등 → 당근(유인)과 채찍(통제 · 감시) 병행	자아실현적 직무개선, 분권화와 권한위임, 민주적 리더십, 내부규제 및 통제완화, 목표관리(MBO) 등 → 통합관리(개인 · 조직 목표의 통합)

05

정답 : ①

① 허즈버그(Herzberg)의 욕구충족이원론은 욕구의 계층화를 강조하지 않았다는 점에서 매슬로의 이론과 구별된다. 한편 욕구의 계층화를 시도한 점에서 매슬로의 욕구단계 이론과 유사한 것은 Alderfer의 ERG 이론이다.

② 불만과 만족은 별개의 차원이며, 직무자체에 만족을 주는 동기요인과 불만족을 제거해주는 위생요인이 서로 독립되어 있다고 본다.

③ 허즈버그의 욕구충족요인 이원론은 내용이론에 해당한다.

④ 위생요인 중 하나인 작업조건을 잘 갖추었다고 하더라도 그 효과는 소극적 · 단기적이므로 근무태도에 장기적인 영향을 주지 못한다.

06

정답 : ①

① 상위 차원의 욕구가 충족되지 못하거나 좌절될 경우, 하위 욕구를 더욱 더 충족시키고자 한다고 주장한 학자는 앨더퍼(Alderfer)이다. 한편, 매슬로우(Maslow)는 하위 욕구가 어느정도 부분적으로 충족이 되면 다음 단계 욕구로 나아가게 된다는 만족진행가설을 주장하였고 충족된 욕구는 더 이상 동기유발요인으로서의 힘을 상실한다고 보았다.

② 앨더퍼(Alderfer)는 매슬로우의 욕구계층이론의 한계를 보완하기 위해 욕구를 충족시키기 위해 취하는 행동이 얼마나 추상적인가를 기준으로 생존욕구, 관계욕구, 성장욕구(ERG)의 3단계이론을 제시하였다.

③ Herzberg는 만족을 느끼기 위해서는 기본적으로 위생요인이 개선되어야 하지만 위생요인의 제거가 만족을 주는 것은 아니라고 주장하였다.

④ Adams의 형평성이론에 따르면 자신의 투입과 산출을 준거인물의 투입과 산출을 비교하여 불공정하다고 지각하면 이를 해소하는 방향으로 동기가 부여된다고 보았다.

⭐ 포인트 정리

내용이론 vs 과정이론

내용 이론	• Maslow 욕구계층이론 • Alderfer ERG이론 • McGregor X · Y이론 • Argyris 미성숙 · 성숙이론 • Herzberg 2개요인론 • McClelland 성취동기이론 • Murray 명시적 욕구이론 • Likert 관리체제론 • E.Schein 복잡인 이론 • Ouchi Z이론 • Hackman&Oldham 직무특성이론
과정 이론	• Vroom 기대이론 • Adams 형평성이론 • Locke 목표설정이론 • Atkinson 기대모형 • Berner 의사거래분석 • Kelly 귀인이론 • Porter&Lawler 업적 · 만족이론 • Georgopoulos 통로 · 목표이론 • 고전적 학습이론: 조건화이론 (Skinner 강화이론) • 현대적 학습이론: 잠재적 · 인지적 · 사회적 · 귀납적 학습

Maslow 이론 vs Alderfer 이론

Maslow의 욕구계층이론	Alderfer의 ERG 이론
• 만족→진행 • 욕구의 미충족시 계속 추구(단계적 진행) • 욕구의 중첩×	• 좌절→퇴행, 중첩○ • 욕구의 미충족시 좌절하고 하위욕구로 회귀

📋 정답

04 ② 05 ① 06 ①

동기부여이론에 대한 설명으로 옳지 않은 것은?

2012 군무원

① 욕구계층이론과 ERG이론은 내용이론이다.

② 성취동기이론과 직무특성이론은 과정이론이다.

③ 기대이론은 수단성, 기대감, 유인가의 상호작용으로 동기부여 과정을 설명한다.

④ 욕구충족요인 2원론은 동기요인과 위생요인을 구별한다.

08 동기이론을 동기를 유발하는 내용에 중점을 두는 내용이론과 동기를 일으키는 과정에 중점을 두는 과정이론으로 나눌 때, 〈보기〉에서 내용이론과 관련된 이론을 모두 바르게 묶은 것은?

2011 국회 9급

> **보기**
>
> ㄱ. Vroom의 기대이론 　　　　　ㄴ. Maslow의 욕구계층이론
> ㄷ. Porter & Lawler의 업적만족이론 　ㄹ. Adams의 형평성이론
> ㅁ. Argyris의 성숙 미성숙이론 　　ㅂ. Skinner의 강화이론
> ㅅ. Ouchi의 Z이론

① ㄱ, ㄴ, ㅁ, ㅂ　　　　　　　　② ㄱ, ㄴ, ㄹ
③ ㄴ, ㄷ, ㅁ　　　　　　　　　　④ ㄴ, ㅁ, ㅅ
⑤ ㄴ, ㅂ, ㅅ

09 동기이론 중 성격이 서로 다른 것이 연결된 것은?

2009 지방 9급

① 기대이론 – 형평성이론　　　　　② 욕구계층이론 – X·Y이론
③ 자율규제이론 – 사회적 학습이론　④ 목표설정이론 – 동기·위생요인이론

10 다음 동기부여이론에 대한 설명으로 알맞지 않은 것은?

2007 경남 7급

① Maslow는 생리적 욕구, 안전적 욕구, 사회적 욕구, 자아실현의 욕구, 존경의 욕구로 순차적으로 발생한다고 한다.

② McGregor는 X, Y이론에서 X는 하위목표, Y는 상위목표라고 했다.

③ Herzberg는 불만족을 제거해주는 요인을 위생요인, 직무자체에 만족을 주는 요인을 만족요인이라 했다.

④ V.Vroom은 욕구충족과 동기유발 사이에 어떤 주관적인 평가과정이 개재되어 있다고 보며 그 지각과정을 통한 기대요인의 충족에 의해 동기 또는 근무의욕이 결정된다고 하였다.

07

② 성취동기이론 등은 내용이론이다.

① 욕구계층이론과 ERG이론은 내용이론에 해당한다.

③ 기대이론은 수단성, 기대감, 유인가를 통해 동기부여과정을 설명한다.

④ 욕구충족2원론은 동기요인과 위생요인을 구별한다.

08

④ ㄴ, ㅁ, ㅅ이 내용이론에 해당한다.

ㄴ, ㅁ, ㅅ. [O] 내용이론은 욕구의 충족과 동기부여 간에 직접적인 인과관계를 인정하고 동기를 유발하는 욕구 내용 규명에 중점을 두는 이론으로, Maslow의 욕구계층이론, Argyris의 성숙-미성숙이론, Ouchi의 Z이론은 내용이론에 해당한다.

ㄱ, ㄷ, ㄹ, ㅂ. [X] 과정이론은 동기가 어떤 과정을 통해 어떻게 유발되는가를 설명하는 이론으로, Vroom의 기대이론, Porter & Lawler의 업적만족이론, Adams의 형평성이론, Skinner의 강화이론은 과정이론에 해당한다.

09

④ 목표설정이론은 Locke가 주장한 과정이론이며, 동기·위생요인이론은 Herzberg가 주장한 내용이론에 해당한다.

① 기대이론과 형평성이론은 모두 과정이론에 해당한다.

② 욕구계층이론과 X·Y이론 모두 내용이론에 해당한다.

③ 자율규제이론과 사회적 학습이론 모두 학습이론으로서 과정이론에 해당한다.

10

① Maslow는 인간의 욕구는 생리적 욕구, 안전적 욕구, 사회적 욕구, 존경의 욕구, 자아실현의 욕구 순으로 발생한다고 주장하였다.

② McGregor는 인간에 대한 기본가정과 그에 따른 관리전략을 X·Y 이론으로 제시하면서 X이론은 하위차원의 욕구로, Y이론은 상위차원의 욕구로 분류하였다.

③ Herzberg의 위생요인(불만요인)과 동기요인(만족요인)에 대한 설명이다.

④ V.Vroom의 기대이론에 대한 설명이다.

📝 포인트 정리

X이론 인간관 vs Y이론 인간관

X이론	Y이론
• 본질적으로 일을 하기 싫어하고 게으름	• 본질적으로 일을 하는 것을 싫어하지 않음
• 야망이 없고 책임지기를 싫어함	• 책임 있는 일을 맡기를 원함
• 명령과 지시를 받으려 함	• 자율적으로 행동함
• 자기중심적이며 조직목표에 대해 무관심	• 타인을 위하여 행동하기도 함
• 동기유발은 생리적 욕구나 안전욕구를 자극함으로써 가능	• 동기유발은 5가지의 모든 욕구에서 가능(고급욕구를 더 중시)
• 안전을 원하고 변화에 저항적	• 자기발전을 원하고 변화를 추구

정답

07 ② 08 ④ 09 ④ 10 ①

11 McGregor의 X이론과 Y이론에 대한 설명 중 옳지 않은 것은?

① X이론 : 사람은 조직목표 달성을 위해 자율적으로 자기규제를 한다.

② Y이론 : 사람의 본성은 일을 싫어하지 않는다.

③ X이론 : 사람은 야망이 없고 책임을 지기 싫어한다.

④ Y이론 : 사람은 높은 수준의 상상력과 창의력을 발휘할 수 있다.

⑤ Y이론 : 사람의 지적잠재력은 일부만이 활용되고 있을 뿐이다.

12 매슬로우(Maslow)의 욕구단계 중 자아실현의 단계와 같은 욕구에 해당하는 것은?

① 허즈버그 – 만족요인(동기요인)

② 앨더퍼 – 존재욕구

③ 아지리스 – 미성숙인

④ 맥그리거 – X인간

⑤ 라모스 – 작전인

CHAPTER 04 · 동기부여 이론(과정이론)

기출 **필수** 코스

01 브룸(Vroom)의 기대이론에 대한 설명으로 옳지 않은 것은?

① 기대감은 일정한 노력을 기울이면 근무 성과를 가져올 수 있다는 가능성에 대한 주관적 확률과 관련된 믿음이다.

② 유의성은 개인이 원하는 특정한 보상에 대한 선호의 강도이다.

③ 높은 성과가 항상 높은 보상을 가져올 것이라고 기대한 경우 수단성의 값은 0으로 표현된다.

④ 브룸(Vroom)의 기대이론은 동기부여의 방안을 구체적으로 제시하지 못한다.

⑤ 선호의 강도는 개인이 보상을 받지 않았을 때보다 받았을 때 더 선호를 느끼는 경우 정(+)의 유의성을 갖는다.

11
정답 : ①

① 조직목표의 달성을 위해 자율적으로 자기규제를 할 수 있는 것은 Y이론 인간관에 대한 기본 가정이다.

② Y이론에서 사람은 본질적으로 일하는 것을 싫어하지 않는 반면, X이론에서는 본질적을 일을 싫어한다.

③ X이론에서 사람은 야망이 없고 책임지기를 싫어하며 외적 강제에 피동적으로 따른다고 전제한다.

④ Y이론에서는 일을 위해 정신적·육체적 노력을 하는 것은 자연스러운 것이라고 보고 자기변화를 더욱 추구한다.

⑤ Y이론에서는 존경과 긍지에 대한 욕구와 자기실현욕구를 가지므로 자기발전과 조직목표를 위해 언제든지 발전할 수 있다고 전제한다.

12
정답 : ①

① 자아실현욕구는 도전적 직무, 성취, 능력발전 등의 가장 추상적이고 고차원적인 욕구로, 허즈버그의 만족요인과 관련된다.

② 앨더퍼의 존재욕구는 생리적 욕구나 안전욕구 단계에 있는 가장 하위차원의 욕구이다.

③ 아지리스의 미성숙인은 자기실현이 결여된 상태로 하위욕구와 관련된다.

④ 맥그리거의 X인간은 하위욕구와 관련된다.

⑤ 라모스의 작전인은 X이론과 관련된 것으로 하위욕구에 해당한다.

내용이론

Maslow	생리적 욕구	안전 욕구	사회적 욕구	존경 욕구	자아실현 욕구
Alderfer	생존욕구(E)		관계욕구(R)		성장욕구(G)
Herzberg	위생요인(불만요인)			동기요인(만족요인)	
McGregor	X이론			Y이론	
Argyris	미성숙인			성숙인	
Likert	권위형			민주형	
	착취적 (체제Ⅰ)	온정적 (체제Ⅱ)	협의적 (체제Ⅲ)		참여적 (체제Ⅳ)
Ramos	작전인			반응인	

01
정답 : ③

③ 수단성은 성과가 보상을 가져올 것이라는 믿음을 의미하며, 높은 성과가 항상 높은 보상을 가져올 것이라고 기대한 경우 수단성의 값은 1로 표현된다.

① 기대감은 노력이나 능력을 투입하면 성과가 있을 것이라는 주관적인 기대감을 의미한다.

② 유의성은 보상의 중요성에 대한 주관적인 선호의 강도를 의미한다.

④ 브룸의 기대이론은 기대감과 유의성을 공식화하여 동기부여의 과정을 설명하고 있지만, 보상의 공평성과 동기부여의 방안을 구체적으로 제시하지 못한다는 한계를 가진다.

⑤ 선호의 강도는 보상의 중요성에 대한 주관적인 선호로, 대체로 보상을 받지 않았을 때보다 받았을 때 더 선호를 느끼므로 유의성은 정(+)의 값으로 나타난다.

02 동기이론에 대한 설명으로 옳지 않은 것은?

2019 국가 9급

① 매슬로우(Maslow)는 충족된 욕구는 동기부여의 역할이 약화되고 그 다음 단계의 욕구가 새로운 동기요인이 된다고 하였다.

② 앨더퍼(Alderfer)는 매슬로우의 5단계 욕구이론을 수정해서 인간의 욕구를 3단계로 나누었다.

③ 허즈버그(Herzberg)는 불만요인(위생요인)을 없앤다고 해서 적극적으로 만족감을 느끼는 것은 아니라고 했다.

④ 브룸(Vroom)의 기대이론에서 수단성(instrumentality)은 특정한 결과에 대한 선호의 강도를 의미한다.

03 다음 중 공공부문 성과연봉제 보수체계 설계 시 성과급 비중을 설정하는 데 적용할 수 있는 동기부여이론은?

2018 국회 8급

① 애덤스(Adams)의 형평성이론

② 허즈버그(Herzberg)의 욕구충족 이원론

③ 앨더퍼(Alderfer)의 ERG(존재, 관계, 성장)이론

④ 머슬로(Maslow)의 욕구 5단계론

⑤ 해크만(Hackman)과 올드햄(Oldham)의 직무특성이론

04 다음 중 동기부여에 대한 과정이론만을 모두 고른 것은?

2014 지방 9급

| ㄱ. 애덤스(Adams)의 형평성이론 | ㄴ. 브룸(Vroom)의 기대이론 |
| ㄷ. 매클리랜드(McClelland)의 성취동기이론 | ㄹ. 로크(Locke)의 목표설정이론 |

① ㄱ, ㄴ

② ㄱ, ㄴ, ㄹ

③ ㄴ, ㄷ, ㄹ

④ ㄷ, ㄹ

05 동기부여 이론에 대한 설명 중 옳은 것은?

2013 서울 7급

① 허즈버그(Herzberg)의 욕구충족요인 이원론에 따르면 보수는 매우 중요한 동기요인이다.

② 내용이론에는 형평성이론과 기대이론이 있다.

③ 동기부여란 개인과 조직이 욕구의 결핍을 충족하기 위한 수단을 탐색하는 과정지향적 행동을 의미한다.

④ 포터(L.Porter)와 롤러(E.Lawler)는 보상의 공정성에 대한 개인의 만족감을 주요 변수로 삼아 기대이론을 보완하였다.

⑤ 매슬로우(A.H.Maslow)에 따르면 자기실현 욕구는 사람마다 큰 차이가 없다.

02

정답 : ④

④ 브룸(Vroom)의 기대이론에서 특정한 결과에 대한 선호의 강도를 의미하는 것은 유의성에 대한 설명이다. 한편 수단성은 성과가 보상을 가져올 것이라는 믿음을 의미한다.

① 매슬로우는 하나의 욕구가 어느 정도 충족되면 더 이상 동기유발 요인으로서의 힘을 상실하며 그 다음 단계의 욕구가 새로운 동기유발 요인이 된다고 보았다.

② 앨더퍼는 매슬로우의 욕구계층이론의 한계를 보완하기 위해 5단계 욕구이론을 생존·관계·성장의 3단계 욕구로 분류하였다.

③ 허즈버그는 위생요인과 동기요인은 서로 독립된 별개로 보았으며, 불만요인을 없앤다고 해서 직접적으로 만족감을 느끼는 것은 아니라고 보았다.

03

정답 : ①

① 애덤스의 형평성이론은 노력에 대한 보상의 비율이 일치할 때 공정하다고 인식하므로, 성과연봉제 보수체계 시 성과급 비중을 설정하는 데 적용할 수 있다.

② 허즈버그의 욕구충족 이원론은 불만족을 제거해주는 위생요인과 만족을 주는 동기요인을 서로 독립된 별개의 차원으로 본다.

③ 앨더퍼의 ERG이론은 인간의 욕구를 생존욕구, 관계욕구, 성장욕구로 분류하면서 욕구의 발로는 순차적·단계적으로 진행되기도 하지만 욕구 좌절로 인한 후진적·하향적 퇴행도 가능하다고 보았고 Maslow와 달리 욕구의 중첩성도 인정한다.

④ 머슬로의 욕구 5단계론은 인간의 욕구는 계층적이고 체계화되어 있으며 이러한 욕구는 단계적·상향적으로 진행되며 순차적으로 유발된다고 본다.

⑤ 해크맨과 올드햄의 직무특성이론은 직무의 특성이 개인의 성장 욕구 수준에 부합될 때 직무가 동기유발로 연결된다고 본다.

04

정답 : ②

② ㄷ은 과정이론이 아니라 내용이론에 해당한다.

ㄱ, ㄴ, ㄹ. [O] 애덤스의 형평성이론, 브룸의 기대이론, 로크의 목표설정이론은 과정이론에 해당한다.

ㄷ. [X] 매클리랜드의 성취동기이론은 내용이론에 해당한다.

05

정답 : ④

④ 포터(L.Porter)와 롤러(E.Lawler)는 Vroom이 보상의 공평성에 대한 고려를 하지 못하였다고 비판하고 보상의 공정성에 대한 개인의 만족여부를 중요변수로 삼아 Vroom의 기대이론을 보완하였다.

① 허즈버그(Herzberg)의 욕구충족요인 이원론에 따르면 보수는 위생요인이다.

② 형평성이론과 기대이론은 욕구이론이다.

③ 동기부여란 개인과 조직이 욕구의 결핍을 충족하기 위한 수단을 탐색하는 목적지향적 행동을 의미한다.

⑤ 매슬로우(A.H.Maslow)에 따르면 자기실현 욕구는 사람마다 큰 차이가 있다.

내용이론 vs 과정이론

내용 이론	• Maslow 욕구계층이론 • Alderfer ERG이론 • McGregor X·Y이론 • Argyris 미성숙·성숙이론 • Herzberg 2개요인론 • McClelland 성취동기이론 • Murray 명시적 욕구이론 • Likert 관리체제론 • E.Schein 복잡인 이론 • Ouchi Z이론 • Hackman&Oldham 직무특성 이론

과정
이론
	• Vroom 기대이론
	• Adams 형평성이론
	• Locke 목표설정이론
	• Atkinson 기대모형
	• Berner 의사거래분석
	• Kelly 귀인이론
	• Porter&Lawler 업적·만족이론
	• Georgopoulos 통로·목표이론
	• 고전적 학습이론: 조건화이론
	  (Skinner 강화이론)
	• 현대적 학습이론: 잠재적·인
	  지적·사회적·귀납적 학습

정답

02 ④ 03 ① 04 ② 05 ④

06 다음 중 강화일정(schedules of reinforcement)에 대한 설명으로 가장 옳지 않은 것은?

2013 국회 8급

① 연속적 강화는 행동이 일어날 때마다 강화요인을 제공하는 것이다.

② 고정간격강화는 부하의 행동이 발생하는 빈도에 따라 일정한 간격으로 강화요인을 제공하는 것이다.

③ 변동간격강화는 일정한 간격을 두지 않고 변동적인 간격으로 강화요인을 제공하는 것이다.

④ 고정비율강화는 성과급제와 같이 행동의 일정 비율에 의해 강화요인을 제공하는 것이다.

⑤ 변동비율강화는 불규칙한 횟수의 행동이 나타났을 때 강화요인을 제공하는 것이다.

07 아담스(J. S. Adams)의 공정성이론에 대한 설명으로 가장 옳지 않은 것은?

2012 경찰간부

① 종업원에 대한 보상의 중요성을 강조하고 있으며 과소보상보다는 과대보상을 할 것을 주장한다.

② 처우의 공평성은 자신의 투입·산출을 준거인의 투입·산출과 비교하여 평가하게 된다.

③ 불공정성을 줄이기 위해서 조직원은 투입과 산출의 수준과 방향에 변화를 주어 공정한 지각이 되도록 한다.

④ 동기부여에 있어서 조직원의 지각의 중요성을 인식한다.

08 팀의 주요 사업에 기여도가 약한 사람에게는 팀에 주어지는 성과포인트를 배정하지 않음으로써, 성실한 참여를 유도하는 방식은 다음 중 어디에 해당하는가?

2010 서울 9급

① 긍정적 강화　　　　　　　　　② 소거

③ 처벌　　　　　　　　　　　　　④ 부정적 강화

⑤ 타산적 몰입

CHAPTER 05 조직의 주요 원리

기출 필수 코스

01 조직구성 원리에 대한 설명으로 옳지 않은 것은?

2020 지방, 서울 9급

① 분업의 원리 – 일은 가능한 한 세분해야 한다.

② 통솔범위의 원리 – 한 명의 상관이 감독하는 부하의 수는 상관의 통제능력 범위 내로 한정해야 한다.

③ 명령통일의 원리 – 여러 상관이 지시한 명령이 서로 다를 경우 내용이 통일될 때까지 명령을 따르지 않아야 한다.

④ 조정의 원리 – 권한 배분의 구조를 통해 분화된 활동들을 통합해야 한다.

06

② 간격강화는 시간·주기와 관련되고 비율강화는 빈도·횟수와 관련되는 것으로, 부하의 행동이 발생하는 빈도에 따라 일정한 간격으로 강화요인을 제공하는 것은 고정비율강화에 해당한다. 한편 고정간격강화는 일정한(규칙적인) 시간적 간격에 따라 강화요인을 제공하는 것이다.

① 연속적 강화는 바람직한 행동이 나올 때마다 강화요인을 제공하는 것으로 초기 단계의 학습에서 바람직한 행동의 빈도를 늘리는 데 효과적이다.

③ 변동간격강화는 불규칙적인 시간적 간격에 따라 강화요인을 제공하는 것이다.

④ 고정비율강화는 일정한 빈도에 바람직한 행동이 나타났을 때 강화요인을 제공하는 것으로, 성과급제(생산량에 비례하여 성과급 지급)가 대표적이다.

⑤ 변동비율강화는 불규칙적인 빈도에 바람직한 행동이 나타났을 때 강화요인을 제공하는 것이다.

07

① 아담스의 공정성이론은 자기의 노력과 보상 간의 비율을 준거인과 비교하여 불공정하다고 여기면 이를 제거하는 방향으로 동기가 유발된다는 것으로, 과소보상에 보다 예민하게 반응한다고 보았다.

② 자신의 투입과 산출을 준거인과 비교하여 비율이 일치한 경우에 공평하다고 인식한다.

③ 불공평하다고 인식하면 조직원의 투입·산출을 변경하거나 투입·산출에 대한 지각을 변경하는 등의 변화를 주어 공정한 지각이 되도록 한다.

④ 보상의 공평성에 대한 지각이 동기부여에 있어서 얼마나 중요한가를 보여주는 이론이다.

08

② 팀의 주요 사업에 기여도가 약한 사람에게 팀에 주어지는 성과포인트를 배정하지 않음으로써 성실한 참여를 유도하는 것은 바람직한 결과를 제거(성과포인트 배정하지 않음)함으로써 결국 바람직하지 않은 행동을 제거(참여 유도)하는 소거에 대한 설명이다.

① 긍정적 강화는 바람직한 결과를 제공함으로써 바람직한 행동을 반복하도록 유도하는 방법이다.

③ 처벌은 바람직하지 않은 결과를 제공함으로써 바람직하지 않은 행동을 제거하는 방법이다.

④ 부정적(소극적) 강화는 바람직하지 않은 결과를 제거함으로써 바람직한 행동을 반복하도록 유도하는 방법이다.

⑤ 타산적 몰입은 스키너의 강화이론과 관련 없는 내용이다.

01

③ 명령통일의 원리는 한 명의 상관으로부터만 명령을 받고 그에게만 보고해야 한다는 것으로 명령계통 일원화의 원리이다.

① 분업(전문화)의 원리는 직무를 성질과 종류별로 구분하여 조직구성원에게 가급적 한 가지의 주된 업무를 분담시켜야 한다는 원리이다.

② 통솔범위의 원리는 한 명의 상관이 통솔할 수 있는 부하의 수에는 한계가 있으며 이는 상관의 통제능력 범위 내로 한정해야 한다는 원리이다.

④ 조정의 원리는 공동목표를 달성하기 위해 구성원의 분화된 활동들을 통합하고 행동에 통일을 기해야 한다는 원리이다.

포인트 정리

강화 일정

연속적 강화		성과(바람직한 행동)가 나올 때마다 강화
단속적 강화	간격강화	고정간격강화	바람직한 행동에 관계없이 규칙적인 시간 간격으로 강화
		변동간격강화	불규칙적인 시간 간격으로 강화
	비율강화	고정비율강화	일정한 빈도나 비율의 성과에 따라 강화
		변동비율강화	불규칙적인 빈도나 비율의 성과에 따라 강화

Skinner의 강화이론

적극적 강화	바람직한 결과의 제공	바람직한 행동 유도 (반복)
소극적 (부정적) 강화 (회피)	바람직하지 않은 결과의 제거	
소거 (중단)	바람직한 결과의 제거	바람직하지 않은 행동 제거
처벌 (제재)	바람직하지 않은 결과의 제공	

조직구조 형성원리의 유형

분업을 위한 원리	조정을 위한 원리
• 분업(전문화)의 원리 • 부성화(동질성)의 원리 • 참모조직의 원리(계선과 참모 구분) • 기능명시의 원리	• 조정의 원리 • 계층제의 원리 • 명령통일의 원리 • 통솔범위의 원리 • 권한과 책임 일치 • 예외성의 원리 • 목표중시의 원리 • 집권화의 원리

정답

06 ② 07 ① 08 ② 01 ③

조직의 원리에 대한 설명으로 옳지 않은 것은?

① 부성화(部省化)의 원리는 조정에 관한 원리에 해당한다.

② 통솔범위를 좁게 잡으면 계층의 수가 늘어난다.

③ 계선과 참모를 구분하는 것은 분업의 한 형태로 볼 수 있다.

④ 매트릭스 조직은 명령통일의 원리를 위반한 것이다.

03 **조직의 원리에 대한 설명으로 옳지 않은 것은?**

① 계층제의 원리는 조직 내의 권한과 책임 및 의무의 정도가 상·하의 계층에 따라 달라지도록 조직을 설계하는 것이다.

② 통솔범위란 한 사람의 상관 또는 감독자가 효과적으로 통솔할 수 있는 부하 또는 조직단위의 수를 말하며, 감독자의 능력, 업무의 난이도, 돌발 상황의 발생 가능성 등 다양한 요소를 고려하여 정해진다.

③ 분업의 원리에 따라 조직 전체의 업무를 종류와 성질별로 나누어 조직구성원이 가급적 한 가지의 주된 업무만을 전담하게 하면, 부서 간 의사소통과 조정의 필요성이 없어진다.

④ 부성화의 원리는 한 조직 내에서 유사한 업무를 묶어 여러 개의 하위기구를 만들 때 활용되는 것으로 기능부서화, 사업부서화, 지역부서화, 혼합부서화 등의 방식이 있다.

04 **다음 중 부하는 오직 한 사람의 상관으로부터 명령을 받고 보고하도록 하는 명령통일의 원리와 관련이 깊은 조직은?**

① 막료조직   ② 합의제 기관

③ 계선조직   ④ 위원회 조직

05 **다음 중 계층제의 장단점이 아닌 것은?**

① 변동에 대한 순응   ② 할거주의 초래

③ 능력과 지위의 부조화   ④ 집단사고의 폐단

02

① 부성화의 원리는 정부의 기능을 가장 능률적·합리적으로 달성하기 위해 어떤 기준에 입각하여 부처를 편성할 것인가에 관한 이론으로 분업을 위한 원리에 해당한다.

② 통솔범위와 계층의 수는 서로 역관계로 통솔범위를 좁게 잡으면 계층의 수가 늘어난다.

③ 분업의 원리는 업무를 종류와 성질별로 구분하여 조직구성원에게 가급적 한 가지의 주된 업무를 분담시켜야 한다는 것으로, 담당업무의 성질에 따라 조직을 계선과 참모를 구분하는 것도 분업의 한 형태라고 할 수 있다.

④ 매트릭스 조직은 기능별 조직과 사업별 구조를 화학적으로 혼합한 형태로 이중적 명령체계로 인해 명령계통 일원화의 원리에 위반되는 조직구조이다.

03

③ 분업의 원리에 따라 조직 전체의 업무를 종류와 성질별로 나누어 조직구성원이 가급적 한 가지의 주된 업무만을 전담하게 하면, 행정의 능률성은 제고되지만 할거주의로 인한 전문가적 무능이 초래되므로 부서 간 의사소통과 조정의 필요성이 높아진다.

① 계층제의 원리는 조직의 직무를 권한과 책임의 정도에 따라 등급화하고 상·하의 계층에 따라 지휘·명령·복종관계를 확립하는 원리이다.

② 통솔범위는 한 사람의 상관(감독자)이 효과적으로 직접 통솔할 수 있는 부하의 수를 의미하는 것으로, 통솔범위를 효과적으로 결정하기 위해서는 상관(감독자)의 능력뿐 아니라 업무의 난이도, 범위 등 다양한 요소를 고려하여야 한다.

④ 부성화의 원리는 중앙행정기관이나 하부조직을 어떤 기준으로 편성할 것인지에 관한 것으로 동일한 기능, 과정, 고객, 장소 등을 기준으로 부처를 편성하며, 부처편성의 방식에는 기능부서화, 사업부서화, 지역부서화, 혼합부서화 등이 있다.

04

③ 명령통일의 원리는 한 명의 상관으로부터 명령을 받고 그에게만 보고해야 한다는 것으로, 수직적 명령복종 체계를 가진 계선조직이 가장 부합한다.

① 막료조직은 계선조직이 기능을 원활하게 수행할 수 있도록 지원·보조하는 보좌기관으로 명령통일의 원리에 위배되는 조직구조이다.

②, ④ 위원회(합의제 기관)는 복수의 구성원으로 구성되는 합의제 행정기관이며 다수의 의사를 수렴함으로써 의사결정이 이루어지는 수평적·유기적 조직으로, 명령통일의 원리에 위배된다.

05

① 계층제는 직무를 권한과 책임의 정도에 따라 등급화하고 상하 조직 간에 지휘·명령·복종체계를 확립하는 것으로 계층제가 발달하면 조직의 경직화를 초래함으로써 조직이 환경 변동에 신축성 있게 적응하기가 어려워진다.

② 계층제가 발달하면 자신이 속한 부서나 종적인 서열만을 중시한 나머지 타 부서에 대한 협조와 배려를 하지 않는 할거주의가 초래될 수 있다.

③ 능력과 지위의 부조화는 관료제 내의 구성원은 자신이 감당할 수 없는 무능력 수준까지 승진한다는 피터의 원리와 관련된 내용으로 계층제의 단점에 해당한다.

④ 계층제가 발달하면 계층적 통합성과 응집력이 큰 집단 내에서 개인들이 모여 의사결정을 할 때 주로 반대의견 등 다양한 견해를 표출하기보다는 동일한 하나의 방향으로 획일적·기계적 사고를 하는 집단사고의 폐단이 나타날 수 있다.

06 다음 중 행정의 특징을 설명하는 "마일(Mile)의 법칙"을 바르게 설명한 것은?

2010 경정승진

① 공무원의 수는 업무량의 증가와 관계없이 증가한다.

② 공무원의 입장 및 태도는 그의 직위에 의존한다.

③ 공무원의 수는 국가 비상시에 급격하게 증가한다.

④ 행정의 노동 집약적 성격으로 인하여 공무원의 수는 증가하기 마련이다.

07 원리주의자가 주장하는 조직의 원리는 분화의 원리와 통합의 원리로 구성되어 있는바, 다음 중 분화의 원리에 해당하지 않는 것은?

2008 서울 7급

① 부성화의 원리

② 동질화의 원리

③ 계층제의 원리

④ 참모조직의 원리

⑤ 분업의 원리

08 통솔범위 적정화에 대한 설명으로 틀린 것은?

2005 충남 9급

① 표준화된 업무에서 통솔범위는 확대되고 비일상적인 업무에서는 통솔범위가 축소된다.

② 구성원의 능력과 창의력이 높을 때는 통솔범위를 확대한다.

③ 참모조직이 있을 때 통솔범위가 확대된다.

④ 부하의 사기를 높여주려면 통솔범위를 좁혀서 일을 적게 준다.

CHAPTER 06 조직구조 변수

기출 필수 코스

01 조직의 분권화가 필요한 상황으로 옳지 않은 것은?

2020 군무원 7급

① 지식공유가 원활하고 구성원의 전문성이 높은 경우

② 부서 간 횡적 조정이 어려운 경우

③ 기술과 환경변화가 역동적으로 이루어지는 경우

④ 고객에게 신속하고 상황 적응적인 서비스를 제공하여야 하는 경우

06

정답 : ②

② Mile의 법칙이란 공무원의 입장 및 태도는 그가 속한 조직이나 직위·신분에 의존한다는 것이다.

① 공무원의 수는 업무량의 증가와 관계없이 증가하는 것은 파킨슨의 법칙에 해당한다.

③ 파킨슨의 법칙은 공무원의 수가 국가 비상시에 급격하게 증가하는 현상을 설명하지 못하였다.

④ 행정의 노동집약적 성격으로 인해 공무원의 수가 증가하는 것은 보몰의 병에 대한 설명이다.

07

정답 : ③

③ 계층제의 원리는 조정(통합)의 원리에 해당한다.

①, ②, ④, ⑤ 부성화의 원리, 동질화의 원리, 참모조직의 원리, 분업의 원리는 모두 분화(분업)의 원리에 해당한다.

08

정답 : ④

④ 부하의 사기를 높여주려면 유기적 구조처럼 통솔범위를 넓혀서 일과 자율성을 많이 주어야 한다.

① 표준화된 업무는 정형적 업무로서 1인의 상급자가 통솔할 수 있는 부하의 수는 확대된다.

② 구성원의 능력, 환경, 리더의 역량에 의해 통솔범위는 영향받는다.

③ 참모조직이 있을 때 관리자의 통솔범위가 넓어진다.

01

정답 : ②

② 부서 간 횡적 조정이 어려운 경우 상부로 권한을 집중시켜 부서 간 조정을 원활히 할 필요가 있다.

① 지식공유가 원활하고 구성원의 전문성이 높은 경우 부하의 능력이 뛰어나므로 분권화가 필요하다.

③ 기술과 환경변화가 역동적으로 이루어지는 경우 역동적인 변화에 신속히 대응하여야 하므로 분권화가 필요하다.

④ 고객에게 신속하고 상황적응적인 서비스를 제공하여야 하는 경우 분권화가 요구된다.

📝 포인트 정리

조직구조 형성원리의 유형

분업을 위한 원리	조정을 위한 원리
• 분업(전문화)의 원리 • 부성화(동질성)의 원리 • 참모조직의 원리 (계선과 참모 구분) • 기능명시의 원리	• 조정의 원리 • 계층제의 원리 • 명령통일의 원리 • 통솔범위의 원리 • 권한과 책임 일치 • 예외성의 원리 • 목표중시의 원리 • 집권화의 원리

통솔범위의 결정요인

- 단순·반복의 표준화된 업무일수록 통솔범위 확대
- 신설조직보다 오래되고 안정된 조직이 통솔범위 확대
- 교통이 발달하면 통솔범위 확대
- 분산된 장소보다 집결된 장소일수록 통솔범위 확대
- 구성원의 능력과 창의력이 높을수록 통솔범위 확대
- 참모조직이 있을 때 통솔범위 확대

집권화 촉진요인 vs 분권화 촉진요인

집권화 촉진요인	• 역사가 짧은 소규모 신설조직인 경우 • 교통·통신의 발달 • 경쟁의 격화와 조직의 위기일 경우 • 의사결정의 중요성이 높은 경우 • 하급자나 하급기관의 역량이 부족한 경우 • 규칙과 절차의 발달(높은 공식성) • 권위주의적 문화일 경우 • 분업의 심화 및 기능분립적 구조 설계
분권화 촉진요인	• 조직의 규모 확대 • 변화의 격동성 및 복잡성 • 신속한 의사결정 필요성 증가 • 다수의 유능한 관리자(인적 전문화) 존재 • 개인의 창의성 발휘가 요구되는 경우

정답

06 ② 07 ③ 08 ④ 01 ②

아래에 제시된 조직구조 특성 중 유기적 구조의 특성은 모두 몇 개인가?

2019 경찰간부

가. 분업적 과제	나. 성과측정이 용이	다. 넓은 직무 범위
라. 표준운영절차	마. 권위의 정당성 확보	바. 예측가능성

① 1개   ② 2개

③ 3개   ④ 4개

03 **조직의 규모에 대한 설명으로 가장 옳은 것은?**

2019 서울 9급

① 조직의 규모가 클수록 공식화 수준이 낮아진다.

② 조직의 규모가 클수록 조직 내 구성원의 응집력이 강해진다.

③ 조직의 규모가 클수록 분권화되는 경향이 있다.

④ 조직의 규모가 클수록 복잡성이 낮아진다.

04 **조직의 구조적 특성을 나타내는 지표로서 거리가 먼 것은?**

2015 교행 9급

① 의사결정 권한의 분산 정도

② 수직적·수평적·지리적 분화의 정도

③ 행동을 표준화하는 문서화·규정화의 정도

④ 조직의 투입을 산출로 전환하는 데 필요한 지식 및 기술(skills)의 정도

05 **조직구조에 대한 설명으로 옳지 않은 것은?**

2013 지방 9급

① 공식화(formalization)의 수준이 높을수록 조직구성원들의 재량이 증가한다.

② 통솔범위(span of control)가 넓은 조직은 일반적으로 저층구조의 형태를 보인다.

③ 집권화(centralization)의 수준이 높은 조직의 의사결정권한은 조직의 상층부에 집중된다.

④ 명령체계(chain of command)는 조직 내 구성원을 연결하는 연속된 권한의 흐름으로, 누가 누구에게 보고하는지를 결정한다.

02

정답 : ①

① 다만 유기적 구조에 해당한다.

다. [O] 유기적 구조는 넓은 직무범위의 특성을 갖는다.

가, 나, 라, 마, 바. [X] 기계적 구조의 특성에 해당한다.

기계적 구조 vs 유기적 구조

구분	기계적 구조	유기적 구조
직무범위	좁다(한계가 명확)	넓다(한계가 불명확)
공식화	높다(통제중심, SOP)	낮다(재량과 신축성 중심)
책임성	분명한 책임	모호한 책임
의사소통	계층제	분화된 채널, 개방적 의사전달
계층의 수	고층구조(수직적 분화 높음)	저층구조(수직적 분화 낮음)
업무방식	명령과 지시	정보제공과 권고
환경에의 적응	낮다	신속한 적응
조직목표	명확한 조직목표와 과제	모호한 조직목표와 과제
과제의 성격	분업적 과제	분업이 어려운 과제
성과측정	가능	곤란
동기부여	금전적 동기부여	복합적 동기부여

03

정답 : ③

③ 조직의 규모가 커질수록 계층적 분화, 부서의 분화 등으로 분권화의 경향을 보인다.

① 조직의 규모가 클수록 공식화 수준이 높아진다.

② 조직의 규모가 클수록 조직 내 구성원의 응집력이 약해진다.

④ 조직의 규모가 클수록 복잡성이 높아진다.

04

정답 : ④

④ 조직의 구조적 특성을 나타내는 지표는 기본변수를 의미하는 것으로, 조직의 투입을 산출로 전환하는 데 필요한 지식 및 기술의 정도는 기본변수에 영향을 미치는 상황변수에 해당한다.

① 의사결정 권한의 분산 정도는 집권성으로, 기본변수에 해당한다.

② 수직적·수평적·지리적 분화의 정도는 복잡성으로, 기본변수에 해당한다.

③ 행동을 표준화하는 문서화·규정화의 정도는 공식성으로, 기본변수에 해당한다.

05

정답 : ①

① 공식화의 수준이 높을수록 조직구성원들의 재량은 감소한다.

② 통솔범위가 넓은 조직은 저층구조를 형성하며, 통솔범위가 좁은 조직은 고층구조를 형성 하게 된다.

③ 집권성은 조직계층 상하 간의 권한 배분과 의사결정의 수준을 의미하는 것으로, 집권화의 수준이 높은 조직일수록 의사결정의 권한은 조직의 상층부에 집중된다.

④ 명령체계 또는 명령계통은 명령의 전달이나 조직의 연속된 권한의 흐름으로 보고하는 공식적 통로를 의미한다.

포인트 정리

조직구조의 기본변수와 상황변수

기본변수 (조직의 구조를 형성)	복잡성(분화)
	공식성(공식화·표준화)
	집권성(집권화)
상황변수 (기본변수에 영향을 미침)	규모(크기)
	기술(일상적·비일상적)
	환경(불확실성)
	전략 (방어형·공격형·분석형)
	권력(권력자의 선호)

정답

02 ① 03 ③ 04 ④ 05 ①

06 조직구조의 상황요인에 대한 설명 중 옳은 것은?

2013 서울 7급

① 비일상적 기술일수록 공식화가 높아질 것이다.

② 환경의 불확실성이 높을수록 집권화가 높아질 것이다.

③ 비일상적 기술일수록 집권화가 높아질 것이다.

④ 환경의 불확실성이 높을수록 공식화가 높아질 것이다.

⑤ 조직의 규모가 커짐에 따라 공식화가 높아질 것이다.

07 조직구조에 대한 설명 중 가장 알맞은 것은?

2013 서울 9급

① 매트릭스 조직은 수평적인 팀제와 유사하다.

② 정보통신기술의 발달로 통솔의 범위는 과거보다 좁아졌다고 판단된다.

③ 기계적 조직구조는 직무의 범위가 넓다.

④ 유기적인 조직은 안정적인 행정환경에서 성과가 상대적으로 높다.

⑤ 수평적 전문화 수준이 높을수록 업무는 단순해진다.

08 유기적 조직구조의 특징만으로 구성된 것은?

2012 서울 7급

① 높은 통솔범위, 높은 팀워크, 적은 규칙, 복합적 과제, 적응성, 인간적 대면관계

② 모호한 책임관계, 성과측정이 가능, 저층구조, 표준운영절차

③ 공식적·몰인간적 대면관계, 분업이 어려운 과제, 복합적 동기부여, 분화된 채널

④ 적은 규칙과 절차, 권위의 정당성 확보, 모호한 책임관계

⑤ 금전적 동기부여, 넓은 직무범위, 저층구조, 성과측정이 가능

06

정답 : ⑤

⑤ 일반적으로 조직규모와 공식성은 정비례의 관계이므로 조직의 규모가 커지면 공식화가 높아진다.

① 일상적 기술일수록 공식화가 높아지고, 비일상적 기술일수록 공식화가 낮아질 것이다.

② 환경의 불확실성이 높을수록 분권화가 높아질 것이다.

③ 일상적 기술일수록 집권화가 높아지고, 비일상적 기술일수록 집권화가 낮아질 것이다.

④ 환경의 불확실성이 높을수록 공식화가 낮아지고, 확실성이 높을수록 공식화가 높아질 것이다.

✦ 포인트 정리

조직구조변수 간 관계

구분	복잡성	공식성	집권성
규모(확대)	+	+	−
기술 (일상적)	−	+	+
환경 (불확실)	−	−	−

07

정답 : ⑤

⑤ 수평적 전문화는 개인간·단위 부서간 업무의 세분화 정도로, 수평적 전문화 수준이 높을수록 업무는 단순해진다.

① 매트릭스구조는 기능구조와 사업구조의 화학적 결합을 시도한 구조로, 수평적인 팀제와 다르다.

② 정보통신기술의 발달로 탈관료제적·유기적 구조가 등장하게 되면서 통솔의 범위는 넓어졌다.

③ 기계적 조직구조는 직무의 범위가 좁다. 한편 직무의 범위가 넓은 것은 유기적 조직구조이다.

④ 안정적인 행정환경에서 성과가 상대적으로 높은 것은 기계적인 조직이다. 한편 유기적인 조직은 환경에 대한 적응성을 특징으로 하므로 불안정한 행정환경에서도 적합성이 높다.

08

정답 : ①

① 높은 통솔범위, 높은 팀워크, 적은 규칙, 복합적 과제, 적응성, 인간적 대면관계는 모두 유기적 조직구조의 특징이다.

② 모호한 책임관계, 저층구조는 유기적 조직구조의 특징이지만 성과측정이 가능, 표준운영절차는 기계적 조직구조의 특징이다.

③ 분업이 어려운 과제, 복합적 동기부여, 분화된 채널은 유기적 조직구조의 특징이지만 공식적·몰인간적 대면관계는 기계적 조직구조의 특징이다.

④ 적은 규칙과 절차, 모호한 책임관계는 유기적 조직구조의 특징이지만 권위의 정당성 확보는 기계적 조직구조의 특징이다.

⑤ 넓은 직무범위, 저층구조는 유기적 조직구조의 특징이지만 금전적 동기부여, 성과측정이 가능한 것은 기계적 조직구조의 특징이다.

정답

06 ⑤ 07 ⑤ 08 ①

조직구조에 대한 특징 중 옳지 않은 것으로만 연결된 것은? 2010 국가 7급

구분		기계적 구조	유기적 구조
장점	ㄱ	예측가능성	적응성
조직 특성	ㄴ	좁은 직무범위	넓은 직무범위
	ㄷ	적은 규칙/절차	표준운영절차
	ㄹ	분명한 책임관계	모호한 책임관계
	ㅁ	분화된 채널	계층제
	ㅂ	비공식적/인간적 대면관계	공식적/몰인간적 대면관계
상황 조건	ㅅ	명확한 조직목표과 과제	모호한 조직목표와 과제
	ㅇ	분업적 과제	분업이 어려운 과제
	ㅈ	단순한 과제	복합적 과제
	ㅊ	성과측정이 어려움	성과측정이 가능
	ㅋ	금전적 동기부여	복합적 동기부여
	ㅌ	권위의 정당성 확보	도전받는 권위

① ㄱ, ㄷ

② ㄷ, ㅁ

③ ㅁ, ㅅ

④ ㅅ, ㅈ

---

10 조직의 집권화에 관한 설명으로 옳지 않은 것은? 2009 국회 8급

① 대부분의 조직에서 위기는 집권화를 초래하기 쉽다.

② 역사가 짧은 조직의 경우 집권화되기 쉽다.

③ 결정사항의 중요도가 높을 경우 집권화되기 쉽다.

④ 조직의 운영이 특정 개인의 리더십에 의존하는 정도가 높을수록 집권화되기 쉽다.

⑤ 조직의 규모가 커지면 집권화되기 쉽다.

---

11 다음 중 톰슨(Thompson)의 기술 모형 중 설명이 틀린 것은? 2007 경기 9급

① 조직이 사용하는 기술을 길게 연결된 기술, 중개적 기술, 집약형 기술로 구분하여 설명하였다.

② 집약적 기술을 사용하는 부서의 의존관계는 교호적 상호작용이다.

③ 길게 연결된 기술을 사용하는 경우 표준화가 가능하고, 순차적 의존관계를 지니게 된다.

④ 중개적 기술은 다양한 기술의 복합체로서 종합병원과 같은 곳에서 사용한다.

09

② ㄷ, ㅁ, ㅂ, ㅊ이 옳지 않은 내용이다.

ㄷ. [X] 기계적 구조는 표준운영절차를 특징으로 하고, 유기적 구조는 적은 규칙과 절차를 중시한다.

ㅁ. [X] 기계적 구조는 계층제를 특징으로 하고, 유기적 구조는 분화된 채널을 특징으로 한다.

ㅂ. [X] 기계적 구조는 공식적·몰인간적 대면관계를 특징으로 하고, 유기적 구조는 비공식적·인간적 대면관계를 특징으로 한다.

ㅊ. [X] 기계적 구조는 성과측정이 가능한 반면 유기적 구조는 성과측정이 어렵다.

10

⑤ 일반적으로 조직의 규모가 커지면 분권화되기 쉽다.

① 위기상황은 조직의 집권화를 촉진한다.

② 역사가 짧은 신설조직은 집권화되기 쉽다.

③ 전략적 결정 등 결정사항의 중요도가 높은 사람은 집권화되기 쉽다.

④ 의사결정의 중요성이 높고, 조직이 특정 리더십에 의존하는 경우 집권화되기 쉽다.

11

④ 다양한 기술의 복합체로서 종합병원과 같은 곳에서 사용하는 기술은 집약적 기술로서 이러한 기술을 사용하는 부서의 의존관계는 교호적 상호작용이다.

① Thompson은 단위작업 간의 상호의존성에 따라 기술의 유형을 3가지로 분류하였다.

② 집약적 기술은 모든 업무담당자가 협력하여 동시에 제공하는 교호적 상호의존관계를 발생시킨다.

③ 길게 연결된 기술은 한 부서의 산출이 다른 부서의 투입이 되는 연속적(순차적) 상호의존관계를 발생시킨다.

✨ 포인트 정리

기계적 구조 vs 유기적 구조

구분	기계적 구조	유기적 구조
직무 범위	좁다 (한계가 명확)	넓다 (한계가 불명확)
공식화	높다 (통제중심, SOP)	낮다 (재량과 신축성 중심)
책임성	분명한 책임	모호한 책임
의사 소통	계층제	분화된 채널 개방적 의사전달
계층의 수	고층구조 (수직적 분화 높음)	저층구조 (수직적 분화 낮음)
업무 방식	명령과 지시	정보제공과 권고
환경에 의 적응	낮다	신속한 적응
조직 목표	명확한 조직목표와 과제	모호한 조직목표와 과제
과제의 성격	분업적 과제	분업이 어려운 과제
성과 측정	가능	곤란
동기 부여	금전적 동기부여	복합적 동기부여

톰슨의 기술유형론

유형	상호의 존성	조정 기제	추가적 방법
중개적 기술	집단적	표준화	전담 작우로 참모설치
길게 연결된 기술	순차적	계획	위원회설치
집약적 기술	교호적	상호 적응	프로젝트팀 태스크포스 등설치

정답

01 다음 중 비공식집단의 순기능으로 옳지 않은 것은? 2016 국회 9급

① 심리적 안정감 제고
② 계층제의 경직성 완화
③ 품의제적 의사전달의 활성화
④ 구성원 간의 협조를 통한 직무의 능률적 수행
⑤ 구성원의 행동 기준 확립으로 사회적 통제 기능 수행

02 비공식 조직의 효용으로 보기 어려운 것은? 2004 서울 7급

① 불만과 갈등 극복을 통해 구성원들의 심리적 안정감 형성에 기여한다.
② 비공식 조직은 공식조직의 응집력을 높이는 작용을 한다.
③ 각 구성원이 지켜야 할 행동규범을 확립하여 사회적 통제의 기능을 수행한다.
④ 비공식 조직이 커뮤니케이션을 공식적 정책결정에 이용함으로써 공식조직의 기능을 보완할 수 있다.
⑤ 구성원 간의 지식이나 경험의 공유를 통해서 지도자의 능력을 보완해준다.

01 다음 〈보기〉에 제시된 계선기관에 관한 내용 중 옳은 것을 모두 고르면? 2015 국회 9급

> **보기**
>
> ㄱ. 권한 및 책임의 한계의 명확성, 신속한 결정력, 업무 수행 능률성 등의 장점이 있다.
> ㄴ. 각 행정기관의 장의 인격을 연장·보완하는 역할을 하며 지휘·감독의 범위를 넓혀 준다.
> ㄷ. 기관장이 주관적·독단적 결정이나 조치를 취할 가능성이 존재하고, 조직의 경직성을 초래한다.
> ㄹ. 전문적 지식과 경험으로 행정목표의 달성에 간접적으로 기여한다.

① ㄱ, ㄴ
② ㄱ, ㄷ
③ ㄱ, ㄴ, ㄹ
④ ㄱ, ㄷ, ㄹ
⑤ ㄱ, ㄴ, ㄷ, ㄹ

01

정답 : ③

③ 품의제는 실무책임자가 공식적인 문서를 기안하여 단계별로 결정권을 가진 상관에게 승인을 얻는 하의상달적 성격의 공식적인 의사결정제도로, 비공식집단이 품의제적 의사전달을 활성화시킨다고 볼 수 없다.

① 구성원에게 귀속감과 안정감을 주고 사회적·심리적 욕구를 충족시키므로 심리적 안정감을 제고한다.

② 수평적 의사소통이 활성화되므로 계층제의 경직성을 완화할 수 있다.

④ 구성원 간의 지식과 경험 등을 공유하고 협조함으로써 직무의 능률적 수행에 도움을 준다.

⑤ 공유할 수 있는 구성원의 행동규범을 확립함으로써 사회적 통제 기능을 수행한다.

포인트 정리

공식집단 vs 비공식집단

공식집단	비공식집단
조직의 목표달성을 위하여 존재	감정·욕구의 충족을 위하여 존재
인위적 조직	자연발생적 조직 (자생적 집단)
비인격적·제도적 관계, 명문화	인격적·비제도적 관계, 대면관계
전체적 질서	부분적 질서
가시적 조직	비가시적 조직
수직적 관계	수평적 관계
권한이 상층부로부터 위임됨	권위가 구성원들로부터 부여됨

02

정답 : ②

② 비공식 조직은 파벌이 조성되고 갈등이 확대되어 공식조직을 와해시키거나 심리적 불안감을 조성하기도 한다.

① 비공식 조직은 심리적 안정감의 형성에 기여한다.

③ 비공식 조직은 공유할 수 있는 행동 규범을 확립하여 사회적 통제 기능을 수행한다.

④ 비공식 조직은 의사전달을 활성화함으로써 공식조직의 기능을 보완한다.

⑤ 비공식 조직은 구성원 간의 경험과 공유를 통해 지도자의 능력을 보완해주기도 한다.

01

정답 : ②

② ㄱ, ㄷ이 옳다.

ㄱ. [O] 계선기관은 권한과 책임의 소재가 명확하고 신속한 결정으로 인해 시간과 비용을 절약하고 능률성을 제고한다.

ㄷ. [O] 계선기관은 상하간의 명령복종관계를 지닌 수직적 계층구조를 형성하여 조직의 목표달성에 직접적으로 기여하는 기관으로, 결정권이 최고관리층에 집중되어 있으므로 결정권자의 주관적·독단적인 결정이 나타날 수 있으며 조직의 경직화를 초래한다.

ㄴ. [X] 계선기관을 보좌하는 참모기관의 특징이다.

ㄹ. [X] 조직의 목표달성을 간접적으로 보조·지원하는 참모기관의 특징이다.

정답
01 ③ 02 ② 01 ②

02 행정조직구조에서 계선조직과 참모조직에 관한 설명 중 가장 적절하지 않은 것은? 2014 경정승진

① 계선조직의 장점으로는 권한과 책임의 한계가 명확한 점, 조직의 안정성 확보, 높은 전문성의 확보로 인한 업무수행의 능률성을 들 수 있다.

② 참모조직은 조직의 운영에 융통성을 부여하며, 계선의 통솔범위를 확대시켜주고 합리적인 의사결정을 가능하게 한다.

③ 참모조직의 단점으로는 조직 내의 불화의 가능성, 계선과 참모 간 책임전가의 우려, 의사전달의 경로가 혼선을 빚는 가능성 등이 있다.

④ 계선조직과 참모조직의 갈등을 해결하기 위해서는 책임한계를 분명히 하여야 하며, 공동의 교육 훈련, 인사교류 등이 필요하다.

03 다음 중 막료의 기능으로 틀린 것은? 2012 국가전환특채

① 계선의 보좌기관이다.

② 기관장의 인격적 보완체 역할을 한다.

③ 정책결정에 있어서 직접적 역할을 한다.

④ 의사결정의 전문화·합리화에 도움을 준다.

04 참모의 순기능에 대한 설명으로 옳지 않은 것은? 2008 국가 9급

① 조직의 운영에 융통성을 부여한다.

② 권한과 책임의 한계를 분명히 하는 장치가 된다.

③ 계선의 통솔범위를 확대시켜 준다.

④ 합리적인 의사결정을 가능하게 한다.

05 계선기관의 특징을 가장 잘 설명한 것은? 2007 국가 9급

① 기관장과 빈번하게 교류한다.

② 정책을 결정하는 데 주로 조언의 권한을 가진다.

③ 수평적인 업무 조정이 용이하다.

④ 권한과 책임의 한계가 명확하다.

02

정답 : ①

① 계선조직의 장점으로 권한과 책임의 한계가 명확한 점, 조직의 안정성 확보를 들 수 있다. 한편 높은 전문성의 확보로 인한 업무수행의 능률성은 참모조직의 장점에 해당한다.

계선(보조)기관 vs 참모(보좌)기관

구분	계선(보조)기관	참모(보좌)기관
장점	• 권한과 책임의 한계 명확 • 신속하고 능률적 • 소규모 조직에 적합 • 조직의 안정성 확보 • 결정·명령·집행권 • 계층제 형태 • 강력한 통솔력 • 현실적 조직	• 기관장의 통솔 범위 확대 • 업무조정 및 전문지식의 활용–행정의 전문화 • 대규모 조직에 적합 • 조직의 신축성 및 동태성 확보 • 합리적 결정 • 인격적 보완체 • 기관간 조정 • 개혁적 조직
단점	• 계선기관의 업무 과중 • 기관 책임자의 독단적 결정 • 부문간 조정 곤란–할거주의 • 조직의 경직성 및 비민주성	• 조직의 복잡성 • 계선과 참모의 갈등 발생 • 참모기관의 비대화로 인한 중앙집권화 • 계선과의 알력 및 전문가적 무능

03

정답 : ③

③ 막료가 아니라 계선의 기능이다. 막료는 기관장 등에게 조언함으로써 정책결정에 간접적으로 공헌하는 역할을 한다.

①, ② 전문지식으로 계선기관의 기능을 인격적으로 보완하여 통솔범위를 확장시켜 준다.

④ 전문적 지식과 경험의 제공으로 합리적·창의적 결정 및 의사결정의 전문화에 기여한다.

04

정답 : ②

② 권한과 책임의 한계를 분명히 하는 장치가 되는 것은 참모가 아니라 계선의 특징이다.

①, ③, ④ 참모는 계선기관장의 인격적 보완체로서 통솔범위를 확대시켜주고, 전문지식의 제공으로 합리적 의사결정을 가능하게 한다.

05

정답 : ④

④ 계선기관은 계층제에 의하여 수직적 명령복종관계가 명확하기 때문에 권한과 책임한계가 명확하다.

①, ②, ③ 모두 막료조직의 특징에 해당한다.

정답
02 ① 03 ③ 04 ② 05 ④

01 베버(Weber)의 이념형(ideal type) 관료제에 대한 설명으로 옳지 않은 것은?

① 관료제 성립의 배경은 봉건적 지배체제의 확립이다.

② 법적 · 합리적 권위에 기초를 둔 조직구조와 형태이다.

③ 직위의 권한과 임무는 문서화된 법규로 규정된다.

④ 관료는 원칙적으로 상관이 임명한다.

02 관료제의 병폐에 관한 설명으로 가장 적절한 것은?

① 번문욕례(red tape)는 쇄신과 발전에 대해 수용적이며 고객과 환경의 요청에 적절히 대응하는 관료 형태를 말한다.

② 국지주의(parochialism)는 한 가지 지식 또는 기술에 대해 훈련받고 기존 규칙을 준수하도록 길들여진 사람이 다른 대안을 생각하지 못하는 것을 의미한다.

③ 훈련된 무능(trained incapacity)은 관료들의 편협한 안목을 의미하며 직접적인 고객의 특수 이익에 묶여 전체 이익을 망각하는 경향을 의미한다.

④ 할거주의(sectionalism)는 조직 구성원들이 자신이 소속된 기관과 부서만을 생각하고 다른 부서에 대해 배려하지 않는 편협한 태도를 취하는 것을 말한다.

03 베버(Max Weber)가 관료제의 특징으로 제시한 내용에 해당하지 않는 것은?

① 문서화된 규정 – 조직의 목표달성을 위해 필요한 절차와 방법이 기록된 규정이 존재함

② 계층제 – 피라미드 모양의 계층구조를 가지며, 명령과 통제가 위로부터 아래로 전달됨

③ 전문성 – 업무에 대한 지식을 가진 전문적인 관료가 업무를 담당하며, 직무에의 전념을 요구함

④ 협력적 행동 – 원활한 계층 체계 작동을 위해 구성원은 서로 협력하며, 이를 통해 높은 효율과 성과를 거둘 수 있음

04 근대적 관료제의 특징에 대한 설명으로 가장 적절한 것은?

① 계서적인 권한 중심이 아닌 임무와 능력 중심주의를 처방한다.

② 조직의 구조 및 업무수행 등이 상황적 조건에 부응하도록 처방한다.

③ 조직 내의 구조적 배열뿐만 아니라 조직자체도 필요에 따라 생성 · 변동 · 소멸되는 잠정적인 것이어야 한다고 처방한다.

④ 관료들은 임무 수행시 개인적 이익이나 특별한 사정, 상대방의 지위 등에 구애되는 일이 없이 공평무사함을 유지하도록 요구받는다.

01

① 막스 베버는 근대사회를 배경으로 이성에 의한 대규모 조직의 효율적인 구조와 운영에 주목하였는데, 이념형 관료제를 이상적으로 보았다.

포인트 정리

02

④ 할거주의는 조직 구성원들이 자신이 소속된 기관이나 부서만을 생각하는 것으로 관료제 병폐에 해당한다.

① 번문욕례는 실질적인 내용보다는 형식이나 규칙·절차를 중시하는 것으로, 쇄신과 발전에 대해 부정적이고 고객과 환경의 요청에 적절히 대응하지 못하는 관료 형태를 말한다.

② 한 가지 지식 또는 기술에 대해 훈련받고 기존 규칙을 준수하도록 길들여진 사람이 다른 대안을 생각하지 못하는 것을 훈련된 무능이라고 한다.

③ 관료들의 편협한 안목을 의미하며 직접적인 고객의 특수 이익에 묶여 전체 이익을 망각하는 경향은 국지주의에 해당한다.

03

④ 베버의 이념형 관료제는 엄격한 분업과 집권화를 특징으로 한다.

① 관료제는 권한과 책임의 명확화를 위해 문서위주의 행정을 실시한다.

② 관료제는 엄격한 수직적 배분으로 수직적·계층제적 권위 구조에 의해 상하간 지배복종체계의 성격을 특징으로 한다.

③ 관료제는 전문지식과 능력을 갖춘 사람을 채용하는 실적주의와 직무에만 전념하고 그 대가로 보수를 받는 직업관료제를 전제로 한다.

04

④ 근대적 관료제는 인간적 감정을 배제한 공식적 문서위주로 공평무사한 업무처리를 하는 비정의성 및 비개인화 현상이 발생한다.

① 임무와 능력 중심주의가 아닌 계서적인 권한 중심으로 처방한다.

② 근대적 관료제는 관료들이 위험회피적이고 변화저항적인 보신주의 행태가 나타남에 따라 다양한 외부 환경의 변화에 둔감하고 환경적 요인을 간과함으로써 구조적 경직성을 초래한다. 한편 조직의 구조 및 업무수행 등이 상황적 조건에 부응하도록 처방하는 것은 구조적 상황이론과 관련된다.

③ 관료제는 항구성 및 조직의 안정성을 지향하므로 관료로서의 직업은 임시적인 직업이 아니라 항구적인 생애적 직업으로 보는 관료적 전임화 현상이 나타난다.

정답

01 ① 02 ④ 03 ④ 04 ④

05 베버(M.Weber)가 주장한 이념형(ideal type)으로서의 근대 관료제에 대한 설명으로 옳지 않은 것은? 2017 국가 9급(추)

① 관료는 계급과 근무연한에 따라 정해진 금전적 보수를 받는다.

② 관료는 객관적·중립적 입장보다는 민원인의 입장에서 판단하고 결정한다.

③ 모든 직위의 권한과 관할범위는 법규에 의하여 규정된다.

④ 관료의 업무 수행은 문서에 의한다.

06 전통적 관료제의 특징과 그 역기능을 연결한 것으로 옳지 않은 것은? 2017 국가 7급(추)

① 문서주의 – 형식주의와 번문욕례(繁文縟禮)

② 전문화 – 훈련된 무능과 할거주의

③ 비정의성(비인간화) – 주관적이고 재량적인 관료 행태

④ 계층제 – 의사결정 지연과 상급자 권위에 대한 지나친 의존

07 관료제 병리현상에 대한 설명으로 옳은 것은? 2016 지방 7급

① 동조과잉과 형식주의로 인해 '전문화로 인한 무능' 현상이 발생한다.

② '피터의 원리(Peter's Principle)'가 지적하듯이 무능력자가 승진하게 되는 경우가 생긴다.

③ 상관의 권위에 의존하면서 소극적으로 일을 처리하려는 할거주의가 나타난다.

④ 목표가 아닌 수단으로서의 규칙과 절차에 지나치게 집착하는 번문욕례(red tape) 현상이 나타난다.

08 막스베버(M.Weber)가 제시한 관료제 조직의 특징에 관한 설명으로 옳지 않은 것은? 2012 서울 9급

① 기술적 능력에 의거한 조직 내 역할 분담과 분업체제

② 수직적·계층제적 권위구조

③ 규칙·규정에 의거한 일사불란한 행동통일

④ 과업책임의 소재 명확화

⑤ 인간적 감정을 고려한 공식적 문서위주의 업무처리 절차

09 M.Weber의 지배유형 중 특히 권력을 장악한 자의 신분에 의해 유지되는 지배유형은 어느 것인가? 2007 지방전환특채

① 전통적 지배　　　　　　　　　② 합법적 지배

③ 카리스마적 지배　　　　　　　④ 물리적 지배

05

② 베버의 이념형 근대 관료제에서 관료는 비정의성의 정신으로 업무를 수행하여야 하며 민원인의 입장에서 판단하고 결정하기보다 객관적·중립적 입장에서 공평무사한 업무처리를 하여야 한다.

① 관료의 직위의 권한과 관할범위는 법규로 규정되므로 계급과 근무연한 등 법규에 규정된 내용에 따라 정해진 금전적 보수를 받는다.

③ 관료의 모든 직위와 권한은 법규에 의하여 규정된다.

④ 관료의 직위의 권한과 임무는 문서화된 규칙으로 규정된다.

06

③ 비정의성(비인간화)은 인간적 감정을 배제한 공식적 문서위주의 업무처리를 의미하는데, 이것의 역기능으로 인격상실과 인간적 발전의 저해가 나타난다.

① 문서에 의한 행정을 강조하는 문서주의는 역기능으로 번문욕례 및 형식주의가 나타난다.

② 관료의 전문화는 역기능으로 한 가지 지식에 관하여 훈련받도록 길들어져서 새로운 조건에 적응하지 못하는 훈련된 무능과 전체목표보다 하위목표에 집착하는 할거주의가 나타난다.

④ 계서제적 구조(계층제)의 역기능으로 상관의 권위에 대한 지나친 의존과 무사안일 현상이 나타난다.

07

② 피터의 법칙은 연공서열 등에 의하여 승진하다 보면 자신이 감당할 수 없는 직위에까지 승진하게 되어 모든 직위가 무능력자로 채워진다는 법칙이다.

① 훈련된 무능이란 하나의 기술과 분야에 대해 훈련받고 길들여진 사람은 다른 분야에 대한 몰이해로 바뀌어져 오히려 무능이 촉진되는 현상을 말한다.

③ 할거주의란 자기가 소속한 기관에만 관심과 충성을 가질 뿐 다른 부서에 대한 배려가 없어 조정과 협조가 잘 이루어지지 않는 현상을 말한다.

④ 번문욕례란 실제적인 행정의 내용보다는 복잡한 서류절차 등과 같은 겉치레를 중시하는 현상을 말한다.

08

⑤ 관료제 조직은 비정의성(비개인화)에 입각하여 인간적 감정을 배제한 공식적 문서위주의 업무처리를 강조한다.

① 관료제 조직은 관료의 전문적 직무활동을 강조하고 직무에 전념하도록 겸직을 금지함으로써 기술적 전문화에 입각한 분업체제를 강조한다.

② 관료제 조직은 수직적·계층제적 권위구조에 입각한 상하간 지배복종체계를 특징으로 한다.

③ 관료제 조직은 합법적으로 제정된 법규나 문서화된 규정에 의한 지배를 추구함으로써 행정의 계속성과 안정성을 제고한다.

④ 권한과 책임을 명확히 하고 문서위주의 행정을 강조한다.

09

① 전통적 지배는 지도자의 신분에 의해 지배나 권력이 정당화된다.

② 합법적 지배는 법에 의해 지배나 권력이 정당화된다.

③ 카리스마적 지배는 지도자 개인의 신분이 아닌 자질에 의해 지배나 권력이 정당화된다.

④ 물리적 지배는 베버의 지배유형과 관련 없는 내용이다.

포인트 정리

베버(M.Weber)의 이념형 관료제

가산관료제 (전통적 지배)	권력을 장악한 자의 신분에 의하여 유지되므로 공적·사적 구분미비
카리스마적 관료제 (카리스마적 지배)	위기나 재난이 발생할 시 지배자의 특성에 따라 관리
근대 관료제 (합법적·합리적 지배)	관료의 전문화와 전임화, 문서화, 계서제적 구조, 법규에 의한 지배, 임무수행의 비개인화

베버(M.Weber)의 이념형 관료제

관료제	권한	특징
가산관료제 (전통적 지배)	전통적 권한	권력을 장악한 자의 신분에 의하여 유지되므로 공적·사적 구분미비
카리스마적 관료제 (카리스마적 지배)	카리스마적 권한	위기나 재난이 발생할 시 지배자의 특성에 따라 관리
근대 관료제 (합법적·합리적 지배)	합법적·합리적 권한	관료의 전문화와 전임화, 문서화, 계서제적 구조, 법규에 의한 지배, 임무수행의 비개인화

정답

05 ② 06 ③ 07 ② 08 ⑤ 09 ①

01 골렘뷰스키(R. Golembiewski)의 견인이론(Pull theory)에 대한 설명으로 옳은 것끼리 묶은 것은? 2014 해경간부

> 가. 기능 중심으로 구성원들을 관리한다.
> 나. 조직 내에 자유로운 업무분위기를 조성한다.
> 다. 조직의 통합보다는 분화를 강조한다.
> 라. 직무수행과 욕구충족의 조화를 추구한다.

① 가, 나   ② 가, 다
③ 나, 다   ④ 나, 라

02 다음 중 탈관료제의 특징으로 가장 타당한 것은? 2012 서울전환특채

① 능률성 및 효율성을 중요시한다.
② 합리성 및 합법성을 강조한다.
③ 계층제적 통제를 통한 효율적 행정을 강조한다.
④ 팀워크중심의 자발적 참여와 결과 지향적 산출을 강조한다.
⑤ 기능, 권한 등에 있어서 공식구조의 전문화를 강조한다.

03 정부의 조직구조는 관료제를 근간으로 하고 있어 순기능과 함께 역기능도 나타나고 있다. 그 역기능을 극복하기 위해 제시될 수 있는 후기관료제에 관한 설명 중 가장 적절한 것은? 2012 경정승진

① 문제해결과 의사결정은 집단사고나 집단과정보다는 분업화의 원리에 의존한다.
② 구조적 측면에서 높은 공식화와 임시적 성격으로 인해 조직의 안정성이 높다.
③ 표준화된 작업으로 인해 조직구성원들 간에 책임한계가 분명하게 나타난다.
④ 팀워크 중심의 자발적 참여와 결과 지향적 산출을 지향한다.

04 탈관료제 조직모형의 특성과 거리가 먼 것은? 2006 경기 7급

① 경계관념의 불명확   ② 지위중심주의
③ 일중심주의   ④ 공개주의

01

정답 : ④

④ 나, 라만 옳다.

나. [O] 견인이론은 자율규제와 자유로운 업무분위기를 강조한다.

라. [O] 외재적 통제와 억압을 최소화하고 조직의 직무와 개인적 욕구와의 조화를 중시한다.

가. [X] 기능중심의 조직관리는 전통적인 압력이론(push theory)의 특징이다. 한편 견인이론은 기능의 동질성보다는 일의 흐름을 중시한다.

다. [X] 기능의 분화(분업)보다는 기능이 통합된 팀조직 즉, 통합(협업)을 중시한다.

02

정답 : ④

④ 탈관료제는 자발적 참여와 결과 지향적 산출을 지향하고 팀워크를 중심으로 하는 조직이다.

① 관료제는 전문화와 분업을 특징으로 하므로 업무의 능률성이 향상된다.

② 관료제는 합법적으로 제정된 법규에 의한 지배를 특징으로 한다.

③ 관료제는 계층제적 구조를 통해 질서가 유지되고 관료의 전임화를 통해 업무의 능률이 향상되며 효율적 행정을 강조한다.

⑤ 관료제는 수평적으로 자격과 능력에 따라 규정된 기능을 수행하는 분업의 원리를 특징으로 하며 공식구조의 전문화를 강조한다.

03

정답 : ④

④ 후기관료제적 조직은 자발적 참여와 결과 지향적 산출을 지향한다.

① 관료제는 계층제를 특징으로 하므로 분업화의 원리가 나타난다.

② 관료제는 규칙 등을 강조함으로써 공식화가 확보되고 조직의 안정성이 높게 나타난다.

③ 관료제는 표준화된 작업과 문서주의를 특징으로 하므로 책임한계가 분명하게 나타난다.

04

정답 : ②

② 탈관료제 조직모형은 계서적 지위중심주의나 권한중심주의를 배척하고, 임무(일, 과제)와 문제해결능력을 중시한다.

① 경계개념의 타파와 연관된다.

③ 임무·능력 중심주의를 지향한다.

④ 협동적 체제를 구축하기 위해 의사전달의 공개를 강조한다.

01 대통령 직속 행정위원회에 해당하는 것은?

2021 경찰간부

① 공정거래위원회   ② 국민권익위원회

③ 방송통신위원회   ④ 금융위원회

02 정부의 위원회 조직에 대한 설명으로 옳지 않은 것은?

2019 국가 9급

① 결정에 대한 책임의 공유와 분산이 특징이다.

② 복수인으로 구성된 합의형 조직의 한 형태다.

③ 국민권익위원회는 의사결정의 권한이 없는 자문위원회에 해당한다.

④ 소청심사위원회는 행정관청적 성격을 지닌 행정위원회에 해당한다.

03 위원회의 유형과 우리나라 정부조직을 바르게 연결한 것은?

2013 국가 7급

① 자문위원회 – 공정거래위원회

② 조정위원회 – 중앙선거관리위원회

③ 행정위원회 – 소청심사위원회

④ 독립규제위원회 – 경제관계장관회의

04 위원회(committee) 조직의 장점으로 보기 어려운 것은?

2012 지방 9급

① 집단결정을 통해 행정의 안정성과 지속성을 확보할 수 있다.

② 조직 각 부문 간의 조정을 촉진한다.

③ 경험과 지식을 지닌 전문가를 활용할 수 있다.

④ 의사결정과정이 신속하고 합의가 용이하다.

01

정답 : ③

③ 방송통신위원회는 대통령 직속의 행정위원회이다.

①, ②, ④ 공정거래위원회, 국민권익위원회, 금융위원회는 모두 국무총리 직속의 행정위원회이다.

02

정답 : ③

③ 국민권익위원회는 행정관청적 성격을 지닌 행정위원회에 해당한다.

① 위원회는 민주적 결정과 조정을 위해 다수로 구성된 조직으로 결정에 대한 책임 한계가 모호하고 책임이 분산된다.

② 위원회는 복수의 구성원으로 구성되는 합의제 행정기관이다.

④ 행정위원회는 어느 정도 독립성을 부여받고 설치되는 행정관청적 성격의 위원회로 소청심사위원회가 이에 해당한다.

03

정답 : ③

③ 행정위원회는 의사결정의 구속력과 집행권을 모두 가지는 합의제 행정기관으로 소청심사위원회, 방송통신위원회 등이 있다.

① 공정거래위원회는 독립규제위원회에 해당한다.

② 중앙선거관리위원회는 독립규제위원회에 해당한다.

④ 경제관계장관회의는 정부의 경제정책을 총괄 조정하는 기구로 조정위원회에 해당한다.

04

정답 : ④

④ 위원회 조직은 복수의 구성원으로 구성된 합의제 조직으로 의견 합의에 도달하기까지 많은 시간과 비용이 들기 때문에 의사결정과정이 신속하게 이루어지지 못한다.

① 위원회는 행정의 안정성과 계속성을 확보할 수 있다.

② 각 부문 간의 이해관계를 조정할 수 있어 원활한 의사소통을 가능하게 한다.

③ 다수의 구성원이 참여하므로 다양한 경험과 지식을 가진 전문가를 활용할 수 있다.

📑 포인트 정리

우리나라 행정위원회의 소속별 분류

성격/소속	대통령	국무총리
행정위원회	• 방송통신위원회 • 규제개혁위원회	• 개인정보보호위원회 • 국민권익위원회 • 공정거래위원회 • 금융위원회 • 원자력안전위원회

위원회의 종류와 예

자문위원회	경제사회노동위, 민주평통일자문회의 등
조정위원회	경제관계장관회의, 중앙환경분쟁위 등
행정위원회	소청심사위, 금융위, 국민권익위, 방통위, 해양안전심판원, 중앙국세심사위 등
독립규제위원회	중앙선거관리위원회 등(공정거래위원회)

위원회의 장단점

장점	• 결정의 신중성 및 공정성 • 합리적이고 창의적인 결정 • 행정의 안정성 및 계속성 확보 • 이견의 조정과 통합
단점	• 경비·시간·노력 낭비 • 타협적 결정 및 기밀의 누설 우려 • 정책결정의 정당화 수단 • 책임의 분산 및 사무기구의 우월화

정답

01 ③ 02 ③ 03 ③ 04 ④

01 책임운영기관에 대한 설명으로 옳지 않은 것은?

2020 국가 9급

① 기관장에게 기관 운영의 자율성을 보장하고, 기관 운영 성과에 대해 책임을 지도록 한다.

② 공공성이 크기 때문에 민영화하기 어려운 업무를 정부가 직접 수행하기 위해 고안된 것이다.

③ 객관적이고 신뢰할 수 있는 성과평가 시스템 구축은 책임운영기관의 성공 여부를 결정짓는 요건 중의 하나이다.

④ 1970년대 영국에서 집행기관(executive agency)이라는 이름으로 처음 도입되었고, 우리나라는 1990년부터 운영하고 있다.

02 우리나라 책임운영기관에 관한 설명으로 옳은 것은?

2020 행정사

① 2009년 이명박 정부에서 처음으로 도입되었다.

② 조직, 예산 등의 운영상 자율성이 책임운영기관장이 아닌 주무부처 장관에게 부여되어 있다.

③ 중앙책임운영기관으로 특허청이 있다.

④ 소속책임운영기관에 대한 종합평가는 기획재정부가 주관한다.

⑤ 소속책임운영기관과 소속중앙행정기관 간 공무원의 인사교류는 불가능하다.

03 책임운영기관에 대한 설명으로 가장 옳지 않은 것은?

2019 경찰간부

① 정부가 직접 생산하되 수단은 민간의 시장요소를 도입한 것이다.

② 신공공관리론 원리에 의해 등장한 새로운 형태의 민영화 수단이다.

③ 담당하는 정책에 대해 구체적인 목표를 설정한다.

④ 일반행정기관과 비교할 때 예산과 인사관리의 재량권이 있다.

04 우리나라의 책임운영기관(Executive Agency)에 대한 설명으로 가장 옳지 않은 것은?

2019 서울 9급

① 신공공관리론(NPM)의 조직원리에 따라 등장한 성과 중심 정부 실현의 한 방안으로 도입되었다.

② 책임운영기관의 장에게 행정 및 재정상의 자율성을 부여하고 그 운영성과에 대하여 책임을 지도록 하는 행정기관을 말한다.

③ 책임운영기관은 사무성격에 따라 조사연구형, 교육훈련형, 문화형, 의료형, 시설관리형, 그 밖에 대통령령으로 정하는 기타 유형으로 구분된다.

④ 「책임운영기관의 설치·운영에 관한 법률」에 근거하여 1995년부터 제도가 시행되었다.

01

정답 : ④

④ 1987년 영국에서 집행기관이라는 이름으로 처음 도입되었고 우리나라는 1999년 1월에 관련 법률을 제정하고, 2000년부터 운영하고 있다.

① 기관장에게 인사, 재무, 조직 등 기관 운영에 대한 자율성과 융통성을 보장하고, 운영성과에 대해서는 책임을 지도록 한다.

② 공공성이 강하여 민영화가 곤란한 분야를 대상으로 한다.

③ 성과 중심의 조직이므로 객관적이고 신뢰할 수 있는 성과평가 시스템의 구축이 주요 요건 중 하나이다.

02

정답 : ③

③ 우리나라는 중앙책임운영기관과 소속책임운영기관으로 구분하고, 중앙책임운영기관에 특허청을 둔다.

① 「책임운영기관의 설치·운영에 관한 법률」은 1999년 김대중 정부에서 처음으로 제정하였고 2000년부터 운영되고 있다.

② 책인운영기관은 조직, 예산 등의 운영상 자율성이 책임운영기관장에게 부여되어 있다.

④ 소속책임운영기관에 대한 종합평가는 행정안전부가 주관한다.

⑤ 소속책임운영기관과 소속중앙행정기관 간 공무원의 인사교류도 가능하다.

03

정답 : ②

② 신공공관리론 원리에 의해 등장한 새로운 형태의 정부조직으로, 정부팽창의 은폐수단이나 민영화의 회피수단으로 사용될 가능성이 있다.

① 책임운영기관은 공공성이 강하여 민영화가 곤란한 분야 등을 적용대상으로 하며 공공서비스를 정부가 직접 공급·생산하되 수단은 민간의 시장요소를 받아들이는 책임경영제 방식이다.

③ 장관과 기관장 간의 성과협약을 통하여 달성해야 할 성과목표를 설정한다.

④ 기관운영에 필요한 인사·조직·예산 등은 기관장에게 자율성을 주는 대신 결과에 대해서는 책임을 지도록 한다.

04

정답 : ④

④ 「책임운영기관의 설치·운영에 관한 법률」에 근거하여 2000년부터 제도가 시행되었다.

① 책임운영기관은 신공공관리론에서 강조하는 조직형태로 성과측정을 중시한다.

② 책임운영기관장에게 인사, 재무, 조직상의 많은 재량을 부여하고 성과지향적인 운영이 이루어지도록 한다.

③ 책임운영기관은 기관사무에 따라 조사연구형, 교육훈련형, 문화형, 의료형, 시설관리형, 기타형으로 구분한다.

포인트 정리

책임운영기관의 설치·운영에 관한 법률 제2조(정의) ① 이 법에서 "책임운영기관"이란 정부가 수행하는 사무 중 공공성(公共性)을 유지하면서도 경쟁원리에 따라 운영하는 것이 바람직하거나 전문성이 있어 성과관리를 강화할 필요가 있는 사무에 대하여 책임운영기관의 장에게 행정 및 재정상의 자율성을 부여하고 그 운영 성과에 대하여 책임을 지도록 하는 행정기관을 말한다.

③ 책임운영기관은 기관의 사무성격에 따라 다음 각 호와 같이 구분한다.
1. 조사연구형 책임운영기관
2. 교육훈련형 책임운영기관
3. 문화형 책임운영기관
4. 의료형 책임운영기관
5. 시설관리형 책임운영기관
6. 그 밖에 대통령령으로 정하는 유형의 책임운영기관

정답

01 ④ 02 ③ 03 ② 04 ④

05 책임운영기관 제도에 대한 설명으로 옳지 않은 것은?

2017 국회 9급

① 행정운영의 효율성과 행정서비스의 질적 향상을 도모하기 위해 도입된 제도이다.
② 신공공관리운동의 일환으로 개발 및 채택되었다.
③ 정부서비스 민영화방식의 일종이다.
④ 집행·서비스 전달 기능을 정책 기능으로부터 분리한다.
⑤ 우리나라는 1999년에 책임운영기관 제도를 도입하였다.

06 현재 정부가 운영 중인 책임운영기관에 대한 설명으로 옳지 않은 것은?

2013 국회 9급(수정)

① 책임운영기관 소속 직원의 신분은 공무원이다.
② 책임운영기관의 장은 공개모집을 통해 충원된다.
③ 직원의 임용시험은 책임운영기관의 장이 담당한다.
④ 책임운영기관의 성과평가를 위해 행정안전부에 책임운영기관 운영위원회가 있다.
⑤ 조직이나 정원 운영이 신축적이기 때문에 총정원은 행정안전부령으로 정한다.

07 책임운영기관에 대한 설명 중 올바르지 않은 것은?

2005 서울 9급

① 각각의 기관은 분리된 활동분야에 대한 구체적인 목표를 설정한다.
② 신공공관리론의 조직원리에 따라 등장한 새로운 형태의 정부조직이다.
③ 우리나라의 경우 기관장은 공개모집에 의하여 충원된다.
④ 일반행정기관에 비해 예산 및 인사에 대한 재량권이 크다.
⑤ 공기업에 비해 이윤추구를 더욱 중요시하는 기관이다.

05

정답 : ③

③ 책임운영기관은 집행기능을 결정기능과 분리하여 별도의 기관으로 설치한 것으로, 정부가 수행하는 사무 중 공공성을 유지하면서도 경쟁원리에 따라 운영하는 것이 바람직하거나 전문성이 있어 성과관리를 강화할 필요가 있는 사무에 대하여 설치·운영하는 것이다.

06

정답 : ⑤

⑤ 조직이나 정원운영상 자율성이 있으며, 총정원은 대통령령으로 정한다. 한편 공무원 종류별·계급별 정원은 부령이나 총리령, 직급별 정원은 기본운영규정에 따른다.

① 책임운영기관은 정부부처형 공기업에 속한다.

② 책임운영기관의 장은 소속 중앙행정기관의 장이 공개모집절차에 따라 2년 이상 5년 이내의 범위 안에서 채용한다.

③ 임용시험은 책임운영기관장이 실시한다.

④ 사업성과를 평가하기 위해 행정안전부 소속으로 책임운영기관 운영위원회를 둔다.

07

정답 : ⑤

⑤ 업무의 성격이 공공성이 강하여 민영화할 수 없는 분야를 책임운영기관으로 하는 것이기 때문에 공기업보다 이윤추구를 중시하지는 않으며 어디까지나 공공성과 책임성을 강조하는 정부조직이다.

① 책임운영기관장은 중앙행정기관장과 성과협약을 통하여 달성해야 할 성과목표를 설정하고 그에 따른 사업성과평가를 받기 때문에 목표 등은 구체성을 지닌다.

② 중앙정부의 기능 중 집행 및 서비스 전달기능을 분리하여 수행한다.

③ 기관장은 공직내외에서 유능한 인재를 공개모집하여 계약직으로 채용하고 성과에 따라 연봉을 지급한다.

④ 기관운영에 필요한 인사·조직·예산 등 관리권한에 있어서 기관장에게 융통성을 부여하는 대신 그 운영결과에 대해서는 책임을 지도록 한다.

정답
05 ③ 06 ⑤ 07 ⑤

01 다음 중 「공공기관의 운영에 관한 법률」상 공공기관에 대한 설명으로 옳지 않은 것을 모두 고른 것은?

2020 경찰간부

가. 우리나라의 공공기관 중 준정부기관은 기금관리형과 위탁집행형으로 구분할 수 있다.
나. 「공공기관의 운영에 관한 법률」의 적용을 받는 공기업의 상임이사(상임감사위원 제외)에 대한 원칙적인 임명권자는 기획재정부장관이다.
다. 기획재정부장관은 매년 직원 정원 100인 이상의 공공기관 중에서 공기업과 준정부기관을 지정한다.
라. 한국방송공사는 「공공기관의 운영에 관한 법률」상 준시장형 공기업으로 분류할 수 있다.
마. 기획재정부장관은 지방자치단체가 설립하고 그 운영에 관여하는 기관을 공공기관으로 지정할 수 없다.

① 가, 나
② 다, 라
③ 나, 다, 마
④ 나, 다, 라

02 「공공기관의 운영에 관한 법률」에 따른 공공기관의 유형에 속하지 않는 것은?

2017 사복 9급

① 기금관리형 준정부기관
② 준시장형 공기업
③ 위탁집행형 공기업
④ 기타공공기관

01

정답 : ④

④ 나, 다, 라가 옳지 않은 내용이다.

나. [X] 공기업의 상임이사(상임감사위원 제외)에 대한 원칙적인 임명권자는 공기업의 장이다.

> **동법 제25조(공기업 임원의 임면)** ② 공기업의 상임이사는 공기업의 장이 임명한다. 다만, 감사위원회의 감사위원이 되는 상임이사(이하 "상임감사위원"이라 한다)는 대통령 또는 기획재정부장관이 임명한다.

다. [X] 기획재정부장관은 매년 직원 정원 300명 이상, 총수입액 200억원 이상, 자산규모 30억원 이상의 공공기관 중에서 공기업과 준정부기관을 지정한다.

> **동법 시행령 제7조(공기업 및 준정부기관의 지정기준)** ① 기획재정부장관은 법 제5조제1항제1호에 따라 다음 각 호의 기준에 해당하는 공공기관을 공기업·준정부기관으로 지정한다.
> 1. 직원 정원: 300명 이상
> 2. 수입액(총수입액을 말한다): 200억원 이상
> 3. 자산규모: 30억원 이상
> ② 기획재정부장관은 법 제5조제3항에 따라 총수입액 중 자체수입액이 차지하는 비중이 100분의 50(「국가재정법」에 따라 기금을 관리하거나 기금의 관리를 위탁받은 공공기관의 경우 100분의 85) 이상인 공공기관을 공기업으로 지정한다.
> ③ 기획재정부장관은 법 제5조제4항제1호에 따라 다음 각 호의 기준에 해당하는 공기업을 시장형 공기업으로 지정한다.
> 1. 자산규모: 2조원
> 2. 총수입액 중 자체수입액이 차지하는 비중: 100분의 85

라. [X] 한국방송공사는 공공기관으로 지정될 수 없다.

가. [O] 준정부기관은 기금관리형 준정부기관과 위탁집행형 준정부기관으로 분류한다.

마. [O] 기획재정부장관은 지방자치단체가 설립하고 그 운영에 관여하는 기관을 공공기관으로 지정할 수 없다.

> **동법 제4조(공공기관)** ② 제1항에도 불구하고 기획재정부장관은 다음 각 호의 어느 하나에 해당하는 기관을 공공기관으로 지정할 수 없다.
> 1. 구성원 상호 간의 상호부조·복리증진·권익향상 또는 영업질서 유지 등을 목적으로 설립된 기관
> 2. 지방자치단체가 설립하고, 그 운영에 관여하는 기관
> 3. 「방송법」에 따른 한국방송공사와 「한국교육방송공사법」에 따른 한국교육방송공사

02

정답 : ③

③ 위탁집행형 공기업은 공공기관의 유형에 해당하지 않는다.

①, ②, ④ 「공공기관의 운영에 관한 법률」에 따르면 공공기관은 시장형 공기업, 준시장형 공기업, 기금관리형 준정부기관, 위탁집행형 준정부기관, 기타 공공기관으로 구분한다.

> **동법 제5조(공공기관의 구분)** ① 기획재정부장관은 공공기관을 다음 각 호의 구분에 따라 지정한다.
> 1. 공기업·준정부기관: 직원 정원, 수입액 및 자산규모가 대통령령으로 정하는 기준에 해당하는 공공기관
> 2. 기타공공기관: 제1호에 해당하는 기관 이외의 기관
> ④ 기획재정부장관은 제1항 및 제3항의 규정에 따른 공기업과 준정부기관을 다음 각 호의 구분에 따라 세분하여 지정한다.
> 1. 공기업
> 　가. 시장형 공기업 : 자산규모와 총수입액 중 자체수입액이 대통령령으로 정하는 기준 이상인 공기업
> 　나. 준시장형 공기업 : 시장형 공기업이 아닌 공기업
> 2. 준정부기관
> 　가. 기금관리형 준정부기관 : 「국가재정법」에 따라 기금을 관리하거나 기금의 관리를 위탁받은 준정부기관
> 　나. 위탁집행형 준정부기관 : 기금관리형 준정부기관이 아닌 준정부기관

정답

01 ④　02 ③

03 공공서비스 공급주체의 유형과 예시를 바르게 연결한 것은?

2017 국가 9급

① 준시장형 공기업 – 한국방송공사

② 시장형 공기업 – 한국마사회

③ 기금관리형 준정부기관 – 한국연구재단

④ 위탁집행형 준정부기관 – 한국소비자원

04 공기업에 대한 설명으로 옳지 않은 것은?

2013 군무원

① 정부주관으로 운영하는 조직이지만 정규 정부조직보다는 더 많은 자율성을 누린다.

② 정부기업형은 일반행정기관에 적용되는 조직, 인사, 예산에 관한 규정의 적용을 원칙적으로 받지 않는다.

③ 공기업의 유형 중 주식회사형은 정부가 일정부분 주식을 소유한다.

④ 공사형은 특별법에 의해 설립되는 정부소유의 기업이다.

05 「공공기관의 운영에 관한 법률」의 적용을 받는 공기업의 상임이사에 대한 원칙적인 임명권자는?

2011 지방 9급

① 대통령

② 주무기관의 장

③ 해당 공기업의 장

④ 기획재정부장관

06 공기업의 기능으로 적절하지 않은 것은?

2008 지방 7급

① 국가안보기능

② 재정적 수요 억제기능

③ 독과점 억제기능

④ 낙후지역 등 특수지역 개발기능

03

④ 한국소비자원은 위탁집행형 준정부기관에 해당한다.

① 한국방송공사(KBS)와 EBS는 공공기관으로 지정할 수 없는 기관이다.

② 한국마사회는 준시장형 공기업의 대표적인 예이다.

③ 한국연구재단은 위탁집행형 준정부기관에 해당한다.

04

정답 : ②

② 정부부처형 공기업은 정부기관으로서 일반 행정기관처럼 정부조직법에 의하여 설립되고, 신분도 공무원이므로 국가공무원법이 적용된다.

① 공기업은 정부의 필요에 운영되는 기관이나 정부기관보다 더 많은 자율성을 가진다.

③ 주식회사형 공기업은 민간자본과 정부자본이 결합된 혼합 기업이다.

④ 정부부처형 공기업은 정부조직법에 의해 설립되나, 공사형 공기업과 주식회사형 공기업은 특별법에 의하여 설립된다.

05

정답 : ③

③ 공기업의 상임이사는 공기업의 장이 임명한다. 다만, 감사위원회의 감사위원이 되는 상임이사는 대통령 또는 기획재정부장관이 임명한다.

① 공기업의 기관장은 대통령이 임명한다.

② 준정부기관의 기관장은 주무기관장이 임명한다.

④ 공기업의 비상임이사는 기획재정부장관이 임명한다.

06

정답 : ②

② 담배나 인삼의 전매와 같이 재정적 수요를 충족시키기 위하여 설립하기도 한다.

① 군수품의 효율적 조달, 기밀유지 등 국방 전략상의 요인으로 공기업을 설치한다.

③ 자연독점사업의 경우 시장실패가 초래되므로 민간독점을 방지하기 위해 공기업을 설치한다.

④ 정부주도의 경제발전과정에서 전략적 개발추진을 위해 설치한다.

정답

03 ④ 04 ② 05 ③ 06 ②

조직론

PART 3

해커스공무원 민지행정학 기출 빅데이터 기밀고

PART 3 조직론 211

01 조직목표의 기능에 대한 설명으로 옳지 않은 것은?

2021 국가 9급

① 조직구성원들이 목표로 인해 일체감을 느끼기 때문에 구성원들의 동기를 유발해준다.

② 조직의 구조와 과정을 설계하는 준거를 제공하고 성과를 평가하는 기준이 되기도 한다.

③ 미래의 바람직한 상태를 밝혀 조직활동의 방향을 제시한다.

④ 조직이 존재하는 정당성의 근거가 될 수는 없다.

02 조직목표의 변동에 대한 설명으로 가장 옳은 것은?

2019 서울 9급(2월)

① 목표의 대치(displacement)는 조직목표 달성이 어려울 때 기존 목표를 새로운 목표로 전환하는 것이다.

② 목표의 다원화(multiplication)는 조직목표 달성이 어려울 때 기존 목표에 새로운 목표를 추가하는 것이다.

③ 목표의 확대(expansion)는 본래 조직목표를 달성하였을 때, 새로운 목표를 발견하여 선택하는 것이다.

④ 목표의 승계(succession)는 본래 조직목표 달성이 불가능할 때 기존 목표의 범위를 확장하는 것이다.

03 행정문화란 행정체제의 구성원들이 공유하는 가치와 신념, 그리고 태도와 행동양식의 총체라고 할 수 있다. 호프스테드(Hofstede)의 문화차원을 근거로 하였을 때 한국문화의 특성으로 보기 어려운 것은?

2015 국가 7급

① 개인주의　　　　　　　　　　　② 온정주의

③ 권위주의　　　　　　　　　　　④ 안정주의

04 행정문화의 특성에 대한 설명으로 옳지 않은 것은?

2012 서울 9급

① 구성원의 사고와 행동을 결정하는 요인이다.

② 개인에 의해 표현되지만 문화는 집합적이고 공유적이다.

③ 통합성을 유지하면서 하위문화를 포용한다.

④ 인간의 본능이 아니라 학습을 통해서 익힌 것이다.

⑤ 시간이 흘러도 변하지 않는 지속성을 가진다.

01

④ 조직목표는 조직의 존재와 활동을 정당화시키는 근거로서 기능한다.

① 조직목표는 조직구성원들이 조직에 대한 일체감을 느끼게 하고 동기를 유발한다.

② 조직목표는 조직의 구조와 과정을 설계하는 근거를 제공하고 성과평가에 대한 기준을 제시한다.

③ 조직목표는 조직이 실현하고자 하는 미래의 바람직한 상태를 의미하며, 나아갈 방향을 설정·제시한다.

02

② 조직목표 달성이 어려울 때 기존 목표에 새로운 목표를 추가하는 것은 목표의 다원화이다.

① 목표의 승계는 조직목표 달성이 어려울 때 기존 목표를 새로운 목표로 전환하는 것이다.

③ 목표의 승계는 본래 조직목표를 달성하였을 때, 새로운 목표를 발견하여 선택하는 것이다.

④ 목표의 확대는 본래 조직목표 달성이 불가능할 때 기존 목표의 범위를 확장하는 것이다.

03

① 개인주의는 개인의 업적과 실적에 따라 관리하는 것으로 선진국의 행정문화에 해당한다.

② 온정주의는 온정이나 의리·정실을 강조하는 태도로 후진국의 행정문화에 해당한다.

③ 권위주의는 조직 내·외 관계를 불평등한 수직적 관계로 인식하는 것으로 후진국의 행정문화에 해당한다.

④ 안정주의는 순응주의와 비슷한 개념으로 기존 관리방침에 따른 보수적·현상유지적 행태로 외부조건에 맹종하는 행동양식이며, 후진국의 행정문화에 해당한다.

04

⑤ 행정문화는 쉽게 변하지 않는 지속성·안정성 및 변동저항성, 그리고 빠르게 변하지 않는 지연성(문화지체)을 특징으로 하지만, 시간이 지나면서 중시되는 이념이 달라지거나 사회구조 등이 달라짐에 따라 변화하므로 행정문화의 지속성은 시간이 흘러도 변치 않는 절대적인 것이 아니다.

① 인간의 사고와 행동을 결정하는 결정성을 특징으로 한다.

② 구성원 간에 공유되는 집합성 및 공유성을 특징으로 한다.

③ 특정 하위문화가 다른 문화에 영향을 주기도 하고 전체문화가 하위문화를 포용하기도 하는 전체성·포용성을 특징으로 한다.

④ 문화는 후천적인 학습에 의해 생성되고 유지되는 학습성을 특징으로 한다.

📝 포인트 정리

조직목표 변동

목표의 비중변동	정책목표들 간의 우선순위가 변화하는 것
목표의 승계	본래 표방한 목표를 달성하였거나 표방한 목표를 달성할 수 없을 때 조직이 폐지되지 않고 새로운 목표를 설정하여 조직이 존속하는 것
목표의 추가	기존 목표에 새로운 목표를 첨가하는 것
목표의 확대	목표의 수준을 보다 더 높이는 것
목표의 축소	목표의 범위가 줄어드는 것
목표의 대치	본래 설정한 목표를 고려하지 않고, 수단적 가치에 집착하는 것

선진국의 행정문화 vs 후진국의 행정문화

선진국의 행정문화	후진국의 행정문화
• 전문주의 • 합리주의 • 중립주의 • 실적주의 • 상대주의 • 사실정향주의 • 개인주의 • 성취주의	• 가족주의 • 권위주의 • 형식주의 • 연고주의 • 온정주의 정의주의 • 일반주의 • 총괄주의 • 운명주의

정답

01 ④ 02 ② 03 ① 04 ⑤

05 행정문화 중 형식주의(red-tape)의 폐단에 관한 설명 중 가장 적절하지 않은 것은? 2012 경정승진

① 상급자에게 맹종하는 과잉동조, 과잉충성과 같은 행태를 조장한다.

② 행정의 목표나 실적보다 형식과 수단에 집착하게 되는 '목표-수단의 전환' 현상을 조장한다.

③ 겉과 속이 다른 행태의 이원화 구조를 조장함으로써 공식적 규범의 위반상태가 만연할 수 있다.

④ 실질보다는 외양을 중시하는 전시행정으로 예산낭비와 경찰행정의 효율 저하를 초래할 수 있다.

06 조직문화가 강할 때의 순기능으로 가장 거리가 먼 것은? 2006 전북 9급

① 구성원에게 소속감과 안정감을 가지게 해준다.

② 구성원의 사고와 행동에 유연성 및 창의성을 촉진한다.

③ 구성원들로 하여금 조직철학과 가치에 대한 합의를 도모한다.

④ 조직에 바람직하지 않은 행동이 강제수단 없이도 억제될 수 있다.

⑤ 다른 조직과의 경계를 명확히 인식하게 하여 경계를 둘러싼 갈등을 최소화한다.

CHAPTER 15 리더십(1) - 리더십 발달

기출 필수 코스

01 피들러(F. Fiedler)의 상황적합적 리더십이론에서 제시된 상황변수가 아닌 것은? 2019 서울 9급(2월)

① 리더와 부하의 관계(leader-member relations) ② 부하의 성숙도(maturity)

③ 직위 권력(position power) ④ 과업구조(task structure)

02 허쉬(Hersey)와 블랜차드(Blanchard)는 부하의 성숙도(Maturity)에 따른 효과적인 리더십을 제시하였다. 부하가 가장 미성숙한 상황에서 점점 성숙해간다고 할 때 가장 효과적인 리더십 유형을 〈보기〉에서 골라 순서대로 나열한 것은? 2019 서울 9급

보기

(가) 참여형	(나) 설득형	(다) 위임형	(라) 지시형

① (다) → (가) → (나) → (라) ② (라) → (가) → (나) → (다)

③ (라) → (나) → (가) → (다) ④ (라) → (나) → (다) → (가)

05
정답 : ①

① 상급자에게 맹종하는 과잉동조. 과잉충성과 같은 행태를 조장하는 것은 위계질서와 지배·복종의 관계를 중시하는 권위주의 문화의 폐단이다.

②, ③, ④ 형식주의는 구조와 기능 간의 불일치에서 야기되는 것으로 목표의 대치. 공식규범의 위반, 행정의 비능률 및 변동에의 저항 등의 폐단이 나타날 수 있다.

06
정답 : ②

② 초기의 조직문화는 순기능적인 역할을 하지만 조직문화가 장기적이고 강할 때는 조직의 경직성으로 인해 환경에 대한 적응력이 저하되고 집단사고의 폐단으로 인해 구성원의 사고와 행동에서의 유연성 및 창의력을 저해시킨다.

① 조직의 안정성과 계속성을 유지하게 하고 구성원에게 소속감을 높여준다.

③ 구성원을 통합하고 조직에 몰입하도록 함으로써 조직에 대한 충성심 등을 촉진시킨다.

④ 모방과 학습으로 구성원을 사회화할 수 있으며 일탈행위와 같은 바람직하지 않은 행동에 대해서도 강제수단 없이 통제할 수 있다.

⑤ 조직의 경계를 설정하여 조직의 정체성을 확립하고 조직을 둘러싼 갈등을 최소화한다.

01
정답 : ②

② 부하의 성숙도를 상황변수로 제시한 이론은 허쉬와 블랜차드의 생애주기모형이다. 한편 피들러는 리더십의 효율성에 영향을 미치는 요인을 상황변수로 설정하고 리더와 부하의 관계. 직위권력. 과업구조를 제시하였다.

① 리더와 부하의 관계는 우호적이거나 신뢰관계이면 리더의 영향력이 커진다고 보는 것이다.

③ 직위 권력은 리더가 행사할 수 있는 정당한 권력이 클수록 리더의 영향력이 커진다고 보는 것이다.

④ 과업구조는 과업의 구조화정도로서 과업의 명확성이 높으면 리더의 영향력이 커진다고 보는 것이다.

02
정답 : ③

③ 허쉬(Hersey)와 블랜차드(Blanchard)에 따르면 부하의 성숙도가 제일 낮을 때에는 지시형 리더십이, 성숙도가 가장 높을 때에는 위임형 리더십이 제일 효과적이며, 성숙도가 높아질수록 설득형 리더십에서 참여형 리더십으로 진행하는 것이 효과적이라고 보았다.

정답

05 ① 06 ② 01 ② 02 ③

리더십 상황이론에 해당하지 않는 것은?

① 블레이크(Blake)와 머튼(Mouton)의 관리그리드 이론

② 피들러(Fiedler)의 상황적응 모형

③ 허쉬(Hersey)와 블랜차드(Blanchard)의 삼차원적 모형

④ 하우스(House)와 에반스(Evans)의 경로-목표이론

04 **리더십 이론에 관한 설명 중 가장 적절하지 않은 것은?**

① 조직을 위해 새로운 비전을 창출하고, 그러한 비전이 새로운 현실이 될 수 있도록 지지를 확보할 수 있는 리더십은 변혁적 리더십이다.

② 카리스마적 리더십에서 추종자들은 근무성과의 목표를 높게 설정하고, 제도에 의하여 리더에게 복종한다.

③ 행태론은 리더의 행동유형을 연구하였고, 상황론은 상황에 따라 리더십의 효율성이 달라진다고 보았다.

④ 자질론(특성이론, 속성이론)은 지도자의 특성으로 지능과 인성 뿐 아니라 육체적 특징을 들고 있다.

05 **다음 중 리더십이론에 대한 설명으로 잘못된 것은?**

① 특성이론은 신체, 성격, 사회적 배경 등에서 리더로서의 요인이 선천적으로 있어야 된다는 이론이다.

② 행태이론은 리더의 자질이 태어나면서부터 주어지는 것이 아니라 태어난 후에라도 리더의 행동 특성을 훈련시켜 리더를 만들어 갈 수 있다는 이론이다.

③ 아이오와 대학 모델, 오하이오 대학 모델, 미시간 대학 모델 등은 리더십의 특성이론을 연구한 리더십모델들이다.

④ 관리망 모델은 리더의 생산과 사람에 대한 관심을 중심으로 리더십을 분류하여 각각 부족한 리더십을 훈련시키고자 하는 행태이론이다.

06 **리더십에 대한 연구 중 그 성격이 다른 것은?**

① 르윈(Lewin), 리피트(Lippitt), 화이트(White)는 리더십의 유형을 권위형, 민주형, 방임형으로 분류한다.

② 리더십에 대한 미시간대학교의 연구에서는 직원중심형과 생산중심형으로 구분한다.

③ 블레이크(Blake)와 무톤(Mouton)은 조직발전에 활용할 목적으로 관리유형도라는 개념적 도구를 사용한다.

④ 허시(Hersey)와 블랑카드(Blanchard)는 인간관계중심적 행태와 임무중심적 행태를 기준으로 리더십유형을 구분한다.

03
정답 : ①

① 블레이크(Blake)와 머튼(Mouton)의 관리그리드 이론은 리더십 행태이론에 해당한다.

②, ③, ④ 피들러의 상황적응 모형, 허쉬와 블랜차드의 삼차원적 모형, 하우스와 에반스의 경로–목표이론은 모두 리더십 상황이론에 해당한다. 상황이론은 리더십의 효율성은 상황에 따라 달라진다고 보고 리더십의 효율성에 영향을 주는 상황요인을 규명하는데 초점을 둔 이론이며, 리더십의 행동유형에 효율성이라는 차원을 추가한 3차원적 이론(허쉬와 블랜차드의 삼차원적 모형, 하우스와 에반스의 경로–목표이론 등)도 상황론에 포함된다.

04
정답 : ②

② 카리스마적 리더십에서 추종자들이 근무성과의 목표를 높게 설정하는 점은 맞으나, 제도에 의해서가 아니라 자진해서 리더에게 복종한다.

① 변혁적 리더십에 대한 옳은 지문이다. 변혁적 리더십은 리더가 부하에 대해 개인적으로 존중한다는 것을 전달하며, 부하로 하여금 미래에 대한 비전을 열정적으로 수용하고 계속 추구하도록 전달한다.

③ 행태론적 접근법은 리더의 어떠한 행동이 추종자의 욕구를 만족시켜 집단의 성과를 높이는가에 대하여 연구한 이론이고, 상황론은 주어진 상황에 따라 리더의 특성과 리더십의 효율성의 관계가 달라진다고 본다.

④ 자질론은 리더만의 독특한 특성이나 자질을 파악하는 이론으로, 특성에는 지능, 인성뿐만 아니라 육체적인 특징도 포함된다.

05
정답 : ③

③ 아이오와 대학 모델, 오하이오 대학 모델, 미시간 대학 모델 등은 리더십 행태의 유형을 밝히고 리더십 행태와 추종자들의 업무성취와 만족 사이의 관계를 실증적으로 규명하는데 초점을 두는 행태론적 리더십모델이다.

① 특성이론은 선천적으로 타고난 자질이나 속성을 가진 자가 리더가 된다는 이론이다.

② 행태이론에서는 리더십은 타고난 자질이 아니라 후천적으로 길러질 수 있고 어떤 사람이든 훈련을 통하여 리더가 될 수 있다고 보는 이론이다.

④ Blake&Mouton의 관리망모델은 생산과 인간에 대한 관심을 기준으로 분류하였으며 눈에 보이지 않는 리더의 자질이나 능력보다는 지도자가 실제 어떤 행동유형을 보이고 있는가에 초점을 두는 대표적인 행태이론이다.

06
정답 : ④

④ Hersey & Blanchard의 생애주기이론은 리더의 행동을 관계행동(인간중심적)과 과업행동(과업중심적)으로 나누고 여기에 효율성이라는 차원을 추가한 3차원이론으로 행태론 이후에 상황론과 함께 등장한 이론이다.

①, ②, ③ 아이오와(Iowa) 주립대학 연구, 미시간대학교의 연구, Blake & Mouton의 관리그리드모형은 리더와 부하 간의 관계를 중심으로 하여 리더의 효과적인 행태규명에 초점을 두는 행태론에 해당한다.

포인트 정리

리더십 연구의 발달 과정

특성론 (속성론)	리더의 개인적 특성 및 자질에 초점
행태론	리더와 부하 간의 관계에 초점
상황론	리더의 행태 외에 상황적 요건에 초점
신속성론	속성론에 대한 기존 연구의 보완

행태론적 리더십 연구

아이오와 大	권위형, 민주형, 방임형 (Lippitt & White)
오하이오 大	구조설정과 배려를 기준으로 4가지 유형 제시
미시건大	직원(부하)중심형, 업무중심형(Likert)
Blake & Mouton	관리그리드모형에 의한 대표적인 리더십유형 5가지 제시

정답

03 ① 04 ② 05 ③ 06 ④

01 변혁적 리더십에 대한 설명으로 옳지 않은 것은?

2023 지방 9급

① 도전적 목표와 임무, 미래에 대한 비전을 추구하도록 격려한다.

② 구성원 개개인에게 관심을 가지고 배려한다.

③ 상황적 보상과 예외관리를 특징으로 한다.

④ 새로운 관점에서 문제를 재구성하고 해결책을 찾도록 자극한다.

02 리더십에 관한 설명 중 가장 옳지 않은 것은?

2020 경찰간부

① 행태론은 리더와 부하집단 사이의 관계에 초점을 맞춘다.

② 상황론의 예로 피들러(F.Fiedler)의 상황적응모형(이론), 하우스(R.J.House)의 경로–목표모형(이론) 등을 들 수 있다.

③ 통합이 강조되고 고도의 다양성과 적응성이 요구되는 탈관료제적 조직에서는 거래적 리더십보다 변혁적 리더십이 효과적일 가능성이 높다.

④ 상황론은 리더십이 상황의 변화를 가져온다는 것을 전제한다.

03 리더십에 대한 설명으로 옳지 않은 것은?

2019 국가 9급

① 특성론에 대한 비판은 지도자의 자질이 집단의 특성·조직목표·상황에 따라 완전히 달라질 수 있고, 동일한 자질을 갖는 것은 아니며, 반드시 갖춰야 할 보편적인 자질은 없다는 것이다.

② 행태이론에서는 눈에 보이지 않는 능력 등 리더가 갖춘 속성보다 리더가 실제 어떤 행동을 하는가에 초점을 맞춘다.

③ 상황론에서는 리더십을 특정한 맥락 속에서 발휘되는 것으로 파악해, 상황 유형별로 효율적인 리더의 행태를 찾아내기 위한 연구를 수행하였다.

④ 번스(Burns)의 리더십이론에서 거래적 리더십은 카리스마적 리더십을 기반으로 하므로 카리스마적 리더십과 중첩되는 측면이 있다.

01

③ 상황적 보상과 예외관리는 거래적 리더십의 특징이다.

거래적 리더십과 변혁적 리더십의 비교(Burns, Bass)

구분	거래적 리더십	거래적 리더십
지향 구조	관료제 조직	탈관료제 조직
권력의 원천	지위로부터 얻음	구성원들이 부여함
변화에 대한 태도	소극적, 회피적, 폐쇄적	변화지향(적극적, 창의적)
시간에 대한 태도	단기적, 현실지향적	장기적, 미래지향적
관리 방향	합리적 · 타산적 교환관계, 통제 지향	비전 제시, 자발적 동기유발
욕구 수준	하급욕구 만족	고급욕구 만족
의사소통	하향적, 수직적	다방향적, 상호작용
관리층	하위관리층, 중간관리층	최고관리층

02

④ 상황론은 기존의 행태론적 접근법이 상황적 조건에 따라 효과적인 리더의 행동이 달라질 수 있음을 간과하고 있다고 보았고, 상황의 변화가 리더십의 변화를 가져온다고 전제한다.
① 행태론은 리더와 부하 간의 관계를 중심으로 효과적 리더의 행태규명에 초점을 맞춘다.
② 상황론의 예로는 피들러(F.Fiedler)의 상황적합적 리더십, 하우스(R.J.House)의 경로-목표모형, 허시와 블랜차드의 리더십 상황이론 등이 있다.
③ 고도의 다양성과 적응성이 요구되는 탈관료제적 조직에서는 변화지향적이며, 환경적응지향적인 변혁적 리더십이 효과적일 가능성이 높다.

03

④ 번스(Burns)의 리더십이론에서 변혁적 리더십은 카리스마적 리더십을 기반으로 한다.
① 특성론에 대한 비판적 입장에 따르면 지도자의 자질이 조직의 상황에 따라 완전히 달라질 수 있고 지도자가 반드시 갖추어야 할 보편적인 자질을 규명하는 것은 곤란하며 반드시 갖춰야 할 자질은 없다고 본다.
② 행태이론은 리더의 보이지 않는 무형의 자질이나 능력보다 실제 관찰되는 행동에 초점을 둔다.
③ 상황론은 리더십의 효율성은 상황에 따라 달라진다고 보고 리더십의 효율성에 영향을 주는 상황요인을 규명하는데 초점을 둔다.

★ 포인트 정리

거래적 리더십 vs 변혁적 리더십

구분	거래적 리더십	변혁적 리더십
지향 구조	관료제 조직	탈관료제 조직
관리층	하위 · 중간 관리층	최고관리층
변화 · 시간에 대한 태도	소극적, 폐쇄적, 단기적	변화지향적, 장기적
관리 전략	합리적 · 타산적 교환관계, 통제지향	비전제시, 자발적 동기 유발

정답

01 ③ 02 ④ 03 ④

리더십에 대한 설명으로 옳은 것을 〈보기〉에서 모두 고르면? 2019 국회 9급

보기

ㄱ. 블레이크와 머튼(Blake &Mouton)은 관리그리드 모형에서 과업 지향, 인간관계 지향이라는 기준을 활용하여 리더십 유형을 분류하였다.
ㄴ. 허시(Hersey)와 블랜차드(Blanchard)의 경로—목표이론에 의하면 부하의 성숙도에 따라 리더의 역할이 달라져야 한다.
ㄷ. 거래적 리더십은 변혁적 리더십에 비해 의사소통이 하향적이며 수직적이다.
ㄹ. 피들러(Fiedler)는 상황적인 요소에 따라 효과적인 리더십의 유형이 달라짐을 주장하면서 리더십 유형을 지시적 리더십, 지원적 리더십, 참여적 리더십, 성취지향적 리더십으로 구분하였다.

① ㄱ, ㄴ   ② ㄱ, ㄷ
③ ㄴ, ㄷ   ④ ㄴ, ㄹ
⑤ ㄷ, ㄹ

05 변혁적 리더십(Transformational Leadership)에 관한 설명으로 옳지 않은 것은? 2015 행정사

① 변화를 지향하고 체제 개방적이다.
② 영감과 비전 제시, 공유에 의한 동기유발을 중시한다.
③ 지도자와 부하들 간의 합리적·타산적 교환관계를 중시한다.
④ 기계적 관료제 구조보다는 임시체제에 더 적합하다.
⑤ 리더의 카리스마, 구성원에 대한 지적 자극, 인간적인 관계 등이 어우러져 나타난다.

06 리더십 이론에 대한 설명으로 맞지 않은 것은? 2007 부산 9급

① 전환적(변환적) 리더십은 관리자와 부하 간에 상호교환에 초점을 맞춘다.
② 셀프 리더십은 스스로 문제를 발견하고 해결해 나가야 하는 정보화 사회의 리더십이다.
③ 최근에는 속성론이 다시 강조되고 있다.
④ 고전적 리더십이론과 행태론적 리더십이론은 유일 최선의 답이 있다고 본다.

04

정답 : ②

② ㄱ, ㄷ이 리더십에 대한 옳은 설명이다.

ㄱ. [O] 관리그리드 모형을 제시한 블레이크와 머튼은 과업지향, 인간관계 지향을 기준으로 하여 리더십 유형을 분류하였다.

ㄷ. [O] 거래적 리더십은 합리적·공리적 교환관계를 설정하여 추종자에게 영향력을 행사하는 것으로 변혁적 리더십에 비해 보수적·현상유지적이며 수직적·하향적으로 의사소통이 이루어진다.

ㄴ. [X] 허시와 블랜차드의 생애주기이론 의하면 부하의 성숙도에 따라 리더의 역할이 달라져야 한다. 한편 경로-목표이론은 하우스와 에반스가 제시한 리더십 모형이다.

ㄹ. [X] 피들러는 상황적인 요소에 따라 효과적인 리더십의 유형이 달라짐을 주장하면서 리더십 유형을 과업지향적 리더십과 관계지향적 리더십으로 구분하였다. 지시적 리더십, 지원적 리더십, 참여적 리더십, 성취지향적 리더십은 허시와 블랜차드의 생애주기이론에 해당한다.

05

정답 : ③

③ 지도자와 부하들 간의 합리적·타산적 교환관계를 중시하는 것은 거래적 리더십에 대한 설명이다.

① 변혁적 리더십은 개방적·적극적·창조적·변화지향적이다.

② 변혁적 리더십 중 영감적 리더십에 대한 설명이다.

④ 관료제 구조에는 거래적 리더십이 더 적합하며, 임시체제에는 변혁적 리더십이 적합하다.

⑤ 변혁적 리더십은 카리스마적 리더십, 지적 자극, 개별적 배려를 특징으로 한다.

06

정답 : ①

① 변환적 리더십이 아니라 전통적인 거래적 리더십에 해당한다.

② 셀프 리더십이란 스스로 문제를 발견하고 해결해 나가는데 주도적으로 참여하는 것으로 정보화사회에서 요구되는 리더십이다.

③ 1980년대 들어와서는 리더의 가치관이나 감정 등 속성에 초점을 둔 연구가 다시 등장하였으며 종래의 속성론과 달리 리더의 보편적 자질을 규명하는데 초점을 두지 않는다.

④ 고전적 리더십이론과 행태론적 리더십이론은 상황적 요건에 관심을 두지 않았다.

포인트 정리

변혁적 리더십의 구성요소

카리스마적 리더십	부하들에게 자긍심과 신념을 부여
영감적 리더십	• 부하가 미래에 대한 비전을 열정적으로 받아들이고 계속 추구하도록 격려 • 도전적 목표와 임무, 미래에 대한 비전 제시·공유
지적 자극	• 형식적 관례와 사고를 다시 생각해보게 함 • 영향의 이상화 (교환에 의한 보상보다는 심볼이나 상징을 이용)
개별적 배려	• 부하에 대한 특별한 관심 • 개개인의 특성 고려
촉매적 리더십	관행을 타파하고 창조적 사고와 새로운 관념을 촉발시키는 지적 자극 부여

정답
04 ② 05 ③ 06 ①

01 조직 내의 갈등관리에 관한 설명으로 가장 적절한 것은?　2020 경정승진

① 갈등관리 방안 중 협동(collaboration)은 갈등 당사자들이 서로 양보하여 갈등을 해결하는 것으로 분명한 승자나 패자가 없다.

② 갈등해소를 위한 경쟁(competition)전략은 신속하고 결단력이 필요한 경우나 구성원들에게 인기 없는 조치를 실행할 경우 사용될 수 있다.

③ 조직이 무사안일에 빠져있을 경우에는 타협(compromise)을 통해 갈등을 해소할 수 있다.

④ 조직 내 하위목표를 강조함으로써 갈등을 해소할 수 있다.

02 프렌치와 레이븐(French & Raven)이 주장하는 권력의 원천에 대한 설명으로 옳지 않은 것은?　2020 국가 9급

① 합법적 권력은 권한과 유사하며 상사가 보유한 직위에 기반한다.

② 강압적 권력은 카리스마 개념과 유사하며 인간의 공포에 기반한다.

③ 전문적 권력은 조직 내 공식적 직위와 항상 일치하는 것은 아니다.

④ 준거적 권력은 자신보다 뛰어나다고 생각하는 사람을 닮고자 할 때 발생한다.

03 조직 내부에서 발생하는 갈등에 대한 설명으로 가장 옳지 않은 것은?　2019 서울 7급

① 전통적인 시각에서 갈등은 비용과 비합리성을 초래하는 해로운 것이다.

② 조직 내 하위목표를 강조함으로써 갈등을 해소할 수 있다.

③ 새로운 아이디어 촉발, 문제 해결력 개선 등 순기능이 있다.

④ 행태론적 시각은 조직 내 갈등을 불가피하고 정상적인 것으로 간주한다.

01

정답 : ②

② 경쟁전략은 상대방의 이익을 희생하여 자신의 이익만을 추구하는 전략으로 신속하고 결단령이 필요한 경우나 인기 없는 조치를 실행할 경우에 적용할 수 있다.

① 갈등 당사자들이 서로 양보하여 갈등을 해결하는 것으로 분명한 승자나 패자가 없다고 보는 것은 타협전략이다.

③ 조직이 무사안일에 빠져있을 경우 건설적 갈등을 조장하는 전략이 필요하다.

④ 조직 내 상위목표를 강조함으로써 갈등을 해소할 수 있다. 한편 조직 내 하위목표를 강조할 경우 갈등이 발생할 수 있다.

02

정답 : ②

② 강압적 권력은 인간의 공포에 기반하지만, 카리스마 개념과 유사한 것은 아니다.

① 합법적 권력은 상사가 보유하고 있는 직위에 기반을 둔 것으로 Weber의 권위와 유사하다.

③ 전문적 권력은 직위와 직무를 초월하여 조직 내 누구나 가질 수 있는 권력이다.

④ 준거적 권력은 복종자가 권력행사자에 대해 일체 의식을 가지고 그와 닮은 행동을 하려고 할 때 나타나는 권력이다.

03

정답 : ②

② 조직 내 상위목표를 제시하거나 계층제 및 권위 등을 이용함으로써 갈등을 해소할 수 있다.

① 전통적 관점에서의 갈등은 해롭고 나쁜 것이며 부정적인 대상이므로 회피의 대상으로 보았다.

③ 갈등의 순기능적 관점에 따르면 갈등의 해결은 조직의 문제해결능력이나 창의력 등이 향상될 수 있다고 본다.

④ 행태론적 시각에서는 갈등은 자연적이고 불가피한 것이므로 수용의 대상으로 간주하며 갈등의 순기능을 인정한다.

정답
01 ② 02 ② 03 ②

04 다음 중 의사결정자가 각 대안의 결과를 알고는 있으나 대안 간 비교 결과 어떤 것이 최선의 결과인지를 알 수 없어 발생하는 개인적 갈등의 원인은? 2019 서울 9급

① 비수락성(unacceptability) ② 불확실성(uncertainty)

③ 비비교성(incomparability) ④ 창의성(creativity)

05 공식적 의사전달과 비공식적 의사전달의 장점에 대한 비교 중 가장 옳지 않은 것은? 2016 경찰간부

	공식적 의사전달	비공식적 의사전달
①	책임소재가 명확	관리자에 대한 조언 기능
②	상관의 권위 유지	공식적 의사전달 보완
③	신속한 전달	정책결정에 활용이 용이
④	의사소통이 객관적	배후사정을 소상히 전달

06 의사소통의 장애요인에 대한 설명으로 가장 옳지 않은 것은? 2015 해경간부

① 수신자의 선입관은 준거들을 형성하여 발신자의 의도를 왜곡할 수 있다.

② 시간의 압박, 의사전달의 분위기, 계서제적 문화는 의사전달에 영향을 미칠 수 있다.

③ 적절치 못한 용어의 사용, 의사전달기술의 부족 등 매체의 불완전성으로 인해 의사전달의 장애가 발생할 수 있다.

④ 의사전달과정에서 환류의 차단은 의사전달의 정확성을 제고할지는 모르나 신속성을 저해할 수 있다.

07 다음은 토머스(Thomas)가 제시한 대인적 갈등관리방안과 관련되는 내용이다. 각각의 내용이 바르게 연결된 것은? 2009 지방 9급

> ㄱ. 상대방의 이익을 희생하여 자신의 이익을 추구하는 경우이다.
> ㄴ. 자신의 이익이나 상대방의 이익 모두에 무관심한 경우이다.
> ㄷ. 자신과 상대방 이익의 중간 정도를 만족시키려는 경우이다.
> ㄹ. 자신의 이익을 희생하여 상대방의 이익을 만족시키려는 경우이다.

	ㄱ	ㄴ	ㄷ	ㄹ
①	강제	회피	타협	포기
②	경쟁	회피	타협	순응
③	위협	순응	타협	양보
④	경쟁	회피	순응	양보

04
정답 : ③

③ 각 대안의 결과는 알고 있으나 대안 간 비교 결과 어떤 것이 최선의 결과인지를 알 수 없어 발생하는 개인적 갈등은 비비교성(incomparability)에서 오는 갈등이다.

① 비수락성은 대안의 결과는 알 수 있으나 그 결과를 수용할 수 없거나 만족수준을 충족시키지 못할 때 오는 갈등이다.

② 불확실성은 대안이 초래할 결과를 알 수 없는 경우에 생기는 갈등이다.

④ 창의성은 개인적 갈등의 원인과 관련없는 내용이다.

05
정답 : ③

③ 비공식전달은 신속한 전달이 가능하지만 정보의 오류 가능성 등이 있어 정책결정에 활용하기 곤란하다. 한편 공식적 전달은 객관적이므로 정책결정에 활용하기 용이하다.

06
정답 : ④

④ 의사전달과정에서 환류를 차단하면 의사전달은 신속해지지만 정확성이 낮아져 왜곡이 발생할 수 있다.

① 수신자가 발신자를 불신하거나 성급하게 판단할 때, 발신자가 위협적 표현을 사용할 경우 고의적인 왜곡이 발생할 수 있다.

② 과중한 업무로 시간이 부족하거나 계층제적 조직문화 등은 의사전달에 영향을 미칠 수 있다.

③ 부적절한 용어의 사용, 부정확한 정보전달 등의 요인으로 인해 의사전달의 장애가 발생할 수 있다.

07
정답 : ②

② ㄱ – 경쟁, ㄴ – 회피, ㄷ – 타협, ㄹ – 순응이 옳게 연결되었다.

ㄱ. 경쟁은 자신의 이익을 추구하고 상대방의 이익은 희생시키는 경우이다.

ㄴ. 회피는 자신의 이익과 상대방의 이익 모두 무관심한 경우이다.

ㄷ. 타협은 자신과 상대방 이익의 중간 정도를 만족시키는 경우이다.

ㄹ. 순응은 자신의 이익은 희생하고 상대방의 이익은 만족시키는 경우이다.

포인트 정리

Simon & March의 개인적 갈등의 원인과 유형

비수락성	대안의 결과는 알 수 있으나 그 결과를 수용할 수 없을 때 오는 갈등
비비교성	대안의 결과는 알 수 있으나 어떤 대안이 바람직한지 그 결과를 비교할 수 없을 때 오는 갈등
불확실성	대안의 결과를 알 수 없을 때 생기는 갈등

공식적 의사전달 vs 비공식적 의사전달

구분	공식적 의사전달	비공식적 의사전달
장점	• 책임소재가 명확 • 편리하고 객관적인 의사전달 • 상관의 권위 유지 • 정보나 근거 보존 용이 • 정책결정에 활용 용이	• 신속한 전달 • 관리자에 대한 조언 • 상황에의 융통성과 적응력이 높음 • 배후사정을 자세히 전달가능
단점	• 경직적이며 형식주의에 빠지기 쉬움 • 변동하는 사태에 적응력이 낮음	• 책임소재 불분명 • 기밀 유지가 곤란 • 정보의 오류 가능성 • 공식적 의사전달 마비 • 조정·통제 곤란

토마스(Thomas)의 2차원 갈등관리방안

회피	자신의 이익과 상대방의 이익 모두 무관심한 갈등전략
경쟁	자신의 이익을 추구하고 상대방의 이익은 희생시키는 갈등전략
순응	자신의 이익은 희생하고 상대방의 이익은 만족시키는 갈등전략
협동	자신과 상대방 이익 모두 만족시키는 갈등전략
타협	자신과 상대방 이익의 중간 정도를 만족시키는 갈등전략

정답

04 ③ 05 ③ 06 ④ 07 ②

08 포도덩굴 커뮤니케이션으로 불리는 비공식적 의사소통의 특징으로 볼 수 없는 것은? 2009 서울 7급

① 왜곡된 정보를 전달할 가능성이 있다.

② 공식적 의사소통의 결함을 보완할 수 있다.

③ 관리차원에서 중요한 의미를 가진다.

④ 많은 조직에서 실제 의사결정과정에 활용된다.

⑤ 공식적 권위를 유지·향상 시키는데 기여한다.

09 집단 간 갈등의 해결방법으로 부적합한 것은? 2007 부산소방

① 문제의 해결   ② 상위목표의 제시

③ 자원의 증대   ④ 구조적 분화와 전문화

10 다음의 의사소통 유형에 대한 설명 중 적절하지 못한 것은? 2005 울산 9급

① 공식적 의사소통은 공식조직 내에서 공식적 통로와 수단에 의하여 전달되는 것이다.

② 전통적 행정이론은 상의하달적 의사소통에 중점을 두고 있다.

③ 횡적(수평적) 의사소통은 계층제에 있어서 동일한 수준에 있는 개인 또는 집단 간에 행하여지는 의사소통이다.

④ 비공식 의사소통으로 소문이나 풍문 등이 있다.

⑤ 상의하달적 의사소통으로 보고, 내부결재제도, 제안제도 등이 있다.

CHAPTER 18   **정보공개**   기출 필수 코스

01 우리나라 정보공개제도에 대한 설명으로 올바른 것은? 2013 군무원

① 일부 지방자치단체의 정보공개정도는 국가의 정보공개제도보다 앞서 도입되었다.

② 국회, 법원, 헌법재판소의 정보는 공개청구의 대상에서 제외되어 있다.

③ 외국인의 명의로는 우리나라의 정보공개제도를 이용할 수 없다.

④ 지방자치단체를 포함한 공공기관은 직무상 작성, 취득하여 관리하고 있는 정보에 대해 공개의 청구가 있으면 이에 따라야 한다.

08

정답 : ⑤

⑤ 포도덩굴형 커뮤니케이션이란 일정한 공식적인 경로없이 자유롭게 이루어지는 비공식 의사소통을 말하는 것으로 이는 상관의 공식적 권위가 손상된다는 한계가 있다.

① 비공식적 의사전달은 책임소재가 불분명하기 때문에 왜곡된 정보를 전달할 수 있고 이를 개인목적에 악용할 가능성도 있다.

② 공식적 의사소통은 신축성이 없고 형식화되기 쉬운 반면 비공식적 의사전달은 구성원 간 대면적 접촉 등을 통해 이루어지므로 공식적 의사소통의 단점을 보완할 수 있다.

③ 비공식적 의사전달은 의사소통 과정에서 긴장과 소외감을 극복하고 조직 내 직원들의 동태 파악 등에 유리하므로 관리차원에서 중요한 의미를 가진다.

④ 비공식적 의사전달은 자생적으로 발생하므로, 최근에는 실제 의사결정이나 직원 관리 등에 많이 활용되기도 한다.

09

정답 : ④

④ 조직구조의 지나친 분화와 전문화는 할거주의를 초래하여 오히려 갈등을 야기시킨다.

① 갈등을 일으킨 당사자들이 직접접촉을 통해 공동문제를 해결하는 것이다.

② 갈등 당사자들에게 공동의 상위목표를 제시한다.

③ 희소자원을 차지하려는 경쟁 시 자원을 늘리는 방법이다.

10

정답 : ⑤

⑤ 보고, 내부결재(품의제도), 제안제도 등은 하의상달적 의사소통이다.

① 공식적 의사소통의 개념이다.

② 상관이나 상급기관이 그 의사를 하급자나 하급기관에 전달하는 것으로 지시·훈령·예규 등의 명령이나 일반정보를 예로 들 수 있다.

③ 수평적 의사소통의 개념이다. 법령개정 협의, 회람, 회의 등이 있다.

④ 비공식 의사소통은 구성원 간 현실적인 접촉이나 대인관계에 의하여 형성되는 자생적 의사전달이다.

01

정답 : ①

① 우리나라는 청주시가 1992년 최초로 정보공개조례를 제정하였다. 한편 국가의 정보공개는 1996년 정보공개법의 제정으로 시작되었다.

② 국회, 법원, 헌법재판소 등 헌법상 독립기관도 원칙적으로 정보공개 청구 대상에 포함된다.

③ 외국인도 일정한 경우 청구 가능하다.

④ 청구가 있다고 하여 모두 공개하는 것이 아니라 청구를 받은 날부터 10일 이내에 공개여부를 심의하여 결정한다.

정답
08 ⑤ 09 ④ 10 ⑤ 01 ①

02 행정정보공개에 대한 설명으로 옳지 않은 것은?

2012 지방 7급

① 국민생활에 큰 영향을 미치는 정책정보는 청구가 없더라도 공개해야 한다.

② 유비쿼터스(ubiquitous) 정부의 실현은 행정정보공개제도의 실질적 구현에 긍정적인 영향을 미칠 수 있다.

③ 행정정보공개의 확대는 공무원의 도전적이고 적극적인 행태를 조장한다.

④ 정보공개청구제도는 특정 청구인을 대상으로 한다.

03 행정정보공개의 문제점으로 볼 수 없는 것은?

2005 서울 9급

① 행정비용의 증가를 초래한다.

② 정보공개 혜택의 불공평성을 초래할 수 있다.

③ 공무원이 업무수행에 있어서 소극적이고 위축될 우려가 있다.

④ 공무원의 업무량이 감소된다.

⑤ 행정적 책임을 회피하기 위해 정보를 변조하거나 왜곡할 수 있다.

CHAPTER 19 행정PR, 행정참여 등

기출 필수 코스

01 행정PR에 대한 설명 중 가장 옳지 않은 것은?

2011 경정승진

① 행정이념의 하나인 민주성과 깊은 관련이 있다.

② 국민의 비판적 여론을 억제할 수 있어야 한다.

③ 행정에 대한 국민의 호의적 반응이나 지지를 얻기 위해 하는 것이다.

④ 사회적 책임이나 공익과 일치되어야 한다.

02 공공관계(PR)에 대해 틀린 것은?

2005 광주 9급

① 정부시책에 대해 국민의 호의적 반응이나 지지를 얻기 위해 하는 것이다.

② 일방적으로 정부활동을 홍보하는 것이다.

③ 화재경보적 성격을 띠어서는 안된다.

④ 정부시책에 대한 예측을 가능하게 해준다.

02

③ 정보공개제도의 확대는 자신의 실책과 무능을 가리기 위하여 공무원들이 오히려 소극적인 근무자세로 일관하게 된다는 단점이 있다.

① 정보공개는 공공기관이 보유·관리하는 주요 정책·사업, 예산집행 등에 관한 정보를 자발적으로 공표하는 제도로, 국민생활에 큰 영향을 미치는 정보공개는 청구가 없더라도 공개하여야 한다.

② 유비쿼터스(ubiquitous) 정부는 전자정부의 발전형태로서 언제 어디서나 중단없는 정보서비스를 제공하므로 행정정보를 국민에게 보다 편리하게 제공할 수 있다.

④ 정보공개는 정보공개청구권자의 청구에 의해 정보를 소극적·수동적으로 제공한다.

03

④ 정보공개제도는 이를 운영함에 있어 행정비용 및 시간이 증대되고 관련 업무량이 늘어난다.

① 정보공개제도를 운영하는 데 비용이 많이 들고 행정의 부담이 늘어난다.

② 개인과 집단에 따라 정보접근 능력에 차이(디지털 격차)가 있기 때문에 정보공개의 혜택 배분이 형평성을 잃을 수 있다.

③ 투명성의 강요로 공무원의 업무자세가 위축될 우려가 있다.

⑤ 정보의 왜곡 문제가 있다.

01

② 행정PR은 비판을 수용할 수 있어야 하며, 정부시책의 홍보, 여론조종 등은 행정PR의 정당한 목적이 아니다.

① 오늘날 정부는 국민에 대한 보고의무를 지고 있으며, 시민은 보고를 받을 권리가 있다.

③ 국민의 이해와 수용을 추구한다.

④ 사회적 책임이나 공익과 일치되어야 하며, 권력자를 위한 수단으로 활용하는 등 개인적·정치적 목적으로 이용해서는 안 된다.

02

② 일방적인 정부시책 홍보는 행정PR의 본질과는 거리가 멀다. 공공관계(PR)는 국민에게 알리고 국민 의견을 듣는 상호작용이다.

① 국민의 이해와 수용을 추구한다.

③, ④ 정부시책에 대한 예측가능성 증대 및 사후 화재경보가 아닌 환경적 변화의 예측을 돕는 조기 경보체제로서의 역할을 수행한다.

정답

02 ③ 03 ④ 01 ② 02 ②

01 거시조직이론 분류 중 임의론에 해당하는 것은?
2020 경찰간부

① 구조적 상황론

② 조직군 생태학이론

③ 전략적 선택이론

④ 조직경제학(대리인이론 및 거래비용이론)

02 조직이론에 대한 설명으로 옳지 않은 것은?
2018 지방 9급

① 구조적 상황이론 – 상황과 조직특성 간의 적합 여부가 조직의 효과성을 결정한다.

② 전략적 선택이론 – 상황이 구조를 결정하기보다는 관리자의 상황 판단과 전략이 구조를 결정한다.

③ 자원의존이론 – 조직의 안정과 생존을 위해서 조직의 주도적·능동적 행동을 중시한다.

④ 대리인이론 – 주인·대리인의 정보 비대칭 문제를 해결하기 위해 대리인에게 대폭 권한을 위임한다.

03 다음 중 거시적 조직 이론에 대한 설명으로 가장 옳지 않은 것은?
2016 서울 9급

① 전략적 선택이론은 임의론이다.

② 조직군생태론은 자연선택론을 취한다.

③ 조직군생태론은 결정론적이다.

④ 전략적 선택이론의 분석 단위는 조직군이다.

04 자원의존이론에 대한 설명 중 옳지 않은 것은?
2016 경찰간부

① 조직과 환경과의 관계에서 조직의 전략적 선택을 중요시한다.

② 조직은 자원을 획득하는 데 그 환경에 의존한다고 본다.

③ 조직의 존속, 발전, 소멸의 이유를 환경에 대한 조직적합도에서 찾았다.

④ 조직은 능동적으로 환경에 영향을 미치려고 한다고 전제한다.

01

정답 : ③

③ 전략적 선택이론은 임의론이며, 전략적 선택관점이다.

① 구조적 상황론은 결정론이며, 체제구조적 관점이다.

② 조직군 생태학이론은 결정론이며, 자연적 선택관점이다.

④ 조직경제학은 결정론이며, 자연적 선택관점이다.

02

정답 : ④

④ 대리인 이론은 주인과 대리인 간의 비대칭적인 정보와 상충적인 이해관계로 주인에게 대리손실이 발생하기 때문에 이를 최소화하는 것을 연구하는 이론으로, 주인·대리인의 정보 비대칭의 문제를 해결하기 위해 대리인에 대한 인센티브를 제공하거나 감시 및 통제 등을 강화해야 한다.

① 구조적 상황이론은 조직설계의 최선의 방법은 조직이 관계해야 하는 환경에 달려있다고 보는 결정론적 이론으로, 처해 있는 상황에 따라 구조 및 전략이 달라져야 효과성이 높아진다고 본다.

② 전략적 선택이론은 조직구조의 변화는 외부환경 변수보다 조직 내 정책결정자의 상황판단과 전략에 의해 결정된다고 본다.

③ 자원의존이론은 조직을 주도적·능동적으로 환경에 대처하며 그 환경을 조직에 유리하도록 관리하려는 존재로 본다.

03

정답 : ④

④ 전략적 선택이론의 분석 단위는 조직군이 아니라 개별조직이다.

① 전략적 선택이론은 조직구조의 변화가 외부 환경보다는 조직 내 정책 결정자의 상황판단과 전략에 의해 결정된다고 보는 임의론이다.

② 조직군생태론은 자연선택론(인구생태학적 모형)의 관점이다.

③ 조직군생태론은 조직군을 분석단위로 하는 결정론적 입장을 취한다.

04

정답 : ③

③ 조직의 존속, 발전, 소멸의 이유를 환경에 대한 조직적합도에서 찾은 것은 조직군생태학이론에 대한 설명이다.

① 자원의존이론은 환경에 대해 임의론적 관점으로, 조직과 환경과의 관계에서 주도적·능동적·전략적 선택을 중시한다.

② 자원의존이론에 따르면 조직은 자원을 획득하는 데 있어 그 환경에 의존하므로 전략적 선택을 중시한다.

④ 자원의존이론에 따르면 조직은 능동적으로 환경에 영향을 미치려고 한다고 가정한다.

포인트 정리

조직환경이론

분석 수준	결정론	임의론
조직군	• 조직경제학 • 조직군 생태학 이론	• 공동체 생태학이론
개별 조직	• 구조적 상황이론	• 전략적 선택이론 • 자원의존이론

정답

01 ③ 02 ④ 03 ④ 04 ③

05 주인과 대리인 관계에서 나타나는 여러 문제를 다루기 위하여 제기된 대리인 이론(Agency Theory)에 대한 설명과 가장 거리가 먼 것은?

2014 사복 9급

① 주인과 대리인 모두 자신의 이익을 극대화하려는 합리적 행위자이다.

② 대리인의 선호가 주인의 선호와 일치하지 않을 수 있다.

③ 대리인에게 불리한 선택으로 인한 문제 해결에 초점을 둔다.

④ 주인과 대리인 간에는 정보의 비대칭성이 존재한다.

06 거시조직이론에 대한 다음 설명 중 사실과 다른 것은?

2012 서울 7급

① 구조적 상황론은 결정론적 이론이다.

② 전략적 선택이론은 임의론적 이론이다.

③ 조직경제학은 결정론적 이론에 해당한다.

④ 자원의존이론은 관리자를 주어진 환경에 무기력한 존재로 본다.

⑤ 공동체생태학이론은 관리자들의 능동적 상호작용을 중시한다.

07 조직군생태이론에 대한 설명으로 옳지 않은 것은?

2012 지방 7급

① 조직은 환경을 선택하는 능동적인 존재이다.

② 조직변화는 종단적 분석에 의해서만 검증 가능하다고 전제한다.

③ 조직이 생겨나고 없어지는 원인을 환경적 적합도에서 찾는다.

④ 전략적 선택이나 집단적 행동의 중요성을 경시한다.

08 Fred E.Emery와 Eric L.Trist는 조직환경의 복잡성과 변화율을 중심으로 환경유형을 분류하였다. 이에 관한 내용으로 가장 옳은 것은?

2005 서울 7급

① 평온 – 집합적 환경은 변화의 속도는 느리지만, 조직에게 유리한 요소와 위협적인 요소들이 무리를 지어 집합적으로 존재하는 환경이다.

② 교란 – 반응적 환경에서는 조직은 환경에 크게 구애받지 않고 조직에 유리한 환경요소를 선택하여 조직의 계획을 수행해 나갈 수 있다.

③ 평온 – 무작위적 환경에서는 조직은 좀더 장기적인 안목으로 전략을 수립하여 환경에 대응해 나가야 한다.

④ 격변적 환경은 비슷한 목표를 추구하는 경쟁조직들이 많이 존재하는 환경이다.

⑤ 평온 – 무작위적 환경에서는 환경의 구성요소들의 상호 관련성이 매우 높다.

05

③ 주인·대리인이론은 주인에게 불리한 선택을 하는 문제를 해결하는 것에 초점을 둔다.

① 인간을 합리적인 경제주체로 가정한다.

② 각자의 선호가 불일치한다.

④ 주인의 대리인에 대한 정보부족이 발생한다.

06

④ 자원의존이론은 관리자가 환경을 자신이 원하는 방향으로 재구성해나가는 능동적인 주체로 가정하는 임의론에 해당한다.

①, ③ 구조적 상황론, 조직군생태학이론, 조직경제학은 결정론적 관점이다.

② 전략적 선택이론, 자원의존이론, 공동체생태학이론은 임의론적 관점이다.

⑤ 공동체생태학이론에서 조직의 관리자들은 가능하면 환경의 제약으로부터 더 많은 자율성과 재량권을 획득하기 위하여 외부적인 의존관계를 관리하려고 한다.

07

① 조직군생태이론에서는 조직이 환경을 선택하는 능동적 존재가 아니라 환경이 조직을 선택하는 수동적인 존재로 가정된다. 따라서 조직군생태이론은 극단적인 환경결정론에 해당한다.

② 종단적 분석은 연구대상을 둘 이상의 다른 시점에서 평가하는 것으로, 조직군생태론은 외부 환경의 선행원인에 의하여 조직의 변화가 나타나므로 시계열적인 종단적 분석에 의해서만 조직의 변화를 설명할 수 있다고 전제한다.

③ 조직군생태론은 환경의 수용능력인 환경적소에 의해 조직의 생존 및 성공이 달라진다고 본다.

④ 조직이 생겨나고 없어지는 원인을 환경적합도에서 찾으므로 전략적 선택이나 집단행동의 중요성을 간과한다는 단점이 있다.

08

① 평온 - 집합적 환경에 대한 설명이다.

② 교란 - 반응적 환경은 동태적 환경으로 조직은 환경에 크게 영향을 받게되는 단계이다.

③ 평온 - 무작위적 환경은 가장 안정적이고 고전적인 환경이기 때문에 조직은 장기적인 안목으로 전략을 수립할 필요가 없이 계층제적 구조와 표준화된 전략으로 대응해 나가도 된다.

④ 동태적 환경에 대한 설명이다.

⑤ 평온 - 무작위적 환경에서는 환경의 구성요소들의 상호 관련성이 매우 낮고 경쟁적이다.

포인트 정리

Emery & Trist의 조직환경 분류

정적·임의적 환경 (평온·무작위적)	안정, 무작위적 분포
정적·집약적 환경 (평온·집합적)	안정, 군집화
교란·반응적 환경	역동적 환경
격동의 장	동태적·불확실성이 높은 환경

정답

05 ③ 06 ④ 07 ① 08 ①

01 조직발전(OD)에 대한 설명으로 가장 옳지 않은 것은?

2020 해경승진

① 조직구성원의 행태변화를 통하여 조직의 생산성과 환경에의 적응능력을 향상시키는 것을 목표로 한다.

② 문제해결 역량을 개선하려는 지속적이고 장기적인 노력이다.

③ 과정지향적이며 아래로부터의 자율적이고 자발적인 접근방법이다.

④ 조직 내·외부의 컨설턴트를 참여시켜 개혁추진자의 역할을 맡게 한다.

02 감수성훈련에 대한 다음 설명 중 틀린 것은?

2012 대구전환특채

① OD(조직발전)의 주요기법 중 하나이다.

② 대집단을 대상으로 하는 교육훈련기법이다.

③ 행태전문가의 역할이 중요하다.

④ 태도변화효과의 전이가 용이하지 않다.

03 조직 발전에 대한 설명 중 옳지 않은 것은?

2010 국회 9급

① 조직의 인간적 측면을 중요시하며 인간의 잠재력을 최대한으로 개발함으로써 조직 전체의 개혁을 도모하려는 체제론적 접근방법이다.

② 실천적인 문제를 해결하려는 응용행태과학의 한 유형이다.

③ 행태과학적 지식과 기술에 조예가 있는 상담자(consultant)를 참여시켜 그로 하여금 개혁추진자의 역할을 맡게 한다.

④ 조직발전은 결과지향적이며 목표를 달성하는 과정보다 결과를 중시한다.

⑤ 실제적인 자료를 중시하는 진단적 과정이며 경험적 자료를 바탕으로 실천계획을 수립한다.

04 조직발전(OD)에 관한 설명으로 옳지 않은 것은?

2003 국가 7급

① 성장이론의 편견이 반영되었다.

② 조직 속의 인간을 X이론식으로 가정하여 통제, 교화시켜야 한다.

③ 문화적 갈등이 발생할 수 있다.

④ 기존 권력구조 강화에 악용될 수 있다.

01

정답 : ③

③ 조직발전은 최고관리층의 참여와 배려 하에 상위계층에서부터 하향적으로 진행된다.

① 조직발전은 조직구성원의 가치관·태도 등의 행태를 의도적·계획적으로 변화시켜 조직의 환경변화에 대한 대응능력과 문제해결능력을 향상시키려는 관리전략이다.

② 조직발전은 최고관리층에서 하위계층에 이르는 전체적이고 통합적인 목표와계획을 수립하는 지속적·장기적 변화를 노력한다.

④ 조직발전은 조직 내·외부의 변화관리자(OD전문가, 변동컨설턴트)를 참여시켜 개혁의 변동을 담당하게 한다.

02

정답 : ②

② 감수성훈련은 외부와는 차단된 제3의 장소에서 실험집단, 즉 T-그룹이라 일컬어지는 소집단을 대상으로 이루어지는 의도적이고 계획적인 행태변화기법이자 교육훈련기법이다.

① OD의 기법으로는 태도조사환류, 감수성 훈련, 팀형성 등이 있다.

③ 행태과학적 지식에 조예가 깊은 상담자로 하여금 개혁추진자의 역할을 하게 한다.

④ 감수성훈련은 직무장소와는 다른 인위적이고 전형적인 실험실에서 이루어지는 것이므로 그 효과를 실제 근무 장소로 옮겨야 하는 과제를 안고 있으며 이러한 전이가 용이하지 않다는 한계가 있다.

03

정답 : ④

④ 결과지향적이며 목표를 달성하는 과정보다 결과를 중시하는 것은 조직발전(OD)이 아니라 목표관리(MBO)이다.

① 조직을 하나의 체제로 보고 총체적 체제의 개선을 목적으로 하는 체제론적 관점이다.

② 구성원의 행태변화를 통해 조직의 환경변화에 대한 대응능력과 문제해결 능력을 향상시키려는 행태과학의 응용이다.

③ 상담자나 고급관리자 등의 활용과 조직구성원의 적극적인 참여와 협력을 특징으로 하며 상담자로 하여금 개혁추진자의 역할을 하도록 한다.

⑤ 장기적·지속적 추진을 통해 조직의 문제해결능력과 변화대응능력 및 효과성을 제고하여 실천계획을 수립한다.

04

정답 : ②

② OD는 MBO 등과 함께 Y이론에 바탕을 두는 민주적 관리전략을 사용한다.

① McGregor의 Y이론적 인간관과 성장이론에 입각한다.

③ 조직발전의 가정은 동기부여에 의한 성장이론과 상호신뢰와 협력 등의 조직문화를 근거로 하므로, 동기요인 추구자가 별로 없으면 효과가 없으며 조직 내의 경쟁과 권력요인을 경시할 수 있다.

④ 최고층이 건전하지 못한 목적을 가지고 접근할 경우 기존의 권력구조 강화수단으로 악용될 소지가 있다.

정답

01 ③ 02 ② 03 ④ 04 ②

01 조직구조 유형 중 팀(Team)제에 대한 설명으로 가장 적절하지 않은 것은? 2021 경정승진

① 계층을 축소하여 수평적인 구조를 추구한다.

② 전통적 조직에서는 상명하복과 지시가 일반적이지만, 팀제에서는 상호 충고와 토론을 강조한다.

③ 업무결과에 대한 팀원 개개인의 책임이 강조된다.

④ 신속한 의사결정이 가능하다.

02 매트릭스 조직에 대한 설명으로 옳지 않은 것은? 2020 군무원 9급

① 이중의 명령 및 보고체제가 허용되어야 한다.

② 기능부서의 장과 사업부서의 장이 자원배분권을 공유할 수 있어야 한다.

③ 조직구성원 간 원만한 인간관계 형성에 기여한다.

④ 조직의 성과를 저해하는 권력투쟁이 발생하기 쉽다.

03 네트워크구조가 가지는 일반적인 장점에 대한 설명으로 가장 옳지 않은 것은? 2019 서울 9급

① 조직의 유연성과 자율성 강화를 통해 창의력을 발휘할 수 있다.

② 통합과 학습을 통해 경쟁력을 제고할 수 있다.

③ 조직의 네트워크화를 통해 환경 변화에 따른 불확실성을 감소시킬 수 있다.

④ 조직의 정체성과 응집력을 강화시킬 수 있다.

04 애드호크라시(adhocracy)에 대한 설명 중 가장 옳지 않은 것은? 2017 사복 9급

① 일상적 업무 수행의 내부 효율성을 제고한다.

② 구성원의 능력을 최대한 발휘하게 하여 혁신을 촉진할 수 있다.

③ 동태적이고 복잡한 환경에 적합한 조직구조이다.

④ 낮은 수준의 공식화를 특징으로 하는 유기적 조직구조이다.

01

정답 : ③

③ 팀제에서는 팀장에 대한 대폭적인 권한 위임이 발생하며 핵심과정에 대한 전체적인 책임은 각 과정의 조정자가 지므로 개인의 창의력 및 업무의 효율성이 제고된다.

① 팀제는 환경변화에 유동성 있게 대응하기 위해 유기적인 행태로 운영되는 수평적 임시조직이다.

② 전통적 기능조직에서는 상명하복 및 독점과 지시 등이 일반적이지만, 팀제에서는 상호충고 및 공유 등을 강조한다.

④ 팀제는 의사결정단계의 축소로 인해 신속한 의사결정이 가능하다.

02

정답 : ③

③ 기능부서와 사업부서 간에 마찰과 갈등이 발생할 수 있으며 구성원간의 역할갈등 및 과업조정의 어려움이 발생할 수 있으며 조직구성원 간 원만한 인간관계를 형성하기 곤란하다.

① 매트릭스 조직은 기능구조와 사업구조를 화학적으로 결합한 것으로 명령통일의 원리가 배제되고 이중의 명령 및 보고체계가 허용되어야 한다.

② 기능부서의 장과 사업부서의 장이 자원배분에 관한 권력을 공유할 수 있어야 한다.

④ 계선과 참모의 구분이 모호하고 권력 투쟁이 발생하고 역할모호성으로 인해 성과가 저해될 우려가 있다.

03

정답 : ④

④ 네트워크구조는 조직의 정체성이 약하고 응집력 있는 조직구조를 만드는 데 불리하다.

① 네트워크구조는 환경변화 유연하게 적응하고 신속하게 대응할 수 있으며 개방적 의사전달과 자율적 관리로 창의력을 증진시킬 수 있다.

② 통합과 지속적 학습을 통해 조직의 경쟁력을 높일 수 있다.

③ 조직의 네트워크화를 통해 상호신뢰가 제고되며 이로 인해 환경변화 등에 신축적으로 대응할 수 있으며 불확실성을 감소시킬 수 있다.

04

정답 : ①

① 애드호크라시는 동태적 환경에 적합한 조직으로 일상적 업무 수행의 내적 효율성을 추구하지 않으며 구조나 역할 등이 유동적·잠정적이므로 관료제 조직에 비해 효율성이 낮다고 볼 수 있다. 한편 일상적 업무 수행의 내부 효율성을 제고하는 것은 기계적 구조와 같은 관료제 조직의 특징이다.

정답

01 ③ 02 ③ 03 ④ 04 ①

05 다음 조직구조의 유형들을 수직적 계층을 강조하는 구조에서 수평적 조정을 강조하는 구조로 옳게 배열한 것은?

2017 사복 9급

(ㄱ) 네트워크 구조	(ㄴ) 매트릭스 구조
(ㄷ) 사업부제 구조	(ㄹ) 수평구조
(ㅁ) 관료제	

① (ㄷ) − (ㅁ) − (ㄴ) − (ㄹ) − (ㄱ) 　② (ㄷ) − (ㅁ) − (ㄹ) − (ㄱ) − (ㄴ)

③ (ㅁ) − (ㄷ) − (ㄴ) − (ㄹ) − (ㄱ) 　④ (ㅁ) − (ㄷ) − (ㄹ) − (ㄴ) − (ㄱ)

06 학습조직과 관련된 설명으로 옳지 않은 것은?

2016 교행 9급

① 개방체계와 자아실현적 인간관에 기반한다.

② 자극−반응적 학습을 주된 방법으로 활용한다.

③ 역량기반 교육훈련제도의 대표적인 방식으로 활용되고 있다.

④ 핵심가치는 의사소통과 수평적 협력을 통한 조직의 문제 해결이다.

07 매트릭스(matrix) 조직구조의 특징으로 옳지 않은 것은?

2014 지방 9급

① 잦은 대면과 회의를 통해 과업조정이 이루어지기 때문에 신속한 결정이 가능하다.

② 구성원들은 다양한 경험을 통해 전문기술을 개발하면서, 넓은 시야와 목표관을 가질 수 있다.

③ 급변하는 환경변화에 탄력적으로 대응할 수 있다.

④ 경직화되어 가는 대규모 관료제 조직에 융통성을 부여해 줄 수 있다.

08 학습조직을 구현하기 위한 조직관리 기법으로 가장 옳은 것은?

2010 지방 9급

① 정책집행의 합법성을 강조한 책임행정의 확립

② 부분보다 전체를 중시하고 의사소통을 원활하게 하는 공동체문화의 강조

③ 성과주의를 제고하기 위한 성과급제도의 강화

④ 신상필벌을 강조한 행정윤리 강화

05

③ Daft는 "기계적 구조-기능구조-사업구조-매트릭스구조-수평구조-네트워크구조-유기적 구조" 순으로 수평적 조정을 중시한다고 보았다.

06

② 자극-반응적 학습은 고전적 조직이론에서 말하는 것이다. 학습조직은 자발적 학습과 관련된다.

① 학습조직에서는 열린 생각을 할 수 있도록 스스로의 노력에 의한 자기개발과 시스템 사고에 입각한 개방체계를 강조한다.

③ 학습조직은 역량기반 교육훈련제도의 방식으로 활용되고 있다.

④ 학습조직은 수평적 조직구조를 강조하면서 협력적인 문제해결방식을 핵심가치로 한다.

07

① 이중적 명령체계로 인해 잦은 대면과 회의를 통해 과업조정이 이루어지므로 신속한 결정이 곤란하다.

② 조직 구성원들은 다양한 업무를 수행하는 과정에서 전문기술 능력을 개발하고 넓은 시야를 가질 수 있다.

③ 매트릭스 구조는 기능구조의 전문성과 사업부서의 신속한 대응성이 동시에 필요하게 되면서 등장한 조직형태로, 불안정하고 급변하는 환경에 탄력적으로 대응할 수 있다.

④ 매트릭스 구조도 탈관료제모형의 하나로 융통성과 적응성이 높은 유기적 구조에 해당한다.

08

② 학습조직은 개인학습보다는 조직학습을 통하여 정보를 공유하고 구성원 간 소통을 통한 공동체문화를 지향한다.

① 공식적이고 표준화된 법률을 중시하지 않는다.

③ 결과만을 중시하는 성과중심의 관리도 아니다.

④ 억압이나 통제, 물질적 보상을 중시하는 전통적 관리와는 다르다.

조직론

PART 3

해커스공무원 마니행정학 기출 빅데이터 기본서

정답
05 ③ 06 ② 07 ① 08 ②

네트워크 조직의 특징을 설명한 것으로 가장 거리가 먼 것은?

2009 국가 7급

① 수평적, 공개적 의사전달이 강조된다.

② 고도의 적응성과 유연성을 가진 유기적 구조를 가진다.

③ 외부기관과의 협력이 강화되기 때문에 대리인 문제의 발생 가능성이 낮다.

④ 의사결정체계는 분권적이며 동시에 집권적이다.

10 조직의 구조가 과업, 기능, 지리가 아닌 핵심과정에 기초하고 있어서, 핵심과정에 대한 책임을 각 과정조정자가 지게 되는 조직구조는?

2009 국회 8급

① 네트워크 구조   ② 수평구조

③ 기능구조   ④ 사업구조

⑤ 매트릭스 구조

11 다음 중 이음매 없는 조직을 설명한 것이 아닌 것은?

2007 경북 9급

① 종합적 직무   ② 개별적·단계적 직무수행

③ 다양한 서비스 제공   ④ 분권적 팀조직

12 정보사회에 등장하고 있는 가상조직과 관련하여 옳지 못한 것은?

2005 경기 7급

① 가상조직의 등장은 정보통신기술의 발달에 힘입은 바 크다.

② 영구적이기보다는 잠정적이고 임시적 조직이라는 특징을 지닌다.

③ 가상조직에서는 외주화가 중요한 역할을 할 수 있다.

④ 가상조직에서도 과거의 관료제와 마찬가지로 조직의 경계 개념이 중요하다.

09
정답 : ③

③ 외부기관과의 느슨한 연계와 협력체계를 유지하기 때문에 대리인 문제가 발생할 가능성이 높다.

① 협력적 상호작용의 극대화를 추구한다.

② 낮은 복잡성·공식성·집권성을 가진 대표적인 유기적 구조이다.

④ 의사결정이 분권화되어 있지만 전체적인 통합을 위해 집권성도 추구한다.

10
정답 : ②

② 과업이나 기능을 통합하여 핵심업무과정을 중심으로 프로세스화한 조직은 수평구조(팀조직)에 해당한다.

① 네트워크구조는 조직의 자체기능은 핵심역량 위주로 합리화하고, 여타 기능은 외부와 계약관계를 통해 수행하는 구조이다.

③ 기능구조는 조직의 전체업무를 공동기능별로 부서화한 방식이다.

④ 사업구조는 산출물에 기반한 사업부서화 방식이다.

⑤ 매트릭스구조는 기능구조와 사업구조의 화학적 결합을 시도한 구조이다.

11
정답 : ②

② 개별적·단계적 직무수행은 전통적 조직의 특징에 해당한다.

① 폭 넓은 종합적 직무범위를 설정한다.

③ 소비자 중심의 다양한 서비스를 제공한다.

④ 분권화를 지향하는 기술구조를 갖는다.

12
정답 : ④

④ 가상조직은 엄격한 분업에 의한 단점이나 경계 개념을 타파하고 이음매 없는 유기적 행정을 중시한다.

①, ② 가상조직은 네트워크조직의 유사조직으로 사이버조직 또는 임시조직이다.

③ 전략, 계획, 통제의 기능만을 수행하고 대부분의 생산기능은 다른 조직에 위임한다.

정답 ━━━
09 ③ 10 ② 11 ② 12 ④

01 목표관리제(MBO)에 대한 설명으로 옳은 것만을 모두 고르면?

2022 국가 9급

> ㄱ. 부하와 상사의 참여를 통해 목표를 설정한다.
> ㄴ. 중·장기목표를 단기목표보다 강조한다.
> ㄷ. 조직 내·외의 상황이 안정적이고 예측가능한 조직에서 성공확률이 높다.
> ㄹ. 개별 구성원의 직무 특수성을 반영하기 위하여 목표의 정성적, 주관적 성격이 강조된다.

① ㄱ, ㄴ   ② ㄱ, ㄷ
③ ㄴ, ㄹ   ④ ㄷ, ㄹ

02 목표관리(MBO)와 총체적 품질관리(TQM)에 관한 설명으로 가장 적절하지 않은 것은?

2020 경정승진

① MBO의 기본적 구성요소는 목표설정, 참여, 환류이다.
② TQM은 구성원의 참여를 인정한다는 점에서 MBO와 일치한다.
③ TQM은 고객지향적인 관리라는 점에서 MBO와 일치한다.
④ MBO는 인간의 자율 능력을 믿는 자기실현적 인간관의 영향을 많이 받았다.

03 목표관리(MBO)의 장점으로 옳은 것은?

2012 군무원

① 환경에 대한 적응이 유리하다.
② 참여와 환류를 중시한다.
③ 장기적이고 질적인 목표에 치중한다.
④ 관리절차가 단순하다.

04 다음 중 MBO와 PPBS의 비교설명으로 옳지 못한 것은?

2007 지방전환특채

① PPBS는 예산제도 개혁의 일환으로, MBO는 관리기술의 일환으로 발달하였다.
② PPBS는 분권화된 권위구조, MBO는 집권화된 권위구조를 선호한다.
③ PPBS는 막료중심, MBO는 계선중심의 정책결정을 한다.
④ PPBS는 전문적 기술, MBO는 산술, 관리적인 상식을 요구한다.

01

정답 : ②

② ㄱ, ㄷ이 옳은 내용이다.

ㄱ. [O] 조직구성원이 참여적 과정을 통한 명확한 목표를 설정하는 상향적 접근방법이다.

ㄷ. [O] 급격한 변화나 복잡한 환경에서는 목표의 명확한 설정이 곤란하므로 조직문화가 자발적
이고 참여적일수록 효과적이다.

ㄴ. [X] 특정 가능한 목표를 강조하므로 기본적·장기적·질적 목표보다 단기적·양적 목표를 중
시한다.

ㄹ. [X] 목표설정과 달성에 대해 객관적인 기준과 책임한계를 명확하게 하여 평가 및 환류되는
특징을 가지므로 객관적 성격이 강조된다.

02

정답 : ③

③ TQM은 고객지향성을 특징으로 하지만 MBO는 대내적 차원에 초점을 두며 고객중심행정, 대
외적 민주성, 대응성과는 거리가 멀다.

03

정답 : ②

② 목표관리제는 참여와 환류를 중시한다.

① 급격한 변화나 복잡한 환경에서는 목표의 명확한 설정이 곤란하므로 환경에 대한 적응이 곤
란하다.

③ 현실적이고 계량화가 가능한 단기적·양적·유형적·결과지향적 목표를 중시한다.

④ 운영절차가 복잡하다.

04

정답 : ②

② PPBS는 집권화된 권위구조, MBO는 분권화된 권위구조를 선호한다.

① PPBS는 예산제도 개혁의 일환으로 발달한 반면, MBO는 관리기술의 일환으로 발달하였다.

③ PPBS는 분석이 필요한 막료기관에 치중하는 반면, MBO는 계선기관에 치중하여 정책결정을
한다.

④ PPBS는 분석적·통계적 전문기술에 의한 관리를 중심으로 하는 반면, MBO는 참여적이고 관
리적인 상식을 중심으로 한다.

📝 포인트 정리

MBO vs TQM

구분	MBO	TQM
시계 (視界)	단기적·미시적	장기적·거시적
지향	대내적 관리지향	대외적 고객지향 (고객만족도 중시)
초점	결과	과정·절차· 문화 등
관리의 중점	사후적 관리 (평가 및 환류 중시)	사전적 관리 (예방적 통제 중시)
계량화	중시	중시하지 않음
보상 방법	개별적 보상	팀 보상 및 구성원 보상

MBO vs PPBS

구분	MBO	PPBS
기간	부분적인 단기적 계획	종합적인 중장기 계획
특성	분권적·참여적 (일선담당자에 게 분산)	집권적·하향적 (최고관리층에 게 집중)
권위 구조	계선기관에 치중	분석이 필요한 참모기관에 치중
관리 기술	참여적 일반 관리	분석적·통계적 전문기술 에 의한 관리
프로 그램	내적이고 산출량에 치중	외적이고 비용 편익분석에 치중
환류	환류기능 중시	환류기능 미흡

정답

01 ② 02 ③ 03 ② 04 ②

05 목표관리(MBO)에 관한 설명 중 옳지 않은 것은?

① 목표설정과정에 부하를 참여시킴으로써 동기부여 및 사기앙양에 기여할 수 있다.

② 주먹구구식 관리가 아니라 비능률적 관리행위를 배격하며, 성과와 능률을 중시한다.

③ 기대되는 계획과 목적을 달성하는 데 필요한 정책대안과 지출을 묶어 모든 활동들을 평가하고 실체를 상세히 규명하도록 한다.

④ P.Drucker에 의해 소개되었으며, 닉슨 대통령에 의해 미국 연방정부에 도입된 바 있다.

CHAPTER 24 총체적 품질관리(TQM)

기출 필수 코스

□□
01 총체적 품질관리(TQM)와 목표관리(MBO)에 대한 설명으로 가장 옳은 것은?

① TQM이 X이론적 인간관에 기반하고 있다면, MBO는 Y이론적 인간관에 기반하고 있다.

② TQM이 분권화된 조직관리 방식이라고 하면, MBO는 집권화된 조직관리 방식이다.

③ TQM이 조직 내부 성과의 효율성에 초점을 둔다면, MBO는 고객만족도 중심의 대응성에 초점을 둔다.

④ TQM이 팀 단위의 활동을 바탕으로 한다면, MBO는 개별 구성원의 활동을 바탕으로 한다.

□□
02 총체적 품질관리(TQM)의 설명으로 가장 옳지 않은 것은?

① 총체적 품질관리는 고객에 대한 서비스 품질을 향상시키는 관리이다.

② 총체적 품질관리는 사실자료에 기초를 두고 과학적 품질관리기법을 활용한다.

③ 총체적 품질관리는 조직 내의 인간을 존중하고 인간의 발전을 위한 투자를 강조한다.

④ 총체적 품질관리는 관심의 초점을 외향적으로 두고 있기에 관료제의 근본과 상충된다.

□□
03 다음과 같이 정의되는 조직 변화의 개입 기법은 무엇인가?

> 고객 중심주의, 구성원에 대한 권한 부여, 벤치마킹, 지속적 개선 등을 통해 지속적으로 고객의 만족과 성과 향상을 모색하는 총체적 생산성 향상 전략이다.

① TQM(Total Quality Management)　　　② OD(Organization Development)

③ BPR(Business Process Reengineering)　　④ MBO(Management by Objectives)

05

③ MBO는 PPBS, ZBB 등 합리주의 예산과 달리 계획달성을 위한 정책대안과 대안별 소요비용 등을 체계적으로 검토, 평가하는 단계가 결여되어 있다.

① Y이론에 의한 통합적 관리이다.

② MBO는 투입과 과정보다는 목표달성이라는 성과를 중시한다.

④ 정부부문에서는 1973년 Nixon 대통령이 PPBS(계획예산제도)의 문제점을 보완하기 위해 민주적인 행정관리의 수단으로 MBO를 예산분야에 채택하였다.

01

정답 : ④

④ TQM이 팀 단위의 활동을 바탕으로 한다면, MBO는 개별 구성원의 활동을 바탕으로 한다.

① TQM과 MBO는 Y이론적 인간관에 기반하고 있다.

② TQM과 MBO는 분권화된 조직관리 방식을 특징으로 한다.

③ TQM이 고객만족도 중심의 대응성에 초점을 둔 반면, MBO는 조직 내부 성과의 효율성에 초점을 둔다.

MBO와 TQM의 비교

구분	MBO	TQM
시계 (視界)	단기적·미시적	장기적·거시적
지향	대내적 관리지향	대외적 고객지향 (고객만족도 중시)
초점	결과	과정·절차·문화 등
관리의 중점	사후적 관리 (평가 및 환류 중시)	사전적 관리 (예방적 통제 중시)
계량화	중시	중시하지 않음
보상 방법	개별적 보상	팀 보상 및 구성원 보상

02

정답 : ④

④ TQM은 탈관료제적 관리방식으로 고객의 필요에 부응하는 등 관심의 초점은 외향적이지만, 관료제의 근본을 부정하거나 이와 상충된다고 여기는 것은 아니다.

① 행정서비스도 상품으로 간주되며 그 품질을 소수 전문가나 관리자가 아닌 고객이 직접 평가한다.

② TQM은 통계적 자료와 과학적 절차에 근거하여 의사결정을 한다.

③ 구성원에 대한 권한 위임과 참여를 통한 자아실현을 중시한다.

전통적 관리와 TQM의 비교

구분	전통적 관리	TQM
고객의 욕구 측정	고객의 요구를 전문가들이 규정	고객의 요구를 고객의 입장에서 규정
품질 관리	관찰 후 사후 수정	문제점에 대한 예방적 관리
조직 관리	수직적 명령계통에 의한 통제	내·외부 관련 구성원들에 의한 참여관리
조직 구조	수직적· 집권적 구조	수평적· 분권적 구조
의사 결정	불확실한 가정과 직감에 의한 결정	통계적 자료와 과학적 절차에 준거한 결정

03

정답 : ①

① 제시문은 TQM에 대한 설명이다. TQM은 고객주의, 예방적 통제, 집단적 노력 강조, 장기적·지속적인 개선으로 무결점주의 추구, 분권적 조직구조 등을 특징으로 한다.

② OD는 조직의 효과성·건전성 등을 높이기 위해 행태를 의도적으로 변화시켜 대응능력 등을 향상시키려는 관리전략을 의미한다.

③ BPR은 기업업무 절차혁신으로 리엔지니어링을 기본도구로 이용하는 조직혁신전략을 의미한다.

④ MBO는 목표를 중시하는 민주적·참여적 관리기법을 의미한다.

정답

05 ③ 01 ④ 02 ④ 03 ①

01 그라이너(Greiner)는 조직의 성장 단계에 따라 위기가 발생하는 양상이 다르다고 보았다. 다음 중 통제의 위기를 초래하는 단계는? 2016 국회 8급

① 제1단계 – 창조의 단계

② 제2단계 – 지시의 단계

③ 제3단계 – 위임의 단계

④ 제4단계 – 조정의 단계

⑤ 제5단계 – 협력의 단계

02 전략적 관리체제에 대한 설명으로 옳지 않은 것은? 2006 경남 9급

① 하버드 정책모형과 연관된다.

② TOWS 분석을 기초로 한다.

③ 미래의 목표성취를 위한 전략을 개발·선택하고, 이를 위한 주요 조직 활동의 분리를 중시한다.

④ 장기적 관점에서 환경과 역량을 분석한다.

01 「정부조직법」에서 규정하고 있는 관장 사무에 대한 설명으로 가장 옳지 않은 것은? 2020 서울속기 9급

① 교육부장관은 인적자원개발정책 등에 관한 사무를 관장한다.

② 산업통상자원부장관은 창업·벤처기업의 지원 등에 관한 사무를 관장한다.

③ 법무부장관은 출입국관리 등에 관한 사무를 관장한다.

④ 과학기술정보통신부장관은 우편·우편환 및 우편대체 등에 관한 사무를 관장한다.

02 정부조직에 대한 설명으로 옳은 것은? 2017 국가 9급(수정)

① 감사원은 정부조직법에서 정하는 합의제 행정기관에 해당한다.

② 금융감독원은 정부조직법에 따라 설치된 중앙행정기관이다.

③ 소청심사위원회는 행정안전부 소속으로 행정기관 소속 공무원의 징계처분에 관한 사무를 관장한다.

④ 특허청은 행정 및 재정상의 자율성이 부여되고 성과에 대해 책임을 지도록 하는 책임운영기관에 해당한다.

01

정답 : ③

③ 통제의 위기를 초래하는 단계는 제3단계인 위임의 단계로, 분권적 경영이 확대됨에 따라 최고경영자는 일선 관리에 대한 통제를 상실하게 된다.

① 제1단계인 창조의 단계는 리더십의 위기를 초래한다.

② 제2단계인 지시의 단계는 자율성의 위기가 발생한다.

④ 제4단계는 조정의 단계로 번문욕례의 위기를 초래한다.

⑤ 제5단계는 협력의 단계로 탈진의 위기를 초래한다.

포인트 정리

그라이너(Greiner)의 조직성장이론

구분	단계	위기	특징
1단계	창조의 단계	리더십의 위기	비공식화
2단계	지시의 단계	자율성의 위기	공식·집권화
3단계	위임의 단계	통제의 위기	분권화
4단계	조정의 단계	관료주의 위기	통합·재집권
5단계	협력의 단계	탈진의 위기	혁신

02

정답 : ③

③ 미래의 목표성취를 위한 전략을 개발·선택하고 이를 위한 계층별 주요 조직활동을 유기적으로 혁신하여 연계시킨다.

① 전략적 관리는 1920년대 하버드 경영대학원이 하버드 정책모형이라는 전략적 관리기법을 개발하면서부터 민간부문에서 확산되기 시작하여, 1980년대 이후 재정 위기 극복과 공공서비스 제고를 위해 공공부문에 적용되었다.

② TOWS 분석은 대내적으로 조직의 강점 및 약점과 대외적으로는 환경으로부터의 위협 및 기회를 분석·확인하고 이 분석결과에 기초하여 최적의 전략을 수립하는 것이다.

④ 조직의 변화는 오랜시간에 걸쳐 일어난다는 전제하에 장기적 계획기간을 설정한다.

01

정답 : ②

② 창업·벤처기업의 지원 등에 관한 사무는 산업통상자원부장관이 아닌 중소벤처기업부장관이 관장한다.

①, ③, ④ 모두 교육부장관, 법무부장관, 과학기술정보통신부장관의 관장사무이다.

* 국가보훈처가 정부조직법 개정으로 '국가보훈부'로 승격하였다(2023년 승격).

02

정답 : ④

④ 특허청은 행정 및 재정상의 자율성이 부여되고 성과에 대해 책임을 지도록 하는 중앙책임운영기관에 해당한다.

① 감사원은 헌법에 근거하고 있는 헌법상 기구이며 합의제 행정기관에 해당하지 않는다.

② 금융감독원은 금융위원회의 설치 등에 관한 법률에 따라 설치되었으며 중앙행정기관에 포함되지 않는다.

③ 소청심사위원회는 인사혁신처 소속이다.

정답
01 ③ 02 ③ 01 ② 02 ④

03 다음 중 정부조직법에 근거하여 설치된 기관이 아닌 것은?

2012 서울 9급

① 검찰청

② 병무청

③ 행정중심복합도시건설청

④ 경찰청

⑤ 특허청

04 우리나라 행정조직에 관한 설명으로 옳지 않은 것은?

2008 국가 7급

① 중앙행정기관의 차관, 차관보, 실장, 국장은 보조기관이다.

② 특별지방행정기관은 중앙행정기관의 일선기관으로서 기능을 담당하고 있다.

③ 지방병무청, 경찰서, 보훈지청, 세무서 등은 특별지방행정기관이다.

④ 시험연구기관, 교육훈련기관, 문화기관, 의료기관, 제조기관 및 자문기관은 부속기관이다.

03

정답 : ③

③ 행정중심복합도시건설청은 정부조직법이 아니라 행정중심복합도시 건설을 위한 특별법에 근거한 기관이다.

> **정부조직법 제2조(중앙행정기관의 설치와 조직 등)** ② 중앙행정기관은 이 법에 따라 설치된 부·처·청과 다음 각 호의 행정기관으로 하되, 중앙행정기관은 이 법 및 다음 각 호의 법률에 따르지 아니하고는 설치할 수 없다.
> 7. 「신행정수도 후속대책을 위한 연기·공주지역 행정중심복합도시 건설을 위한 특별법」 제38조에 따른 행정중심복합도시건설청

04

정답 : ①

① 차관보는 보조기관이 아니라 보좌기관이다. 차관, 실장, 국장과 같은 보조기관은 계선의 하부조직이며, 차관보나 담당관 같은 보좌기관은 참모조직에 해당한다.

② 특별지방행정기관은 특정한 중앙행정기관에 소속되어 당해 관할구역 내에서 시행되는 소속 중앙행정기관의 권한에 속하는 행정사무를 관장하는 국가의 지방행정기관이다.

③ 지방병무청, 경찰서, 보훈지청, 세무서 등은 모두 특별지방행정기관에 해당한다.

④ 부속기관은 행정권의 직접적인 행사를 임무로 하는 기관에 부속하여 그 기관을 지원하는 행정기관으로 시험연구기관, 교육훈련기관, 문화기관, 의료기관, 제조기관, 자문기관 등이 있다.

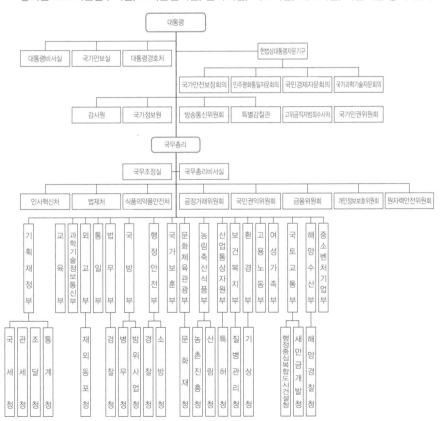

정답

03 ③ 04 ①

PART 4
인사행정론

단원 핵심 MAP

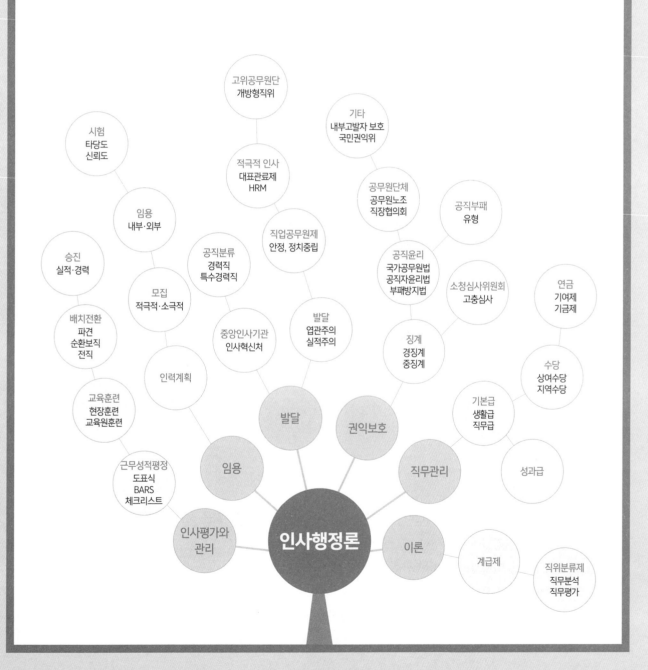

고위공무원단
개방형직위

기타
내부고발자 보호
국민권익위

시험
타당도
신뢰도

적극적 인사
대표관료제
HRM

공무원단체
공무원노조
직장협의회

공직부패
유형

임용
내부·외부

직업공무원제
안정, 정치중립

공직윤리
국가공무원법
공직자윤리법
부패방지법

승진
실적·경력

공직분류
경력직
특수경력직

소청심사위원회
고충심사

연금
기여제
기금제

모집
적극적·소극적

중앙인사기관
인사혁신처

발달
엽관주의
실적주의

징계
경징계
중징계

수당
상여수당
지역수당

배치전환
파견
순환보직
전직

인력계획

기본급
생활급
직무급

교육훈련
현장훈련
교육원훈련

발달

권익보호

직무관리

성과급

근무성적평정
도표식
BARS
체크리스트

임용

인사평가와
관리

인사행정론

이론

계급제

직위분류제
직무분석
직무평가

01 정실주의와 엽관제에 대한 설명으로 옳지 않은 것은?

2022 국가 7급

① 실적제로 전환을 위한 영국의 추밀원령은 미국의 펜들턴법보다 시기적으로 앞섰다.

② 엽관제는 전문성을 통한 행정의 효율성 제고와 정부관료의 역량 강화에 기여한 것으로 평가된다.

③ 미국의 잭슨 대통령은 엽관제를 민주주의의 실천적 정치원리로 인식하고 인사행정의 기본 원칙으로 채택하였다.

④ 엽관제는 관료제의 특권화를 방지하고 국민에 대한 대응성을 높인다는 점에서 현재도 일부 정무직에 적용되고 있다.

02 엽관주의(Spoils System)에 대한 설명으로 가장 적절한 것은?

2021 경정승진

① 주로 학벌, 지연, 혈연과 같은 개인적 친분관계를 임용의 기준으로 삼는다.

② 오늘날은 직업공무원으로 하여금 시민들의 요구와 선호를 적극적으로 반영하게 만드는 장치로 활용되고 있다.

③ 1883년 미국의 팬들턴법(Pendleton Act)을 기회로 엽관주의가 활성화되기 시작하였다.

④ 행정의 능률성을 강화시키는 반면 행정의 민주성을 약화시키는 단점이 있다.

03 엽관주의 인사제도가 필요한 이유로 가장 옳은 것은?

2020 군무원 9급

① 행정의 안정성과 계속성 확보

② 행정의 공정성 확보

③ 국민의 요구에 대한 관료적 대응성 향상

④ 유능한 인재 등용

04 정부의 인사행정과 기업의 인사관리에 관한 비교 · 설명으로 가장 옳지 않은 것은?

2017 해경간부

① 인사행정은 정치권력의 영향으로 합리성을 확보하기 어려운 경우가 많다.

② 인사행정은 인사관리에 비해 신축성을 확보하기가 용이하다.

③ 인사행정은 인사관리에 비해 범위가 넓고 다양성을 가지고 있다.

④ 인사행정은 행정의 공익성으로 인해 비시장성을 지니고 있다.

01
정답 : ②

② 전문성을 통한 행정의 효율성 제고와 정부관료의 역량 강화에 기여한 것으로 평가되는 것은 실적주의에 대한 설명이다.

02
정답 : ②

② 엽관주의는 국민의 지지를 얻은 정당이 공직에 임용되므로 정책추진이 용이하여 정책과정이 능률적이고 국민의 요구와 선호를 적극적으로 반영할 수 있다.

① 엽관주의는 정당에 대한 충성도를 임용의 기준으로 삼는다. 한편 주로 학벌, 지연, 혈연과 같은 개인적 친분관계를 임용의 기준으로 삼는 것은 정실주의이다.

③ 1883년 펜들턴법을 기회로 실적주의가 활성화되기 시작하였다.

④ 엽관주의는 행정의 민주성과 대응성·책임성을 강화시키는 반면 행정의 능률성과 안정성·전문성을 약화시킨다.

03
정답 : ③

③ 엽관제에 의해 임명된 공무원은 직업공무원에 비해 국민의 요구를 더욱 적극적으로 행정에 반영함으로써 행정의 민주성과 관료적 대응성이 향상될 수 있다.

① 엽관주의는 정권 교체에 따른 공직경질로 인해 행정의 안정성 및 계속성을 확보하기 곤란하다.

② 엽관주의는 정치적 상황에 따라 임용하므로 행정의 객관성과 공정성을 저해한다.

④ 엽관주의는 능력과 무관한 임용이 이루어지므로 유능한 인재의 등용이 어렵다.

04
정답 : ②

② 정부의 인사행정은 엄격한 공공통제와 법령의 규제를 지니므로 민간기업의 인사관리에 비해 재량의 범위가 좁고 신축성을 확보하기 곤란하다.

① 정부의 인사행정은 정치권력의 영향력이 커서 합리성을 확보하기 어려운 경우가 많지만 민간기업의 인사관리는 정치개입을 배제한다.

③ 정부의 인사행정은 민간기업의 인사관리에 비해 범위가 넓고 다양성을 지닌다.

④ 정부의 인사행정은 공익성(비시장성)의 특징을 지니지만, 민간기업의 인사관리는 시장성(수익성 및 경제성)의 특징을 지닌다.

정답
01 ② 02 ② 03 ③ 04 ②

05 엽관주의 인사의 단점에 대한 다음 설명 중 가장 옳지 않은 것은?

2015 서울 9급

① 행정의 안정성을 저해할 수 있다.

② 공무원의 정치적 중립을 저해한다.

③ 행정의 전문성을 저하시킬 수 있다.

④ 행정에 대한 민주적 통제를 약화시킨다.

06 미국 엽관제도의 발달요인이 아닌 것은?

2011 경남전환특채

① 잭슨 대통령의 정치철학

② 정당정치 발달

③ 공무원의 정치적 중립성 요망

④ 행정의 단순성

CHAPTER 02 실적주의

기출 필수 코스

01 인사행정 제도에 대한 설명으로 가장 옳은 것은?

2019 서울 7급

① 직위분류제는 계급제에 비해 탄력적 인사관리가 가능한 장점을 가진다.

② 엽관주의는 정당에의 충성도와 공헌도를 임용 기준으로 삼았기 때문에 민주주의와 전혀 관련이 없다.

③ 실적주의는 정치적 중립을 지향하여 인사행정을 소극화, 형식화시켰다.

④ 직업공무원제는 원칙적으로 개방형 충원 및 전문가주의에 입각하고 있다.

02 실적주의의 주요 구성요소로 보기 어려운 것은?

2012 지방 9급

① 공직취임의 기회균등

② 공무원 인적구성의 다양화

③ 신분보장과 정치적 중립

④ 실적에 의한 임용

05

④ 엽관주의는 선거에서 승리한 정당이 모든 관직을 전리품처럼 획득하고 선거에서의 충성도에 따라 공직을 정당원들에게 임의대로 처분할 수 있는 정치적 인사제도로서 행정 실정에 대한 책임추궁수단이 되기 때문에 민주적 통제가 강화된다.

① 정권교체 시 공무원의 대량 경질은 행정의 안정성과 지속성을 저해한다.

② 관료는 국민이 아닌 정당에 봉사하는 정당의 사병역할을 하게 됨에 따라 행정의 중립성이 훼손된다.

③ 정당과 관련한 무능한 자의 임명으로 업무의 능력과 행정의 전문성을 저하시키는 결과를 초래한다.

06

정답 : ③

③ 공무원의 정치적 중립을 강조하는 것은 실적주의이다. 한편 엽관제는 선거기여도를 인정하는 등 공직임용에 정치성을 고려한다.

① 잭슨 대통령은 공직개방과 정치적 책임성의 구현이라는 민주성을 확보하기 위하여 엽관제를 도입하였다.

② 정당정치의 발달에 따라 대통령의 공약을 강력히 추진하기 위해 정치적 이념을 같이하는 관료가 필요했다.

④ 당시의 정부행정기능은 지극히 소극성·단순성을 띠어 고도의 전문적 지식이나 능력 위주의 공직임용방식을 필요로 하지 않았다.

01

정답 : ③

③ 실적주의는 정치적 중립과 신분보장을 지나치게 강조함에 따라 인사운영의 소극화 및 형식화를 초래하였다.

① 계급제는 직위분류제에 비해 탄력적 인사관리가 가능한 장점을 가진다.

② 엽관주의는 정당에의 충성도와 공헌도를 임용 기준으로 삼았고, 이는 공직기회의 확대로 이어졌으므로 민주주의와 전혀 관련이 없다고 볼 수 없다.

④ 직업공무원제는 원칙적으로 폐쇄형 충원 및 일반행정가주의에 입각하고 있다.

02

정답 : ②

② 공무원의 인적구성의 다양화는 대표관료제의 특성이다.

① 일반국민 누구에게나 공무원이 될 수 있는 기회가 공평하게 주어져야 하는 것으로 혈연, 지연, 학연, 인종, 종교 등으로 인한 차별을 배제한다.

③ 공직의 당파성을 떠나 국민 전체의 봉사자로 활동한다.

④ 개인의 능력이나 실적을 근거로 공직에 임용한다.

포인트 정리

엽관주의의 장단점

장점	• 정당정치의 발전과 책임성·대응성 향상 • 관료제의 민주화에 기여 • 민주통제의 강화 • 평등이념 구현 • 집권정치인들의 공무원에 대한 효과적 통솔
단점	• 관료의 정당사병화 • 행정의 안정성과 능률성 저하 • 관직의 남설(위인설관 현상) • 기회균등의 저해 • 매관매직

엽관제와 실적제가 추구하는 가치

구분	엽관제	실적제
기본적 가치	민주성과 형평성	민주성과 형평성
수단적 가치	정치적 (정당적) 대응성	능률성과 공무원 권익 보호

정답
05 ④ 06 ③ 01 ③ 02 ②

03 다음 중 실적주의의 장점이 아닌 것은?

2012 경북전환특채

① 정치적 중립의 보장

② 행정의 책임성 확보

③ 행정의 전문성 확보

④ 신분보장의 기반 확보

04 엽관주의와 실적주의에 관한 설명으로 가장 옳은 것은?

2008 지방 9급

① 엽관주의는 소수 상위계층의 공직독점을 가져온다.

② 엽관주의와 실적주의는 모두 민주성과 형평성의 실현을 추구하였다.

③ 실적주의에서 공직 임용은 개인의 능력, 지식, 출신, 기술, 자격, 업적에 근거해야 한다.

④ 실적주의는 필연적으로 직업공무원 제도를 동반한다.

CHAPTER 03 **직업공무원제**

기출 필수 코스

01 직업공무원제의 확립요건으로 가장 적절하지 않은 것은?

2020 경정승진

① 젊은 사람보다는 직무경험이 있는 사람을 더욱 중시

② 민주적 공직관에 입각한 공공봉사자로서의 높은 사회적 평가 유지

③ 재직 중은 물론 퇴직 후의 생계 안정화

④ 승진·전보·훈련 등을 통한 능력 발전의 기회를 공정하게 제공

02 직업공무원제에 대한 설명으로 가장 옳지 않은 것은?

2019 경찰간부

① 직업공무원제는 실적주의의 확립을 필요조건으로 한다.

② 직업공무원제는 직위분류제와 폐쇄형 임용체계를 중요시 한다.

③ 직업공무원제는 행정의 지속성, 안정성을 유지하는데 기여한다.

④ 직업공무원제는 인재 채용 시 학력과 연령을 제한한다.

03

정답 : ②

② 지나친 신분보장으로 행정의 책임성과 대응성이 저해된다.

① 공무원의 정치적 중립이 보장됨에 따라 행정의 중립성과 자율성을 제고한다.

③ 능력·자격에 따른 인사관리를 통해 합리적인 인사행정이 가능하며 행정의 전문성과 능률성이 확보된다.

④ 적법절차에 의한 권리구제와 신분보장을 통해 행정의 계속성을 확보할 수 있다.

04

정답 : ②

② 엽관주의는 공직경질제로 관직의 특권화를 배제함으로써 관료제의 민주화에 기여하였고, 대규모 교체 임용을 통해 관직을 개방함으로써 기회의 평등을 구현하였다. 실적주의 또한 일정한 자격을 갖춘 사람이 시험에 합격하면 누구나 공직에 취임할 수 있는 기회균등이 보장되어 민주주의적 평등이념을 추구하였다.

① 미국의 엽관주의는 소수 엘리트들이 관직에 장기적으로 남아 상류계급의 이익을 대변해 오던 종래의 방식을 완전히 부정한 것으로 특정 계층의 공직독점을 방지하기 위하여 등장한 제도이다.

③ 개인의 능력, 지식, 기술, 자격, 업적에 근거한 것은 맞으나, 출신 성분은 임용 기준이 되지 않는다. 한편 출신성분을 고려하는 것은 정실주의이다.

④ 직업공무원제가 확립되기 위해서 실적주의가 반드시 확립되어야 한다. 하지만 실적주의가 확립되었다고 해서 반드시 직업공무원제가 확립되어야 하는 것은 아니다.

01

정답 : ①

① 채용당시의 능력이나 직무경험보다는 잠재능력을 더 중시하며 젊고 유능한 인재를 등용하기 위해 학력과 연령을 제한한다.

② 공직에 대한 높은 사회적 평가를 제고함으로써 공무원으로서의 자부심과 행동규범을 유지하게 해주고 공직에 대한 봉사정신을 강화시킬 수 있다.

③ 보수의 적정화와 연금제도의 확립을 통해 재직 중은 물론 퇴직 후의 생활 유지도 보장될 수 있도록 하여야 한다.

④ 능력발전을 위해 교육훈련과 같은 제도적 장치가 마련되어야 하고 승진·전보 등의 공정하고 합리적인 운영이 이루어져야 한다.

02

정답 : ②

② 직업공무원제는 직위분류제가 아닌 계급제와 폐쇄형 임용체계를 중요시한다.

① 직업공무원제는 공직에의 기회균등, 정치적 중립, 신분보장 등의 실적주의 확립을 전제로 한다.

③ 직업공무원제는 공직에의 장기 근무를 유도하므로 행정의 계속성과 안정성 및 일관성을 유지할 수 있다.

④ 인재 채용 시 학력과 연령의 제한은 젊은 나이에 유능한 인재를 공직에 근무하도록 함으로써 직업공무원제도의 확립에 기여할 수 있다.

포인트 정리

실적주의 장단점

장점	• 임용의 기회균등에 따른 민주주의 평등이념 구현 • 행정의 중립성·공정성·자율성 확보 • 행정의 능률성·전문성 제고 • 공직윤리 확립에 기여 • 직업공무원제 확립에 기여
단점	• 대표성 저해 (형식적인 형평성 추구) • 인사운영의 형식화·소극화 • 인사행정의 집권화·경직화 • 국민에 대한 대응성·책임성 저해

엽관주의와 실적주의

구분	엽관주의	실적주의
궁극적 가치	민주성과 형평성 (귀족적·신분적 정부관료제 구성에 반대)	민주성과 형평성 (실적에 따라 누구나 공직에 임용)
실현 방법	정치적·정당적 대응성	공개경쟁에 의한 채용, 정치적 중립, 신분보장, 중앙인사기관의 설치
문제점	정치적 간섭으로 인한 폐해 (비능률, 낭비, 부패)	비대응성, 경직성, 집권성, 실질적 비형평성

직업공무원제 확립요건

• 실적주의의 우선적 확립
• 공직에 대한 높은 사회적 평가
• 젊고 유능한 인재의 채용을 위한 유인체제의 확립
• 보수의 적정화 및 연금제도의 확립
• 재직자의 교육훈련에 의한 능력발전 및 승진
• 장기적인 인력수급계획의 수립
• 폐쇄형에 기반한 계급제의 확립

정답

03 ② 04 ② 01 ① 02 ②

03 직업공무원제에 대한 설명으로 옳지 <u>않은</u> 것은?

2015 사복 9급

① 공무원집단이 환경적 요청에 민감하지 못하고 특권 집단화될 우려가 있다.

② 직업공무원제가 성공적으로 확립되기 위해서는 공직에 대한 사회적 평가가 높아야 한다.

③ 직업공무원제는 행정의 계속성과 안정성 및 일관성 유지에 유리하다.

④ 직업공무원제는 일반적으로 전문행정가 양성에 유리하기 때문에 행정의 전문화 요구에 부응한다.

04 직업공무원제도가 정착되기 위한 전제조건으로 옳지 <u>않은</u> 것은?

2012 국가전환특채

① 공직을 높이 평가하는 사회적 선입견이 없어야 한다.

② 유능하고 젊은 사람들이 채용되어야 한다.

③ 능력발전의 기회가 공정하게 주어져야 한다.

④ 장기적인 인력수급계획이 수립되어야 한다.

05 직업공무원제도에 대한 설명으로 가장 옳은 것은?

2011 경정승진

① 직위분류제에 입각한 공직분류 구조가 필수적이다.

② 폐쇄형 임용제도와 밀접한 관련성을 가진다.

③ 전문가적 행정인 양성에 유리하다.

④ 완전한 기회균등을 보장한다.

06 직업공무원제에 대한 설명으로 옳지 <u>않은</u> 것은?

2008 지방 9급

① 전통적 관료제의 구성 원리와 부합하는 인사제도이다.

② 채용 당시의 직무수행 능력이 장기적인 발전 가능성보다 중요시된다.

③ 행정의 안정성, 계속성, 일관성 유지가 가능하다.

④ 계급제, 폐쇄형 공무원제, 일반행정가주의에 바탕을 둔 제도이다.

03

정답 : ④

④ 직업공무원제는 일반적으로 폐쇄형을 채택하므로 특정 분야의 외부전문가를 채용하기가 곤란하고, 일반행정가 중심으로 하기 때문에 각 분야 행정의 전문화·기술화를 저해한다.

① 지나친 신분보장으로 인해 특권집단화를 초래함으로써 민주적 통제가 곤란해지고, 무사안일주의로 인해 환경변동에 대한 경직성 및 부적응성을 초래할 수 있다.

② 공무원으로서 자부심과 직업적 연대의식을 가지고 높은 수준의 헌신과 행동규범을 유지하게 해 주며, 공무원집단의 일체감과 단결심, 공직에 대한 봉사정신을 강화하는데 유리하다.

③ 공무원의 신분보장 및 정치적 중립으로 인해 정권교체에도 불구하고 행정의 연속성과 일관성을 유지할 수 있다.

직업공무원제의 장단점

장점	• 사기를 높여줌(∵직업적 안정) • 신분보장 • 공무원집단 연대감, 일체감
단점	• 현상유지적, 보수적(무사안일주의) • 민주통제 곤란 • 임용의 기회균등↓ 　(∵학력, 연령 등 엄격한 제한) • 외부전문가 채용 못함

04

정답 : ①

① 직업공무원제가 성공적으로 확립되기 위해서는 공직에 대한 사회적 평가가 높아야 한다.

② 직업공무원제는 젊고 유능한 인재들이 공직을 보람 있는 직업으로 선택하여 일생을 바쳐 성실히 근무하도록 운영하는 인사제도이다.

③ 재직자훈련을 통해 공무원의 능력과 잠재력을 개발시키고 자기실현욕구에 의한 동기부여가 이루어져야 한다.

④ 능력발전을 위해 교육훈련과 같은 제도적 장치가 마련되어야 하고 승진·전보 등의 공정하고 합리적인 운영이 이루어져야 한다.

직업공무원제 확립요건

• 실적주의의 우선적 확립
• 공직에 대한 높은 사회적 평가
• 젊고 유능한 인재의 채용을 위한 유인체제의 확립
• 보수의 적정화 및 연금제도의 확립
• 재직자의 교육훈련에 의한 능력발전 및 승진
• 장기적인 시각에서의 직급별 인력수급계획의 수립
• 폐쇄형에 기반한 계급제의 확립

05

정답 : ②

② 직업공무원제는 계급제와 폐쇄형 임용제도 및 일반행정가를 지향한다.

① 계급제에 입각한 공직분류 구조가 필수적이다.

③ 직업공무원제는 전문직업주의에 바탕을 둔 제도이므로 일반능력주의(일반행정인)에는 적합하지만 행정의 전문화(전문행정인) 양성에는 불리하다.

④ 직업공무원제는 젊고(연령제한), 유능한 인재(학력제한)의 선발을 중시하므로 공직 임용에서의 완전한 기회균등을 저해한다.

06

정답 : ②

② 젊은 인재들을 공직에 유치하여 일생동안 공무원으로 근무하도록 운영하는 인사제도로, 공무원의 장기적 발전 가능성을 더욱 중시한다.

① 연공서열을 중시하므로 전통적인 관료제 모형원리에 부합한다.

③ 공직에의 장기 근무를 유도하므로 행정의 계속성과 안정성 및 일관성을 유지할 수 있다.

④ 직업공무원제는 폐쇄형에 입각한 계급제를 중시하고 일반행정가를 지향한다.

정답
03 ④ 04 ① 05 ② 06 ②

01 공무원의 근무방식과 형태에 대한 설명으로 옳지 않은 것은?

2019 국가 9급

① 유연근무제는 공무원의 근무방식과 형태를 개인·업무·기관 특성에 따라 선택할 수 있는 제도이다.

② 시간선택제 근무는 통상적인 전일제 근무시간(주 40시간)보다 길거나 짧은 시간을 근무하는 제도이다.

③ 탄력근무제는 전일제 근무시간을 지키되 근무시간, 근무일수를 자율 조정할 수 있는 제도이다.

④ 원격근무제는 직장 이외의 장소에서 정보통신망을 이용하여 근무하는 제도이다.

02 인사행정에 대한 설명으로 가장 옳지 않은 것은?

2019 서울 7급(2월)

① 균형인사정책은 대표관료제의 단점, 즉 소외집단에 대한 배려가 다른 집단에 대한 역차별을 불러올 가능성을 낮추는 데 기여할 수 있다.

② 대표관료제는 정부관료제 인적 구성의 대표성 확보를 통해 전체 국민에 대한 정부의 대응성을 향상시킬 수 있다.

③ 엽관제는 정당정치의 발달과 행정의 민주성 제고에 기여할 수 있다.

④ 엽관제는 정치지도자의 행정 통솔력을 강화시켜 정책 과정의 능률성을 제고할 수 있다.

03 적극적 인사행정을 위한 방안으로 가장 옳지 않은 것은?

2013 경찰간부

① 인사의 분권화

② 정치적 임용의 부분적 허용

③ 공무원단체의 활동 인정

④ 엄격한 직위분류제의 운용

04 정부조직을 유연하게 만들기 위한 관리융통성 제도에 해당되지 않는 것은?

2012 지방 7급

① 팀제

② 총액인건비제

③ 개방형 임용제

④ 실적주의

01

정답 : ②

② 시간선택제 근무는 통상적인 전일제 근무시간(주 40시간)보다 짧은 시간(주당 15시간 이상 35시간 이내)을 근무하는 제도이다.

① 유연근무제는 공직생산성을 향상시키고 삶의 질을 높이기 위해 개인·업무·기관별 특성에 맞는 근무형태를 선택하여 활용할 수 있는 제도이다.

③ 탄력근무제는 주 40시간을 근무하되 출퇴근시간이나 근무일수 등을 자율적으로 조정할 수 있는 제도이다.

④ 원격근무제는 사무실이 아닌 직장 이외의 장소에서 모바일 기기 등의 정보통신망을 이용하여 근무하는 제도이다.

02

정답 : ①

① 균형인사정책은 사회적 소수집단의 공직임용을 확대하고 공직 구성의 다양성과 대표성 및 형평성 등을 제고하는 대표관료제적 요소로, 소외집단에 대한 배려가 다른 집단에 대한 역차별을 불러올 수 있고 사회분열을 조장할 수 있다는 단점이 있다.

② 대표관료제는 인적 대표성을 확보하여 차지하는 비율에 맞게 비례적으로 공직을 구성함으로써 국민의 다양한 요구에 대한 대응성을 제고하고 행정의 민주성·책임성을 확보할 수 있다.

③ 엽관제는 정당정치와 함께 발달한 제도로 정치적·정당적 대응성을 통해 민주성 확보에 기여할 수 있다.

④ 엽관제는 정치지도자의 통솔력을 강화함으로써 능률성을 확보할 수 있다.

03

정답 : ④

④ 적극적 인사행정은 소극적인 실적주의만을 고집하지 않고 실적주의의 개념과 범위를 확대하여 엽관제적 요소 등을 신축성 있게 받아들이는 관리방안으로, 엄격한 직위분류제의 운용과 같은 지나친 과학적 인사행정을 지양한다.

① 인사권의 집권화는 소극적 인사행정에 해당되고 적극적 인사행정은 인사권을 분권화한다.

② 실적주의의 비융통성을 보완하기 위하여 엽관주의의 요소를 도입하는 것은 적극적 인사행정을 위한 방안이다.

③ 공무원단체를 인정하여 공무원의 권익보호 및 근로조건의 개선을 하는 것은 적극적 인사행정을 위한 방안이다.

04

정답 : ④

④ 관리융통성모형은 실적주의의 한계를 보완하기 위한 적극적 인사행정의 일환으로, 변화하는 환경에 효과적으로 대응할 수 있도록 운영상의 자율성과 융통성을 높인 인사행정모형으로, 실적주의에 엽관주의를 가미함으로써 경직적인 실적제를 보완하려는 모형이다.

①, ②, ③ 팀제, 총액인건비제, 개방형 임용제는 모두 인사권의 분권화를 통해 성과중심의 인사를 구현하고 자율성과 통합성을 조화하려는 관리융통성 모형과 관련된다.

★ 포인트 정리

유연근무제 유형

시간 선택제	시간선택제채용공무원
	시간선택제전환공무원
	시간선택제임기제공무원
탄력 근무제	시차출퇴근형
	근무시간 선택형
	집약근무형
	재량근무형
원격 근무제	재택근무형
	스마트워크근무형

적극적 인사행정을 위한 방안

- 적극적 모집
- 공무원의 능력발전
- 인사권의 분권화
- 인간관리의 민주화
- 공무원단체의 허용
- 정치적 임용 허용
- 지나친 과학적 인사행정 지양
- 엽관제적 요소의 가미
- 대표관료제 가미
- 직위분류제와 계급제의 조화

관리융통성 제도

- 실적주의에 엽관주의 가미
- 직위분류제에 계급제의 가미(내부임용의 신축성 확보)
- 다양한 공무원제도 활용: 재택근무, 계약제, 파트타임제(시간제 공무원) 등
- 다양하고 체계적인 교육훈련 실시
- 퇴직관리의 효율화
- 총액인건비제 등 보수관리의 융통성
- 경력관리의 다양화
- 인사권의 분권화

정답

01 ② 02 ① 03 ④ 04 ④

05 인적자원 관리에 관한 내용으로 관련이 가장 적은 것은?

2005 울산 9급

① 사람을 조직의 가장 중요한 자산으로 여기고 이를 관리하는 개념을 말한다.

② 이를 위해 인적자원 관리의 권한과 책임을 대폭 집중화한다.

③ 인적자원 관리의 정책과 운영상의 중점을 절차와 규정준수보다는 결과와 책임에 둔다.

④ 직업생활의 질 향상을 중시한다.

⑤ 중앙인사관리기관의 역할을 세부적인 규제와 통제에서 정책과 전략 중심으로 전환한다.

CHAPTER 05 대표관료제

기출 필수 코스

01 대표관료제에 대한 설명으로 옳지 않은 것은?

2023 지방 9급

① 우리나라는 양성채용목표제, 장애인 의무고용제 등 다양한 균형인사제도를 통해 대표관료제의 논리를 반영하고 있다.

② 다양한 집단의 이익을 반영하는 실적주의 이념에 부합하는 인사제도이다.

③ 할당제를 강요하는 결과를 초래하고, 특정 집단에 대한 역차별 문제를 야기할 수 있다.

④ 임용 전 사회화가 임용 후 행태를 자동적으로 보장한다는 가정하에 전개되어 왔다.

02 대표관료제에 대한 설명으로 가장 적절하지 않은 것은?

2020 군무원 7급

① 소극적 대표성이 적극적 대표성으로 연결되지 않을 수 있다.

② 실적주의와 조화되어 행정능률 향상에 기여한다.

③ 할당제 등으로 인한 역차별의 문제가 발생한다.

④ 공무원의 적극적 대표성은 민주주의에 반할 위험도 존재한다.

03 대표관료제에 대한 설명으로 가장 옳지 않은 것은?

2019 서울 7급

① 관료의 전문성과 생산성 제고에 기여한다.

② 역차별을 초래하여 사회 내 갈등과 분열을 조장할 수 있다.

③ 국민에 대한 관료의 대응성을 향상시킬 수 있다.

④ 사회 각계각층의 이해를 공공정책에 반영하여 사회적 정의 실현에 이바지할 수 있다.

05 정답 : ②

② 인적자원관리의 권한과 책임을 중앙인사기관으로부터 각 부처와 기관으로 대폭 위임하고, 인력관리의 정책상의 중점을 절차와 규정보다 결과와 책임을 강조하고 발전시키는 데 두고 있다.

① 인적자원관리는 조직구성원들의 능력과 잠재력을 최대한 개발하고 활용하도록 함으로써 구성원들이 조직목표 달성에 기여하고 직무에 만족하도록 하는 활동으로서 인적 자원을 조직의 주요한 자산이자 전략으로 활용하고자 하는 관점이다.

③ 인적자원관리는 성과와 능력 중심의 평가를 강조한다.

④ 인적자원관리는 구성원의 전략적 가치를 인정하고 관리자원적 측면에서 적극적으로 활용하는 동시에 직업생활을 개선하려는 것으로 직업생활의 질을 중요시한다.

⑤ 인적자원관리는 정부기관의 역할을 세부적인 규제와 통제에서 정책과 전략 중심의 전략적 접근법을 취한다.

01 정답 : ②

② 대표관료제는 실적주의의를 비판하는 이론으로서, 집단주의를 배경으로 한다.

대표관료제의 비판점

- 실적주의 침해: 할당제를 강요하는 결과를 초래해 실적주의를 훼손하고 행정의 능률을 저해할 수 있다.
- 행정의 능률성 및 전문성 약화
- 수평적 형평성 저해: 할당제와 역차별로 인해 사회분열을 조장할 수 있다.
- 경험적 입증의 부족으로 능동적 대표성 확보에 어려움이 있다.
- 채용 전과 후의 이해관계가 변화할 수 있고 자기의 신념도 바뀔 수 있다는 재사회화 현상을 충분히 고려하지 못한다.

02 정답 : ②

② 대표관료제는 실적주의의 형식적 형평을 극복하기 위하여 도입된 제도이다.

① 대표관료제는 소극적 대표성이 적극적 대표성을 보장한다는 것을 전제로 성립된 제도인데 소극적 대표성이 적극적 대표성으로 연결되지 않을 수도 있다는 점을 간과하였다.

③ 대표관료제는 실적주의의 기본이념을 침해함으로써 역차별의 문제를 야기할 수도 있다.

④ 공무원의 적극적 대표성은 선출직 공직자의 정책결정을 중립적인 위치에서 수행하여야 하는 직업공무원제와 상충되어 민주주의의 기본 원칙에 위배될 수 있다.

대표관료제 특징과 한계

특징	한계
• 정부의 대응성·책임성 확보 • 수직적 형평성과 실질적 기회 보장 • 내부통제의 강화 • 적극적인 정치적 중립성	• 임용 후 재사회화와 새로운 준거집단 영향 고려 × • 행정의 능률성·객관성·전문성·합리성 저해 • 역차별 초래 • 실적주의와의 갈등·상충 관계

03 정답 : ①

① 대표관료제는 대응성, 책임성, 민주성을 제고하지만 전문성과 생산성은 저해한다.

② 수직적 형평을 강조함에 따라 역차별의 문제가 발생하여 사회 내의 갈등과 분열을 조장할 수 있다.

③ 정부관료제 인적 구성의 대표성을 확보함으로써 국민에 대한 정부의 대응성을 향상시킬 수 있다.

④ 사회 각계각층의 가치와 이익을 적극적으로 대변하고 정책을 결정함으로써 사회적 정의 실현에 기여할 수 있다.

정답

05 ② 01 ② 02 ② 03 ①

04 대표관료제에 대한 설명으로 옳지 않은 것은?

2019 지방 9급

① 소극적 대표가 적극적 대표를 촉진한다는 가정 하에 제도를 운영해 왔다.

② 엽관주의 폐단을 시정하기 위해 등장하였으며 역차별의 문제를 완화할 수 있다.

③ 소극적 대표성은 전체 사회의 인구 구성적 특성과 가치를 반영하는 관료제의 인적 구성을 강조한다.

④ 우리나라는 균형인사제도를 통해 장애인·지방인재·저소득층 등에 대한 공직진출 지원을 하고 있다.

05 대표관료제에 대한 설명으로 옳지 않은 것은?

2013 국회 9급

① 대표관료제는 사회를 구성하는 세력집단들의 수적비율을 관료제 구성에 반영하는 것을 말한다.

② 대표관료제는 관료제의 국민대표성과 사회적 형평성을 제고시킨다.

③ 대표관료제는 소외집단에 대한 정부정책의 대응성을 높임으로써 정책의 집행을 용이하게 해준다.

④ 대표관료제는 할당제를 구현하기 때문에 실적주의를 구현하는 제도로 평가받는다.

⑤ 대표관료제는 역차별과 사회분열을 초래할 수 있다는 비판을 받는다.

06 대표관료제의 한계요인을 모두 고른 것은?

2008 선관위 9급

ㄱ. 국민주권의 원리 위반	ㄴ. 구성론적 대표성 확보의 어려움
ㄷ. 역할론적 대표성 확보의 어려움	ㄹ. 채용 전과 후의 이해 관계 변화

① ㄱ, ㄴ

② ㄴ, ㄹ

③ ㄴ, ㄷ, ㄹ

④ ㄱ, ㄴ, ㄷ, ㄹ

07 대표관료제에 대한 다음 설명 중 옳지 않은 것은?

2008 서울 9급

① 소수집단의 참여기회를 확대한다.

② 실적주의의 폐단을 시정하는 데 기여한다.

③ 행정의 능률성과 전문성을 제고한다.

④ 역차별 문제를 유발한다.

⑤ 관료제에 대한 내부통제 장치로서 기능한다.

04

② 대표관료제는 실적주의의 소극적인 부분의 폐단을 시정하기 위해 등장하였으나 역차별의 문제를 야기한다.

① 형식적으로 인적구성이 이루어진다고 해서 자동적으로 대표기능을 하는 것은 아니므로 자신이 소속된 사회집단의 이익을 대변하는 적극적 대표의 개념이 요구된다. 따라서 소극적 대표성은 적극적 대표성을 촉진한다고 볼 수 있다.

③ 소극적 대표는 관료제의 인적 구성이 각 사회 집단이나 계층의 인적 구성을 비례적으로 대표하는 것으로 관료제의 구성 측면에 중점을 두었다.

④ 우리나라는 양성평등채용목표제, 장애인의무고용제, 지역인재추천채용제 등을 실시함으로써 다양한 계층의 공직진출 지원을 확대하고 있다.

05

④ 대표관료제는 특정 집단에게 혜택을 주고 공직 임용의 수직적 형평성 제고를 위해 할당제를 통해 임용하므로 실적주의와 상충되는 제도라고 비판받는다.

① 대표관료제는 사회를 구성하는 세력집단들의 수적비율을 관료제 구성에 반영함으로써 국민에 대한 관료의 대응성 및 책임성을 제고한다.

② 대표관료제는 정부관료제의 대표성 확보를 통해 국민의 요구에 대한 정부의 대응성과 사회적 형평성을 제고한다.

③ 대표관료제는 소외집단의 요구에 대한 정부정책의 대응성을 높임으로써 정책의 집행을 용이하게 한다.

⑤ 대표관료제는 수직적 형평성을 강조함에 따라 수평적 형평성이 저해되는 역차별의 문제가 초래되고 사회분열이나 갈등을 조장할 수 있다.

06

④ ㄱ, ㄴ, ㄷ, ㄹ 모두 대표관료제의 한계에 해당한다.

ㄱ. [O] 공직 내부의 인적 대표성에 의한 통제에 맡기는 것은 국민주권 원리에 어긋날 수 있다.

ㄴ. [O] 구성론적 대표성은 관료제의 모든 계층과 직위에 각 사회집단이 비례적으로 대표되는 것이다(=소극적·형식적·피동적 대표).

ㄷ. [O] 역할론적 대표성은 비례적으로 구성된 관료들이 출신 집단이나 계층을 적극 대변하고 책임지는 것이다(=적극적·능동적·실질적 대표).

ㄹ. [O] 공직임용 후에 출신 집단과 다른 새로운 소속집단이 생기고 그 소속집단의 가치와 이익을 대변하는 재사회화 현상이 발생할 우려가 있음을 고려하지 못했다는 비판을 받는다.

07

③ 대표관료제는 능력중심의 인사가 아니기 때문에 행정의 능률성 및 전문성을 저해한다.

① 사회경제적 여건이 불리한 계층에 대한 공직진출의 실질적 기회균등을 보장한다.

② 실적주의가 지닌 인사행정의 소극성 및 형식성을 극복하기 위해 대표관료제가 등장하였다.

④ 할당제의 요건을 갖추는 과정에서 유능한 공무원의 공직 취임기회를 배제되는 역차별 문제가 발생한다.

⑤ 대표성을 지닌 관료집단 간의 견제와 균형을 통해 사회집단 간 이익을 균형 있게 대변한다.

📑 포인트 정리

대표관료제 vs 실적제

구분	대표관료제	실적제
임용	할당제	능력, 성적
이념	형평성, 민주성	전문성, 능률성
기준	집단중심	개인중심

우리나라 대표관료제 요소

- 양성평등채용목표제
- 양성평등을 위한 인사관리
- 대체인력뱅크
- 장애인공무원 인사관리
- 지방인재채용목표제
- 지역인재추천채용제
- 이공계 공무원 인사관리
- 저소득층 공무원 채용
- 기타 사회통합을 위한 인사관리

정답

04 ② 05 ④ 06 ④ 07 ③

01 고위공무원단에 대한 설명으로 가장 옳지 않은 것은?

2016 경찰간부

① 우리나라에서 고위공무원단은 중앙행정기관 실·국장급 공무원들로 구성되며 일반직, 별정직, 외무공무원 등이 적용 대상이다.

② 미국의 고위공무원단 제도에는 엽관주의적 요소가 포함되어 있다.

③ 미국의 고위공무원단은 카터 행정부의 '공무원제도개혁법'에 의거하여 탄생된 SES(Senior Executive Service)가 시초이다.

④ 우리나라의 경우 김대중 정부 출범 이후인 1998년에 고위공무원단 제도를 처음 도입·시행하였다.

02 우리나라 고위공무원단제도의 기대효과에 대해 가장 잘못 알려진 것은?

2014 경찰간부

① 고위공무원단제도 도입으로 고위직 성별 대표성이 증가할 것이다.

② 고위공무원단제도 도입으로 고위공무원의 책임성이 증가할 것이다.

③ 고위공무원단제도 도입으로 고위공무원의 성과창출 행동을 이끌어 낼 수 있을 것이다.

④ 고위공무원단제도 도입으로 고위공무원 취임 기회가 공직 내외부에 확대될 것이다.

03 다음 중 우리나라의 고위공무원단제도에 대한 설명이 옳지 않은 것은?

2007 인천 9급

① 각 부처 장관은 실·국장급 직위에 당해부처 소속공무원이 아닌 전체 고위공무원단 중에서 적임자를 임용제청할 수 있다.

② 고위공무원은 직무의 중요도와 난이도 및 성과 중심으로 관리된다.

③ 부지사 등 지방자치단체의 고위직 공무원은 고위공무원단에서 제외된다.

④ 행정기관의 국장급 이상 약 1,500여 명의 공무원이 이에 해당한다.

⑤ 고위공무원은 계급이 폐지되고 직위분류제적 요소가 가미된다.

01

정답: ④

④ 우리나라의 고위공무원단 제도는 참여정부에서 도입하였으며 2006년 7월부터 시행하였다.

① 고위공무원단 제도는 실·국장급 이상 고위공무원(1~3급)들의 자질 향상과 안목 확대, 부처 간 정책 조정 및 협의 촉진, 업무의 성취동기를 부여하기 위해 운영하고 관리하는 시스템이다.

② 미국의 고위공무원단제도는 직위분류제에 계급제적 요소를 가미한 형태로 정권이 교체되면 개방적 고위공무원단 직위에 정치적 임명이 이루어지는 엽관제적 요소가 포함되어 있다.

③ 미국은 1978년 카터 행정부의 「공무원제도개혁법」에 의하여 GS16~GS18 등급(국장급)과 최고관리자급(차관보급)의 공무원을 대상으로 실시되었다.

02

정답 : ①

① 고위공무원단제도는 성별대표성과 무관하며 대표관료제(균형인사제) 중 고위직 승진에 여성을 우대하는 여성관리자 임용계획과 연관된다.

② 성과관리를 통해 책임성을 확보할 수 있다.

③ 고위공무원단제에서 직무성과계약제 및 성과계약등평가제의 도입은 고위공무원의 성과관리에 기여한다.

④ 모집범위에 제한이 없으므로 조직 내외부의 광범위한 인재들에게 취임의 기회가 확대된다.

03

정답 : ③

③ 지방공무원에는 고위공무원단 제도가 없으나, 지방자치단체의 행정부지사 등 국가직 공무원은 고위공무원단에 포함된다.

① 각 부처 장관은 실·국장급 직위에 해당하는 전체 고위공무원단 중에서 적임자를 임용 제청할 수 있다.

② 직무의 난이도·중요도 및 성과의 차이에 따라 보수를 차등하는 직무성과급적 연봉제가 적용된다.

④ 실·국장급 이상 일반직·별정직·계약직과 외무공무원, 국가공무원으로 보하는 부시장·부지사·부교육감 등 지방자치단체 등의 고위직을 포함한다.

⑤ 우리나라는 계급제에 직위분류제적 요소를 가미한 형태로, 1~3급의 계급을 폐지하고 직무와 직위에 따라 관리한다.

📋 포인트 정리

미국과 한국의 고위공무원단제 비교

구분	미국	한국
추진 방향	직위분류제 + 계급제 가미	계급제 + 직위 분류제 가미
공무원 자질	전문행정가 → 전문행정가 +일반행정가	일반행정가 →일반행정가 +전문행정가
신분 보장	신분보장X → 신분보장 강화	신분보장O → 신분보장 약화
보수	직무급 → 직무 성과급	연공급 → 직무 성과급

고위공무원단에 포함되는 직위 범위

직종별	• 국가직공무원 • 일반직, 별정직, 계약직 • 특정직 중 외무직
기관별	• 중앙행정기관(소속기관 직위 포함) • 행정부 각급기관
정부별	• 광역자치단체 행정부지사·행정부시장 및 기획관리실장 • 지방교육행정기관 부교육감

정답

01 ④ 02 ① 03 ③

01 인사행정기관의 유형에 대한 설명으로 옳지 않은 것은?

2019 국회 9급

① 독립합의형은 엽관주의의 영향력을 배제함으로써 실적제를 발전시키는 데 유리하다.

② 비독립단독형은 인사행정의 정실화와 기관장의 자의적 결정을 견제하기 어렵다.

③ 독립단독형의 조직 형태가 가장 보편적이고 흔하다.

④ 비독립합의형은 미국의 연방노동관계청(FLRA)과 과거 우리나라의 중앙인사위원회 등이 있다.

⑤ 독립합의형은 행정수반이 정책을 강력하게 추진하기 위한 인사관리 수단을 제한한다.

02 국가공무원법 제6조의 규정에 의할 때, 다음 중 중앙인사관장기관이 아닌 것은?

2016 경찰간부

① 국회사무총장
② 법원행정처장
③ 감사원사무총장
④ 인사혁신처장

03 비독립단독형 중앙인사기관에 관한 설명으로 옳지 않은 것은?

2012 국회 8급

① 미국의 인사관리처(OPM)는 이 유형에 속한다.

② 인사행정의 공정성과 중립성이 저해될 가능성이 있다.

③ 인사행정의 책임소재가 분명해진다.

④ 정부 인적 자원을 안정적·합리적으로 관리하기 어렵다.

⑤ 인사정책의 결정이 지나치게 지연되는 경우가 많다.

04 다음 중 중앙인사기관의 기능과 관계가 먼 것은?

2006 경남 9급

① 정실주의 인사의 피해를 배제하고 인사관리의 공정성과 중립성 확보

② 인사관리 기술과 인력 운영의 효율화를 통하여 각 부서 인사관리를 지원

③ 인사행정상 할거주의를 방지함으로써 인사행정의 범정부적 통일성 확보

④ 인사관리에 있어서 인사권자의 뜻을 최대한 반영할 수 있도록 함으로써 행정기관의 집행능력 강화

01

정답 : ③

③ 독립단독형은 기관장 한 사람에 의해 관리되는 구조로 일반적으로 흔하지 않은 조직 형태이다.

① 독립합의형은 합의에 의한 결정으로 인사권의 전횡을 방지하고 엽관제를 배제함으로써 실적제를 확립하는 데 유리하다.

② 비독립단독형은 환경변화에 신축적으로 대응할 수 있고 강력한 인사정책의 추진에 유리하지만 인사의 공정성이 저해되고 독선적·자의적인 정실인사를 견제하기 곤란하다.

④ 비독립합의형은 과거 우리나라 대통령소속의 중앙인사위원회와 현재의 소청심사위원회 및 미국의 연방노동관계청(FLRA) 등이 대표적이다.

⑤ 독립합의형은 합의제 기관으로 특정 기관 및 세력과의 원만한 관계를 유지할 수 있으나 강력한 정책을 추진하기 곤란하다.

02

정답 : ③

③ 감사원은 중앙인사관장기관에 해당하지 않는다.

①, ②, ④ 국회사무총장, 법원행정처장, 인사혁신처장은 국가공무원법 제6조에 따른 중앙인사관장기관이다.

> **국가공무원법 제6조(중앙인사관장기관)** ① 인사행정에 관한 기본 정책의 수립과 이 법의 시행·운영에 관한 사무는 다음 각 호의 구분에 따라 관장(管掌)한다.
> 1. 국회는 국회사무총장
> 2. 법원은 법원행정처장
> 3. 헌법재판소는 헌법재판소사무처장
> 4. 선거관리위원회는 중앙선거관리위 원회사무총장
> 5. 행정부는 인사혁신처장

03

정답 : ⑤

⑤ 독립합의형 인사기관의 단점이다. 비독립단독형은 인사정책의 신속한 결정이 가능하다.

① 인사관리처(OPM)는 대통령직속 인사자문 및 각 부처 인사감독과 인사집행·기획업무를 수행하는 비독립단독제기관이다.

② 인사행정의 정치적 중립 결여로 인사행정의 엽관화 방지에 곤란하다.

③ 인사행정의 책임소재가 명확화된다.

④ 단독제 기관장의 독선적·자의적 결정에 대한 견제가 곤란하고, 기관장 교체 등으로 인한 인사행정의 일관성·계속성이 결여된다.

04

정답 : ④

④ 실적주의 초기 인사권자의 권한 남용을 막기 위하여 초당적이고 독립적인 중앙인사기구를 설치하였다.

① 공무원의 권익보호와 실적주의의 확립(정치적 중립)을 위해서는 제3자적인 중립적 인사기관의 설치가 전제되어야 한다.

② 행정기술이 전문화됨에 따라 인사행정에서도 전문성·통일성·일관성의 확보를 위한 집권적 중앙인사기관이 필요하다.

③ 각 부처 인사행정의 전체적인 조정과 통제를 효율적으로 수행할 수 있는 기관이 필요하다.

포인트 정리

독립합의형 vs 비독립단독형

독립합의형 (위원회형)	• 합의에 의한 결정으로 인사 전횡 방지 • 실적제 확립에 유리 • 인사의 안정성 확보 • 일반국민 및 행정부와 원만한 관계
비독립단독형 (집행부형)	• 책임의 명확화 • 집행부 형태로 신속한 결정 가능 • 행정수반이 인사기관을 국정관리수단 삼음 • 환경 변화에 신축적 대응 가능

비독립단독형의 장단점

장점	• 책임의 명확화 • 집행부 형태로 신속한 결정 가능 • 강력한 인사정책의 추진 가능 • 환경 변화에 신축적 대응 가능
단점	• 인사의 공정성 저해 • 기관장의 독선적·자의적 정실인사 • 인사행정의 일관성 및 계속성의 결여 • 양당적·초당적 문제의 적절한 반영 및 해결 곤란

기출 **필수 코스**

01 정무직 공무원에 해당하지 않는 것은?

① 감사원장
② 헌법재판소 재판관
③ 중앙선거관리위원회 상임위원
④ 대통령비서실 보좌관
⑤ 국회 수석전문위원

02 정무직 공무원에 해당하지 않는 것은?

① 국가정보원 차장
② 국무총리실 사무차장
③ 헌법재판소 사무차장
④ 감사원 사무차장

03 공무원의 구분에 대한 설명으로 옳은 것은?

① 일반직공무원은 경력직과 특수경력직으로 구분된다.
② 소방사는 특정직공무원에 해당된다.
③ 행정부 국가공무원 중에서는 일반직공무원의 수가 가장 많다.
④ 국가정보원 7급 직원은 특수경력직공무원에 해당된다.

04 실정법상 공직분류에 관한 설명 중 가장 적절한 것은?

① 경찰공무원은 특수경력직 공무원이다.
② 특정직 공무원은 신분이 보장되며, 정년까지 공무원으로 근무할 것이 예정된다.
③ 별정직 공무원은 경력직 공무원으로, 실적주의와 직업공무원제가 적용된다.
④ 헌법재판소 재판관과 헌법연구관은 경력직 중 특정직에 속한다.

01

⑤ 국회 수석전문위원은 별정직 공무원이다.

①, ②, ③, ④ 감사원장, 헌법재판소장, 헌법재판소 재판관, 중앙선거관리위원회 상임위원, 대통령비서실 보좌관은 정무직 공무원에 해당한다.

우리나라의 공직분류

특수 경력직	정무직	• 선출직: 대통령, 국회의원, 자치단체장, 지방의회의원 • 국회임명 동의: 국무총리, 감사원장, 헌법재판소장 • 고도의 정책결정업무: 장·차관, 처장, 청장 기타 차관급 공무원 • 법령에서 정무직으로 지정하는 공무원: 대통령실 실장, 대통령 경호처장, 국무조정실장·차장, 국무총리비서실장, 방송통신위원회 위원장 및 위원, 감사원의 감사위원·사무총장, 국회사무총장·차장·도서관장·의정연수원장, 헌법재판소 사무처장·사무차장, 중앙선거관리위원회 상임위원·사무총장·차장, 차관급 상당의 보수를 받는 비서관, 국가정보원 원장·차장·기획조정실장, 국민권익위원회 위원장·부위원장·사무처장, 국가인권위원회 위원장·상임위원 등
	별정직	• 법령: 차관보, 청의 차장, 처의 차장, 국민권익위원회 상임위원, 공정거래위원회 상임위원, 국회수석 전문위원 • 조례: 의회전문의원, 청소년지도사, 문화재관리원 등 • 장관 정책보좌관

02

④ 감사원 사무차장은 일반직 공무원에 해당한다.

①, ② 국가정보원 차장, 국무총리실 사무차장, 감사원 사무차장은 모두 정무직 공무원에 해당한다.

③ 국무총리실은 2008년 2월~2013년 3월(이명박 정부)까지 존속했던 조직으로, 당시 국무총리실 사무차장은 정무직이었다. 한편 현행 정부조직법상 국무총리 소속기관으로 국무조정실과 국무총리비서실이 있으며, 국무조정실장과 차장 및 국무총리비서실장은 정무직이다.

03

② 소방사는 특정직공무원이다.

① 우리나라 공무원은 경력직과 특수경력직으로 구분되고 경력직은 일반직과 특정직으로, 특수경력직은 정무직과 별정직으로 구분된다.

③ 행정부 국가공무원 중에서는 특정직공무원의 수가 가장 많다.

④ 국가정보원 7급 직원은 경력직공무원에 해당한다.

04

② 경력직 공무원은 실적과 자격에 의하여 임용되고 계급이 있으며 신분이 보장되는 공무원으로, 일반직과 특정직이 있다.

① 경찰공무원은 경력직 중 특정직공무원에 해당한다.

③ 별정직 공무원은 특수경력직 공무원으로, 계급이 없으며 신분보장이 되지 않는 공무원으로서 실적주의와 직업공무원제가 적용되지 않는다.

④ 헌법재판소 재판관은 특수경력직 중 정무직 공무원에 속하나, 헌법연구관은 경력직 중 특정직공무원에 속한다.

📑 포인트 정리

우리나라의 공직분류

	일반직	행정일반, 기술·연구, 감사원 사무차장, 시·도 선거관리위원회 상임위원
경력직	특정직	법관, 검사, 외무공무원, 경찰공무원, 소방공무원, 교육공무원, 군인, 군무원, 헌법재판소 헌법연구관, 국가정보원 직원, 경찰청장, 검찰총장, 경호공무원

우리나라의 공직분류

경력직	일반직
	특정직
특수경력직	정무직
	별정직

경력직과 특수경력직

구분	경력직	특수 경력직
신분보장	○	×
직업공무원제	○	×
계급 구분	○	×
국가공무원법 적용	○	×

05 다음 중 우리나라 공직분류에 대한 설명 중 틀린 것은?

2014 교행 9급

① 지방공무원의 수가 국가공무원보다 많다.
② 경력직에는 일반직과 특정직이 있다.
③ 특수경력직에는 정무직과 별정직이 있다.
④ 임기제공무원은 경력직공무원에 해당한다.

06 경력직공무원에 관한 내용으로 옳지 않은 것은?

2012 서울 9급

① 실적과 자격에 의해서 임용된다.
② 신분이 보장되며 정년까지 공무원으로 근무할 것이 예정된다.
③ 특정직공무원
④ 경찰공무원과 소방공무원
⑤ 별정직공무원

07 개방형 인사관리의 장점이 아닌 것은?

2007 국가 9급

① 행정조직 관료화의 방지
② 직업공무원제의 확립
③ 행정조직에 대한 민주적 통제 가능
④ 적극적 인사행정 가능

08 개방형 임용제도에 관한 설명 중 옳지 않은 것은?

2005 국가 9급

① 전문성이 요구되는 경우 일정한 직무 수행요건을 갖춘 자를 공직 내·외부에서 임용하여 공직의 전문성을 높이기 위한 것이다.
② 외부임용이 가능한 제도로서, 유능한 전문가를 경쟁을 통하여 공직에 임용하는 제도이다.
③ 우리나라는 공무원 사회의 경쟁력 강화를 위하여 개방형 직위제를 도입하였다.
④ 개방형은 주로 프랑스, 일본, 독일 등에서 채택하고 있다.

09 폐쇄형 인사의 장점이 아닌 것은?

2004 인천 9급

① 직업공무원제 확립에 유리
② 재직자의 사기 앙양
③ 공직의 안정성 확립
④ 행정의 전문성 제고
⑤ 공무원의 충성심 강화

05
정답 : ①

① 우리나라는 국가직 공무원이 더 많다(지방공무원은 35%, 국가공무원은 65%).

② 경력직에는 일반직과 특정직이 있다.

③ 특수경력직에는 정무직과 별정직이 있다.

④ 임기제 공무원은 근무기간을 정하여 임용하는 공무원으로 임기동안 신분이 보장되는 경력직 공무원이다.

06
정답 : ⑤

⑤ 별정직공무원은 실적주의나 직업공무원제가 적용되지 않는 특수경력직 공무원이다.

① 실적과 자격에 의해 임용된다.

② 실적주의와 직업공무원제의 적용을 받는 공무원으로 신분이 보장되며 정년까지 근무할 것이 예정된다.

③ 특정직공무원은 경력직공무원에 속한다.

④ 경찰공무원과 소방공무원은 특정직으로서 경력직공무원에 속한다.

07
정답 : ②

② 직업공무원제는 폐쇄형을 취하므로 개방형 인사관리하에서는 직업공무원제가 확립되기 어렵다.

① 문호 개방으로 관료주의화와 공직의 침체화를 방지한다.

③ 폐쇄형보다 책임 확보 및 외부통제가 유리하다.

④ 적극적 인사는 소극적인 실적주의에 대한 반발로 엽관주의의 요소를 가미하고, 분권적 인사, 심리적 욕구를 충족시키는 인간적·신축적 인사행정으로, 개방형 인사관리는 엽관제 도입 및 신축적 인사행정에 기여한다.

08
정답 : ④

④ 개방형 임용제도는 직위분류제를 취하고 있는 미국, 캐나다 등지에서 주로 확립되었으며, 영국, 일본, 프랑스 등의 국가는 계급제를 바탕으로 하는 폐쇄형 임용제도를 채택하고 있다.

①, ③ 전문성이 특히 요구되거나 효율적인 정책 수립을 위하여 필요하다고 판단되어 공직 내부 또는 외부에서 적격자를 임용할 필요가 있는 직위에 대해서는 개방형 직위로 지정하여 운영하고 있다.

② 공직 내·외의 경쟁을 유도한다.

09
정답 : ④

④ 폐쇄형 인사제도는 전문성이 저해된다.

① 장기간 근무하게 되고 내부승진을 통해 장기근속이 보장되므로 공무원의 신분보장과 직업공무원제를 확립하는 데 용이하다.

② 재직자의 능력발전기회가 많으므로 재직자들의 사기가 향상된다.

③ 공직의 안정성·계속성 확립에 유리하다.

⑤ 공무원의 일체감을 높여 충성심을 강화할 수 있다.

📝 포인트 정리

국가공무원 vs 지방공무원

구분	국가공무원	지방공무원
근거법률	국가공무원법	지방공무원법
근무기관	중앙행정기관, 특별일선기관	지방자치단체
고위공무원 단제도	있음	없음
공무원 연금법	적용	적용
공무원 노조법	적용	적용

개방형 직위제

대상 직위	전문성이 특히 요구되거나 효율적인 정책수립을 위하여 필요하다고 판단되는 직위
공모 대상	• 내·외부 • 고위공무원에 속하는 직위총수의 20%이내
대상 직종	일반직·특정직·별정직 공무원으로 보할 수 있는 고위공무원단 직위
임용 기간	최장 5년 범위 내 최소 2년 이상

개방형 vs 폐쇄형

개방형	• 능력·성과 중심 • 전문화 증대 • 행정에 대한 민주통제 용이
폐쇄형	• 직업공무원제 유리 • 재직공무원 승진기회 높음 • 사기 높음

정답

05 ① 06 ⑤ 07 ② 08 ④ 09 ④

01 직위분류제의 주요 개념에 대한 설명으로 옳지 않은 것은? 2022 국가 9급

① '직위'는 한 사람의 공무원에게 부여할 수 있는 직무와 책임을 의미한다.

② '직급'은 직무의 종류가 유사하고 곤란도·책임도가 서로 다른 군(群)을 의미한다.

③ '직류'는 동일 직렬 내에서 담당분야가 동일한 직무의 군(群)을 의미한다.

④ '직무등급'은 직무의 곤란도·책임도가 유사해 동일 보수를 줄 수 있는 직위의 군(群)을 의미한다.

02 직무분석과 직무평가에 대한 설명으로 옳은 것은? 2020 국가 7급

① 직무분석은 직무들의 상대적인 가치를 체계적으로 분류하여 등급화하는 것이다.

② 직무자료 수집방법에는 관찰, 면접, 설문지, 일지기록법 등이 활용된다.

③ 일반적으로 직무평가 이후에 직무 분류를 위한 직무분석이 이루어진다.

④ 직무평가 방법으로 서열법, 요소비교법 등 비계량적 방법과 점수법, 분류법 등 계량적 방법을 사용한다.

03 직위분류제와 관련하여 다음 설명에 해당하는 것은? 2020 국가 9급

- 직무의 곤란성과 책임성을 기준으로 상대적 가치를 결정하는 것이다.
- 서열법, 분류법, 점수법 등을 활용한다.
- 개인에게 공정한 보수를 제공하는 데 필요한 작업이다.

① 직무조사   ② 직무분석

③ 직무평가   ④ 정급

04 다음과 같은 방식으로 직무를 평가하는 방법은? 2017 국가 7급(추)

저는 각 답안지를 직관으로 평가하면서 우수한 순서대로 나열해 놓은 후 학점을 줍니다. 구체적으로 어떤 기준에서 그렇게 학점을 주었냐고 하면 금방 답하기는 어렵지만, 어쨌든 이 과정에서 중요한 것은 상대성입니다.

① 서열법   ② 분류법

③ 점수법   ④ 요소비교법

01
정답 : ②

② 직무의 종류가 유사하고 곤란도·책임도가 서로 다른 군을 의미하는 것은 직렬이다. 한편 직급은 직무의 종류가 유사하고 곤란도·책임도가 상당히 유사한 직위의 군을 의미한다.

① 직위는 한 사람의 공무원에게 근무를 필요로 하는 직무와 책임을 의미한다.

③ 직류는 동일한 직렬 내에서 담당분야가 동일한 직무의 군을 의미한다.

④ 직무등급은 직무의 종류는 다르지만, 그 곤란성·책임수준 및 자격수준이 상당히 유사하여 동일한 보수를 지급할 수 있는 직위의 군을 의미한다.

02
정답 : ②

② 직무조사의 방법으로 관찰법, 질문지법, 면접법, 일지기록법 등이 활용된다.

① 직무들의 상대적인 가치를 체계적으로 분류하여 등급화하는 것은 직무평가이다.

③ 일반적으로 직무 분류를 위한 직무분석 이후에 직무평가가 이루어진다.

④ 직무평가 방법으로 서열법, 분류법 등 비계량적 방법과 점수법, 요소비교법 등 계량적 방법을 사용한다.

03
정답 : ③

③ 직무의 곤란성과 책임성을 기준으로 상대적 가치를 결정하며 개인에게 공정한 보수를 제공하는 데 필요한 작업은 직무평가에 대한 설명으로, 직무평가는 서열법, 분류법, 점수법 등을 활용한다.

① 직무조사는 직무기술서의 작성으로 분류 대상이 되는 직위의 직무에 관한 자료를 수집하고 기록하는 정보수집의 단계이다.

② 직무분석은 각 직위의 직무를 종류에 따라 종적으로 분류하여 수직적 분류 구조를 형성하는 단계이다.

④ 정급은 직급명세서 작성 이후 그에 따라 분류대상 직위를 하나하나 검토하여 각 직급에 맞게 배정하는 것이다.

04
정답 : ①

① 제시문에서는 답안지를 비교하여 상대적으로 평가하였으므로 직무와 직무를 비교하는 서열법과 요소비교법이 될 수 있으나, 직관에 의해 전체적으로 평가하였으므로 서열법에 해당한다고 볼 수 있다.

② 분류법은 직무 전체를 종합적으로 판단해 미리 정해 놓은 등급기준표와 비교해가면서 등급을 결정한다.

③ 점수법은 직무평가기준표에 따라 직무의 세부 구성요소들을 구분한 후 요소별 가치를 점수로 계량화하여 요소별 점수를 합산한 총점이 직무의 상대적 가치를 나타낸다.

④ 요소비교법은 대표가 될 만한 직무들을 선정하여 기준 직무(key job)로 정해놓고 각 요소별로 평가할 직무와 기준 직무를 비교해가며 점수를 부여한다.

☆ 포인트 정리

직위분류제의 구조

직위	한 사람의 근무를 필요로 하는 직무와 책임
직류	동일한 직렬 내에서 담당분야가 동일한 직무의 군
직렬	직무의 종류는 유사하나 곤란도·책임도가 상이한 직급의 군
직군	직무의 성질이 유사한 직렬의 군
직급	직무의 종류·곤란도·책임도가 상당히 유사한 직위의 군
등급	직무의 종류는 다르지만 직무수행의 책임도와 자격요건이 유사하여 동일한 보수를 지급할 수 있는 직위의 횡적인 군

직위분류제 수립 절차

직무기술서 작성 (직무조사)	실제로 개개 공무원이 수행하는 직무내용을 기술하게 하여 직무를 조사하는 것
직무분석	직무기술서를 토대로 하여 직무의 성질과 종류에 따라 직군·직렬·직류별로 분류하는 종적인 분류
직무평가	직무의 곤란도·책임도 등 직무의 상대적 비중 및 가치에 따라 횡적으로 분류하는 것(등급과 직급 결정)
직급명세서 작성	직급들을 명확히 규정하는 것으로 각 직위를 직급에 배치하는 정급의 지표를 제시하는 것
정급	모든 직위를 각각 해당 직군·직렬·직류와 등급·직급에 배정하는 것

정답

01 ② 02 ② 03 ③ 04 ①

05 직위분류제에 있어서 직무의 난이도와 책임의 경중에 따라 직위의 상대적 수준과 등급을 구분하는 것은?

2015 국가 9급

① 직무평가(job evaluation)
② 직무분석(job analysis)
③ 정급(allocation)
④ 직급명세(class specification)

06 공직분류에 관한 설명으로 옳지 않은 것은?

2015 교행 9급

① 사람을 기준으로 한 공직분류는 공무원의 신분보장에 용이하다.

② 개인의 능력과 자격을 기준으로 한 공직분류는 일반행정가 양성에 용이하다.

③ 직무분석을 통한 직무의 구조적 배열에 중점을 둔 공직분류는 외부에 대한 공직개방에 용이하다.

④ 직무의 난이도와 책임도를 기준으로 한 공직분류는 순환보직제도를 통한 탄력적 인력운용에 용이하다.

07 사람을 기준으로 공직을 분류한 계급제의 특성에 대한 설명으로 옳지 않은 것은?

2014 사복 9급

① 순환보직을 통해 다양한 업무를 경험할 수 있도록 한다.

② 공직에 자리가 비었을 때 외부 충원을 원칙으로 한다.

③ 계급을 신분과 동일시하려는 경향이 강하다.

④ 공무원의 신분이 안정적으로 보장된다.

08 다음 표의 빈칸 A-B-C-D에 적합한 내용들끼리 가장 잘 배열한 것은?

2014 경찰간부

구분	장단점	
	계급제	직위분류제
행정전문화	저해	촉진
외부환경변화 대응력	약함	강함
현직자의 근무의욕	(A)	(B)
제도 유지비용	저렴함	비싼편임
부서간 협조와 교류	(C)	(D)

	(A)		(B)		(C)		(D)
①	낮음	–	높음	–	원활함	–	원활하지 못함
②	높음	–	낮음	–	원활하지 못함	–	원활함
③	높음	–	낮음	–	원활함	–	원활하지 못함
④	낮음	–	높음	–	원활하지 못함	–	원활함

05

① 직무의 난이도와 책임의 경중에 따라 직위의 상대적 수준과 등급을 구분하는 것은 직무평가에 해당한다.

② 직무분석은 각 직위의 직무를 종류에 따라 종적으로 분류하여 수직적 분류 구조를 형성하는 단계이다.

③ 정급은 직급명세서 작성 이후 그에 따라 분류대상 직위를 하나하나 검토하여 각 직급에 맞게 배정하는 것이다.

④ 직급명세는 직급들을 명확히 규정하는 것으로 각 직위를 직급에 배치하는 정급의 지표를 제시하는 것이다.

06

④ 직무의 난이도와 책임도를 기준으로 한 공직분류는 직위분류제이다. 직위분류제는 운영절차가 번잡하고 인사배치의 융통성이 부족해서 탄력적 인력운용이 곤란하다는 단점이 있다. 한편 순환보직제도를 통한 탄력적 인력운용에 용이한 것은 사람을 중심으로 일을 부여하는 계급제의 장점에 해당한다.

① 사람을 기준으로 한 공직분류는 계급제로 신분보장이 용이하다.

② 개인의 능력과 자격을 기준으로 하는 공직분류는 계급제로, 일반행정가 양성에 용이하다.

③ 직무분석을 통한 직무의 구조적 배열에 중점을 둔 공직분류는 직위분류제로 개방형 충원체제를 취하므로 공직개방에 용이하다.

07

② 계급제는 폐쇄형 충원체제의 성격을 갖기 때문에 공직에 자리가 비었을 때 내부충원을 원칙으로 한다.

① 계급제는 직위분류제에 비해 일반적 교양을 갖춘 일반행정가를 중시하고 양성한다.

③ 계급제는 과거 신분체계의 영향을 받아 계급 간 보수·교육·자격 등에서 큰 차이를 두며, 계급을 신분과 동일시하려는 경향이 크다.

④ 계급제는 신분보장이 강하기 때문에 직업공무원제 확립에 적합하다.

08

③ (A) - 높음, (B) - 낮음, (C) - 원활함, (D) - 원활하지 못함이 옳게 연결되었다.

(A), (B) 계급제의 경우 폐쇄형 충원체제로서 신분보장이 강하므로 현직자의 근무의욕이 높으나, 직위분류제는 신분보장이 약하므로 현직자의 근무의욕이 낮다.

(C), (D) 계급제의 경우 수평적 융통성이 높아 부서 간 협조나 교류가 용이하지만 직위분류제의 경우 협조와 교류가 부족하다.

📝 포인트 정리

계급제 vs 직위분류제

구분	계급제 (사람중심)	직위분류제 (직무중심)
분류 기준	개인의 자격, 신분, 능력	직무의 종류, 곤란도, 책임도
행정가	일반행정가 양성	전문행정가 양성
인사운용 ·배치	신축적, 탄력적	경직적, 할거주의 초래
공직의 경직성	경직성 높음	경직성 낮음
보수 체계	자격급, 생 활급	직무급
행정 계획	장기계획, 장기능률	단기계획, 단기능률
임용	폐쇄형	개방형
신분 보장	강함, 직업공무제 확립 용이	약함, 직업공무원제 확립 곤란
적용 계층	상위계층	하위계층
몰입, 사기, 제도유지 비용	조직몰입, 현직자 사기 높음, 유지 비용 낮음	직무몰입, 현직 자 사기 낮음, 유지비용 높음

계급제 장단점

장점	• 인사의 융통성 확보 • 신분보장, 경력발전 • 안목과 창의력 계발 • 적재적소 인사배치
단점	• 행정의 전문성 저하 • 특권집단화(폐쇄집단화) • 공직의 경직성 • 집단이익 옹호 • 환경 대응성 저하 • 연공서열에 의한 무능

정답
05 ① 06 ④ 07 ② 08 ③

09 직위분류제 분류 구조와 관련된 개념을 바르게 연결한 것은?

> ㄱ. 한 사람의 공무원에게 부여할 수 있는 직무와 책임
> ㄴ. 직무의 종류는 다르지만, 그 곤란성·책임수준 및 자격수준이 상당히 유사하여 동일한 보수를 지급할 수 있는 모든 직위를 포함하는 것
> ㄷ. 직렬 내에서 담당분야가 동일한 직무의 군
> ㄹ. 직무의 종류가 유사한 직렬의 군

	ㄱ	ㄴ	ㄷ	ㄹ
①	직위	등급	직류	직군
②	직렬	등급	직군	직류
③	직위	직급	직류	직군
④	직렬	직급	직군	직류

10 직무평가에 관한 설명으로 가장 옳지 않은 것은?

① 직무의 상대적 가치를 결정하는 것이다.

② 직무평가의 결과는 보수와 직결되는 것이 보통이다.

③ 비계량적 직무평가 방법으로 서열법, 분류법, 요소비교법 등이 있다.

④ 등급의 지나친 세분화는 공무원을 채용하고 활용함에 있어서 경직성을 높일 수 있다.

11 계급제와 직위분류제를 비교한 설명으로 옳지 않은 것은?

① 직위분류제가 계급제보다 직업공무원제도 확립에 더 유리하다.

② 직위분류제가 계급제보다 직무급의 결정에 더 타당한 자료를 제공할 수 있다.

③ 직위분류제가 계급제보다 전문행정가의 양성에 더 유리하다.

④ 계급제가 직위분류제보다 탄력적 인사관리에 더 유리하다.

12 직위분류제에 대한 설명으로 옳지 않은 것은?

① 직위란 한 사람의 근무를 필요로 하는 직무내용과 책임이다.

② 등급은 직무의 종류는 다르지만 동일 보수를 줄 수 있는 모든 직위를 말한다.

③ 직군은 직무의 종류는 유사하나 곤란도·책임도가 상이한 직급의 군이다.

④ 직군은 직무의 성질이 유사한 직렬의 집단이다.

⑤ 직급은 직무의 성질이 유사하여 자격, 시험, 인사행정상 동일하게 다룰 수 있는 직위의 집단이다.

09

① ㄱ은 직위, ㄴ은 등급, ㄷ은 직류, ㄹ은 직군에 해당한다.

직위분류제의 구조

직위	한 사람의 근무를 필요로 하는 직무와 책임
직류	동일한 직렬 내에서 담당분야가 동일한 직무의 군
직렬	직무의 종류는 유사하나 곤란도·책임도가 상이한 직급의 군
직군	직무의 성질이 유사한 직렬의 군
직급	직무의 종류·곤란도·책임도가 상당히 유사한 직위의 군
등급	직무의 종류는 다르지만 직무수행의 책임도와 자격요건이 유사하여 동일한 보수를 지급할 수 있는 직위의 횡적인 군

10

정답 : ③

③ 비계량적 직무평가 방법으로 서열법과 분류법이 있으며, 점수법과 요소비교법은 계량적 방법이다.

① 직무의 곤란도·책임도 등 직무의 상대적 비중 및 가치에 따라 횡적으로 분류하는 것이다.

② 직무평가를 통해 등급과 직급이 결정되고 보수구조의 합리적 기초가 마련된다.

④ 등급의 지나친 세분화는 인사관리의 탄력성과 신축성을 떨어뜨린다.

11

정답 : ①

① 직위분류제는 개방형으로서 공무원의 신분보장이 약하여 직업공무원제 확립에 불리하다.

② 직위분류제는 동일직무에 대한 동일보수의 원칙에 입각한 직무급 수립이 용이하다.

③ 직위분류제는 전문행정가의 양성에 유리하고, 계급제는 일반행정가 양성에 유리하다.

④ 계급제는 일반행정가의 중시로 계급만 동일하면 보수의 변동 없이 전직과 전보가 탄력적으로 이루어질 수 있다.

12

정답 : ③

③ 직무의 종류는 유사하나 곤란도, 책임도가 상이한 직급의 군은 직군이 아니라 직렬이다.

① 직위는 한 사람의 직원에게 부여할 수 있는 직무와 책임을 의미한다.

② 등급은 직무수행의 책임도와 자격요건이 유사하지만, 직무의 종류가 상이해 동일한 보수를 지급할 수 있는 직위의 횡적 군을 말한다.

④ 직군은 직무의 종류가 광범위하게 유사한 직렬의 군을 말한다.

⑤ 직급은 직위에 포함된 직무의 성질, 난이도, 책임의 정도가 유사해 채용과 보수 등에서 동일하게 다룰 수 있는 직위의 집단을 말한다.

01 우리나라 시보제도에 관한 설명으로 옳은 것은?

2020 군무원 7급

① 시보기간이 종료되고 정규공무원으로 임용되기 위해서는 보직을 부여받아야 한다.

② 시보공무원은 공무원법상 공무원에 해당하기 때문에 시보기간 동안에도 직위를 맡을 수 있다.

③ 시보기간 중에 직권면직이 되면, 향후 3년간 다시 공무원으로 임용될 수 없는 결격사유에 해당한다.

④ 시보기간 동안은 신분이 보장되지 않기 때문에 공무원의 경력에도 포함되지 아니한다.

02 우리나라의 공무원 인사제도에 대한 설명으로 옳지 않은 것은?

2015 국가 9급(수정)

① 공무원을 수직적으로 이동시키는 내부 임용의 방법으로는 전직과 전보가 있다.

② 강등은 1계급 아래로 직급을 내리고(고위공무원단에 속하는 공무원은 3급으로 임용하고, 연구관 및 지도관은 연구사 및 지도사로 한다) 공무원 신분은 보유하나 3개월 간 직무에 종사하지 못하며, 그 기간 중 보수의 전액을 감한다.

③ 청렴하고 투철한 봉사정신으로 직무에 모든 힘을 다하여 공무집행의 공정성을 유지하고 깨끗한 공직사회를 구현하는 데에 다른 공무원의 귀감이 되는 공무원은 특별승진임용하거나 일반 승진시험에 우선 응시하게 할 수 있다.

④ 임용권자는 만 8세 이하(취학 중인 경우에는 초등학교 2학년 이하)의 자녀를 양육하기 위하여 필요하거나 여성공무원이 임신 또는 출산하게 되어 휴직을 원하면 대통령령으로 정하는 특별한 사정이 없으면 휴직을 명하여야 한다.

03 시보임용에 관한 사항 중 옳지 않은 것은?

2006 울산 9급

① 6급 이하 공무원을 신규 채용하는 경우에는 6개월간 시보로 임용한다.

② 시보임용기간 중에 있는 공무원이 근무성적 또는 교육훈련성적이 불량한 때에도 직권면직할 수 없다.

③ 채용시험제도의 연장으로 볼 수 있다.

④ 징계에 의한 정직 또는 감봉처분을 받은 기간은 시보임용기간에 산입하지 아니한다.

01

② 시보공무원은 공무원법상 공무원에 해당하기 때문에 시보기간 동안에도 직위를 맡을 수 있으며 직위해제 및 전보도 가능하다.

① 시보기간이 종료되고 정규공무원으로 임용되기 위해 반드시 보직을 부여받아야 한다는 전제조건은 없다. 즉, 시보기간이 종료되면 정규공무원으로 되고 임용과 동시에 보직을 부여받는다. 만약 시보기간 도중에 정규직으로 임용하려면 임용권자별로 심사위원회를 구성하여 해당 심사위원회의 의결을 거치면 된다.

③ 직권면직은 임용결격사유에 해당하지 않는다.

④ 시보공무원은 정규공무원과 달리 공무원 신분보장의 규정을 적용받지 않으나 시보기간은 승진소요최저연수 및 경력평정 대상기간에 산입이 된다.

02

② 전직과 전보는 보수나 계급의 변동 없이 수평적으로 직위를 옮기는 것이다. 전직은 직렬을 달리 임명하는 것을 말하고, 전보는 동일한 직급 내에서의 보직변경 또는 고위공무원단 직위 간 보직변경을 말한다.

② 강등은 1계급 아래로 직급을 내리는 것으로 공무원 신분은 보유하나 3개월 간 직무에 종사하지 못하며 그 기간 중 보수의 전액을 감한다.

③ 특별승진은 청렴과 투철한 봉사정신으로 공무원의 귀감이 되거나 우수한 제안으로 행정운영 개선에 공헌한 자, 명예퇴직자 등에 대해 승진후보자명부순위나 승진최저소요연수에도 불구하고 우선 승진임용하거나 일반 승진시험에 우선 응시하게 하는 제도이다.

> **국가공무원법 제40조의4(우수 공무원 등의 특별승진)** ① 공무원이 다음 각 호의 어느 하나에 해당하면 제40조 및 제40조의2에도 불구하고 특별승진임용하거나 일반 승진시험에 우선 응시하게 할 수 있다.
> 1. 청렴하고 투철한 봉사 정신으로 직무에 모든 힘을 다하여 공무 집행의 공정성을 유지하고 깨끗한 공직 사회를 구현하는 데에 다른 공무원의 귀감(龜鑑)이 되는 자

④ 휴직에는 직권휴직과 청원휴직이 있는데, 자녀를 양육하거나 임신·출산의 경우는 본인이 원하면 특별한 사정이 없는 한 휴직을 명하여야 한다.

> **동법 제71조(휴직)** ② 임용권자는 공무원이 다음 각 호의 어느 하나에 해당하는 사유로 휴직을 원하면 휴직을 명할 수 있다. 다만, 제4호의 경우에는 대통령령으로 정하는 특별한 사정이 없으면 휴직을 명하여야 한다.
> 4. 만 8세 이하 또는 초등학교 2학년 이하의 자녀를 양육하기 위하여 필요하거나 여성공무원이 임신 또는 출산하게 된 때

03

② 시보기간 동안에는 신분보장이 제한적인데, 시보임용기간 중 근무성적·교육훈련성적이 나쁘거나 자질이 불량한 경우에는 직권면직이 가능하다.

① 시보임용은 5급 이하 공무원에게만 적용되는 것으로, 6급 이하 공무원의 경우 6개월간, 5급 공무원의 경우 1년간 시보로 임용한다.

③ 시보임용은 적격성 판단 및 실무습득 기회의 제공 등을 위해 실시하며, 이는 시험제도의 연장이며 선발과정의 일부라 할 수 있다.

④ 징계에 의한 정직 또는 감봉처분을 받는 기간은 시보임용기간에 산입되지 않는다.

☑ 포인트 정리

임용의 종류

외부 임용 (신규 채용)	공개경 쟁채용	–
	경력경 쟁채용	–
내부 임용	수평적 이동	전직·전보·파견·겸임
	수직적 이동	승진·강등·강임
	해직 및 복직	휴직·직위해제·정직·면직·해임·파면·복직

정답

01 ② 02 ① 03 ②

PART 4 인사행정론 281

01 채용시험의 타당성에 대한 설명으로 가장 바르게 연결한 것은?

2020 해경승진

> ㉠ 시험성적과 업무수행실적 간의 상관관계
> ㉡ 직무수행에 필요한 능력요소와 시험문제의 부합정도
> ㉢ 이론적으로 추정한 능력요소와 시험문제의 부합정도

> ⓐ 내용타당도　　　　　　ⓑ 구성타당도　　　　　　ⓒ 기준타당도

① ㉠ – ⓐ, ㉡ – ⓑ, ㉢ – ⓒ　　　　② ㉠ – ⓒ, ㉡ – ⓑ, ㉢ – ⓐ

③ ㉠ – ⓒ, ㉡ – ⓐ, ㉢ – ⓑ　　　　④ ㉠ – ⓑ, ㉡ – ⓐ, ㉢ – ⓒ

02 다음 중 시험이 특정한 직위의 의무와 책임에 직결되는 요소들을 어느 정도 측정할 수 있느냐에 대한 타당성의 개념은?

2018 국회 8급

① 내용타당성　　　　　　　　　② 구성타당성

③ 개념타당성　　　　　　　　　④ 예측적 기준타당성

⑤ 동시적 기준타당성

03 다음 괄호에 맞는 말을 찾으시오.

2007 제주 9급

> (ㄱ)은 시험이 측정하려고 하는 바를 실제로 측정할 수 있는 정도를 말하며, (ㄴ)은 시험시기나 도구, 형식, 순서 등에 따라 점수가 영향을 받지 않는 정도를 말하며 시기 등을 다르게 하여도 일정한 점수를 나타내면 (ㄴ)이 높다고 할 수 있다. (ㄷ)은 어려운 문제와 쉬운 문제의 배합의 적정성을 말하며, (ㄹ)은 어느 누가 채점을 하여도 동일한 결과를 나타내는 것을 말한다.

① ㄱ – 타당도, ㄴ – 신뢰도, ㄷ – 난이도, ㄹ – 객관성

② ㄱ – 타당도, ㄴ – 실용도, ㄷ – 난이도, ㄹ – 객관성

③ ㄱ – 정확도, ㄴ – 신뢰도, ㄷ – 난이도, ㄹ – 객관성

④ ㄱ – 정확도, ㄴ – 신뢰도, ㄷ – 실용도, ㄹ – 객관성

01
정답 : ③

③ ㉠–ⓒ, ㉡–ⓐ, ㉢–ⓑ이 옳게 연결되었다.

㉠–ⓒ [O] 기준타당도는 시험성적과 업무수행실적 간의 상관관계를 의미한다.

㉡–ⓐ [O] 내용타당도는 직무수행에 필요한 능력요소와 시험문제의 부합정도를 의미한다.

㉢–ⓑ [O] 구성타당도는 이론적으로 추정한 능력요소와 시험문제의 부합정도를 의미한다.

02
정답 : ①

① 내용타당성은 측정하고자 하는 것이 얼마나 시험에 반영되고 있는가를 의미하며 직무수행에 필요한 지식, 기술, 태도 등을 제대로 정할 수 있는 정도를 말한다.

② 구성타당성은 연구에서 이용된 이론적 구성개념과 이를 측정하는 측정 수단 간에 일치하는 정도를 의미한다.

③ 개념타당성은 기준에 의한 타당성으로 설명하기 어려운 감정과 같은 추상적인 개념이나 속성 등을 측정도구가 얼마나 적절하게 측정하였는가를 나타내는 정도를 의미한다.

④ 예측적 기준타당성은 합격자의 시험성적과 합격 후 일정기간이 지난 다음 근무성적을 비교하는 것으로 채용시험성적과 근무성적을 비교하여 양자의 상관관계를 확인하는 것을 의미한다.

⑤ 동시적 기준타당성은 재직자들에게 시험을 치게 하고 그들의 근무성적과 시험성적을 비교하는 것을 의미한다.

03
정답 : ①

① ㄱ – 타당도, ㄴ – 신뢰도, ㄷ – 난이도, ㄹ – 객관성에 해당한다.

ㄱ. [O] 타당도는 시험이 측정하려고 하는 바를 실제로 측정할 수 있는 정도를 말한다.

ㄴ. [O] 신뢰도는 시험시기나 도구, 형식, 순서 등에 따라 점수가 영향을 받지 않는 정도를 말하며 시기 등을 다르게 하여도 일정한 점수를 나타내면 신뢰도가 높다고 할 수 있다.

ㄷ. [O] 난이도는 어려운 문제와 쉬운 문제의 배합의 적정성을 말한다.

ㄹ. [O] 객관성은 어느 누가 채점을 하여도 동일한 결과를 나타내는 것을 말한다.

포인트 정리

시험 타당성

구분	판단기준	검증방법
기준 타당도	'시험성적 = 근무성적'	• 예측적 검증 (합격자) • 동시적 검증 (재직자)
내용 타당도	'능력요소 = 시험내용'	내용분석
구성 타당도	'이론적 구성요소 = 시험내용' 부합여부	논리적 추론 • 수렴적 타당성 • 차별적 타당성

인사행정론

PART 4

해커스공무원 마니행정학 기출 빅데이터 기적코

04 "채용시험 성적이 우수한 사람이 근무성적도 높게 나타나야 한다."는 것은 시험의 효용성 측정기준 중 어디에 해당하는가? 2007 국가 9급

① 타당도   ② 신뢰도

③ 객관도   ④ 난이도

05 시험에 합격한 사람이 일정한 기간 직장생활을 한 다음에 그의 채용시험성적과 업무실적을 비교하여 양자의 상관관계를 확인하여 검증하는 것은? 2006 서울 9급

① 내용적 타당성   ② 구성적 타당성

③ 예측적 타당성   ④ 해석적 타당성

⑤ 동시적 타당성

CHAPTER 12 능력발전

기출 필수 코스

01 근무성적평정에서 나타나기 쉬운 집중화 경향과 관대화 경향을 시정하기 위한 방법으로 적절한 것은? 2019 국가 9급

① 자기평정법   ② 목표관리제 평정법

③ 중요사건기록법   ④ 강제배분법

02 근무성적평정상의 오류 중 평가자가 일관성 있는 평정기준을 갖지 못하여 관대화 및 엄격화 경향이 불규칙하게 나타나는 것은? 2018 국가 9급

① 연쇄 효과(halo effect)   ② 규칙적 오류(systematic error)

③ 집중화 경향(central tendency)   ④ 총계적 오류(total error)

04

정답 : ①

① 타당도란 시험이 측정하려고 하는 바(직무수행능력)를 실제로 측정할 수 있는 정도를 말하는 것으로, 시험성적과 근무성적을 비교하여 그 차이가 근소할수록 타당도가 높다고 본다.

② 신뢰도는 시험결과로 나온 성적의 일관성이다.

③ 객관도는 채점의 공정성이다.

④ 난이도는 시험이 어려운 정도이다.

05

정답 : ③

③ 시험에 합격한 사람이 일정한 기간 직장생활을 한 다음에 그의 채용시험성적과 업무실적을 비교하여 양자의 상관관계를 확인하여 검증하는 방법은 예측적 타당성에 해당한다.

① 내용적 타당성은 직무수행에 필요한 능력요소와 시험문제의 부합정도이다.

② 구성적 타당성은 이론적으로 추정한 능력요소와 시험문제의 부합정도이다.

⑤ 동시적 타당성은 재직자에게 시험을 실시하여 얻은 시험성적과 그 둘의 근무실적에 대한 자료를 수집하여 상관관계를 분석하는 것이다.

01

정답 : ④

④ 설문은 강제배분법에 대한 설명이다. 이는 어떤 분포의 비율을 미리 정하여 그에 따라 순위를 매기거나 배분하도록 하는 방법으로 평정대상자의 수가 많을 때 이들 간의 상대적 우열을 구분하는 데 유리한 방법이다.

① 자기평정법은 다면평정에 앞서 피평정자 본인이 업무실적기록을 제출하는 방법이다.

② 목표관리제 평정법은 근무과정이나 태도보다 결과중심의 평정방법으로 근접오류를 방지하는데 유리한 방법이다.

③ 중요사건기록법은 근무실적에 영향을 주는 중요사건이 발생할 때마다 평정자로 하여금 이를 기술하게 하거나 중요사건들에 대한 설명구를 미리 만들어 해당되는 사건에 표시하게 하는 방법이다.

02

정답 : ④

④ 총계적 착오는 근무성적평정시 평정자의 평정기준이 일정하지 않아 관대화 및 엄격화 경향이 불규칙하게 나타나는 오류이다.

① 연쇄효과는 평정자가 가장 중요시하는 하나의 평정요소에 대한 평가결과가 성격이 다른 평정요소에도 영향을 미치는 오류이다.

② 규칙적 오류는 어떤 평정자가 다른 평정자보다 언제나 좋은 점수 또는 나쁜 점수를 주게 되는 오류이다.

③ 집중화 경향은 평균에 가깝게 평정함으로써 나타나는 오류이다.

포인트 정리

시험의 효용도

타당도	시험이 측정하고자 하는 내용(직무수행능력)을 얼마나 정확하게 측정했는지의 정도
신뢰도	시험이 측정도구로서 가지는 일관성의 정도
객관도	채점의 공정성
난이도	쉬운 문제와 어려운 문제의 혼합비율의 적정도
실용도	실시 비용의 저렴성 및 실시와 채점의 용이성

타당도 유형

기준 타당도	직무수행에 필요한 '능력이나 실적' 예측 여부
내용 타당도	직무수행에 필요한 '능력요소' 측정 여부
구성 타당도	직무수행에 필요한 능력요소와 관련된다고 믿는 '이론적 구성요소' 측정 여부

정답

04 ① 05 ③ 01 ④ 02 ④

03 다면평가제도에 대한 설명으로 가장 옳지 않은 것은? 2017 서울 9급

① 다수의 평가자가 참여해 합의를 통해 평가 결과를 도출하는 체계이며, 개별평가자의 오류를 방지하고 평가의 공정성을 확보할 수 있다.

② 개인을 평가할 때 직속상사에 의한 일방향의 평가가 아닌 다수의 평가자에 의한 다양한 방향에서의 평가이다.

③ 조직구성원들에게 조직 내외의 모든 사람과 원활한 인간관계를 증진시키려는 강한 동기를 부여함으로써 업무수행의 효율성을 제고할 수 있다.

④ 능력보다는 인간관계에 따른 친밀도로 평가가 이루어져 상급자가 업무추진보다는 부하의 눈치를 의식하는 행정이 이루어질 가능성이 높다.

04 근무성적평가제에 대한 설명 중 가장 옳은 것은? 2017 서울 9급

① 4급 이상 공무원을 대상으로 한다.

② 매년 말일을 기준으로 연 1회 평가가 실시된다.

③ 평가단위는 소속 장관이 정할 수 있다.

④ 공정한 평가를 위해 평가자와 피평가자의 사전협의가 금지된다.

05 평정자가 평정표(평정서)에 나열된 평정요소에 대한 설명 또는 질문을 보고 피평정자에게 해당되는 것을 골라 표시를 하는 평정방법은? 2016 사복 9급

① 도표식 평정척도법

② 체크리스트법

③ 산출기록법

④ 직무기준법

03

① 다면평가제도는 다수의 평가자가 참여를 하지만 합의를 통해 평가하는 것은 아니다.

② 다면평가제도는 근무성적을 상관·동료·하급자·민원인 등에 의해 다면적·입체적으로 평가받게 하여 인사평정의 객관성과 신뢰성을 제고시킴으로써 상관에 의한 단면평가에서 야기될 수 있는 차별과 편견을 완화시킬 수 있는 제도이다.

③ 다면평가는 성과평가에 대한 권한을 부여하고 다양한 성과 피드백을 가능하게 함으로써 평가의 주관적인 오류를 최소화 시켜주며 팀워크와 계층완화 및 원활한 인간관계를 증진시키려는 강한 동기를 부여한다.

④ 다면평가에는 부하도 포함되므로 상급자가 부하의 눈치를 의식하는 행정이 이루어질 가능성이 높다.

04

③ 근무성적평가는 직급별로 구성한 평가단위별로 실시하되 소속장관은 직무의 유사성 및 직급별 인원수 등을 고려하여 평가단위를 정할 수 있다.

> **공무원 성과평가 등에 관한 규정 제14조(근무성적평가의 평가항목 등)**
> ② 평가항목별 평가요소는 소속 장관이 직급별·부서별 또는 업무분야별 직무의 특성을 반영하여 정한다. 이 경우 평가요소는 평가 대상 공무원이 수행하는 업무와 관련성이 있도록 하고, 근무성적평가가 객관적으로 이루어질 수 있도록 정하여야 한다.

① 근무성적평가는 5급 이하를 대상으로 하고 4급 이상의 공무원을 대상으로 하는 것은 성과계약 등 평가이다.

> **동규정 제7조(평가 대상)** 4급 이상 공무원(고위공무원단에 속하는 공무원을 포함한다)과 연구관·지도관(「연구직 및 지도직공무원의 임용 등에 관한 규정」 제9조에 따른 연구관 및 지도관은 제외한다) 및 전문직공무원에 대한 근무성적평정은 성과계약등 평가에 의한다.
> **제12조(근무성적평가의 대상)** 5급 이하 공무원, 우정직공무원, 「연구직 및 지도직공무원의 임용 등에 관한 규정」(이하 "연구직 및 지도직 규정"이라 한다) 제9조에 따른 연구직 및 지도직공무원에 대한 근무성적평정은 근무성적평가에 의한다.

② 근무성적평가는 매년 6월 30일과 12월 31일 연 2회 실시를 원칙으로 한다.

> **동규정 제5조(평가 시기)** ① 성과계약등 평가는 12월 31일을 기준으로 실시한다.
> ② 근무성적평가는 정기평가와 수시평가로 구분하여 실시하고, 경력평정은 정기평정과 수시평정으로 구분하여 실시한다.
> ③ 제2항에 따른 정기평가 또는 정기평정은 6월 30일과 12월 31일을 기준으로 실시한다.

④ 공정한 평가를 위해 평가자와 피평가자의 사전협의 및 면담 등을 인정한다.

> **동규정 제20조(성과면담 등)** ① 평가자는 근무성적평정이 공정하고 타당하게 실시될 수 있도록 하기 위하여 근무성적평정 대상 공무원과 성과면담을 실시하여야 한다.
> ④ 평가자가 성과계약등 평가 또는 근무성적평가 정기평가를 실시할 때에는 평정 대상 기간의 성과목표 추진결과 등에 관하여 근무성적 평정 대상 공무원과 서로 의견을 교환하여야 한다.

05

② 체크리스트 평정법은 평가요소에 대한 질문항목 목록을 미리 작성해 두고, 이에 대한 가부를 표시하는 평정방법이다.

① 도표식 평정척도법은 가장 널리 사용하는 방법으로, 평정요소마다 주어진 측정척도에 따라 피평정자에 대한 평가를 표시하는 방법이다.

③ 산출기록법은 공무원의 시간당 수행한 업무량을 측정하거나 일정한 업무량을 달성하는 데 소요된 시간을 계산하여 그 근무실적을 평가의 대상으로 하는 방법이다.

④ 직무 자체를 기준으로 하는 방법이다.

근무성적평정 방법

산출기록법	일정기간 생산고(근무실적)를 수량적으로 평가
주기검사법	주기적으로 특정시기의 생산기록 측정
도표식 평정척도법	가장 많이 이용되며 한편에는 실적·능력 등의 평정요소를, 다른 한편에는 우열을 표시 4~5개의 체크리스트 단문 중 강제 선택
강제배분법	집단적 서열법으로 우열의 등급에 따라 구분한 뒤 분포비율에 따라 강제로 배치
중요사건기록법	근무실적에 영향을 주는 중요 사건들을 평정
행태기준척도법	평정의 임의성·주관성을 배제하기 위해 도표식척도법에다 중요사건 기록법을 가미
행태관찰척도법	행태기준척도법 + 도표식평정척도법(항목 간 상호 배타성 극복)

정답

03 ① 04 ③ 05 ②

근무성적평정 오차 중 사람에 대한 경직적 편견이나 고정관념 때문에 발생하는 오차는?

① 상동적 오차(error of stereotyping) ② 연속화의 오차(error of hallo effect)

③ 관대화의 오차(error of leniency) ④ 규칙적 오차(systematic error)

⑤ 시간적 오차(recency error)

---

07 **다면평가제도에 대한 설명으로 옳지 않은 것은?**

① 평가대상자의 동료와 부하를 제외하고 상급자가 다양한 측면에서 평가한다.

② 일면평가보다는 평가의 객관성과 신뢰성을 확보할 수 있다.

③ 평가결과의 환류를 통하여 평가대상자의 자기역량 강화에 활용할 수 있다.

④ 평가항목을 부처별, 직급별, 직종별 특성에 따라 다양하게 설계하는 것이 바람직하다.

---

08 **공무원 평정제도로서 다양한 계급의 평가자가 피평가자를 평가하는 다면 평가제도의 장점으로 옳지 않은 것은?**

① 입체적·다면적 평가를 통해 평가의 객관성과 공정성을 높일 수 있다.

② 상급자가 직원들을 의식하지 않고 강력하게 업무를 추진할 수 있다.

③ 조직 내 원활한 인간관계를 증진시키려는 동기부여를 통해 업무의 효율성과 상호간 이해의 폭을 높일 수 있다.

④ 계층구조의 완화와 팀워크가 강조되는 새로운 조직유형에 적합한 평가제도이다.

---

09 **근무성적 평정자가 평정도구를 이용하여 대상자를 평정할 때 나타날 수 있는 오류에 대한 설명으로 옳지 않은 것은?**

① 연쇄효과(halo effect)란 평정자가 가장 중요시하는 하나의 평정요소에 대한 평가 결과가 성격이 다른 평정요소에도 영향을 미치는 것을 말한다.

② 근접효과(recentry effect)는 평정대상 기간 중에서 평정시점에 가장 가까운 실적이나 사건일수록 평정에 더 크게 반영되는 경향이다.

③ 집중화 오류를 방지하기 위한 방법으로 강제배분법을 들 수 있다.

④ 근접오류를 방지하기 위한 방법으로 도표식 평정척도법을 들 수 있다.

06

① 사람에 대한 경직적 편견이나 고정관념 때문에 발생하는 오차는 상동적 오차이다.

② 연속화의 오차는 어느 하나의 평정요소에 대한 평정자의 판단이 다른 평정요소에 연쇄적으로 영향을 미치는 오류이다.

③ 관대화 경향은 평정이 우수한 쪽에 집중되는 경향이다.

④ 규칙적 오차(체계적 착오·일관적 착오)는 다른 평정자보다 항상 좋은 점수를 주거나 항상 나쁜 점수를 주는 오류이다.

⑤ 시간적 오차는 첫 인상에 너무 큰 비중을 두는 데서 오는 착오인 최초효과와 평정시점에 가장 가까운 실적이나 사건일수록 평정에 크게 반영하는 오류인 근접오류가 있다.

07

① 다면평가제는 상급자만이 평가하는 일면적 평가가 아니라 상사, 동료, 부하, 고객(민원인) 등의 다양한 평가자가 다양한 측면에서 평가하는 제도이다.

② 여러 사람이 평정에 참여하여 소수인의 주관과 편견, 개인편차를 줄임으로써 보다 공정하고 객관적인 평가가 가능하다.

③ 구성원의 자기개발을 위한 동기유발 효과가 있다.

④ 소속 공무원의 인적 구성을 고려하여 공정하게 대표되도록 구성하는 하는 것이 바람직하다.

08

② 다면평가는 상관·동료·하급자·민원인 등에 의해 평가를 받는 것으로 상급자가 하급자를 의식하게 되어 소신 있는 업무추진이 어렵게 된다.

① 다면평가제도는 근무성적을 상관·동료·하급자·민원인 등에 의해 다면적·입체적으로 평가받게 하여 평가의 객관성과 공정성을 높일 수 있다.

③ 상관에 의한 단면평가에서 야기될 수 있는 차별과 편견을 완화시킬 수 있는 제도로 업무의 효율성과 상호 간 이해의 폭을 높일 수 있다.

④ 성과평가에 대한 권한을 부여하고 다양한 성과 피드백을 가능하게 함으로써 평가의 주관적인 오류를 최소화시켜 준다.

다면평정의 장단점

장점	• 구성원의 장단점에 대한 다양한 의견 수렴 • 공정성·객관성·신뢰성 제고 • 충성심의 다원화 • 분권화 촉진 • 민주적 리더십 발전 • 공정한 평가로 동기유발과 자기개발 촉진
단점	• 갈등과 스트레스 • 절차의 복잡성과 시간소모 • 형평성·신뢰성·정확성 저하 우려 • 포퓰리즘으로 인한 목표의 왜곡 • 피평정자의 무지와 일탈된 행동

09

④ 근접오류를 방지하기 위한 방법으로는 독립된 평가센터를 설치·운영하는 방안, 목표관리법(MBO)에 의한 평가, 중요사건기록법 등을 들 수 있다.

① 연쇄효과는 특정 평정요소의 평정결과나 전반적인 인상이 평정에 영향을 주는 착오이다.

② 근접효과는 최근의 실적·사건이 평정에 영향을 주는 것이다.

③ 집중화 오류는 중간에 절대다수가 집중되는 경향이다.

10 다음 중 지각상 오류에 대한 설명으로 틀린 것은?

2007 해경간부

① 선택적 지각(selective perception)은 자기 기준 체계에 유리한 것만을 일관성 있게 수용하려고 하는 것이다.

② 상동적 태도(stereotyping)는 개인의 지각과정에서 어떤 인식을 비교적 오랫동안 일관적으로 같은 상태로 계속 유지하려고 하는 경향이다.

③ 귀인(attribution)적 편견은 드러나는 행위를 기초로 해서 관찰자가 자신이나 피평가자의 내적 상태를 추론함으로써 발생하는 오류를 말한다.

④ 후광효과(halo effect)는 피그말리온 효과(Pygmalion effect)와 관련된다.

CHAPTER 13 교육훈련, 승진, 배치전환

기출 필수 코스

01 다음 중 OJT(On-the-job Training)의 프로그램으로 적절하지 않은 것은?

2021 소방간부

① 인턴십(internship)
② 직무순환(job rotation)
③ 역할 연기(role playing)
④ 실무지도(coaching)
⑤ 임시배정(transitory experience)

02 교육훈련의 종류를 OJT(On-the-Job Training)와 OFFJT(Off-the-Job Training)로 구분할 때 OJT의 주요 프로그램에 해당하지 않는 것은?

2019 서울 9급(2월)

① 인턴십(internship)
② 역할 연기(role playing)
③ 직무순환(job rotation)
④ 실무지도(coaching)

03 배치전환에 대한 설명으로 가장 옳지 않은 것은?

2019 서울 9급

① 능력의 정체와 퇴행현상을 방지할 수 있다.
② 직무의 부적응을 해소하고 조직 구성원에게 재적응의 기회를 부여할 수 있다.
③ 행정의 전문성과 능률성을 증진시킬 수 있다.
④ 정당한 징계절차에 의하지 않고 일종의 징계수단으로 활용될 가능성이 존재한다.

10

정답 : ④

④ 후광효과(halo effect)는 연쇄화 효과이며, 피그말리온 효과는 예언한대로 판단한다는 자기예 언적 도취효과(로젠탈효과)와 관련된다.

① 선택적 지각에 대한 설명이다.

② 상동적 태도는 유형화(정형화·집단화)의 착오로 선입견·고정관념에 의한 오차이다.

③ 귀인적 편견에 대한 설명이다.

01

정답 : ③

③ 역할연기는 실제 직무상황과 같은 상황을 조성하여 그대로 연기하고 연기 내용을 비평·토 론·논평하는 방법으로, 인간관계의 태도 변화에 효과적이다.

①, ②, ④, ⑤ 현장훈련은 피훈련자가 실제 직무를 수행하면서 선임자로부터 직무수행 능력을 향상시키기 위해 지도·훈련을 받는 것으로, 인턴십, 직무순환, 실무지도, 임시배정 등이 있다.

02

정답 : ②

② 역할연기는 교육원 훈련 방식에 해당한다.

①, ③, ④ 인턴십, 직무순환, 실무지도는 현장훈련 방식에 해당한다.

03

정답 : ③

③ 배치전환은 행정의 전문성과 능률성을 저해한다.

① 배치전환은 업무수행에 대한 권태방지와 조직의 활성화에 기여할 수 있다.

② 조직구성원에게 재적응의 기회를 부여함으로써 보직에 부적응을 해소하고 인간관계를 개선 시키는 데 기여한다.

④ 개인세력의 확장 수단으로 악용될 수 있으며 징계 및 사임의 강요수단으로 활용될 수 있다.

포인트 정리

근무성적평정 착오의 유형

연쇄효과	특정 평정요소의 평정결과나 전반적인(막연한) 인상이 평정에 영향을 주는 착오
시간적 오차	최근의 실적·사건이 평정에 영향을 주는 근접오류
집중화의 오차	중간에 절대다수가 집중되는 경향
관대화의 오차	실제보다 너그럽게 후한 평정을 하는 것
규칙적 오차	지속적으로 과대 or 과소 평정 ↔ 총계적 오차(불규칙)
논리적 오차	평정요소 간에 존재하는 논리적 상관관계에 의한 오류
상동적 오차	유형화(정형화·집단화)의 착오로 선입견·고정관념에 의한 오차

현장훈련

실무지도	일상근무 중 상관이 부하에게 직무수행과 관련한 기술을 가르쳐 줌
직무순환	여러분야의 직무를 직접 경험하도록 계획순서에 따라 직무를 순환
임시배정	앞으로 맡게 될 임무에 대비하게 함
실무실습	제한된 기간 동안 임시로 고용함

정답

10 ④ 01 ③ 02 ② 03 ③

04 공무원 교육훈련 방법에 대한 설명으로 가장 옳지 않은 것은?

2017 해경간부

① 시뮬레이션은 업무수행 중 직면할 수 있는 어떤 상황을 가상적으로 만들어 놓고 피교육자가 그 상황에 대처해보도록 하는 방법이다.

② 감수성훈련은 어떤 사건의 윤곽을 피교육자에게 알려주고 그 해결책을 찾게 하는 방법이다.

③ 역할연기는 실제 직무상황과 같은 상황을 실연시킴으로써 문제를 빠르게 이해시키고 참여자들의 태도변화와 민감한 반응을 촉진시킨다.

④ 강의는 교육내용을 다수의 피교육자에게 단시간에 전달하는데 효과적인 방법이다.

05 평상시 근무하면서 일을 배우는 직장 내 교육훈련방법으로 가장 옳지 않은 것은?

2015 서울 7급

① 실무지도

② 인턴십

③ 직무순환

④ 감수성훈련

06 교육훈련은 실시되는 장소가 직장 내인가, 외인가에 따라 직장훈련(On-the-Job Training)과 교육원훈련(Off-the-Job Training)으로 나뉜다. 다음 중 직장훈련의 장점으로 볼 수 없는 것은?

2009 국가 9급

① 사전에 예정된 계획에 따라 실시하기가 용이하다.

② 상사나 동료간의 이해와 협동정신을 강화·촉진시킨다.

③ 피훈련자의 습득도와 능력에 맞게 훈련할 수 있다.

④ 훈련으로 구체적인 학습 및 기술향상의 정도를 알 수 있으므로 구성원의 동기를 유발할 수 있다.

07 다음 중 현재 우리나라 5급 이하에 적용되는 승진후보자명부 작성 시 고려하는 요소가 옳게 연결된 것은?

2007 서울 5급 승진(수정)

① 근무성적평정 + 경력평정 + 교육훈련성적 + 직무수행태도

② 근무성적평정 + 경력평정 + 교육훈련성적

③ 근무성적평정 + 경력평정

④ 근무성적평정

04
정답 : ②

② 감수성훈련은 자기 자신과 다른 사람의 태도에 대한 자각과 감수성을 기르는 훈련으로 태도나 행동의 변화를 주된 목적으로 한다. 한편 어떤 사건의 윤곽을 피교육자에게 알려주고 그 해결책을 찾게 하는 방법은 사례연구 중 사건처리연습에 해당한다.

① 시뮬레이션은 피훈련자가 업무 중 직면하게 될 상황을 인위적으로 설정해 놓고 피훈련자가 거기에 대처하도록 훈련하는 것이다.

③ 역할연기는 몇 명의 피훈련자가 실제의 행동으로 연기하고 사회자가 청중들에게 연기내용을 비평·토론하게 한 후 결론적인 설명을 하는 것으로 참여자들의 태도변화와 민감한 반응을 촉진시킨다.

④ 강의는 여러 사람을 모아놓고 말로써 정보를 전달하는 방법으로 다수를 대상으로 하기에 효과적인 방법이다.

05
정답 : ④

④ 평상시 근무하면서 일을 배우는 직장 내 교육훈련방법은 현장훈련(OJT) 방법으로 실무지도, 인턴십 등이 해당되며, 감수성훈련의 경우 교육원훈련(Off JT)에 해당한다.

① 실무지도는 일상근무 중 상관이 부하에게 지도하는 것으로 직무수행기술, 질문답변 등이 있다.

② 인턴십은 조직의 구조·문화·과정에 대한 이해와 간단한 업무를 경험할 수 있는 기회를 부여하는 것이다.

③ 직무순환은 여러 분야의 직무를 경험하도록 순환시키는 실무훈련으로 일반행정가 원리에 부합하는 방법이다.

06
정답 : ①

① 현장훈련은 직장 내에서 정상적으로 업무를 수행하면서 교육이 실시되므로 교육이 업무수행에 의하여 지장을 받거나 하여 사전에 예정된 계획에 따라 실시하기가 용이하지 않다.

② 직장훈련은 피훈련자가 직책을 정상적으로 수행하면서 담당 업무의 수행 능력을 향상시키기 위하여 상관이나 선임자로부터 지도·훈련을 받는 것으로 상사나 동료 간의 이해와 협동정신을 강화하고 촉진시킬 수 있다.

③ 피훈련자의 습득도와 능력에 맞게 조정하여 훈련하기 용이하다.

④ 학습 및 기술향상의 정도를 알 수 있으므로 구성원의 동기를 유발할 수 있다.

07
정답 : ③

③ 현재는 근무성적평정(90%) + 경력평정(10%)에 의하여 승진후보자명부를 작성한다.

포인트 정리

현장훈련 vs 교육원훈련

현장 훈련	• 훈련이 실제적임 • 실시가 용이함 • 학습 및 기술향상을 알 수 있으므로 구성원의 동기 유발 • 상사나 동료 간 이해와 협동정신 강화·촉진 • 낮은 비용 • 피훈련자 습득도와 능력에 맞게 훈련 가능
교육원 훈련	• 현장 업무수행과 관계없이 예정된 계획에 따라 실시 • 많은 구성원들을 동시에 교육 가능 • 전문적 지식을 갖춘 교관이 실시 • 교육의 효과가 높음

정답

04 ② 05 ④ 06 ① 07 ③

승진에 관한 설명으로 옳지 않은 것은?

① 승진기준을 선임순위에 중점을 두는 경우 객관성을 확보할 수 있다.

② 승진경쟁의 범위를 당해 부처의 직원으로 한정시키면 행정의 침체를 초래하기 쉽다.

③ 승진임용은 일반적으로 근무성적평정, 경력평정, 기타 능력의 입증을 기준으로 한다.

④ 국가공무원의 경우 5급으로의 승진에는 시험을 거쳐야 한다.

09 인사제도에 관한 용어 설명 중 옳지 않은 것은?

① 겸임 – 한 사람에게 둘 이상의 직위를 부여함

② 전직 – 한 기관 내에서 동일 직급, 직렬에서 직위가 변동하는 것

③ 직무대행 – 하위직급자가 상위직급자의 임무를 대신함

④ 전출입 – 인사관할권이 다른 기관 간의 이동

CHAPTER 14 보수, 연금

기출 필수 코스

01 다음은 공무원 보수에 대한 설명이다. 옳지 않은 것은?

① 실적급은 공무원의 직무수행능력을 측정하여 그 능력이 우수할수록 보수를 우대하는 보수체계이다.

② 직무급은 직무의 난이도와 책임의 정도에 따른 직무의 가치를 보수와 연결시킨 것이다.

③ 연공급은 근속연수, 경력 등 속인적인 요소의 차이에 따라 보수의 격차를 두는 보수체계이다.

④ 생활급은 공무원과 그 가족의 기본적인 생활 내지 생계유지에 필요한 경비를 중심으로 보수를 결정하는 것이다.

02 총액인건비제도에 대한 설명으로 옳지 않은 것은?

① 정원관리에 대한 각 부처의 자율성 확대를 목표로 한다.

② 김대중 정부에서 중앙행정기관 및 지방자치단체에 처음 도입되었으며, 공공기관으로 확대되었다.

③ 보수관리에 대한 각 부처의 자율성이 확대되었다.

④ 시행기관은 성과중심의 조직운영을 위하여 총액인건비제도를 활용할 수 있다.

08

정답 : ④

④ 국가공무원의 경우 5급으로의 승진은 승진시험 또는 승진심사위원회의 심사 중 선택적으로 실시할 수 있다.

① 승진기준을 경력, 학력, 근무연한(선임순위)에 중점을 두는 경우 객관적이고 절차가 간단하다.

② 폐쇄주의적 승진의 단점이다.

③ 5급 이하의 경우 근무성적평정(80%) 및 경력(20%)을 고려하여 승진후보자명부를 작성한다.

09

정답 : ②

② 전직은 직렬을 달리하여 이동하는 것이다. 한편 한 기관 내에서 동일 직급, 직렬에서 직위가 변동하는 것은 전보에 해당한다.

① 겸임은 한 사람에게 둘 이상의 직위를 부여하는 것을 의미한다.

③ 직무대행은 하위직급자가 상위직급자의 임무를 대신하는 것을 의미한다.

④ 전출입은 인사관할권이 다른 기관으로 이동하는 것을 의미한다.

01

정답 : ①

① 직무수행능력(노동력의 가치)에 따라 보수를 지급하는 보수체계는 직능급에 해당한다.

② 직무급에 대한 옳은 설명이다.

③ 연공급에 대한 옳은 설명이다.

④ 생활급에 대한 옳은 설명이다.

02

정답 : ②

② 노무현 정부에서 2007년부터 중앙행정기관 및 지방자치단체에 실시하였으며, 공공기관으로 확대되었다.

① 총정원은 행정안전부가 대통령령으로 정하되 필요시 각 부처가 5% 이내에서 부령으로 추가 운영이 가능하며 직급별 정원에는 어느 정도의 자율성을 부여함으로써 각 부처의 자율성을 확대하였다.

③ 보수분야에서는 인건비를 기본항목과 자율항목으로 구분하고 자율항목은 부처가 자율적으로 그 지급대상이나 요건을 정할 수 있고 지급액의 증감을 인정함으로써 자율성을 확대하였다.

④ 총액인건비제는 성과관리와 관리유인체계를 제공하기 위한 신공공관리론의 산물로 시행기관은 성과중심의 조직운영을 위하여 총액인건비제를 활용할 수 있다.

⭐ **포인트 정리**

배치전환의 종류

전직	직렬을 달리하여 이동
전보	동일한 직렬 내에서 직위·부서·부처 등의 이동
파견	소속이 바뀌지 않으면서 일시적으로 타기관에 근무
전출입	인사관할권이 다른 기관으로의 이동
겸직	한 사람에게 둘 이상의직위 부여

정답

08 ④ 09 ② 01 ① 02 ②

PART 4

해커스공무원 마니행정학 기출 빅데이터 기본서

인사행정론

03 우리나라 공무원연금 재정 확보 방식을 옳게 짝지은 것은?
2019 서울 9급(2월)

① 기금제 – 기여제　　　　　　② 기금제 – 비기여제

③ 비기금제 – 기여제　　　　　④ 비기금제 – 비기여제

04 직무가 지니는 상대적 가치를 평가하여 임금을 결정하는 보수체계는?
2019 행정사

① 직무급　　　　　　　　　　② 근속급

③ 직능급　　　　　　　　　　④ 생활급

⑤ 성과급

05 「공무원보수규정」상 고위공무원단 소속 공무원에 적용되는 직무성과급적 연봉제에 대한 설명으로 옳지 않은 것은?
2017 지방 9급

① 고위공무원단에 속하는 모든 공무원에 대하여 적용한다.

② 기본연봉은 기준급과 직무급으로 구성된다.

③ 기준급은 개인의 경력 및 누적성과를 반영하여 책정된다.

④ 직무급은 직무의 곤란성 및 책임의 정도를 반영하여 직무등급에 따라 책정된다.

06 우리나라 공무원 보수에 관한 설명으로 옳은 것은?
2015 교행 9급

① 보수에 대한 정치적 통제가 미약하여 민간기업 보수보다 경직성이 약하다.

② 성과급적 연봉제는 실적평가 결과를 반영하여 보상의 차등화를 지향한다.

③ 전통적으로 생활급 중심의 보수체계로 인해 공무원 보수의 공정성이 높다.

④ 공무원의 노동삼권이 보장되어 동일노동·동일보수의 원칙이 적용되고 있다.

03

① 우리나라는 연금재원을 조달하기 위해 기금을 조성·운영하는 기금제와 급여에 소요되는 비용을 국가(지자체)와 공무원이 공동으로 부담하는 기여제의 방식을 취하고 있다.

04

① 직무가 지니는 상대적 가치를 평가하여 임금을 결정하는 보수체계는 직무급이다. 직무급은 직위분류제 국가에서 주로 적용되고 있으며, 직무의 곤란도와 책임도에 따라 지급함으로써 일에 맞는 보수를 실현한다.

05

① 고위공무원단 소속 공무원에게는 직무성과급적 연봉제가 적용되지만 모든 공무원단에 적용되는 것은 아니며 대통령경호실 소속 직원 중 고위공무원단에 속하는 별정직공무원에 대해서는 호봉제를 적용한다.

> **공무원 보수 규정 제63조(고위공무원의 보수)** ① 고위공무원에 대해서는 직무성과급적 연봉제를 적용한다. 다만, 대통령경호실 직원 중 고위공무원단에 속하는 별정직공무원에 대해서는 호봉제를 적용한다.
> ② 직무성과급적 연봉제를 적용하는 고위공무원의 기본연봉은 개인의 경력 및 누적성과를 반영하여 책정되는 기준급과 직무의 곤란성 및 책임의 정도를 반영하여 직무등급에 따라 책정되는 직무급으로 구성한다.

06

② 성과급적 연봉제에 대한 설명이다.
① 공무원의 보수는 사회 전체에 미치는 영향이 클 뿐만 아니라 법령에 규정되기 때문에 민간기업 보수보다 경직성이 강하다.
③ 생활급 중심의 보수체계는 공무원 및 그 가족의 기본적 생계유지를 보장하기 위한 것으로 공무원 보수의 공정성이 낮다.
④ 공무원은 동일노동·동일보수의 원칙이 적용되고 있으나 노동삼권 중 단체행동권은 인정되지 않는다.

07 공무원 연금제도에 대한 설명으로 옳지 않은 것은? 2011 국가 7급

① 우리나라 「공무원연금법」의 적용 대상에는 장관도 포함된다.

② 우리나라의 공무원 연금제도는 기금제(pre-funding system 또는 funded plan)를 채택하고 있다.

③ 기금제는 운용·관리 비용이 적게 든다는 장점이 있다.

④ 기금제를 채택하는 경우 기금 조성의 비용을 정부에서 단독 부담하는 제도를 비기여제(non-contributory system)라 한다.

08 공무원 보수제도로서 연봉제에 대한 설명으로 옳은 것은? 2011 지방 7급

① 연봉제 도입을 통하여 관료제 내부의 공동체의식이나 팀정신이 향상된다.

② 연봉제는 실적주의 및 직위분류제를 강화시키지만 직업공무원제 및 계급제는 약화시키는 경향이 있다.

③ 우리나라의 경우 연봉액을 1년 단위로 책정하여 전액을 매년 1회 일괄해서 지급하는 것이 원칙이다.

④ 우리나라 고위공무원단에 속하는 공무원의 연봉제 수립에 있어서 직무분석이 직무평가보다 더 중요한 기능을 한다.

09 "공무원의 보수수준은 (   )을(를) 상한선으로 하고, (   )을(를) 하한선으로 하여 결정되는 것이 바람직하다."고 할 때 (   )안에 각각 들어갈 내용으로 적합한 것은? 2005 경기 9급

① 민간부문의 최고임금, 민간부문의 평균임금

② 공무원의 성과, 공직의 시장가격

③ 정부의 재정력, 공무원의 생계비

④ 민간부문의 평균임금, 공직의 시장가격

CHAPTER 15 　사기관리(사기, 고충처리)

기출 필수 코스

01 공무원의 사기관리 제도에 관한 설명으로 가장 옳지 않은 것은? 2015 해경간부

① 제안제도는 공무원의 창의적 의견을 장려하여 사기를 높이고 그 결과로 행정의 개선에 기여하게 하는 제도이다.

② 소청심사제도는 징계처분 등 불이익 처분을 받은 공무원이 그에 불복해 이의를 제기하면 심사해 구제하는 절차이다.

③ 보수는 근무의 대가로 지불되는 재정적 보상이다.

④ 고충심사위원회의 결정의 효력은 기속력이 있다.

07

정답 : ③

③ 우리나라와 같은 기금제는 미리 계획을 세워 별도로 기금을 적립·마련해야 하므로 출발비용이 많이 들어가지만, 영국이나 프랑스 등지에서 활용하고 있는 비기금제는 별도의 기금을 마련하지 않고 국가의 세출 예산에서 상황에 따라 연금을 지급하기 때문에 별도로 기금을 적립·마련해야 할 필요가 없으므로 출발비용과 운용·관리비용이 적게 들어간다는 장점이 있다.

① 군인과 선거로 취임하는 공무원은 공무원연금법 적용대상자가 아니지만 장·차관은 적용대상이다.

② 기금제는 연금지급에 필요한 재원을 조달하기 위해 미리 기금을 마련하고, 이 기금과 기금의 투자로 얻어지는 이익금으로 연금재원을 충당하는 제도이다.

④ 구성원의 재원부담 여부에 따라 기여제와 비기여제로 나뉘는데 우리나라는 기여제를 채택하고 있다.

08

정답 : ②

② 연봉제는 성과중심의 보수제도이므로 실적주의 및 직위분류제를 강화시키지만, 직업공무원제나 계급제는 약화시키는 경향이 있다.

① 연봉제는 개인의 성과중심 보수제도이므로 관료제 내부의 공동체의식이나 연대의식, 팀정신을 저해할 소지가 있다.

③ 우리나라 연봉제는 연봉액을 12개월로 나누어 매월 지급하는 것이 원칙이다.

④ 직무급의 경우 직무의 곤란도와 책임도 등 상대적 비중(직무평가결과)에 따라 2등급(가, 나)으로 구분되므로 우리나라 고위공무원단에 속하는 공무원의 연봉제 수립은 직무분석보다 직무평가가 더 중요한 기능을 한다.

09

정답 : ③

③ 공무원 보수수준의 상한선은 경제적 요인(정부의 재정력, 물가수준 등)에 의해 결정되며, 하한선은 사회윤리적 요인(공무원의 생계비 등)에 따라 결정된다.

① 민간부문의 최고임금과 평균임금은 경제적 요인에 해당한다.

② 공무원의 성과는 정책적 요인에 해당한다.

④ 민간부문의 평균임금은 경제적 요인에 해당한다.

01

정답 : ④

④ 소청심사위원회의 경우는 법적 구속력이 있어 위원회의 결정은 처분행정청을 기속하지만, 고충심사위원회의 경우는 법적 구속력이 약하다.

① 제안제도는 직무수행과정에서 예산절약 및 행정 능률향상을 가져올 수 있는 사항에 대해 이를 제안하고 그 성과가 인정되는 경우 보상을 지급하는 제도를 말한다.

② 소청심사제도는 처분사유서를 받은 공무원이 그 처분에 불복이 있을 때 설명서를 받은 날 또는 불리한 처분을 받았다는 것을 알게 된 날부터 각각 30일 이내에 심사를 청구해 구제하는 절차이다.

③ 보수는 정부에서 공무원의 근무에 대한 대가로 제공하는 금전적 보상을 말한다.

⭐ 포인트 정리

보수수준 결정요인

경제적 요인	상한선 결정요인(민간임금, 국민담세능력, 정부지불능력, 물가수준, 재정경제정책 등)
사회윤리적 요인	하한선 결정요인(모범적 고용주로서 생계비·생활비 지급 의무)
부가적 요인	보수 이외에 받게 되는 후생복지(연금, 휴가 등)
정책적 요인	성과제고를 위한 인사정책적 수단(성과급 등)

정답

07 ③ 08 ② 09 ③ 01 ④

---

02 공무원의 사기(Morale)에 관한 설명 중 가장 옳지 않은 것은?

2018 해경간부

① 사기 제고는 조직의 생산성 향상을 위한 충분조건이다.

② 사기는 주관적·상대적인 것으로 사기의 수준은 상황의존적이며 가변적이다.

③ 사기에 영향을 주는 사회심리적 요인으로 동료 간의 친밀도, 승진에의 기대 등을 들 수 있다.

④ 사기는 개인적 현상일 뿐만 아니라 집단적 현상이다.

CHAPTER 16 신분보장, 징계

기출 필수 코스

01 우리나라의 공무원 징계에 대한 설명으로 옳지 않은 것은?

2021 국회 8급

① 견책은 잘못된 행동에 대하여 훈계하고 회개토록 하는 것으로 6개월간 승진과 승급이 제한되는 효력을 가진다.

② 감봉은 보수의 불이익을 받는 것으로 1개월 이상 3개월 이하의 기간 동안 보수액의 2/3를 감한다.

③ 강등은 직급을 내리고 공무원신분은 보유하나 3개월간 직무에 종사하지 못하며 그 기간 중 보수의 전액을 감한다.

④ 해임은 강제퇴직의 한 종류로서 3년간 재임용자격이 제한된다.

⑤ 파면은 공무원신분을 완전히 잃는 것으로 5년간 재임용자격이 제한된다.

02 「국가공무원법」상 공무원의 징계에 관한 설명으로 옳지 않은 것은?

2019 행정사

① 징계는 파면·해임·강등·정직·감봉·견책으로 구분한다.

② 정직은 1개월 이상 3개월 이하의 기간으로 하고, 그 기간 중 보수는 3분의 2를 감한다.

③ 감봉은 1개월 이상 3개월 이하의 기간 동안 보수의 3분의 1을 감한다.

④ 견책은 전과에 대하여 훈계하고 회개하게 한다.

⑤ 징계로 해임처분을 받은 때부터 3년이 지나지 아니한 자는 공무원으로 임용될 수 없다.

02
정답 : ①

① 사기 제고는 조직의 생산성 향상을 위한 필요조건이다. 즉, 생산성 향상을 위해서는 사기 제고가 필요하지만 사기 제고가 곧바로 조직의 생산성 향상으로 이어진다고는 볼 수 없다.

② 사기는 심리상태의 상대적·주관적 수준에 관한 개념으로 사기의 수준은 상황의존적이며 가변적이다.

③ 사회심리적 요인으로 동료 간의 친밀도, 승진에의 기대 등이 있다.

④ 사기는 직무를 수행하려는 동기로 개인적인 현상일뿐만 아니라 집단적인 현상이다.

01
정답 : ②

② 감봉은 보수의 불이익을 받는 것으로 1개월 이상 3개월 이하의 기간 동안 보수의 1/3을 감한다.

① 견책은 전과에 대하여 훈계하고 회개하게 하는 것으로 6개월간 승급이 정지된다.

③ 강등은 1계급 아래로 직급을 내리고 공무원 신분은 보유하나 3개월간 직무에 종사하지 못하며 그 기간 중 보수의 전액을 감하고 18개월간 승급이 정지된다.

④ 해임은 강제퇴직의 한 종류로서 3년간 공무원 재임용이 제한된다.

⑤ 파면은 강제로 퇴직시키는 처분으로 5년간 재임용자격이 제한된다.

02
정답 : ②

② 정직은 1개월 이상 3개월 이하의 기간으로 하고, 그 기간 중 보수는 전액을 감한다.

① 징계는 파면·해임·강등·정직·감봉·견책으로 구분한다.

> **국가공무원법 제79조(징계의 종류)** 징계는 파면·해임·강등·정직(停職)·감봉·견책(譴責)으로 구분한다.

③ 감봉은 1~3개월 동안 보수의 1/3을 감하는 처분으로 12개월 간 승진이 제한된다.

④ 견책은 훈계하고 회개함에 그치는 가장 가벼운 처분으로 6개월 간 승진(승급)이 제한된다.

⑤ 징계로 해임처분을 받은 때부터 3년이 지나지 아니한 자는 공무원으로 임용될 수 없다.

> **동법 제33조(결격사유)** 다음 각 호의 어느 하나에 해당하는 자는 공무원으로 임용될 수 없다.
> 7. 징계로 파면처분을 받은 때부터 5년이 지나지 아니한 자

정답

02 ① 01 ② 02 ②

03 공무원의 신분보장에 대한 설명으로 가장 적절하지 않은 것은?

2019 경정승진

① 전직시험에서 3회 이상 불합격한 자로서 직무수행능력이 부족한 자로 인정된 때에는 「국가공무원법」상 징계의 한 종류로서 직권면직 사유에 해당한다.

② 소청심사위원회는 징계처분, 그 밖에 그 의사에 반하는 불리한 처분이나 부작위에 대한 소청을 심사·결정하고, 소청심사위원회의 결정은 처분청의 행위를 기속하는 효력이 있다.

③ 정직은 1개월 이상 3개월 이하의 기간 동안 공무원의 신분은 보유하나 직무수행이 정지되고 보수의 전액을 감한다.

④ 해임과 파면은 강제퇴직 처분으로서, 해임은 3년간, 파면은 5년간 공무원으로 재임용될 수 없다.

04 행정부 소속 소청심사위원회에 대한 설명으로 옳지 않은 것은?

2019 국회 8급

① 심사의 결정을 하기 위해서는 재적 위원의 3분의 1이상의 출석이 필요하며, 심사의 결정은 출석 위원의 과반수의 합의에 따른다.

② 강임·휴직·직위해제·면직 처분을 받은 공무원은 처분사유 설명서를 받은 후 30일 이내에 심사청구를 할 수 있다.

③ 소청심사위원회는 인사혁신처 소속이며 그 위원장은 정무직으로 보한다.

④ 원징계처분보다 무거운 징계를 부과하는 결정을 할 수 없다.

⑤ 위원장 1인을 포함한 5명 이상 7명 이하의 상임위원과 상임위원 수의 2분의 1 이상의 비상임위원으로 구성되어 있다.

03

정답 : ①

① 전직시험에서 3회 이상 불합격한 자로서 직무수행능력이 부족한 자로 인정된 때에는 직권면직 사유에 해당하지만, 직권면직 사유는 국가공무원법상 징계의 종류에 해당하지 않는다.

② 소청심사위원회는 징계처분 및 그 밖에 신분상 불이익처분이나 부작위에 대한 소청을 결정하고, 소청심사위원회의 결정은 처분청을 기속하는 효력을 갖는다.

③ 정직은 1~3개월 동안 공무원의 신분은 보유하나 직무수행이 정지되며 보수의 전액을 삭감한다.

④ 해임과 파면은 강제퇴직 처분으로, 일반적으로 해임은 3년간, 파면은 5년간 공직취임이 제한된다.

04

정답 : ①

① 심사의 결정을 하기 위해서는 재적 위원의 3분의 2 이상의 출석과 출석 위원의 과반수의 합의에 따른다.

> **국가공무원법 제14조(소청심사위원회의 결정)** ① 소청 사건의 결정은 재적 위원 3분의 2 이상의 출석과 출석 위원 과반수의 합의에 따르되, 의견이 나뉠 경우에는 출석 위원 과반수에 이를 때까지 소청인에게 가장 불리한 의견에 차례로 유리한 의견을 더하여 그 중 가장 유리한 의견을 합의된 의견으로 본다.

② 공무원에게 징계처분이나 강임·휴직·직위해제·면직 처분을 할 때에는 처분사유를 적은 처분설명서를 교부하여야 하고 이를 받은 공무원은 처분사유설명서를 받은 날부터 30일 이내에 심사를 청구할 수 있다.

> **동법 제76조(심사청구와 후임자 보충 발령)** ① 제75조에 따른 처분사유 설명서를 받은 공무원이 그 처분에 불복할 때에는 그 설명서를 받은 날부터, 공무원이 제75조에서 정한 처분 외에 본인의 의사에 반한 불리한 처분을 받았을 때에는 그 처분이 있은 것을 안 날부터 각각 30일 이내에 소청심사위원회에 이에 대한 심사를 청구할 수 있다. 이 경우 변호사를 대리인으로 선임할 수 있다.

③ 행정기관의 소청심사위원회는 중앙인사관장기관인 인사혁신처의 소속이며 위원장은 정무직 공무원이다.

> **동법 제9조(소청심사위원회의 설치)** ① 행정기관 소속 공무원의 징계처분, 그 밖에 그 의사에 반하는 불리한 처분이나 부작위에 대한 소청을 심사·결정하게 하기 위하여 인사혁신처에 소청심사위원회를 둔다.

④ 소청심사도 특별행정심판의 일종이므로 원징계처분보다 무거운 징계를 부과하는 결정을 할 수 없다.

> **동법 제14조(소청심사위원회의 결정)** ⑦ 소청심사위원회가 징계처분 또는 징계부가금 부과처분(이하 "징계처분등"이라 한다)을 받은 자의 청구에 따라 소청을 심사할 경우에는 원징계처분보다 무거운 징계 또는 원징계부가금 부과처분보다 무거운 징계부가금을 부과하는 결정을 하지 못한다.

⑤ 행정부 소속의 소청심사위원회는 위원장 1인을 포함한 5명~7명 이하의 상임위원과 상임위원 수의 2분의 1 이상의 비상임위원으로 구성한다.

> **동법 제9조(소청심사위원회의 설치)** ③ 국회사무처, 법원행정처, 헌법재판소사무처 및 중앙선거관리위원회사무처에 설치된 소청심사위원회는 위원장 1명을 포함한 위원 5명 이상 7명 이하의 비상임위원으로 구성하고, 인사혁신처에 설치된 소청심사위원회는 위원장 1명을 포함한 5명 이상 7명 이하의 상임위원과 상임위원 수의 2분의 1 이상인 비상임위원으로 구성하되, 위원장은 정무직으로 보한다.

📝 포인트 정리

직권면직 사유

- 직무능력 부족 및 성적 불량으로 직위 해제된 자가 직위해제 기간 중 그 향상이 기대될 수 없을 때
- 전직시험에서 3회 이상 불합격한 자로서 직무능력이 부족한 자
- 직제·정원의 개폐 및 예산 감소로 인한 감원 시(이 경우 우선복직 인정)
- 휴직기간이 만료되었음에도 불구하고 직무를 감당할 능력이 없는 자
- 징병검사·입영 등의 명령을 기피하거나 군복무를 이탈하였을 때
- 해당자격증의 효력 상실 또는 면허가 취소된 때
- 고위공무원이 부적격 결정을 받은 때

정답
03 ① 04 ①

05 「국가공무원법」상 징계의 내용과 효력을 바르게 설명한 것은?

2017 사복 9급

① 강등은 1계급 아래로 직급을 내리고 공무원의 신분은 보유하나 3개월간 직무에 종사하지 못하며 그 기간 중 보수의 3분의 2를 감한다.

② 정직은 1개월 이상 3개월 이하의 기간으로 하고, 정직 처분을 받은 자는 그 기간 중 공무원의 신분은 보유하나 직무에 종사하지 못하며 보수의 3분의 2를 감한다.

③ 감봉은 1개월 이상 3개월 이하의 기간 동안 보수의 3분의 2를 감한다.

④ 파면 처분을 받은 때부터 5년이 지나지 아니하면 공무원으로 임용될 수 없다.

06 고충처리제도와 소청심사제도에 대한 설명으로 옳지 않은 것은?

2015 지방 9급

① 양자 모두 공무원의 권익보호를 위한 제도이다.

② 고충심사위원회와 소청심사위원회의 결정은 관계기관의 장을 기속한다.

③ 중앙고충심사위원회의 기능은 인사혁신처 소청심사위원회에서 관장한다.

④ 소청심사제도는 공무원이 징계처분 기타 그 의사에 반하는 불이익 처분에 대해 이의를 제기하는 경우 이를 심사·결정하는 특별행정심판제도이다.

07 우리나라 내부임용제도에 대한 설명으로 옳지 않은 것은?

2011 국가 9급

① 승급은 같은 계급 또는 등급 내에서 호봉이 높아지는 것을 말한다.

② 전보는 동일한 직급 내에서 보직을 변경하는 것을 말한다.

③ 파면은 연금법상의 불이익은 없으나, 3년 동안 공무원 피임용권을 박탈하는 것을 말한다.

④ 직권면직은 폐직 또는 과원발생 등의 경우 임용권자가 직권에 의해 공무원의 신분을 박탈하는 것을 말한다.

05

④ 파면은 5년간 공직취임이 제한되는 강제퇴직 처분이다.

① 강등은 1계급 아래로 직급을 내리고 공무원의 신분은 보유하나 3개월간 직무에 종사하지 못하여 그 기간 중 보수의 전액을 감한다.

② 정직은 1~3개월 동안 직무에 종사하지 못하게 하는 처분으로 정직 처분을 받은 자는 보수의 전액을 감한다.

③ 감봉은 직무수행은 가능하나 1~3개월 동안 보수의 1/3을 감하여 지급하며 12개월 간 승진이 제한된다.

06

② 고충심사위원회의 결정은 구속력이 없지만, 소청심사위원회의 결정은 구속력이 있어 관계기관의 장을 기속한다.

① 고충처리제도는 근무조건이나 인사, 신상문제에 대하여 불이익한 처분이나 대우를 받을 경우에 하는 것이고, 소청심사제도는 징계처분 및 기타 의사에 불리한 처분을 받았을 경우에 하는 것이므로 양자 모두 공무원의 권익보호와 관련된 제도이다.

③ 5급 이상의 경우 중앙고충심사위원회가 담당하며, 중앙고충심사위원회는 인사혁신처 소청심사위원회가 대행한다.

④ 소청심사제도는 징계처분, 그 밖에 그 의사에 반하는 불리한 처분이나 부작위에 대해 이의를 제기할 수 있는 것으로, 소청심사위원회는 이를 심사하고 결정한다.

07

③ 해임은 연금법상의 불이익은 없으나, 3년 동안 공무원 피임용권을 박탈하는 것을 말한다. 한편 파면은 연금법상 퇴직금 지급이 제한되며, 5년 동안 공무원 피임용권을 박탈하는 것을 말한다.

📝 포인트 정리

고충처리제도 vs 소청심사제도

구분	고충처리제도	소청심사제도
기관	고충심사위원회 (상대적으로 낮은 독립성)	소청심사위원회 (높은 독립성)
대상	인사·조직·처우 등 각종 직무조건과 그 밖의 신상문제 (범위 넓음)	징계처분과 신분상 불이익처분 (범위 좁음)
청구기한	규정 없음	처분사유설명서를 받은 날 또는 처분이 있은 것을 안 날로부터 30일 이내
법적구속력	약함	강함

내부임용

수평적 이동	전직	다른 직렬로의 이동
	전보	동일 직렬 내 직위·부서·부처 이동
	파견	소속 변화 없이 일시적으로 타기관 근무 후 복귀
	겸임	1인 2 이상 직위 부여
	전출입	인사권이 다른 기관으로 이동
수직적 이동	승진	상위직급으로 이동
	승급	호봉 상승
	강등	1계급 아래로 직급을 내림
	강임	직제·정원이 변경된 경우 같은 직렬 내에서 하위 직급에 임명
해직 및 복직	휴직, 직위해제, 정직, 면직, 해임, 파면, 복직	

01 「공무원의 노동조합 설립 및 운영 등에 관한 법률」에 규정된 공무원 노동조합에 대한 설명으로 옳지 않은 것은?

2020 국회 9급

① 노동조합과 그 조합원은 정치활동을 해서는 아니 된다.

② 공무원은 임용권자의 동의를 받아 노동조합의 업무에만 종사할 수 있다.

③ 국가와 지방자치단체는 전임자에게 그 전임기간 중 보수를 지급해서는 아니 된다.

④ 노동조합을 설립하려는 사람은 행정안전부장관에게 설립신고서를 제출하여야 한다.

⑤ 6급 이하의 일반직 공무원에 상당하는 별정직 공무원은 노동조합에 가입할 수 있다.

02 공무원의 정치적 중립에 관한 설명 중 가장 적절하지 않은 것은?

2015 경정승진

① 정치적 중립은 엽관제의 폐단을 극복하고 실적주의를 확립하기 위한 핵심가치였다.

② 공무원의 정치적 중립이란 어느 정당이 집권하든 공평하게 여야 간에 차별 없이 봉사하는 것을 의미한다.

③ 공무원의 정치적 중립성을 지나치게 강조하다 보면 공무원을 폐쇄집단화 할 가능성도 있다.

④ 정치적 중립을 확보해야 할 필요성으로 공무원의 대표성 확보를 들 수 있다.

03 공무원 단체활동 제한론의 근거로 옳지 않은 것은?

2013 국가 9급

① 실적주의 원칙을 침해할 우려가 있다.

② 공무원의 정치적 중립성이 훼손될 수 있다.

③ 공직 내 의사소통을 약화시킨다.

④ 보수 인상 등 복지 요구 확대는 국민 부담으로 이어진다.

04 공무원에게 정치적 중립이 요구되는 근거로 가장 미약한 것은?

2012 국가 9급

① 정치적 무관심화를 통한 직무수행의 능률성 확보를 위해 필요하다.

② 정치적 개입에 의한 부정부패를 방지하기 위해 필요하다.

③ 행정의 계속성과 전문성을 확보하기 위해 필요하다.

④ 공무원 집단의 정치세력화를 방지하기 위해 필요하다.

01

정답 : ④(현재는 법개정됨)

④ 노동조합을 설립하려는 사람은 행정안전부장관이 아닌 고용노동부장관에게 설립신고서를 제출하여야 한다.

① 노동조합과 조합원은 정치활동을 할 수 없다.

② 노동조합 전임자는 임용권자의 동의를 받아 노동조합의 업무에만 종사할 수 있다.

③ 국가와 지방자치단체는 전임자에게 전임기간 동안 보수를 지급할 수 없다.

⑤ 일반직공무원, 별정직공무원, 특정직공무원 중 외무영사직렬·외교정보기술직렬 외무공무원, 소방공무원 및 교육공무원 등은 노동조합에 가입할 수 있다.

> **공무원노조법 제6조(가입 범위)** ① 노동조합에 가입할 수 있는 사람의 범위는 다음 각 호와 같다.
> 1. 일반직공무원
> 2. 특정직공무원 중 외무영사직렬·외교정보기술직렬 외무공무원, 소방공무원 및 교육공무원(다만, 교원은 제외한다)
> 3. 별정직공무원
> 4. 제1호부터 제3호까지의 어느 하나에 해당하는 공무원이었던 사람으로서 노동조합 규약으로 정하는 사람

02

정답 : ④

④ 일반적으로 중립을 강조하는 실적관료제는 정치적 사회화나 정치적 안배를 중시하는 대표관료제와 상충하는 개념이다.

① 정치적 중립은 엽관제의 폐단을 극복하고 실적주의를 확립하면서 더욱 강조되었다.

② 공무원의 정치적 중립은 공무원으로 하여금 국민전체의 봉사자로서 공익을 추구하게 하고 정치로부터 행정의 기능이 분리되어 행정의 계속성 및 안정성 확보에 기여한다.

③ 공무원의 정치적 중립의 지나친 강조는 공무원들의 정책형성참여기회 및 대내외적인 의사표명의 기회를 보장하지 못하여 공무원 집단을 폐쇄적으로 만들 수 있는 한계가 있다.

03

정답 : ③

③ 공무원단체를 통하여 관리층과 구성원 간 의사소통이 촉진되고 행정관리를 개선할 수 있으므로 공무원 단체활동을 허용하는 논거가 된다.

① 공무원 노조는 능력이나 실적보다 연공서열만을 요구할 가능성이 높으므로 실적주의 및 행정의 능률성을 저해한다.

② 공무원 노조는 정치문제 등에 대해 절제된 행동을 하기 어려우므로 정치적 중립성이 훼손된다.

④ 노조가 집단이익을 추구하고 보수인상 등의 복지 등을 요구할 경우 국민에게 부담이 될 수 있다.

04

정답 : ①

① 공무원의 정치적 중립은 공무원이 정치에 무관심할 것을 요구하는 것이 아니라 어느 정당이 집권하든 편당성을 떠나 공평무사하게 봉사하는 것을 의미한다. 따라서 정치적 무관심화를 통한 직무수행의 능률성 확보는 옳지 않다.

② 엽관주의의 방지를 위해 정치적 중립이 필요하다.

③ 행정의 안정성 및 계속성을 확보하기 위해 정치적 중립이 필요하다.

④ 공무원 집단의 안정된 중립적 세력을 위해 정치적 중립이 필요하다.

📝 포인트 정리

신분보장의 장단점

장점	• 공무원 사기 제고 • 공직의 안정성 확보 • 실적주의 및 직업공무원제 확립에 기여 • 행정의 자율성 및 독립성 확보
단점	• 공직이 침체화·특권화될 우려 • 공직에 대한 민주적 통제 곤란 • 무능력자 도태 곤란 및 무사안일 초래 • 인적 자원 활용의 융통성 저해

정치적 중립

헌법 제7조	공무원의 신분과 정치적 중립성은 법률이 정하는 바에 의하여 보장된다.
국가공무원법 제65조	① 공무원은 정당 기타 정치단체의 결성에 관여하거나 이에 가입할 수 없다. ② 공무원은 선거에 있어서 특정 정당 또는 특정인의 지지나 반대를 하기 위하여 다음의 행위를 하여서는 아니 된다. ③ 공무원은 다른 공무원에게 ①과 ②에 위배되는 행위를 하도록 요구하거나 또는 정치적 행위의 보상 또는 보복으로서 이익 또는 불이익을 약속하여서는 아니 된다.

> **정답**
>
> 01 ④ 02 ④ 03 ③ 04 ①

05 우리나라의 공무원 노조활동에 대한 다음 설명 중 옳지 않은 것은?
2006 국가 9급

① 신규공무원의 채용기준과 절차 등 임용권의 행사에 관한 사항은 단체교섭의 대상이 될 수 없다.

② 공무원의 보수에 관한 사항은 단체교섭이 되나, 보수에 관한 업무를 수행하는 공무원은 노조에 가입할 수 없다.

③ 노조대표자에게는 단체교섭뿐만 아니라 단체협약을 체결할 권한까지도 부여된다.

④ 임용권자의 동의를 얻어 노조전임자를 둘 수 있으며, 그 전임기간 중이라도 법령에서 정한 보수는 지급되어야 한다.

CHAPTER 18 공직윤리와 공직부패

기출 필수 코스

01 「공직자윤리법」의 내용으로 가장 옳지 않은 것은?
2020 해경승진

① 정무직공무원 등의 재산등록 의무

② 퇴직공직자의 취업제한

③ 비위면직자의 취업제한

④ 이해충돌 방지 의무

02 공무원 부패에 대한 설명으로 옳은 것은?
2019 국회 9급

① 공무원에게 선물을 제공하는 관행을 부패의 원인으로 보는 것은 도덕적·윤리적으로 접근하는 입장이다.

② 법원 공무원이 등기 업무를 처리하면서 급행료를 받는 것은 백색부패이다.

③ 공무원 부패에 대한 제도적 접근에서는 행정통제장치를 제대로 갖추지 못하였기 때문에 부패행위가 발생한다고 본다.

④ 정치인이나 상위 직급의 공무원이 부당한 권한 행사를 통해 행하는 부패는 생계형 부패이다.

⑤ 생활보호 대상자에게 지급되는 보조금을 편취하는 것은 거래형 부패이다.

05

정답 : ④

④ 우리나라 공무원노조 조합장 및 지부장 등 노조전임자는 활동기간 중 무급휴직이 인정되며, 보수는 지급되지 아니한다.

① 단체교섭의 대상은 재직공무원의 근무조건에 관한 사항으로 신규채용기준이나 인사정책, 정치문제 등에 대해서는 교섭할 수 없다.

② 인사·보수에 관한 업무를 수행하는 공무원 등 노동조합과의 관계에서 행정기관의 입장에 서서 업무를 수행하는 공무원은 가입금지 대상이다.

③ 노조대표자는 정부측 교섭대표와 교섭하고 단체협약을 체결할 권한을 가진다.

01

정답 : ③

③ 비위면직자의 취업제한은 「부패방지 및 국민권익위원회의 설치와 운영에 관한 법률」에 규정되어 있다.

① 재산등록의무는 공직자윤리법 제13조에 규정되어 있다.

② 퇴직공직자의 취업제한은 공직자윤리법 제17조에 규정되어 있다.

④ 이해충돌 방지 의무는 공직자윤리법 제2조의2에 규정되어 있다.

02

정답 : ③

③ 제도적 접근법은 법이나 제도 같은 행정통제장치의 미비를 부패행위의 원인으로 본다.

① 공무원에게 선물을 제공하는 관행을 부패의 원인으로 보는 것은 사회문화적으로 접근하는 입장이다.

② 법원 공무원이 등기 업무를 처리하면서 급행료를 받는 것은 거래형 부패이다.

④ 정치인이나 상위 직급의 공무원이 부당한 권한 행사로 인해 발생하는 부패를 권력형 부패라고 한다.

⑤ 생활보호 대상자에게 지급되는 보조금을 편취하는 것은 사기형 부패이다.

✍️ 포인트 정리

부패에 대한 접근법

구조적 분석	공직의 사유관과 권력남용에 의해 유발
제도적·거시적 분석	행정제도의 결함과 미비, 행정통제의 부적합
사회문화의 환경적 분석	특정한 지배적 관습이나 경험적 습성이 부패를 조장
정치경제학적 분석	정격유착에 의한 타락과 부패
도덕적 접근법	관료 개인의 윤리 의식과 자질의 탓으로 봄
체제론적 접근법	제도상 결함, 구조적 모순, 관료의 도덕의식 결여 등 다양한 요인에 의해 복합적으로 나타남 → 제일 심각한 부패
거버넌스적 접근법	정부주도의 일방적 통치체제에서 비롯됨

정답

05 ④ 01 ③ 02 ③

03 「부정청탁 및 금품등 수수의 금지에 관한 법률 시행령」의 개정내용 중 음식물·경조사비 등의 가액 범위로 옳지 않은 것은? (단, 합산의 경우는 배제한다)

2018 지방 9급

	내용	종전(2016. 9. 8)	개정(2018. 1. 17)
①	유가증권	5만원	5만원
②	축의금, 조의금	10만원	5만원
③	음식물	3만원	5만원
④	농수산물 및 농수산 가공품	5만원	10만원

04 다음 ㉠과 ㉡에 들어갈 내용으로 옳은 것은?

2017 국가 9급

「공직자윤리법」에서는 퇴직공직자의 취업제한 및 행위제한 등을 규정하고 있는데, 취업심사대상자는 퇴직일부터 (㉠)간 퇴직 전 (㉡) 동안 소속하였던 부서 또는 기관의 업무와 밀접한 관련성이 있는 취업제한기관에 취업할 수 없다.

	㉠	㉡		㉠	㉡
①	3년	5년	②	5년	3년
③	2년	3년	④	2년	5년

05 인·허가와 관련된 업무를 처리할 때 이른바 '급행료'를 지불하거나 혹은 은행에서 자금을 대출받을 때 '커미션'을 지불하는 것을 당연시 하는 것과 같은 유형의 부패는?

2016 경찰간부

① 백색 부패
② 비거래형 부패
③ 제도화된 부패
④ 일탈형 부패

06 다음 중 「공직자윤리법」의 내용으로 가장 옳지 않은 것은?

2015 서울 7급

① 이해충돌 방지 의무
② 정무직공무원 등의 재산등록 의무
③ 외국 정부 등으로부터 받은 선물의 신고
④ 비위면직자의 취업제한

03

정답 : ①, ③

① 종전에는 유가증권을 선물에 포함시켰으나 개정법령에서는 유가증권이 현금과 유사하여 추적이 어렵다는 이유로 선물에서 제외되었다.

③ 음식물비는 종전과 마찬가지로 3만원 이하로 규정되어 있다.

② 축의금과 조의금 등의 경조사비는 종전에는 10만원 이하였으나 개정법령에서는 5만원 이하로 조정하였다. 다만 화환이나 조화의 경우 10만원 이하까지 허용된다.

④ 종전에는 모든 선물이 5만원 이하까지 허용되었으나 개정법령에서는 농수산물 및 농수산 가공품의 경우 10만원 이하까지 허용된다.

04

정답 : ①

① 재산등록의무자였던 퇴직공직자는 퇴직 후 3년간, 퇴직 전 5년간 소속했던 부서와 취업예정 기관 간의 밀접한 업무관련성이 있는 경우 심사하여 결정한다.

> **동법 제17조(퇴직공직자의 취업제한)** ① 등록의무자(취업심사대상자)는 퇴직일부터 3년간 퇴직 전 5년 동안 소속하였던 부서 또는 기관의 업무와 밀접한 관련성이 있는 다음 각 호의 어느 하나에 해당하는 기관에 취업할 수 없다. 다만, 관할 공직자윤리위원회의 승인을 받은 때에는 그러하지 아니하다.

05

정답 : ③

③ 급행료를 지불하거나 커미션을 지불하는 것을 당연시하는 것은 제도화된 부패와 관련된다.

① 백색부패는 선의의 부패로 구성원 모두가 처벌을 원하지 않는 부패를 의미한다.

② 비거래형 부패는 사기형 부패로 공금횡령이나 회계부정 등 상대가 없는 내부부패를 의미한다.

④ 일탈형 부패는 구조화되지 않은 일시적 부패로 개인의 일탈에 의해 발생하는 부패를 의미한다.

06

정답 : ④

④ 비위면직자의 취업제한은 「부패방지 및 국민권익위원회 설치·운영에 관한 법률」에 규정되어 있다.

📌 포인트 정리

「부정청탁 및 금품등 수수의 금지에 관한 법률 시행령」 개정사항

구분	2018년 1월 이전	2018년 1월 이후
음식물	3만원	3만원
선물	5만원 (금전은 제외, 유가증권은 포함)	5만원 (금전 및 유가증권 제외, 농축산물은 10만원)
경조사비	10만원 (화환 포함)	5만원 (화환·조화는 10만원)

제도화된 부패 vs 우발적 부패

제도적 (체제화된) 부패	관행화된 체제적 부패로 인허가 시 급행료나 커미션 등이 당연시되는 부패 (부패가 실질적 규범이 되고 바람직함은 예외로 전락함)
우발적 (이탈형) 부패	개인적 부패로, 돈 받고 단속 눈감아 주기 등의 일시적 부패

공직자윤리법 vs 부패방지법

공직자 윤리법	1. 재산등록·공개 의무 2. 외국정부 등으로부터 받은 선물 신고 및 신고된 선물의 국고귀속 3. 퇴직공직자의 취업제한 4. 이해충돌방지의무 5. 주식백지신탁의무
부패 방지법	1. 부패행위 신고의무 및 신고자 (내부고발) 보호 2. 신고자의 성실의무 3. 비위면직자 취업제한

정답

07 「국가공무원법」에서 규정하고 있는 공무원의 의무에 해당하지 않는 것은?

2013 지방 9급

① 공무원의 재직 중은 물론 퇴직 후에도 직무상 알게 된 비밀을 엄수하여야 한다.

② 공무원은 건강하고 쾌적한 환경을 보전하기 위하여 노력하여야 한다.

③ 공무원은 공무 외에 영리를 목적으로 하는 업무에 종사하지 못하며 소속 기관장의 허가 없이 다른 직무를 겸할 수 없다.

④ 공무원은 국민 전체의 봉사자로서 친절하고 공정하게 직무를 수행하여야 한다.

08 내부고발에 대한 설명으로 가장 타당한 것은?

2009 서울 9급

① 퇴직 후의 고발은 내부고발이 아니다.

② 조직 내의 비정치적 행위를 대상으로 한다.

③ 내부고발은 익명으로 이루어져야 한다.

④ 내부고발은 공직사회의 응집력을 강화시킨다.

⑤ 내부적인 이의제기 형식과는 다르다.

09 부패의 유형에 관한 설명으로 옳지 않은 것은?

2009 지방 9급

① 일탈형 부패는 부패의 제도화 정도에 따른 유형 구분으로서 개인부패에서 많이 발생한다.

② 공금횡령, 개인적 이익의 편취, 회계 부정 등은 사기형 부패에 해당한다.

③ 선의의 목적으로 행해지는 부패를 회색부패(gray corruption)라고 한다.

④ 뇌물을 주고받음으로써 금전적 이익을 보는 사람과 이를 대가로 특혜를 제공받은 사람 간에 발생하는 부패를 거래형 부패라고 한다.

⑤ 생계형 부패를 작은 부패(petty corruption)라고 부르기도 한다.

07

정답 : ②

② 공무원은 건강하고 쾌적한 환경을 보전하기 위하여 노력하여야 한다는 것은 국가공무원법에서 규정하고 있는 공무원의 의무에 해당하지 않는다.
① 재직 중은 물론 퇴직 후에도 직무상 알게 된 비밀을 엄수해야 한다는 것은 비밀엄수의 의무이다.
③ 공무 외에 영리를 목적으로 하는 업무에 종사하지 못하며 소속 기관장의 허가 없이 다른 직무를 겸할 수 없는 것은 영리업무 및 겸직 금지의 의무이다.
④ 국민 전체의 봉사자로서 친절하고 공정하게 직무를 수행해야 하는 것은 친절·공정의 의무이다.

포인트 정리

국가공무원법에 규정된 의무

① 성실 의무
② 복종 의무
③ 직장이탈금지 의무
④ 친절·공정 의무
⑤ 비밀엄수 의무
⑥ 청렴 의무
⑦ 외국정부의 영예 등 규제
⑧ 품위유지 의무
⑨ 영리업무 및 겸직금지
⑩ 정치운동 금지
⑪ 집단행위 금지
⑫ 선서 의무
⑬ 종교중립 의무

08

정답 : ⑤

⑤ 내부고발이란 조직 내부에서 발생하는 비리나 부패 등을 외부에 공개함으로써 이의 시정을 요구하는 것으로 내부적인 이의제기 형식과는 다르다.
① 내부고발은 재직 중 고발은 물론이고 퇴직 후의 고발도 내부고발에 포함된다.
② 불법, 부당, 부도덕한 행위 등도 해당이 되므로 비정치적 행위만 대상으로 하지 않는다.
③ 내부고발은 누구든지, 신고자의 인적 사항과 신고취지 및 이유를 기재한 기명(記名)의 문서로 한다.
④ 내부고발은 조직 내부 구성원 간 불신을 조장하고, 공직사회의 응집력을 약화시킨다.

내부고발자 보호제도

특징	• 조직 내부자에 의한 고발 보호 • 퇴직 전·후 고발 모두 • 비공식적 경로, 내부통제 • 실질적 동기의 다양성 • 다수에 의한 부패 통제 • 개방적, 상향적, 자발적 부패 통제
신고	누구든지 기명의 문서(신고자의 인적사항과 신고취지, 이유 기재)를 수사기관, 감사원, 국민권익위원회에 신고

09

정답 : ③

③ 회색부패는 수용과 비난 사이에서 일치점을 찾기 어려운 부패로서, 사회구성원 일부는 처벌을 원하지만 일부는 원하지 않는 부패를 말한다. 한편 선의의 목적으로 행해지는 부패는 백색부패이다.
① 일탈형 부패는 부정적인 관행이나 구조보다는 개인의 윤리적 일탈에 의해 발생하는 부패이다.
② 사기형 부패는 공무원이 그 직위를 남용하여 공금을 유용하거나 횡령하는 부패로서 대개 형법상 범죄에 해당되어 다른 유형과 비교해 볼 때 상대적으로 엄중한 적발과 처벌이 이루어진다.
④ 거래형 부패는 가장 전형적인 부패로서 공무원과 시민이 뇌물을 매개로 이권이나 특혜 등을 불법적으로 거래하는 것이다.
⑤ 생계형 부패는 하위직 공무원들의 부패행위로서 작은 부패(petty corruption)라고도 한다.

백색 vs 회색 vs 흑색부패

백색 부패	사회적으로 용인되는 관례화된 부패로 구성원 모두가 처벌을 원하지 않는 부패
회색 부패	사회에 영향력을 미치는 잠재력을 가진 부패로 일부는 처벌을 원하고 일부는 처벌을 원하지 않는 부패
흑색 부패	명백히 비난받는 부패로 구성원 모두가 처벌을 원하는 부패

정답
07 ② 08 ⑤ 09 ③

인사행정론

PART 4

해커스공무원 민나행정학 기출 빅데이터 기본서

01 우리나라 인사청문회의 대상이 되는 공직후보자로 옳지 않은 것은? 2020 소방간부

① 국가인권위원회 위원장

② 국세청장

③ 통계청장

④ 국가정보원장

⑤ 한국방송공사 사장

02 조선시대 인사행정의 특성에 관한 설명으로 가장 옳지 않은 것은? 2014 해경간부

① 규칙적인 근무성적평정제도의 부재

② 지방관에 대한 통제

③ 계급제적 분류구조

④ 실적주의와 정실주의의 이원화

03 우리나라 국회 인사청문회제도에 대한 설명 중 틀린 것은? 2004 부산 9급

① 정부에 대한 선험적인 외부적 통제이다.

② 헌법에서 임명에 국회의 동의를 얻도록 정하고 있는 사람들은 인사청문특별위원회를 거쳐야 한다.

③ 감사원장, 국정원장, 경찰청장, 검찰총장 등은 소관 상임위원회에서 인사청문을 실시한다.

④ 국회의 인사청문은 원칙적으로 법적 구속력을 가지지 않는다.

01

정답 : ③

③ 통계청장은 인사청문회의 대상이 되지 않는다.

① 국가인권위원회 위원장은 소관 상임위원회의 인사청문의 대상이 된다.

② 국세청장은 소관 상임위원회의 인사청문의 대상이 된다.

④ 국가정보원장은 소관 상임위원회의 인사청문의 대상이 된다.

⑤ 한국방송공사사장은 소관 상임위원회의 인사청문의 대상이 된다.

02

정답 : ①

① 조선시대에도 경국대전에 근거하여 규칙적인 근무성적평정제도가 존재하였다.

② 지방관에 대한 근무성적평정제도가 존재하였다.

③ 조선시대 관료제는 계급제적 구조였다.

④ 조선시대의 인사행정은 실적주의가 우세하였으나 정실주의 인사가 가미되기도 하였다.

03

정답 : ③

③ 감사원장은 헌법에서 임명에 국회의 동의를 얻도록 정하고 있는 자로서 반드시 인사청문특별위원회와 본회의 표결을 거쳐야 한다.

① 국회차원에서 사전검증하는 제도이다.

② 헌법에서 국회의 동의를 얻도록 규정하고 있는 경우에는 인사청문특별위원회를 거쳐야 한다.

④ 임명동의와는 달리 인사청문의 결과는 그 자체로서 대통령을 법적으로 구속하지는 못한다.

✨ 포인트 정리

국회 인사청문회 대상

인사청문특별위원회 인사청문	국회동의要	대법원장, 대법관, 헌법재판소장, 국무총리, 감사원장
	국회선출	헌법재판관 3인, 중앙선거관리위원 3인
소관 상임위원회 인사청문		헌법재판관 6인(대통령 임명 3명, 대법원장 지명 3인), 중앙선거관리위원 6인(대통령 임명 3인, 대법원장 지명 3인), 국무위원(각 부 장관), 국세청장, 검찰총장, 경찰청장, 국정원장, 방통위·공정거래위·금융위·국가인권위 위원장, 합동참모의장, 특별감찰관, 한국은행 총재, 한국방송공사 사장
인사청문 제외대상		중앙선거관리위원회 위원장(호선함), 감사위원, 국민권익위원회 위원장, 금융통화위원회 위원장, 해양경찰청장

정답

01 ③ 02 ① 03 ③

PART 5
재무행정론

단원 핵심 MAP

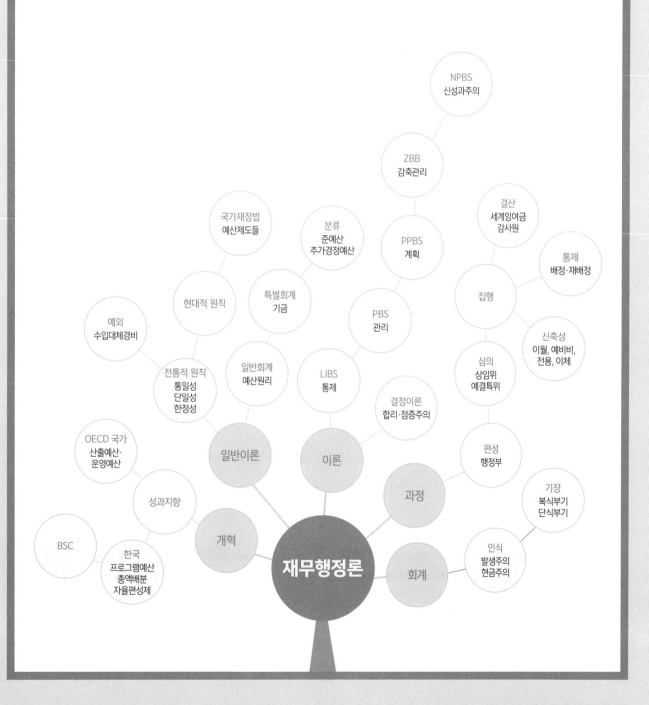

01 우리나라에서 예산과 법률의 차이에 관한 설명으로 가장 적절한 것은? 2020 경정승진

① 법률안과 예산안은 국회에서 의결된 후 공포 절차를 거쳐야 효력이 발생한다.

② 예산으로 법률의 개폐가 불가능하지만 법률로는 예산을 변경할 수 있다.

③ 예산은 국회의 의결로 성립하지만 정부의 수입 지출의 권한과 의무는 별도의 법률로 규정된다.

④ 국회에 발의 제출된 법률안은 의결기한에 제한이 없으나, 예산안은 매년 12월 2일까지 예산결산특별위원회의 심사를 마쳐야 한다.

02 우리나라에서 예산과 법률의 차이에 대한 설명으로 옳은 것은? 2019 국가 7급

① 일반적으로 법률은 국가기관과 국민에 대해 구속력을 갖지만, 예산은 국가기관에 대해서만 구속력을 갖는다.

② 대통령은 국회가 의결한 법률안에 대해 거부권이 있지만, 국회의결 예산에 대해서는 사안별로만 재의요구권이 있다.

③ 국회에 제출된 법률안은 의결기한에 제한이 없으나, 예산안은 매년 12월 2일까지 예산결산특별위원회의 심사를 마쳐야 한다.

④ 국회는 발의·제출된 법률안을 수정·보완할 수 있지만, 제출된 예산안은 정부의 동의 없이는 수정할 수 없다.

03 예산과 법률을 비교한 설명 중 가장 올바른 것은? 2017 해경간부

① 국회가 의결한 법률안과 예산안에 대하여 대통령은 거부권을 행사할 수 있다.

② 예산과 법률은 모두 제출기한이 정해져 있다.

③ 법률은 공포절차 없이 효력발생이 가능하나 예산은 정부의 공포 없이는 효력이 발생하지 않는다.

④ 예산과 법률은 서로간에 상호 개폐할 수 없다.

04 다음 중 머스그레이브(R.A.Musgrave)가 주장한 재정의 3대 기능 중 '공공재의 외부효과 및 소비의 비경합성과 비배재성에 기인한 시장실패(market failure)를 재정을 통해서 교정하고 사회적 최적 생산과 소비수준이 이루어지도록 한다.'라는 내용과 관련성이 가장 높은 재정의 기능은? 2015 서울 7급

① 소득 재분배 기능　　　　　② 경제 안정화 기능

③ 자원 배분 기능　　　　　④ 행정적 기능

정답 정밀 해설

01
정답 : ③

③ 국회의 예산의결로 세출예산이 성립해 있더라도 경비의 지출을 명하는 법률이 없는 경우 정부는 지출할 수 없다.

① 법률은 공포해야 효력이 발생하지만 예산은 국회의 의결로 확정되고 공포 절차가 필요 없다.

② 예산과 법률은 성질과 효력을 달리하므로 예산으로 법률을 개폐할 수 없고 법률로 예산을 변경할 수 없다.

④ 국회에 제출된 법률안은 의결기한에 제한이 없으나, 예산안은 회계연도 개시 30일 전까지(12월 2일까지) 본회의 의결을 완료해야 한다.

02
정답 : ①

① 일반적으로 법률은 국가기관과 국민 모두를 구속하고, 예산은 국가기관만 구속한다.

② 대통령은 국회가 의결한 법률안에 대해 거부권이 있지만, 국회의결 예산에 대해서는 거부권을 행사할 수 없다.

③ 국회에 제출된 법률안 제출에 대해서는 기간 제한이 없으나, 예산안은 매년 회계연도 개시 30일 전까지 의결되어야 한다.

④ 국회는 발의·제출된 법률안을 수정·보완할 수 있고, 제출된 예산안의 범위 내에서는 삭감할 수 있다.

03
정답 : ④

④ 예산과 법률은 서로 간에 상호 개폐할 수 없다.

① 국회가 의결한 법률안에 대하여 대통령은 거부권을 행사할 수 있지만, 예산에 대해서는 대통령이 거부권을 행사할 수 없다.

② 예산은 국가재정법상 회계연도 개시 120일 전으로 제출기한이 정해져 있으나 법률은 제출기한이 정해져 있지 않다.

③ 법률은 공포절차가 필요하나 예산은 정부의 공포절차가 필요하지 않다.

04
정답 : ③

③ 머스그레이브의 재정기능 중 희소한 자원을 효율적으로 배분하여 사회적 최적 생산과 소비 수준이 이루어지도록 함으로써 시장실패를 치유하는 것은 자원배분기능이다.

① 소득 재분배 기능은 머스그레이브가 주장한 재정의 3대 기능으로, 사회계층 간의 소득분배의 불균형을 시정함으로써 사회적 형평 등을 구현한다.

② 경제 안정화 기능은 환율, 물가 등의 거시경제 지표들을 안정적으로 관리하는 기능으로 특히 경기불황기에 총수요관리를 통한 경제안정화기능을 중시한다.

④ 행정적 기능은 쉬크가 주장한 것으로 여기에는 통제기능, 관리기능, 계획기능이 있으며 모든 예산제도에는 이 기능들이 포함되어 있다고 보았다.

예산 vs 법률

구분	예산	법률
제출권자	정부	정부와 국회
제출기한	회계연도 개시 120일 전	제한없음
심의기한	회계연도 개시 30일 전	제한없음
거부권행사	대통령의 거부권 행사 불가	대통령의 거부권 행사 가능
공포	공포 불필요, 의결로 확정	공포로써 효력 발생
시간적효력	회계연도에만 효력	계속적 효력 발생
대인적효력	국가기관만 구속	국가기관·국민 모두 구속
지역적효력	국내외 불구하고 효력 발생	원칙상 국내에만 한정
형식적효력	예산으로 법률 개폐 불가	법률로써 예산 변경 불가

정답 ─────
01 ③ 02 ① 03 ④ 04 ③

05 예산의 기능에 대한 설명 중 그 성격이 가장 다른 것은?

 2012 해경간부

① 예산은 시장경제를 통해 생산되지 않는 재화나 용역을 공급하기 위하여 자원을 할당한다.

② 예산은 다양한 이해관계의 조정과 타협으로 결정되며 입법부가 행정부를 통제하는 수단이다.

③ 예산은 개발도상국의 경제성장을 위한 자본을 형성한다.

④ 예산은 시장경제에서 결정된 분배상태가 바람직하지 못할 때 이를 시정한다.

CHAPTER 02 예산관련 법률·재무행정조직

기출 필수 코스

01 「국가재정법」에 규정된 예산의 원칙에 해당하지 않는 것은?

2020 국회 9급

① 재정건전성의 원칙
② 국민부담최소화의 원칙
③ 통일성의 원칙
④ 국민참여의 원칙
⑤ 투명성의 원칙

02 다음 중 헌법에 규정된 예산 관련 내용이 아닌 것은?

2013 군무원

① 예산총계주의
② 계속비
③ 예비비
④ 추가경정예산

03 다음 중 재무행정 조직의 삼원체제(三元體制)가 지니는 장점이 아닌 것은?

2010 경정승진

① 분파주의 방지
② 세입과 세출의 유기적 관련성 확보
③ 강력한 행정력 발휘
④ 효과적인 행정관리 수단

05

② 예산을 다양한 이해관계의 조정과 타협으로 결정되며 입법부가 행정부를 통제하는 수단으로 보는 것은 예산의 정치적 기능과 관련된다.

① 예산을 시장경제를 통해 생산되지 않는 재화나 용역을 공급하기 위하여 자원을 할당한다고 보는 것은 자원배분 기능에 대한 것으로, 경제적 기능과 관련된다.

③ 예산을 개발도상국의 경제성장을 위한 자본 형성기능으로 보는 것은 경제성장에 대한 것으로, 경제적 기능과 관련된다.

④ 예산을 시장경제에서 결정된 분배상태가 바람직하지 못할 때 시정하는 기능으로 보는 것은 소득 재분배에 대한 것으로, 경제적 기능과 관련된다.

01

정답 : ③

③ 통일성의 원칙은 「국가재정법」에 직접 규정되어 있지 않다.

①, ②, ④, ⑤ 「국가재정법」 제16조에는 재정건전성 확보의 원칙, 국민부담 최소화의 원칙, 재정성과의 원칙, 투명성과 참여성의 원칙, 성인지적 효과평가의 원칙이 규정되어 있다.

> **국가재정법 제16조(예산의 원칙)** 정부는 예산을 편성하거나 집행할 때 다음 각 호의 원칙을 준수하여야 한다.
> 1. 정부는 재정건전성의 확보를 위하여 최선을 다하여야 한다.
> 2. 정부는 국민부담의 최소화를 위하여 최선을 다하여야 한다.
> 3. 정부는 재정을 운용할 때 재정지출 및 「조세특례제한법」 제142조의2제1항에 따른 조세지출의 성과를 제고하여야 한다.
> 4. 정부는 예산과정의 투명성과 예산과정에의 국민참여를 제고하기 위하여 노력하여야 한다.
> 5. 정부는 예산이 여성과 남성에게 미치는 효과를 평가하고, 그 결과를 정부의 예산편성에 반영하기 위하여 노력하여야 한다.

02

정답 : ①

① 예산총계주의는 「국가재정법」에 규정되어 있다.

> **국가재정법 제17조(예산총계주의)** ① 한 회계연도의 모든 수입을 세입으로 하고, 모든 지출을 세출로 한다.
> ② 제53조에 규정된 사항을 제외하고는 세입과 세출은 모두 예산에 계상하여야 한다.

②, ③, ④ 계속비와 예비비, 추가경정예산은 헌법에 규정되어 있다.

> **헌법 제55조** ① 한 회계연도를 넘어 계속하여 지출할 필요가 있을 때에는 정부는 연한을 정하여 계속비로서 국회의 의결을 얻어야 한다.
> ② 예비비는 총액으로 국회의 의결을 얻어야 한다. 예비비의 지출은 차기국회의 승인을 얻어야 한다.
> **제56조** 정부는 예산에 변경을 가할 필요가 있을 때에는 추가경정예산안을 편성하여 국회에 제출할 수 있다.

03

정답 : ②

② 세입과 세출의 유기적 관련성 확보는 이원체제의 장점이다.

①, ③, ④ 삼원체제란 중앙예산기관, 국고수지총괄기관, 중앙은행이 분리되어 있는 체제로, 분파주의 방지, 강력한 행정력 발휘, 효과적인 행정관리 수단 등을 장점으로 한다.

삼원체제 vs 이원체제

삼원체제 (분리형)	• 행정관리능력의 제고 • 분파주의 방지
이원체제 (통합형)	세입과 세출의 유기적 연계성

정답

05 ② 01 ③ 02 ① 03 ②

해커스공무원 미니행정학 기출 빅데이터 기필코

PART 5 재무행정론 **321**

04 양곡, 조달, 우편사업 등에 우선적으로 적용되는 예산관련 법률은?

2009 군무원

① 국가재정법

② 공공기관의 운영에 관한 법률

③ 정부투자기관관리기본법

④ 정부기업예산법

CHAPTER 03 예산의 원칙과 예외

기출 필수 코스

01 예산원칙에 대한 설명으로 가장 옳지 않은 것은?

2020 경찰간부

① 입법부 우위의 예산원칙은 행정이 소극적 성격을 가졌던 상황에서 효과적이다.

② 관리지향적 예산원칙은 예산과 기획의 밀접한 관계를 중요시하였다.

③ Neumark의 예산원칙은 예산을 통제수단으로 파악하였다.

④ 사전의결(절차성)의 원칙, 공개성의 원칙, 명확성(명료성)의 원칙, 보고의 원칙은 전통적 예산원칙에 해당한다.

02 예산의 일반 원칙과 예외 사항이 옳게 묶인 것은?

2019 행정사

① 사전의결의 원칙 – 목적세

② 공개성의 원칙 – 수입대체경비

③ 통일성의 원칙 – 추가경정예산

④ 한정성의 원칙 – 준예산

⑤ 완전성의 원칙 – 전대차관

03 예산의 원칙 중 '한 회계연도의 모든 수입을 세입으로 하고 모든 지출을 세출로 하며, 세입과 세출은 모두 예산에 편입해야 한다.'를 의미하는 원칙은?

2019 경찰간부

① 예산 통일의 원칙

② 예산 총계주의 원칙

③ 예산 단일성의 원칙

④ 예산 한정성의 원칙

04

④ 우편사업, 우체국예금사업, 양곡관리사업, 조달사업은 정부기업으로 「정부기업예산법」이 적용된다.

① 정부기업에는 「정부기업예산법」이 일차적으로 적용되고, 「국가재정법」이 준용된다.

②, ③ 「정부투자기관관리기본법」은 2007년에 폐지되고, 「공공기관의 운영에 관한 법률」로 대체 입법되었다.

01

④ 사전의결(절차성)의 원칙, 공개성의 원칙, 명확성(명료성)의 원칙은 전통적 예산원칙에 해당하며, 보고의 원칙은 현대적 예산의 원칙에 해당한다.

① 입법부 우위의 예산원칙은 행정부에 대한 입법부의 통제에 초점을 맞춘 원칙으로 이는 행정이 소극적 성격을 가졌던 상황, 즉 국회가 행정부를 가능한 한 엄격하게 통제해야 한다는 입법국가 시대의 특성이 반영된 것이다.

② 관리지향적 예산원칙은 기관이 투입요소나 자원보다 정부활동의 성과에 초점을 두는 것으로, 예산과 기획의 밀접한 관계를 중요시한다.

③ Neumark는 행정부에 대한 입법부의 통제에 초점을 맞추어 예산원칙을 수립하였다.

02

⑤ 완전성의 원칙의 예외로는 전대차관, 순계예산, 기금, 현물출자 등이 있다.

① 목적세는 통일성 원칙의 예외에 해당한다.

② 수입대체경비는 통일성과 완전성 원칙의 예외이다.

③ 추가경정예산은 단일성 원칙의 예외이다.

④ 준예산은 사전의결 원칙의 예외에 해당한다.

03

② 예산 총계주의 원칙에 대한 설명이다. 예산 총계주의 원칙은 모든 세입과 세출은 예산에 명시적으로 나열되어 있어야 한다는 원칙이다.

> **국가재정법 제17조(예산총계주의)** ① 한 회계연도의 모든 수입을 세입으로 하고, 모든 지출을 세출로 한다.
> ② 제53조에 규정된 사항을 제외하고는 세입과 세출은 모두 예산에 계상하여야 한다.

① 예산 통일의 원칙은 특정수입과 특정지출이 연계되어서는 안 된다는 원칙이다.

③ 예산 단일성의 원칙은 예산은 쉽게 이해할 수 있도록 모든 재정활동을 포괄하는 단일의 예산으로 편성되어야 한다는 원칙이다.

④ 예산 한정성의 원칙은 예산은 주어진 목적, 규모, 시간에 따라 집행되어야 한다는 원칙이다.

📝 포인트 정리

예산의 원칙과 예외

원칙	예외
공개성 원칙	신임예산
명료성 원칙	총액예산
정확성 원칙	적자예산, 흑자예산
명세성 원칙	총액예산
완전성 (포괄성) 원칙	순계예산, 기금, 현물출자, 외국차관의 전대, 수입대체경비
통일성 원칙	특별회계, 기금, 수입대체경비, 목적세(교통에너지환경세·농어촌특별시·지역개발세 등)
사전의결 원칙	준예산, 예비비, 전용, 사고이월, 재정상 긴급명령, 선결처분
한정성 원칙	이용, 전용
	예비비
	이월, 계속비, 과년도 수입 및 지출, 국고채무부담행위
단일성 원칙	특별회계, 기금, 추가경정예산, 공기업예산

정답

04 ④ 01 ④ 02 ⑤ 03 ②

04 예산원칙 예외에 대한 설명 중 옳지 않은 것은?

① 국가정보원 예산의 비공개는 예산 공개의 원칙에 대한 예외이다.

② 수입대체경비, 차관물자대, 등은 예산총계주의 원칙에 대한 예외이다.

③ 특별회계와 추가경정예산은 예산 단일성의 원칙에 대한 예외이다.

④ 예산 한정성의 원칙 중 예산 목적 외 사용 금지인 질적 한정의 원칙은 엄격히 지켜지고 있다.

05 예산 통일성 원칙에 대한 예외가 아닌 것은?

① 특별회계 ② 목적세

③ 계속비 ④ 수입대체경비

06 〈보기〉 중 미국의 행정학자인 스미스(Harold D. Smith)가 제시한 예산원칙은 모두 몇 개인가?

> **보기**
>
> 가. 한정성의 원칙 나. 보고의 원칙
> 다. 책임의 원칙 라. 공개의 원칙
> 마. 계획의 원칙 바. 단일의 원칙
> 사. 사전의결의 원칙 아. 재량의 원칙
> 자. 완전성의 원칙 차. 시기신축성의 원칙

① 2개 ② 3개

③ 4개 ④ 5개

⑤ 6개

07 전통적 예산 원칙에 대한 설명 중 가장 옳지 않은 것은?

① 예산 단일의 원칙은 특정한 세입과 특정한 세출을 직접 연계시켜서는 안 된다는 원칙이다.

② 예산 공개의 원칙은 예산 운영의 전반적인 내용이 국민에게 공개되어야 한다는 원칙이다.

③ 예산 사전 의결의 원칙은 예산이 집행되기 전에 입법부의 의결을 거쳐야 한다는 원칙이다.

④ 예산 완전성의 원칙은 모든 세입과 세출이 예산에 계상되어야 한다는 원칙이다.

04

④ 한정성의 원칙 중 예산 목적 외 사용 금지 원칙인 질적 한정 원칙의 예외로는 이용과 전용이 있으며, 이용과 전용은 일정한 조건 내에서 운용되고 있다. 그러나 예산은 예정행위이므로 예산의 원칙은 현실적으로 엄격히 지켜지는 것이 곤란하다.

① 예산 공개의 원칙은 '국민들에게 공개해야 한다.'는 것으로 국가정보원 예산의 비공개 등이 예외에 해당한다.

② 예산총계주의는 '모든 세입과 세출은 나열되어야 한다.'는 것으로 수입대체경비, 전대차관, 순계예산, 기금 등이 예외에 해당한다.

③ 예산 단일성은 '가급적 단일회계 내에서 정리해야 한다.'는 것으로 추가경정예산, 특별회계, 기금 등이 예외에 해당한다.

05

③ 계속비는 한정성의 원칙 중 회계연도 독립의 예외에 해당한다.

①, ②, ④ 예산 통일성의 원칙은 특정 수입과 특정 지출의 연계금지에 대한 것으로 특별회계, 목적세, 수입대체경비, 기금이 예외에 해당한다.

06

④ Smith는 현대적 예산 원칙을 주장한 학자로 나, 다, 마, 아, 차가 이에 해당한다.

가, 라, 바, 사, 자. [X] 노이마르크(F.Neumark)의 전통적 예산원칙에 해당한다.

07

① 특정 세입과 특정 세출을 직접 연계시켜서는 안된다는 원칙은 통일성의 원칙에 해당한다. 한편 예산 단일의 원칙은 정부의 모든 재정활동은 알아보기 쉽게 하나의 단일예산으로 편성하여야 한다는 원칙을 말한다.

② 예산 운영의 전반적인 내용이 국민에게 공개되어야 한다는 원칙은 공개성의 원칙이다.

③ 행정부가 집행하기 전에 입법부가 사전에 심의하고 의결하여야 한다는 원칙은 사전의결의 원칙이다.

④ 정부의 세입과 세출은 빠짐없이 모두 예산에 계상되어야 한다는 원칙은 완전성의 원칙이다.

⚡ 포인트 정리

고전적 예산원칙과 현대적 예산원칙

고전적 원칙	현대적 원칙
• 공개성의 원칙	• 계획 원칙
• 명료성의 원칙	• 책임 원칙
• 완전성의 원칙	• 보고 원칙
• 단일성의 원칙	• 적절한 수단 원칙
• 한정성의 원칙	• 다원적 절차 원칙
• 엄밀성(정확성)의 원칙	• 재량 원칙
• 사전의결(절차성)의 원칙	• 시기신축성 원칙
• 통일성의 원칙	• 예산기구 상호성 원칙

정답

04 ④ 05 ③ 06 ④ 07 ①

01 특별회계에 대한 설명으로 옳은 것은?

① 특별회계에서 발생한 잉여금을 일반회계로 전입시킬 수 있다.

② 특별회계는 일반회계와는 달리 입법부의 심의를 받지 않는다.

③ 특별회계는 기금과는 달리 예산단일의 원칙에 부합한다.

④ 특별회계의 세입은 주로 조세수입으로 이루어진다.

⑤ 특별회계는 특정한 세입으로 특정한 세출에 충당하기 위한 것으로, 일반회계와 구분하기는 어렵다.

02 우리나라 정부기금에 관한 설명으로 옳은 것은?

① 세입·세출예산 내에서 운영해야 한다.

② 재원의 자율적 운영을 위하여 국회의 심의를 거치지 않는다.

③ 기금운용계획안은 국무회의의 심의와 대통령의 승인이 필요하다.

④ 기금은 법률로써 설치하며 출연금, 부담금 등은 기금의 재원으로 활용할 수 없다.

03 특별회계제도에 관한 설명으로 옳은 것은?

① 예산집행부서의 재량을 억제하여 책임성을 제고시킨다.

② 예산단일의 원칙을 준수하는데 유리하다.

③ 특별회계는 행정각부의 명령으로 설치할 수 있다.

④ 예산통일의 원칙의 예외에 해당하는 제도이다.

⑤ 예산제도가 단순해지므로 국가 재정의 통합적 관리에 유리하다.

04 다음 중 특별회계예산의 특징으로 가장 옳지 않은 것은?

① 특별회계예산은 세입과 세출의 수지가 명백하다.

② 특별회계예산에서는 행정부의 재량이 확대된다.

③ 특별회계예산은 국가재정의 전체적인 관련성을 파악하기 곤란하다.

④ 특별회계예산에서는 입법부의 예산통제가 용이해진다.

01

정답 : ①

① 특별회계에서 발생한 잉여금은 일반회계로 전입할 수 있다.

② 특별회계는 일반회계와 같이 입법부의 심의를 받는다.

③ 특별회계는 기금과 함께 예산단일의 원칙에 부합하지 않는다.

④ 특별회계의 세입은 별도의 특정수입과 일반회계의 전입금 등으로 이루어진다.

⑤ 특별회계는 특정한 세입으로 특정한 세출에 충당하기 위한 것으로, 일반회계와 구분하여 계리할 필요가 있을 때에 법률로써 설치한다.

02

정답 : ③

③ 기금운용계획안은 국무회의의 심의와 대통령의 승인이 필요하다.

> **국가재정법 제66조(기금운용계획안의 수립)** ⑥기획재정부장관은 제출된 기금운용계획안에 대하여 기금관리주체와 협의·조정하여 기금운용계획안을 마련한 후 국무회의의 심의를 거쳐 대통령의 승인을 얻어야 한다.

① 기금은 세입·세출예산 외로 운영된다.

② 기금은 예산과 마찬가지로 국회의 심의를 거쳐야 한다.

④ 기금은 법률로써 설치하며, 출연금, 부담금 등도 기금의 재원으로 활용할 수 있다.

03

정답 : ④

④ 특별회계제도는 예산의 단일성 및 통일성의 원칙의 예외에 해당하는 제도이다.

① 특별회계제도는 일반회계제도에 비하여 예산집행부서의 재량을 확대시킨다.

② 특별회계제도는 예산의 단일성의 원칙의 예외에 해당한다.

③ 특별회계는 국가재정법에 설치요건이 명시되어 있으므로 법률에 의해 설치할 수 있다.

⑤ 특별회계제도는 재정운영의 경직성이 초래되며 예산제도가 복잡해지므로 통합적 관리에 불리하다.

04

정답 : ④

④ 특별회계는 일반회계보다 행정부의 재량이 확대되는 영역이기 때문에, 입법부의 예산통제 또한 어려워지게 된다.

① 특별회계는 기업적 성격의 사업을 구분하여 정부 재정수지를 명확하게 하고 경영성과 파악을 용이하게 한다.

② 특별회계는 재정운영의 자율성을 인정하여 능률향상을 추구한다.

③ 특별회계는 특정세입의 특정세출의 연결로 인해 재정운영이 경직적이며, 국가재정의 전체적인 관련성을 고려하기 어렵다.

> **정답**
>
> 01 ① 02 ③ 03 ④ 04 ④

05 우리나라 정부의 예산구조에 관한 기술로 틀린 것은? 2015 교행 9급

① 특별회계와 기금은 법률로써 설치한다.

② 기금운용계획의 확정 및 기금의 결산은 국회의 심의·의결을 거친다.

③ 일반회계는 조세수입 등을 주요 세입으로 하여 국가의 일반적인 세출에 충당하기 위하여 설치한다.

④ 특별회계는 국가가 특정한 목적을 위하여 특정한 자금을 신축적으로 운용할 필요가 있을 때 설치한다.

06 다음 중 예산과 기금의 비교에 관한 설명으로서 잘못된 것은? 2005 경기 9급

① 기금은 출연금, 부담금 등 수입원이 다양하지만 일반회계 예산은 조세 수입이 대부분을 차지하고 있다.

② 특별회계와 기금은 일반회계와 달리 특정수입과 지출이 연계되어 있다.

③ 예산은 합법성에 입각하여 엄격히 통제하지만 기금은 합목적성 차원에서 상대적으로 자율성과 탄력성을 보장한다.

④ 기금운용계획은 예산과 달리 국회에서 승인받을 필요가 없다.

CHAPTER 05 예산의 분류

기출 **필수 코스**

01 성인지예산제도에 관한 설명으로 옳지 않은 것은? 2020 행정사

① 2010회계연도부터 우리나라 정부예산에 실제 시행되었다.

② 예산이 남성이 아니라 여성에게 미치는 효과를 분석하여 양성평등을 위한 예산집행을 추구한다.

③ 성인지 예산서에는 성평등 기대효과, 성과목표, 성별 수혜분석 등을 포함하여야 한다.

④ 양성평등을 위한 정책의 결과(성인지예산서 작성)와 과정(예산의 성별 영향 분석과정)을 동시에 추구한다.

⑤ 예산과정에 대한 성 주류화의 적용으로 양성평등을 위한 실질적인 예산배분의 변화를 추구한다.

02 예산에 대한 설명으로 옳지 않은 것은? 2020 국회 8급

① 정기국회 심의를 거쳐 확정된 최초 예산을 본예산 혹은 당초예산 이라고 한다.

② 준예산 제도는 국회에서 예산안이 의결될 때까지 전년도 예산에 준해 집행할 권한을 정부에 부여하는 제도이다.

③ 예산이 성립되면 잠정예산은 그 유효기간이나 지출 잔액 유무에 관계없이 본예산에 흡수된다.

④ 적자예산으로 인한 재정적자는 국채발행, 한국은행으로부터의 차입, 해외차입 등으로 보전한다.

⑤ 수정예산은 예산성립 후에 발생한 사유로 인하여 필요한 경비의 과부족이 발생한 때 본예산에 수정을 가한 예산이다.

05

정답 : ④

④ 국가가 특정한 목적을 위하여 특정한 자금을 신축적으로 운용할 필요가 있을 때 설치하는 것은 기금이다. 한편 특별회계는 국가가 특정한 사업이나 특정한 자금을 운용하거나, 특정한 세입으로 특정한 세출에 충당할 필요가 있을 때 법률로써 설치한다.

① 특별회계와 기금은 법률로써 설치한다.

② 기금운용계획안은 회계연도 개시 120일 전까지 국회에 제출해야 하며, 기금결산보고서는 다음 연도 5월 31일까지 국회에 제출해야 한다.

③ 일반회계는 원칙적으로 조세수입(90%)을 재원으로 한다.

06

정답 : ④

④ 기금운용계획과 결산은 국회의 심의·의결을 받아야 한다.

① 기금은 출연금, 부담금 등 다양한 수입원을 토대로 한다.

② 특별회계와 기금은 일반회계와 달리 특정수입과 지출이 연계되어 있기 때문에 통일성 원칙에 위배된다.

③ 예산은 합법성 차원에서 엄격한 통제 및 목적 외 사용금지를 원칙으로 하고 기금은 합목적성 차원에서 상대적으로 자율성과 탄력성을 보장한다.

01

정답 : ②

② 성인지 예산제도는 예산이 남성과 여성에게 미치는 효과를 분석하여 양성평등을 위한 예산 집행을 추구한다.

① 성인지 예산제도는 2010회계연도부터 우리나라 정부예산에 실제 시행되었다.

③ 성인지 예산서에는 성평등 기대효과, 성과목표, 성별 수혜분석 등을 포함시켜야 한다.

④ 성인지 예산서는 양성평등을 위한 정책의 결과(성인지예산서 작성)와 과정(예산의 성별 영향 분석과정)을 동시에 추구한다.

⑤ 성인지 예산제도는 예산과정에 대한 성 주류화의 적용으로 양성평등을 위한 실질적인 예산 배분의 변화를 추구한다.

02

정답 : ⑤

⑤ 예산성립 후에 발생한 사유로 인하여 필요한 경비의 과부족이 발생한 때 본예산과는 별개로 추가로 편성되는 예산은 추가경정예산이다. 한편 수정예산은 예산이 제출된 후 성립되기 이전에 본예산에 수정을 가한 예산이다.

① 정기국회의 심의를 거쳐 확정된 예산을 본예산이라고 한다.

② 준예산은 새로운 회계연도가 개시될 때까지 예산안이 의결되지 못한 때 특정 경비에 한해 전년도 예산에 준하여 지출할 수 있도록 하는 제도이다.

③ 잠정예산은 본예산이 성립되지 않았을 때 잠정적으로 예산을 편성하여 의회에 제출하고 의회의 사전의결을 얻어 사용하는 제도로, 예산이 성립되면 잠정예산은 그 유효기간이나 지출 잔액 유무에 관계없이 본예산에 흡수된다.

④ 적자예산으로 인한 재정적자는 국채발행이나 한국은행으로부터의 차입 등을 통해 보전함으로써 불경기에 이용하고 경기회복에 기여한다.

03 통합재정에 대한 설명으로 옳은 것은?

2019 지방 9급

① 일반회계, 특별회계, 기금을 포함한다.

② 통합재정의 기관 범위에 공공기관은 포함되지만, 지방자치단체는 포함되지 않는다.

③ 국민의 입장에서 느끼는 정부의 지출 규모이며 내부거래를 포함한다.

④ 2005년부터 정부의 재정규모 통계로 사용하고 있으며 세입과 세출을 총계 개념으로 파악한다.

04 예산의 형태에 대한 설명 중 가장 옳지 않은 것은?

2019 경찰간부

① 본예산이란 행정부가 편성하여 정기국회에 제출하고 국회의 심의와 의결을 거쳐 성립되는 예산을 의미한다.

② 추가경정예산이란 예산안이 국회의 의결을 거쳐 성립된 후 추가 또는 변경을 가하는 예산이다.

③ 우리나라는 1960년부터 준예산제도를 채택하고 있으며 지출항목은 한정적이다.

④ 잠정예산은 회계연도 개시 전까지 예산이 의결되지 못하는 경우를 대비해 의회가 미리 1개월분 예산만 의결해 정부로 하여금 집행할 수 있도록 하는 예산을 의미한다.

05 다음 중 국민경제활동의 구성과 수준에 미치는 영향을 파악하고, 고위정책결정자들에게 유용한 정보를 제공해 주는 예산의 분류로 옳은 것은?

2017 국회 8급

① 기능별 분류

② 품목별 분류

③ 경제성질별 분류

④ 활동별 분류

⑤ 사업계획별 분류

06 우리나라 조세지출과 관련된 기술로 틀린 것은?

2015 교행 9급

① 조세지출은 특정 부문에 대한 사실상의 보조금이다.

② 기획재정부는 주요 조세특례에 대한 평가를 할 수 있다.

③ 지방자치단체는 조세지출예산제도의 도입을 계획하고 있다.

④ 조세지출예산제도는 불공정한 조세지출의 방지를 목적으로 한다.

03

① 통합재정은 일반회계, 특별회계, 기금을 포괄한 정부 전체의 재정활동을 의미한다.

② 통합재정의 기관 범위에 중앙정부와 지방정부 및 비금융 공기업은 포함되지만, 금융성 기금과 외국환평형기금, 공공기관, 지방공기업은 포함되지 않는다.

③ 재정이 국민경제에 미치는 영향을 분석하기 용이하며 내부거래와 보전거래는 제외한다.

④ 1979년부터 정부의 재정규모 통계로 사용하고 있으며 세입과 세출을 순계 개념으로 파악한다.

04

④ 잠정예산은 회계연도 개시 전까지 예산이 의결되지 않은 경우 기간의 제한없이 정부로 하여금 잠정적으로 집행할 수 있도록 하는 예산을 말한다.

05

③ 경제성질별 분류는 국민소득 및 자본형성 등에 관한 정부활동이 국민경제에 미치는 영향을 알 수 있으며 고위정책결정자들의 경제·재정정책의 수립에 도움을 준다.

① 기능별 분류는 정부가 수행하는 기능을 중심으로 예산을 분류하는 방식이며, 이는 정부활동의 우선순위를 파악하는데 용이하게 해준다.

② 품목별 분류는 예산을 지출대상 품목별로 분류하는 방식으로 인건비가 별도의 항목으로 구성되기 때문에 인사행정상 유용한 자료와 정보를 제공한다.

④ 활동별 분류는 사업계획별 분류를 다시 세분화한 것으로 예산안의 편성·제출 및 회계책임이나 재정통제를 용이하게 하는 분류방법이다.

⑤ 사업계획별 분류는 기능을 구체적으로 몇 개의 사업으로 나누어 분류하는 방법으로 각 부처의 예산요구서작성에 기틀을 제공할 뿐 아니라 이에 필요한 재정소요와 사업진도 등을 분석하는 데 도움을 준다.

06

③ 지방자치단체는 지방세지출제도(지방세지출보고서)를 2011년 회계연도부터 정식으로 도입하였다.

① 조세지출은 역전된 보조라고 불릴 정도로 보조금의 성격이 강하므로 개방화된 국제환경에서 무역 마찰의 소지가 있으며 공평성 측면에서 문제가 될 수 있다.

② 조세지출을 담당하는 부서는 기획재정부로 주요 조세특례에 대한 평가 등을 한다.

④ 불공정하게 운영될 수 있는 조세특혜 대상을 정확히 파악하고 심의함으로써 재정 부담의 형평성을 제고한다.

📑 포인트 정리

준예산 vs 가예산 vs 잠정예산

구분	채택국가	지출 가능 경비	기간
준예산	우리나라, 독일	한정적	무제한
가예산	프랑스, 우리나라 1공화국	전반적	1개월
잠정 예산	영미계 국가, 일본	전반적	무제한

정답

03 ① 04 ④ 05 ③ 06 ③

07 추가경정예산에 대한 설명으로 옳지 않은 것은?

2013 지방 9급

① 예산이 성립된 후에 생긴 사유로 이미 성립된 예산에 변경을 가할 필요가 있을 때 정부가 편성하는 예산이다.

② 예산 팽창의 원인이 될 수 있으므로, 「국가재정법」에서 그 편성사유를 제한하고 있다.

③ 과거에 추가경정예산이 편성되지 않은 연도도 있었다.

④ 본예산과 별개로 성립되므로 당해 회계연도의 결산에는 포함되지 않는다.

08 예산의 분류에 대한 설명 중 가장 옳지 않은 것은?

2011 경정승진

① 예산의 분류는 예산의 효율적인 집행과 회계책임의 명확화에 기여한다.

② 예산을 기능별로 분류하면 국민이 정부의 기능을 이해하는 데 도움을 준다.

③ 예산을 조직별(또는 소관별)로 분류하면 모든 중앙관서는 세입예산을 가진다.

④ 예산을 품목별(또는 항목별)로 분류하면 인사행정에 유용한 자료와 정보를 제공한다.

09 예산의 분류에 대한 다음 설명 중 틀린 것은?

2007 대구 7급

① 본예산 - 국회에 상정되어 정기국회에서 다음 회계연도 예산에 대하여 정상적으로 의결, 확정한 당초예산

② 가예산 - 부득이한 사유로 예산이 의결되지 못할 때에 국회는 1개월 이내의 예산을 의결해주는 제도

③ 수정예산 - 예산이 국회를 통과하여 확정된 후에 생긴 사유로 인하여 추가, 변경된 예산

④ 준예산 - 새로운 회계연도가 개시될 때까지 예산이 성립되지 못할 경우 의회승인 없이 특정경비를 전년도에 준하여 지출할 수 있도록 하는 제도

10 예산분류의 방식이 잘못 설명된 것은?

2005 광주 9급

① 우리나라에서 일반회계 세입예산은 수입원에 따라 조세수입과 세외수입으로 분류한다.

② 품목별 분류는 지출대상·구입물품의 종류 중심으로 분류한다.

③ 기능별 분류는 전문적·포괄적이어서 일반시민이 이해하기 힘들다.

④ 경제성질별 분류를 통해 정부활동이 국민경제에 미치는 영향을 알 수 있다.

07
정답 : ④

④ 본예산과 별개로 성립되지만 운용은 본예산에 포함되므로 당해 회계연도 종료 후 결산에는 추경예산이 포함되어야 한다.

① 추가경정예산은 이미 확정된 예산에 변경을 가할 필요가 있는 경우에 편성할 수 있는 예산제도이다.

② 추가경정예산은 예산 팽창의 원인이 될 수 있으므로 국가재정법에 그 편성사유를 제한하고 있다.

③ 2000년도 이후 추경예산이 자주 편성 되었지만 빠짐없이 매년 편성된 것은 아니었으며 2007, 2010, 2011, 2012년에는 편성되지 않았다.

08
정답 : ③

③ 세입예산을 가지지 않는 중앙관서(국가정보원 등)도 있다.

① 예산의 분류는 예산의 효율적인 집행과 회계책임을 명확하게 해준다.

② 기능별 분류는 시민을 위한 분류로서 국민이 정부의 기능을 이해하는 데 도움을 준다.

④ 품목별 분류는 보수, 상여금 등을 명시하므로 인사관리에 있어서 유용한 자료를 제공한다.

09
정답 : ③

③ 예산이 국회를 통과하여 확정된 후에 생긴 사유로 인하여 추가, 변경된 예산은 추가경정예산이다. 한편 수정예산은 정부가 예산안을 국회로 제출한 후 예산성립 이전에 예산안의 내용 일부를 수정한 예산이다.

① 본예산은 회계연도 개시 전에 의회의 심의·의결에 의하여 최초로 성립한 예산이다.

② 가예산은 예산안이 회계연도 개시일까지 성립되지 않을 때 국회의결을 얻어 1개월 내에서 예산을 의결해 주는 예산절차이다.

④ 준예산은 국회의결을 필요로 하지 않는다는 점에서 사전의결 원칙의 예외에 해당한다.

10
정답 : ③

③ 기능별 분류는 교육비, 방위비, 경제개발비 등 공공활동의 영역별로 분류하기 때문에 일반시민이 이해하기 쉽다.

① 우리나라의 경우 수입원에 따라 일반회계 세입예산을 조세수입과 세외수입으로 구분한다.

② 품목별 분류는 지출대상, 즉 구입하고자 하는 물품 또는 용역을 항목별로 분류하는 방식이다.

④ 경제성질별 분류는 예산이 국민경제에 미치는 영향을 파악하기 쉽도록 예산항목의 경제적 성질을 기준으로 분류하는 방식이다.

☆ 포인트 정리

추가경정예산 편성요건(국가재정법 제89조)

- 전쟁이나 대규모 자연재해가 발생한 경우
- 경기침체, 대량실업, 남북관계의 변화, 경제협력과 같은 대내·외 여건에 중대한 변화가 발생하였거나 발생할 우려가 있는 경우
- 법령에 따라 국가가 지급하여야 하는 지출이 발생하거나 증가하는 경우

예산과목 분류방식

경제성질별	• 국민경제효과(통계적 성격)
조직별	• 누가 얼마를 쓰는가 • 기본적 분류방식
기능별	• 무슨 일을 하는데 얼마를 쓰는가(세출예산만 해당) • 시민을 위한 분류
품목별	• 무엇(품목)을 구입하는가 • 통제가 주 목적

정답

07 ④ 08 ③ 09 ③ 10 ③

01 예산에 관한 설명 중 가장 적절하지 않은 것은? 2014 경정승진

① 예산은 국가사업계획을 국가재정수립을 통해서 구체화시키는 역할을 하는데 계획과 예산의 성질상 차이, 예산심의과정의 정치성 등으로 계획과 예산의 괴리가 발생하기도 한다.

② 재정 민주주의는 재정 주권이 납세자인 국민에게 있다는 의미를 내포하므로 예산의 전용제도는 국회의 동의를 구한다는 측면에서 재정 민주주의 확보에 기여하는 제도적 장치이다.

③ 예산통일의 원칙은 특정한 세입과 특정한 세출을 직접 연계시켜서는 안 된다는 원칙이다.

④ 예산분류 중 품목별 분류는 인사행정을 위하여 유용한 자료를 제공해 준다.

02 우리나라 시민 예산 참여에 대한 설명으로 옳지 않은 것은? 2012 서울 9급

① 예산편성 단계에서 특정 사업의 시행과 관련하여 주민발안을 할 수 있다.

② 필요한 정보를 얻기 위해서 정보공개청구제도를 이용할 수 있다.

③ 예산이 부당하게 지출된 경우에 주민감사청구를 제기할 수 있다.

④ 중앙정부와 지방정부를 대상으로 국민소송 제도를 입법화했다.

⑤ 납세자소송은 국민에 대한 재정 주권의 실현을 보장하는 제도라고 할 수 있다.

03 계획과 예산의 괴리요인에 대한 설명으로 가장 옳지 않은 것은? 2009 군무원

① 일반적으로 계획담당자는 비판적·보수적·부정적·저축지향적이며, 예산담당자는 미래지향적·발전지향적·쇄신적·소비지향적이다.

② 기획은 장기적이지만, 예산은 단기적이다.

③ 기획은 합리적이지만, 예산은 정치적 성격이 강하다.

④ 계획과 예산의 유기적 통합이 결여될 경우 기획과 예산은 괴리된다.

01

정답 : ②

② 재정민주주의는 재정 주권이 납세자인 국민에게 있다는 의미를 내포하므로 신축성을 부여하기 위한 예산의 전용제도는 재정민주주의를 저해하는 제도적 장치이다.

① 계획과 예산의 괴리 요인으로는 기획과 예산의 성격, 기관 간 대립, 계획의 추상성, 재원의 부족, 신축성 결여 등이 있다.

③ 예산통일의 원칙은 특정한 세입과 특정한 세출을 직결시켜서는 안 된다는 것으로 국가의 모든 세입으로 모든 세출에 충당해야 한다는 원칙이다.

④ 예산의 분류 중 품목별 분류는 인건비가 별도의 항목으로 구성되므로 인사행정상 유용한 자료와 정보를 제공한다.

02

정답 : ④

④ 지방정부에는 납세자소송제도의 일환으로 주민소송제가 도입·시행되고 있지만, 중앙정부를 대상으로 하는 국민소송 제도는 입법화되지 않았다.

① 주민참여예산제도에 따라 예산편성 등 예산과정에 주민이 참여할 수 있고 특정 사업의 시행과 관련하여 의견서 등의 주민발안을 할 수 있다.

② 필요한 정보를 얻기 위해 정보공개를 청구할 수 있다.

③ 예산이 부당하게 지출된 경우에는 주민감사청구를 제기할 수 있다.

⑤ 납세자소송제도는 시민이 정부의 재정지출과 관련된 부정과 낭비를 직접 감시하고 통제하는 제도로, 재정 민주주의 실현에 기여할 수 있다.

03

정답 : ①

① 일반적으로 계획담당자는 미래지향적·발전지향적·쇄신적·소비지향적이며, 예산담당자는 비판적·보수적·부정적·저축지향적이다.

② 계획은 장기적·추상적인 성격이 강한 반면, 예산은 단기적·구체적인 성격을 갖는다.

③ 계획은 합리적·개혁적인 성격이 강한 반면, 예산은 보수적·정치적 성격이 강하다.

④ 계획과 예산이 유기적으로 연결되지 않을 경우 주요 정책목표와의 관련성을 알 수 없고 자원의 낭비를 초래하며 사업의 방향감이 상실되므로 기획과 예산이 괴리되게 된다.

정답
01 ② 02 ④ 03 ①

01 총체주의적 예산결정모형에 대한 설명 중 옳지 않은 것은?

2020 군무원 7급

① 집권적이며 하향식으로 자원을 배분한다.

② 품목별 예산제도를 바람직한 예산편성방식으로 인식한다.

③ 목표와 수단 간 연계관계를 명확히 밝혀 합리적 선택을 모색한다.

④ 연역법적 방법론에 의하며 가치와 사실을 구분한다.

02 윌다브스키(A. Wildavsky)의 예산행태 유형 중 국가의 경제력은 낮지만 재정 예측력이 높은 경우에 나타나는 행태는?

2019 국가 7급

① 점증적 예산(incremental budgeting)

② 반복적 예산(repetitive budgeting)

③ 세입 예산(revenue budgeting)

④ 보충적 예산(supplemental budgeting)

03 점증주의적 예산결정에 대한 설명으로 옳지 않은 것은?

2017 지방 9급(추)

① 현상유지(status quo)적 결정에 치우칠 수 있다.

② 자원이 부족한 경우 소수기득권층의 이해를 먼저 반영하게 되어 사회적 불평등을 야기할 우려가 있다.

③ 다수의 참여자들 간 고리형의 상호작용을 통한 합의를 중시하는 합리주의와는 달리 선형적 과정을 중시한다.

④ 긴축재정 시의 예산행태를 잘 설명해주지 못한다.

04 예산결정이론에 관한 설명 중 가장 적절하지 않은 것은?

2012 경정승진

① 총체주의는 목표에 대한 사회적 합의가 도출되지 않은 경우에도 적용될 수 있다는 장점을 가지고 있다.

② 점증주의는 행정부의 예산요구액과 국회의 승인액간에 선형성과 안정성이 강하게 나타난다고 본다.

③ 총체주의는 한계효용개념을 이용한 상대적 가치에 의해서 예산이 결정된다고 본다.

④ 점증주의는 예산과정의 권력 중심을 입법기관 쪽으로 옮겨주기 때문에 입법기관의 지지를 받기 용이하다.

01

② 총체주의적 예산결정모형은 계획예산제도 및 영기준예산제도의 예산편성방식이다. 한편 품목별 예산제도는 점증주의적 예산결정모형이다.

① 총체주의적 예산결정모형은 재정당국과 행정수반이 각 부처에 집권적이며 하향식으로 자원을 배분한다.

③ 총체주의적 예산결정모형은 합리주의적 접근을 기반으로 목표 – 수단 접근법을 통하여 목표와 수단 간 연계관계를 명확히 밝혀 합리적 선택을 모색한다.

④ 총체주의적 모형은 연역적 방법론에 의하며 가치와 사실을 구분한다.

02

③ 설문은 세입 예산(revenue budgeting)에 대한 설명이다.

① 점증적 예산(incremental budgeting)은 국가의 경제력도 높고 재정 예측력도 높은 경우에 나타나는 행태이다.

② 반복적 예산(repetitive budgeting)은 국가의 경제력도 낮고 재정 예측력도 낮은 경우에 나타나는 행태이다.

④ 보충적 예산(supplemental budgeting)은 국가의 경제력은 높지만 재정 예측력은 낮은 경우에 나타나는 행태이다.

03

③ 점증주의적 예산결정은 선형적 과정을 중시하는 합리주의와는 달리 다수의 참여자들 간 고리형의 상호작용을 통한 합의를 중시한다.

① 점증주의적 예산결정은 현상을 유지하는 데 치우친다.

② 자원이 부족한 경우 예산증액이나 신규사업 수행이 곤란하여 이해당사자들의 욕구를 충족하기 불가능하고 소수기득권층의 이해를 우선적으로 반영하므로 사회적 불평등을 야기할 수 있다.

④ 점증주의적 예산결정은 긴축재정이나 감축관리 시 예산이 지속적으로 팽창되므로 긴축재정 시의 예산행태를 설명하기 곤란하다.

04

① 총체주의는 목표수단 분석을 전제로 하기 때문에 목표에 대한 사회적 합의가 도출되지 않은 경우에는 적용되기 어렵다.

② 점증주의는 행정부의 요구와 국회 승인액 간에 선형성이 강하게 나타난다.

③ 루이스(Lewis)는 대안적 예산이론에서 예산은 기회비용과 한계효용 개념에 입각해 각 대안의 상대적 가치의 비교를 통해 결정해야 함을 강조하였다.

④ 점증주의는 각기 자기 몫을 지키거나 늘리는 데 유리하기 때문에 예산과정에 참여하는 이익집단들, 정치인들, 공무원들의 지지를 받아내기 쉽다.

포인트 정리

윌다브스키(A.Wildavsky)의 예산행태 유형

구분		국가의 경제력	
		큼	작음
재정의 예측력	높음	• 점증적 예산 • 선진국	• 양입제출적 예산(=세입예산) • 미국 도시정부
	낮음	• 보충적 예산 • 행정능력이 낮은 경우	• 반복적 예산 • 후진국

예산결정이론

점증주의	총체주의
• 정치적 합리성 (정치원리)	• 경제적 합리성 (경제원리)
• 계속사업 인정	• 계속사업 불인정
• 계속사업 검토 제외	• 계속사업도 검토
• 미시적·상향적·과정적	• 거시적·하향적·체제적
• 세부사업 지향적	• 총액지향적
• 입법부 중심	• 행정부 중심
• 목표–수단분석 하지 않음	• 목표–수단분석 실시

정답

01 ② 02 ③ 03 ③ 04 ①

05 예산과정에서 점증주의 모형에 관한 설명이라고 볼 수 없는 것은?

2008 서울 9급

① 점증주의는 결정자의 인식능력의 한계를 전제로 한다.

② 총체주의와 달리 결정과 관련된 모든 요소를 검토할 수 없다고 본다.

③ 기존의 예산과 조금 차이가 나는 대안을 검토하여 그 가운데 하나를 선택하게 된다.

④ 결정상황을 제약하는 비용, 시간 등의 요소를 감안하여 결정의 복잡한 문제를 단순화 시키자는 것이다.

⑤ 비용편익분석, 선형계획법 등 계량적 모형을 이용하여 예산을 배정하는 것이 사업목표를 효과적으로 달성할 수 있다.

CHAPTER 08 품목별 예산제(LIBS)

기출 필수 코스

01 예산제도에 대한 설명으로 옳지 않은 것은?

2020 국가 9급

① 품목별 예산제도는 일에 대한 정보를 제공하며, 세입과 세출의 유기적 연계를 고려한다.

② 성과주의 예산제도는 업무량과 단위당 원가를 곱하여 예산액을 산정한다.

③ 계획예산제도는 비용편익분석 등을 활용함으로써 자원 배분의 합리화를 추구한다.

④ 영기준 예산제도는 예산 편성에서 의사결정단위(decision unit) 설정, 의사결정 패키지 작성 등이 필요하다.

02 품목별 예산제도에 대한 설명으로 옳은 것은?

2019 국가 9급

① 지출을 통제하고 공무원들로 하여금 회계적 책임을 쉽게 확보할 수 있는 데 용이하다.

② 미국 케네디 행정부의 국방장관인 맥나마라(McNamara)가 국방부에 최초로 도입하였다.

③ 거리 청소, 노면 보수 등과 같이 활동 단위를 중심으로 예산재원을 배분한다.

④ 능률적인 관리를 위하여 구성원의 참여를 촉진한다는 점에서는 목표에 의한 관리(MBO)와 비슷하다.

03 품목별 예산제도의 특징으로 가장 옳지 않은 것은?

2015 해경간부

① 정부사업의 우선순위 파악이 용이하다.

② 통제지향적인 예산제도이다.

③ 지출항목을 일목요연하게 알 수 있다.

④ 예산집행시의 유용이나 부정을 방지하는 데에 용이하다.

⑤ 비용편익분석, 선형계획법 등 계량적 모형을 이용하여 예산을 배정하는 것은 합리모형에 해당한다.

① 점증주의는 인간의 인식능력의 한계와 결정체의 안정성을 전제로 한 이론이다.

②, ③ 점증주의는 제한적 합리성으로 인해 모든 요소를 총체적으로 검토할 수 없다고 전제하므로 기존 예산과 조금 차이가 나는 한계가치만 고려한다.

④ 포괄적 탐색이 아닌 부분적·한계적 탐색에 그치므로 지출대안의 탐색과 분석에 드는 비용을 줄일 수 있다.

01
정답 : ①

① 품목별 예산제도는 지출에 대한 통제를 목적으로 하므로 정부가 무슨 일(업무, 사업)을 하는지 알 수 없고 세입과 세출의 연계를 고려하지 못하므로 사업의 성과와 정부의 생산성을 평가할 수 없다.

② 성과주의 예산제도는 예산을 사업별·활동별로 구분하여 편성하는 성과중심의 예산으로 업무량과 단위원가를 곱하여 예산액을 산정한다.

③ 계획예산제도는 장기적인 기획과 단기적인 예산을 유기적으로 결합하여 자원배분의 합리화를 추구하려는 것으로 장기적 시계에서 프로그램을 선택하고 대안의 합리적 검토를 위하여 비용편익분석 등의 과학적 기법을 활용한다.

④ 영기준 예산제도는 계속사업과 신규사업 모두를 검토하여 의사결정단위를 설정하고 의사결정패키지를 작성하여 우선순위를 결정하는 합리주의·총체주의 예산제도이다.

02
정답 : ①

① 품목별 예산제도는 회계 책임이 명확하여 합법성 위주의 회계검사에 유용하므로 지출통제 및 재량통제에 적합하다.

② 계획예산제도는 미국 케네디 행정부의 국방장관인 맥나마라(McNamara)가 국방부에 최초로 도입하였다.

③ 성과주의 예산은 거리 청소, 노면 보수 등과 같이 활동 단위를 중심으로 예산재원을 배분한다.

④ 영기준예산은 능률적인 관리를 위하여 구성원의 참여를 촉진한다는 점에서는 목표에 의한 관리(MBO)와 비슷하다.

03
정답 : ①

① 품목별 예산제도는 정부사업의 우선순위 파악이 곤란하다. 한편 정부사업의 우선순위 파악이 용이한 것은 영기준예산제도이다.

② 품목별 예산제도는 의회의 권한을 강화시키며 지출예산별 금액이 자세히 표시되기 때문에 예산심의가 용이하며 통제지향적인 예산제도이다.

③ 품목별 예산제도는 품목별로 예산이 편성되므로 지출항목을 일목요연하게 알 수 있으며 정원변동이 명백히 표시되므로 정부운영에 필요한 인력자료와 인건비에 관한 정확한 정보를 제공할 수 있다.

④ 품목별 예산제도는 공무원의 회계책임을 명확히 할 수 있으므로 공무원의 재량권 남용 방지 및 예산집행시의 유용이나 부정을 방지할 수 있다.

품목별 예산제도 장단점

장점	• 책임확보 및 통제 용이 • 합법성 위주의 회계검사 용이 • 절차가 간편함 • 인사행정상 유용한 자료 제공 • 이익집단의 저항 회피
단점	• 동조과잉 및 번문욕례 초래 • 융통성 저해 • 사업의 목적이나 성과 불분명 • 효율성 저하 • 국민경제에 미치는 영향을 알 수 없음

정답

05 ⑤ 01 ① 02 ① 03 ①

04 1910년 미국의 태프트(Taft)위원회가 정부에 건의하여 채택된 바 있는 '절약적이고 능률적인 예산'에 해당하는 것은?

2004 전북 9급

① 균형본위예산   ② 통제본위예산

③ 성과본위예산   ④ 계획본위예산

⑤ 감축본위예산

CHAPTER 09   성과주의 예산제(PBS)

기출 필수 코스

01 성과주의 예산제도에 대한 설명으로 가장 옳은 것은?

2017 해경간부

① 예산비목의 증가를 통제하기 쉽다.

② 회계책임을 명확하게 한다.

③ 기획기능을 상대적으로 강조한다.

④ 운영관리를 위한 지침으로 효과적이다.

02 예산을 사업별, 활동별로 구분하여 편성하는 성과주의 예산제도가 성공적으로 도입 및 운영되기 위하여 필수적으로 요청되는 것은?

2015 해경간부

① 행정부 제출 예산제도   ② 사업원가 도출

③ 합법성 위주의 예산심의   ④ 회계검사기관의 기능 강화

03 성과주의 예산제도에 대한 설명으로 옳은 것은?

2013 서울 7급

① 운영관리를 위한 지침으로 효과적이다.

② 기획기능을 상대적으로 강조한다.

③ 회계책임을 명확하게 한다.

④ 예산비목의 증가를 통제하기 쉽다.

⑤ 입법부에 의한 예산 통제에 효과적이다.

04

정답 : ②

② 통제본위예산인 품목별예산은 1910년 미국 태프트 위원회가 건의한 것으로, 예산을 기금·조직단위·품목·목적별로 분류하여 지출에 대한 통제를 강화하는 예산이다.

③ 성과본위예산은 성과주의 예산에 대한 것으로 투입과 산출 및 관리에 관심을 가지며, 지출된 예산으로 최대한의 성과를 얻으려는 능률성을 중시하는 제도이다.

④ 계획본위예산은 기획예산에 대한 것으로 장기계획과 목적에 관심을 가지며 기획과 예산을 연결시켜 효과성을 중시하는 제도이다.

⑤ 감축본위예산은 영기준예산에 대한 것으로 의사결정과 우선순위에 관심을 가지며 감축기능을 중시하는 제도이다.

01

정답 : ④

④ 성과주의 예산은 점증주의 예산이므로 예산이 운영관리를 위한 지침으로 활용된다.

① 성과주의 예산은 자원배분 결정에 대한 합리성이 부족하므로 예산비목의 증가를 통제하기 어렵다.

② 회계책임을 명확하게 하는 것은 품목별 예산제도에 대한 설명이다.

③ 기획기능을 상대적으로 강조하는 것은 계획예산제도에 대한 설명이다.

02

정답 : ②

② 성과주의 예산은 세부 사업별로 업무량과 단위원가를 도출하여 예산을 편성하므로 단위원가 도출이 필수적이다.

③ 합법성 위주의 예산심의는 품목별 예산제도의 성공적 운영을 위해 필요하다.

03

정답 : ①

① 운영관리를 위한 지침으로 효과적인 것은 성과주의 예산제도에 대한 설명이다.

② 기획기능을 상대적으로 강조하는 것은 계획예산제도이다.

③ 회계 책임이 명확한 것은 품목별 예산제도이다.

④ 성과주의 예산은 점증주의 예산이므로 예산의 증가를 통제하기 어렵다.

⑤ 입법부에 의한 예산통제가 곤란하다.

성과주의 예산제도 장단점

장점	• 내부통제의 합리화 • 입법부 예산심의 용이 • 재정의 투명성 및 신뢰성 제고 • 장기계획 수립에 유리 • 합리적·효율적 자원배분 • 예산과 사업의 연계 • 집행성과 파악 가능
단점	• 의회통제(재정통제) 곤란 • 개별 단위사업 중심 • 대안의 합리적 검토·평가·선택 곤란 • 장기적·전략적 목표 의식 결여 • 총괄계정에 부적합 • 단위원가 계산 및 업무단위 선정 곤란

정답

04 ② 01 ④ 02 ② 03 ①

04 다음 중 성과주의 예산의 장점으로 적합하지 않은 것은?

① 사업계획과 예산을 연계한다.

② 재정사용의 투명성을 증대한다.

③ 정치지도자의 예산개입을 약화시킨다.

④ 관리자의 조직관리능력을 향상시킨다.

⑤ 예산절감의 효과를 유발한다.

CHAPTER 10 　계획예산제(PPBS)

기출 필수 코스

01 계획예산제도(PPBS)에 관한 설명으로 옳지 않은 것은?

① 상향식 예산편성으로 하위 구성원의 참여가 보장된다.

② 비용편익분석 등 계량적 분석기법이 사용된다.

③ 의회와 관계기관으로부터 협조를 받지 못해 실패한 제도로 평가된다.

④ 목표와 계획에 따른 사업의 효율적 집행에 초점을 맞춘다.

02 예산제도 중 다음 〈보기〉의 내용에 해당하는 것은?

> **보기**
>
> 기획(Planning), 사업구조화(Programming), 예산(Budgeting)을 연계시킨 시스템적 예산제도로, 시간적으로 장기적 사업의 효과가 나올 수 있도록 예산을 뒷받침한 것으로 볼 수 있다. 조직목표달성 차원에서 성과를 설정하는 것이 가능하며, 자원배분의 효율성을 높일 수 있는 장점이 있다. 그러나 의사결정의 지나친 집권화와 실현가능성이 낮은 문제가 단점으로 지적된다.

① 성과 예산제도　　　　　　　　　② 계획 예산제도

③ 목표관리 예산제도　　　　　　　④ 영기준 예산제도

03 다음 중 참여와 분권을 본질적 특징으로 포함하는 제도와 거리가 먼 것은?

① 계획예산제도　　　　　　　　　② 목표관리제

③ 영기준예산제도　　　　　　　　④ 다면평가제

04
정답 : ③

③ 정치지도자의 예산개입을 약화시키는 것은 계획예산제도의 단점이다.

① 성과주의 예산은 예산을 사업별·활동별로 구분하여 편성하는 성과중심의 예산으로 예산을 사업에 연계시켜 편성한다.

② 성과주의 예산은 예산서에 사업의 목적 및 목표에 대한 기술서가 포함되므로 일반국민이나 의회가 정부사업의 목적을 이해할 수 있으므로 재정의 투명성 및 신뢰성이 증진된다.

④ 성과주의 예산은 관리의 능률성을 지향하는 것으로 예산관리자들에게는 관리적·행정적 기술이 요구되며 조직관리능력이 향상될 수 있다.

⑤ 성과주의 예산은 사업 간의 중복을 방지하고 관리상의 비능률을 제거하므로 비용절감 효과를 유발할 수 있다.

01
정답 : ①

① 기획과 예산을 연결시키려는 합리주의 예산으로 최고위층과 전문막료가 주도하는 하향적 흐름의 예산이다.

② 정책목표 달성을 위한 대안의 평가와 선택을 위하여 비용편익분석 등의 기법을 활용하는 계량적 예산이다.

③ 의회나 공무원의 지지를 얻지 못하였으며, 충분한 준비나 유능한 전문인력이 부족하여 전반적으로 실패한 예산으로 평가받는다.

④ 계획예산제도는 사업의 계획과 목표를 중시하고 투입과 산출에도 관심을 가지며 분석적 기법을 활용하여 합리적·효율적으로 집행하고 배분한다.

02
정답 : ②

② 제시문은 계획예산제도에 대한 설명이다. 계획예산제도는 장기적인 계획과 단기적인 예산을 프로그래밍이라는 연결고리를 통하여 유기적으로 결합하여 자원배분에 관한 의사결정을 합리적으로 하려는 기획중심의 예산제도이다.

03
정답 : ①

① 계획예산제도는 계획과 예산을 유기적으로 결합하여 자원배분에 관한 의사결정을 합리적으로 하려는 기획중심의 예산제도로, 의사결정에서 지나친 집권화가 초래됨에 따라 하급공무원 및 계선기관의 참여를 저해한다.

② 목표관리제는 조직 상하간의 참여를 강조하며 목표설정, 실행, 평가, 환류까지 상관과 부하의 합의로 이루어지므로 참여와 분권을 특징으로 한다.

③ 영기준예산제도는 의사결정과 우선순위를 통해 합리적 자원배분을 강조하는 예산제도로 의사결정 패키지를 작성하는 과정에서부터 구성원의 참여가 이루어진다.

④ 다면평가제는 상관, 부하, 동료, 민원인 등에 의해 다양한 평가가 이루어지므로 참여와 분권의 특징을 갖는다고 할 수 있다.

정답
04 ③ 01 ① 02 ② 03 ①

04 계획예산제도(PPBS)에 대한 설명으로 옳지 않은 것은?

2013 국가 9급

① 품목별 예산은 하향식 예산 과정을 수반하나, PPBS는 상향식 접근이 원칙이다.

② 품목별 예산과는 달리 부서별로 예산을 배정하지 않고 정책별로 예산을 배분한다.

③ PPBS는 집권화를 강화시킨다.

④ 계량적인 기법인 체제분석, 비용편익분석 등을 사용한다.

05 예산제도에 관한 설명으로 옳지 않은 것은?

2008 지방 9급

① 영기준예산제도(ZBB)는 모든 지출제안서를 영점 기준에서 검토한다.

② 품목별예산제도(LIBS)는 투입 중심의 예산편성으로 인해 사업성과에 대한 이해가 어렵다.

③ 성과주의예산제도(PBS)는 정부사업과 활동에 대한 국민들의 이해를 증진시킬 수 있는 장점이 있다.

④ 계획예산제도(PPBS)는 상향식 예산 접근으로 재정민주주의의 실현에 적합한 장점이 있다.

06 품목별 예산제도(LIBS)와 계획예산제도(PPBS)에 대한 설명 중 옳지 않은 것은?

2006 대전 9급

	LIBS	PPBS
① 기본적 지향	지출통제	계획
② 관리 책임	분산	중앙집중
③ 대안 선택	총체적 결정	점증적 결정
④ 통제 책임	중앙	운영단위

CHAPTER 11 영기준예산제(ZBB)

기출 필수 코스

01 계획예산제도(Planning Programming Budget System :PPBS)와 영기준 예산제도(Zero Based Budget : ZBB)에 대한 설명으로 옳지 않은 것은?

2020 소방간부

① PPBS는 계획과 예산을 통합적 개념으로 이해하는 예산제도로 예산의 단년도주의를 극복하려는 것이다.

② PPBS는 수립된 계획에 대한 상황변화적 대응이 적시에 이루어지지 못할 경우 예산 배분의 합리성이 저해될 수 있다.

③ ZBB는 총체주의적 예산 결정 방식에 기반해 자원의 효율적 배분을 도모한다.

④ PPBS는 기획지향적인 반면 ZBB는 평가지향적이다.

⑤ PPBS에 비해 ZBB는 하향적 의사결정 방식을 취한다.

04
정답 : ①

① PPBS는 기획과 예산을 연결시키려는 합리주의 예산으로 최고위층과 전문막료가 주도하는 하향식 흐름의 예산방식이다.

② PPBS는 정책별로 예산을 배분하므로, 통합적 관점에서 부서할거주의를 타파하고 갈등을 조정할 수 있다.

③ PPBS는 예산과 기획에 관한 의사결정을 일원화함으로써 최고관리층이 합리적으로 수행할 수 있으며 집권화가 나타난다.

④ 계량적·분석적 기법을 활용하여 능률적인 최적의 대안을 선택한다.

05
정답 : ④

④ 계획예산제도는 하향적 접근으로 기획기능을 더 우선시하므로 재정민주주의 실현에는 기여하지 못한다.

① 감축관리의 경향으로 영기준예산이 도입되었다.

② 품목별예산은 성과에 대한 부분을 고려할 수 없다.

③ 성과주의 예산은 단위업무를 통해 국민들의 이해를 증진시킬 수 있다.

06
정답 : ③

③ 품목별 예산제도는 점증주의 예산에 해당하고, 계획예산제도는 합리주의 예산에 해당한다.

① 품목별 예산제도는 지출통제를 지향하는 반면, 계획예산제도는 계획을 지향한다.

② 품목별 예산제도는 관리책임이 분산적인 반면, 계획예산제도는 관리책임이 중앙집중적이다.

④ 품목별 예산제도는 통제책임이 중앙 중심인 반면, 계획예산제도는 운영단위 중심이다.

01
정답 : ⑤

⑤ PPBS에 비해 ZBB는 상향적 의사결정 방식을 취한다.

① PPBS는 장기적인 계획과 단기적인 예산은 유기적으로 통합하여 합리적 자원배분을 추구하는 것으로 전체적이고 장기적인 관점에서 계획과 예산을 연계한다.

② 장기적인 관점에서 진행되므로 환경변동이 심할 경우 사업의 축소·폐지 등의 상황변화에 적응이 곤란해질 수 있으며 예산 배분의 합리성이 저해될 우려가 있다.

③ ZBB는 계속사업과 신규사업을 총체적으로 분석·평가하여 우선순위를 결정하고 이에 따라 합리적인 자원배분이 이루어지므로 총체적이고 합리적이다.

④ PPBS는 정책·계획의 수립이나 목표에 중점을 두므로 계획지향적이고, ZBB는 기존의 프로그램의 계속적인 재평가에 관심을 가지므로 평가지향적이다.

📑 포인트 정리

계획예산제도 장단점

장점	• 계획과 예산의 일치 (기획변경의 신축성) • 자원배분의 합리화 • 조직의 통합 운영 • 의사결정의 일원화
단점	• 제도적 경직성 – 융통성 부족 • 목표설정 및 사업구조 작성의 어려움 • 과도한 문서와 환산작업 곤란 • 의회의 이해 부족과 의회 지위 약화 우려 • 정치적 측면 고려 소홀 • 하향식 흐름에 의한 집권화

계획예산 vs 영기준예산

구분	계획예산	영기준예산
참여범위	집권적	분권적
결정흐름	하향적	상향적
기간	장기적	단기적
점증·합리주의	합리주의	완전 합리주의
B/C분석 적용	신규사업만	신규 및 기존사업 모두

정답

04 ① 05 ④ 06 ③ 01 ⑤

02 예산제도와 그 특성의 연결이 가장 옳지 않은 것은?

2017 서울 9급

① 품목별 예산제도(LIBS) – 통제 지향

② 성과주의 예산제도(PBS) – 관리 지향

③ 계획 예산제도(PPBS) – 기획 지향

④ 영기준 예산제도(ZBB) – 목표 지향

03 다음 중 ZBB에 대한 설명으로 가장 옳지 않은 것은?

2016 서울 7급

① 과거연도의 예산지출이 참고자료로 고려되지 않는다.

② 예산의 과대추정을 억제할 수 있다.

③ 비용편익 분석과 시스템 분석을 주요 수단으로 활용한다.

④ 각 부처에서 지출규모에 대한 결정을 한다.

04 영기준예산제도로 옳지 않은 것은?

2007 경북 9급

① 자원배분에 관한 합리적·체계적 의사결정을 강조하기 때문에 의사결정 지향적이다.

② 정치상황, 관리자의 가치관 등 비경제적, 심리적 요인도 고려한다.

③ 일몰법은 이 제도와 유사한 목표 내지 성향을 지닌다.

④ 계획기능은 분권화된다.

CHAPTER 12 　기타 예산이론 – 일몰법 등 　기출 필수 코스

01 예산제도에 대한 설명으로 옳지 않은 것은?

2022 국가 7급

① 영기준예산제도는 예산배분의 관행을 인정하지 않는 제도로서 미국의 민간기업 Texas Instruments에서 처음 시작되었고, 1970년대 미국 연방정부에 도입되었다.

② 계획예산제도는 장기적 계획, 사업, 예산을 연결시키는 제도로서 미국에서 베트남 전쟁, 위대한 사회 프로그램 등 정부예산이 팽창하던 1960년대에 도입·운영되었다.

③ 성과주의예산제도는 산출 이후의 성과에 관심을 가지며 예산집행의 재량과 결과에 대한 책임을 강조하는 제도로서 1950년대 연방정부를 비롯해 지방정부에 확산되었다.

④ 품목별예산제도는 예산을 지출대상별로 분류해 편성하는 통제지향적 제도로서 1920년대 대부분 미국 연방 부처가 도입하였다.

02

정답 : ④

④ 영기준 예산제도는 의사결정과 우선순위에 관심을 가지며 감축기능을 강조하는 감축 지향 예산제도이다. 한편 목표를 강조하는 것은 MBO예산이다.

① 품목별 예산제도는 지출대상을 기준으로 분류·편성하는 통제 지향 예산제도이다.

② 성과주의 예산제도는 예산을 사업별·활동별로 구분하여 편성하는 관리 지향 예산제도이다.

③ 계획예산제도는 기획과 예산을 연계시켜 자원의 합리적 배분을 강조하는 기획 지향 예산제도이다.

03

정답 : ③

③ 영기준예산은 사업단위별로 분석을 하기 때문에 시스템 분석을 적용하기 어려울 뿐만 아니라 B/C 분석 등 과학적 분석기법 활용에 한계가 있다.

① 매년 제로(0)의 기준에서 정책의 우선순위를 엄격히 사정하여 예산을 편성하므로, 과거연도의 예산지출내역은 참고자료로 고려되지 않는다.

② 영기준예산은 사업의 우선순위를 정기적으로 새로이 결정함으로써 중복이나 낭비를 배제할 수 있는 감축지향적 예산제도이다.

④ 영기준예산에서는 각 부처 또는 부서단위에서 지출규모에 대한 결정을 한다.

04

정답 : ②

② 합리주의를 지향하므로 정치상황, 관리자의 가치관 등 예산체제에 영향을 미치는 정치적, 비경제적, 심리적 요인을 고려하지 못한다.

① 자원배분의 합리화를 통해 정보의 질과 흐름의 개선을 통하여 관리자들의 의사결정능력을 향상시킨다.

③ 일몰법과 영기준예산은 감축지향적인 제도이다.

④ PPBS 이외의 LIBS, PBS, ZBB의 계획기능은 분권화된다.

01

정답 : ③

③ 산출 이후의 성과에 관심을 가지며 예산집행의 재량과 결과에 대한 책임을 강조하는 제도는 신성과주의에 대한 설명이다. 한편 1950년대 연방정부를 비롯해 지방정부에 확산된 것은 성과주의예산제도이다.

예산제도 비교

구분	LIBS	PBS	PPBS	ZBB
방향 (지향)	통제	관리	기획	우선순위 결정 / 감축
주요 정보	지출 대상	부처 활동	부처 목표	사업, 단위 조직목표
정책 결정 유형	점증적	점증적	총체적	부분적/ 총체적
분석 초점	지출 대상	지출과 성과의 관계	대안 평가 계량 분석	대안분석 예산증감
예산의 중심 단계	집행 단계	편성 단계	편성 전의 계획 단계	
결정 흐름	상향적	상향적	하향적	상향적

02 입법기관이 따로 조치를 취하지 않는 한 정부의 사업 또는 조직이 미리 정한 기간이 지나면 자동적으로 폐지 또는 폐기되도록 하는 제도는?

2017 행정사

① 감축관리제

② 일출제

③ 목표관리제

④ 영기준예산제

⑤ 일몰제

03 영기준예산(ZBB : Zero Base Budgeting)과 일몰법에 대한 설명 중 가장 옳은 것은?

2011 경정승진

① 일몰법은 입법적 과정으로 개혁추진기관이 기관이나 사업의 존립 필요성을 입증한다.

② 영기준예산은 합리적 의사결정과 재원배분이 가능하여 우선순위 결정이 용이하다.

③ 일몰법은 감축관리의 실행에 활용되며 영기준예산과 달리 예산에만 적용된다.

④ 영기준예산은 시간과 노력이 과중하고 소규모 조직이 희생당할 가능성이 높다.

04 일몰법과 영기준예산에 대한 설명으로 옳지 않은 것은?

2006 국가 7급

① 일몰법은 예산심의와 관계되는 입법과정이다.

② 영기준예산은 예산편성과 관련되는 행정과정이다.

③ 일몰법은 조직의 하위구조에서 보다 효율적인 관리도구이다.

④ 영기준예산은 매년 실시되므로 단기적인 성격을 띠지만, 일몰법은 검토의 주기가 3~7년이므로 장기적인 성격을 띤다.

CHAPTER 13 예산과정

기출 필수 코스

01 예산주기에 비추어 볼 때 2021년도에 볼 수 없는 예산과정은?

2021 국가 9급

① 국방부의 2022년도 예산에 대한 예산요구서 작성

② 기획재정부의 2021년도 예산에 대한 예산배정

③ 대통령의 2022년도 예산안에 대한 국회 시정연설

④ 감사원의 2021년도 예산에 대한 결산검사보고서 작성

02
정답 : ⑤

⑤ 입법기관이 따로 조치를 취하지 않는 한 정부의 사업 또는 조직이 미리 정한 기간이 지나면 자동적으로 폐지 또는 폐기되도록 하는 제도를 일몰제라고 한다.

03
정답 : ④

④ 영기준예산은 사업활동의 분석·평가, 대안 개발 등 전문적인 지식과 기술을 필요로 하고 정보 획득 및 서류 작성 등 업무부담이 과중하며, 힘이 약하고 규모가 작은 조직의 경우 우선순위가 부당하게 낮게 책정되는 등의 희생을 당할 가능성이 높다.

① 일몰법은 입법적 과정으로 정부기구나 사업들이 의회에 의하여 그 존립의 필요성을 인정받지 못하는 한 특정시점에서 자동으로 폐지될 것을 규정하고 있다.

② 영기준예산은 합리적 의사결정과 재원배분을 추구하지만 현실적으로 시간제약상 우선순위 결정이 용이하지 않다.

③ 일몰법은 감축관리의 실행에 활용되며 영기준예산과 달리 예산뿐 아니라 조직, 정책, 인력 등 광범위하게 적용된다.

04
정답 : ③

③ 일몰법은 조직의 최상위 계층을 대상으로 하는 반면, 영기준예산은 조직의 최상위 계층부터 중·하위 계층까지의 모든 계층을 대상으로 한다.

① 일몰법은 예산심의와 관련 있는 것으로 입법과정에 해당하며 의회는 행정감독의 역할을 한다.

② 영기준예산은 예산편성과 관련 있는 것으로 행정과정에 해당하며 의회는 예산심의의 역할을 한다.

④ 영기준예산은 사업에 대한 검토를 매년 실시하므로 단기적인 성격을 띠는 반면, 일몰법은 검토주기가 3~7년이므로 장기적(주기적)인 성격을 띤다.

01
정답 : ④

④ 예산주기는 편성(FY-1) → 심의(FY-1) → 집행(FY) → 회계검사 및 결산(FY+1)에 이르는 과정으로 3년이 된다. 감사원의 결산검사보고서 작성 및 송부는 다음 회계연도 5월 20일까지 하는 것으로, 2021년도 예산에 대한 결산검사보고서는 2022년에 볼 수 있다.

① 예산요구서는 매년 5월 21일까지 각 중앙관서의 장이 기획재정부장관에게 제출하는 것으로 2022년도 예산에 대한 예산요구서의 작성은 2021년에 이루어진다.

② 예산배정은 기획재정부에서 예산을 각 중앙관서별로 배정하는 것으로, 예산집행단계에서 이루어지므로 기획재정부의 2021년도 예산에 대한 예산배정을 볼 수 있다.

③ 대통령의 시정연설은 정부예산이 국회에 제출되면 본회의에서 이루어지는 것으로 2022년도 예산안에 대한 시정연설은 2021년에 볼 수 있다.

📑 포인트 정리

영기준예산 vs 일몰법

구분	영기준예산	일몰법
제도성격	행정과정	입법과정
의사결정 흐름	상향식	하향식
실시주기	매년	일정기간 동안 주기적 검토
대상	조직 최상위부터 중하위계층까지 모두 대상	조직 최상위계층

정답
02 ⑤ 03 ④ 04 ③ 01 ④

02 우리나라 예산과정에 대한 설명으로 옳지 않은 것은?

① 국회사무총장은 예산요구서를 매년 5월 31일까지 기획재정부장관에게 제출해야 한다.

② 국회는 정부의 동의없이 정부가 제출한 지출예산 각 항의 금액을 증가하거나 새 비목을 설치할 수 없다.

③ 국회사무총장은 「국가회계법」에서 정하는 바에 따라 회계연도마다 작성한 결산보고서를 다음 연도 1월 31일까지 기획재정부장관에게 제출하여야 한다.

④ 정부가 국회에 제출하는 예산안에는 국고채무부담행위 설명서, 예산정원표와 예산안편성기준단가, 국유재산특례지출예산서를 포함하여야 한다.

⑤ 정부의 세입·세출에 대한 출납사무는 다음 연도 2월 10일까지 완결해야 한다.

03 예산과정에 대한 설명으로 옳은 것은?

① 예산과정은 예산편성–예산집행–예산심의–예산결산의 순으로 이루어진다.

② 예산집행의 신축성을 확보하기 위한 예비비, 총액계상 제도 등을 활용하고 있다.

③ 예산제도 개선 등으로 절약된 예산 일부를 예산성과금으로 지급할 수 있지만 다른 사업에 사용할 수는 없다.

④ 각 중앙부처가 총액 한도를 지정한 후에 사업별 예산을 편성하고 있어 기획재정부의 사업별 예산통제 기능은 미약하다.

04 우리나라의 예산과정에 대한 설명으로 옳은 것은?

① 국회에서는 본회의보다 상임위원회와 예산결산특별위원회를 중심으로 예산이 심의된다.

② 국회는 정부의 동의 없이 새 비목을 설치할 수 없지만, 정부가 제출한 지출예산 각항의 금액을 증가할 수 있다.

③ 예산안은 세출예산법안의 형식으로 국회에서 의결된다.

④ 「국회법」에서는 국회가 회계연도 개시 30일 전까지 정부가 제출한 예산안을 의결하여야 한다고 규정하고 있다.

02

정답 : ③

③ 중앙관서의 장(국회사무총장, 법원행정처장 등 포함)은 「국가회계법」이 정하는 바에 따라 회계 연도마다 작성한 결산보고서를 다음 연도 2월 말까지 기획재정부장관에게 제출하여야 한다.

① 중앙관서의 장은 매년 5월 말까지 예산요구서를 기획재정부장관에게 제출하여야 한다.

② 국회는 정부 동의 없이 예산을 증액하거나 새 비목을 설치할 수 없다.

④ 정부가 예산안에 첨부해야 하는 서류로는 세입세출예산 총계표 및 순계표, 세입세출예산사업별 설명서, 국고채무부담행위 설명서, 예산정원표와 예산안편성기준단가, 성과계약서 등이 있다.

⑤ 세입·세출에 관한 출납사무는 다음 연도 2월 10일까지 완결해야 하며, 이 기한이 지나면 정정이 불가능하다.

03

정답 : ②

② 예비비, 총액계상, 이용, 전용 등은 예산에 신축성을 확보하는 방안이다.

① 예산과정은 예산편성 – 예산심의 – 예산집행 – 예산결산의 순으로 이루어진다.

③ 예산성과금제도는 예산의 집행방법이나 제도의 개선 등으로 수입이 증대되거나 지출이 절약된 경우 기여한 공무원에게 지급하는 성과금으로, 절약된 예산을 다른 사업에 사용할 수 있다.

> **국가재정법 제49조(예산성과금의 지급 등)** ① 각 중앙관서의 장은 예산의 집행방법 또는 제도의 개선 등으로 인하여 수입이 증대되거나 지출이 절약된 때에는 이에 기여한 자에게 성과금을 지급할 수 있으며, 절약된 예산을 다른 사업에 사용할 수 있다.

④ 총액배분자율편성 예산제도는 기획재정부가 부처별·분야별 지출한도를 정해준 이후에 각 중앙관서에서 사업별 예산을 편성한다.

04

정답 : ①

① 우리나라는 본회의보다 상임위원회와 예산결산특별위원회를 중심으로 예산이 심의된다.

② 국회는 정부의 동의 없이 새 비목을 설치할 수 없고, 정부가 제출한 지출예산 각항의 금액도 증액할 수 없다.

③ 우리나라 예산은 법률이 아닌 의결의 형식으로 매년 행정부가 편성안 예산안을 국회에서 의결한다.

④ 국회가 회계연도 개시 30일 전까지 정부가 제출한 예산안을 의결하여야 한다고 규정하고 있는 것은 「헌법」이다.

> **헌법 제54조** ① 국회는 국가의 예산안을 심의·확정한다.
> ② 정부는 회계연도마다 예산안을 편성하여 회계연도 개시 90일전까지 국회에 제출하고, 국회는 회계연도 개시 30일전까지 이를 의결하여야 한다.

① 일반적으로 국회 상임위원회의 국정감사와 예산심의는 동시에 진행된다.

② 예산안과 결산은 소관상임위원회에 회부하고, 소관상임위원회는 예비심사를 하여 그 결과를 의장에게 보고한다. 이 경우 예산안에 대하여는 본회의에서 정부의 시정연설을 듣는다.

③ 예산결산특별위원회는 활동기한이 없다.

④ 예산과정에 있어 본회의는 형식적 성격이 강하다.

⑤ 예산주기는 3년이다.

□□
06 다음 중 중앙정부, 광역자치단체, 기초자치단체에서 의회에 예산안을 제출해야 하는 기한이 옳게 묶여진 것은?

① 60일 – 20일 – 10일

② 70일 – 30일 – 20일

③ 80일 – 40일 – 30일

④ 120일 – 50일 – 40일

CHAPTER 14 예산편성

기출 필수 코스

□□
01 우리나라 정부의 예산편성 절차를 올바르게 나열한 것은?

> 가. 예산편성지침통보
> 나. 예산의 사정
> 다. 국무회의 심의와 대통령 승인
> 라. 중기사업계획서 제출
> 마. 예산요구서 작성 및 제출

① 가 – 나 – 마 – 라 – 다

② 가 – 마 – 라 – 다 – 나

③ 라 – 마 – 가 – 다 – 나

④ 라 – 가 – 마 – 나 – 다

05

정답 : ①

① 국정감사는 예산심의에 필요한 정보수집 등을 하는 중요한 단계로, 시정연설 및 예산심의보다 먼저 이루어진다.

② 우리나라 예산심의는 정부의 시정연설 → 소관 상임위원회 예비심사 → 예산결산특별위원회 종합심사 → 본회의 의결 순으로 이루어진다.

③ 예결위는 상설위원회이므로 활동기간이 정해져 있지 않다.

④ 예산심의는 본회의가 아닌 소위원회 중심으로 예산심의가 이루어지며 본회의는 형식적 성격을 띤다.

⑤ 예산과정은 3년을 주기로 하는 순환과정으로, 편성 및 심의, 집행, 결산에 모두 3년이 소요된다.

06

정답 : ④

④ 중앙정부는 회계연도 개시 120일 전, 광역자치단체는 50일 전, 기초자치단체는 40일 전까지 의회에 예산안을 제출하여야 하며, 제출된 예산안은 중앙정부는 회계연도 개시 30일 전, 광역자치단체는 15일 전, 기초자치단체는 10일 전까지 의결하여야 한다.

01

정답 : ④

④ 중기사업계획서 제출(1월 31일까지) → 예산편성지침통보(3월 31일까지) → 예산요구서 작성 및 제출(5월 31일까지) → 예산의 사정 → 국무회의 심의와 대통령 승인에 따라 예산을 편성한다.

⭐ **포인트 정리**

중앙정부와 지방정부의 예산과정

구분	제출기한	의결기한
중앙정부	회계연도 개시 120일 전까지	회계연도 개시 30일 전까지
광역자치단체	회계연도 개시 50일 전까지	회계연도 개시 15일 전까지
기초자치단체	회계연도 개시 40일 전까지	회계연도 개시 10일 전까지

정답

05 ① 06 ④ 01 ④

다음 〈보기〉의 ㉠에 해당하는 것은?

2018 국회 8급

보기

각 중앙관서의 장은 중기사업계획서를 매년 1월 31일까지 기획재정부 장관에게 제출하여야 하며, 기획재정부 장관은 국무회의 심의를 거쳐 대통령 승인을 얻은 다음 연도의 (㉠)을(를) 매년 3월 31일까지 각 중앙관서의 장에게 통보하여야 한다.

① 국가재정운용계획   ② 예산 및 기금운용계획 집행지침

③ 예산안편성지침   ④ 총사업비 관리지침

⑤ 예산요구서

03 「국가재정법」상 정부가 국회에 제출하는 예산안에 첨부하여야 하는 서류가 아닌 것은?

2014 서울 9급

① 세입세출예산 총계표 및 순계표   ② 세입세출예산사업별 설명서

③ 국고채무부담행위 설명서   ④ 예산정원표와 예산안편성기준단가

⑤ 국가채무관리계획

04 다음 중 예산편성 형식의 순서로 옳은 것은?

2013 군무원

① 세입세출예산 – 명시이월비 – 국고채무부담행위 – 총칙 – 계속비

② 총칙 – 세입세출예산 – 계속비 – 명시이월비 – 국고채무부담행위

③ 총칙 – 국고채무부담행위 – 계속비 – 세입세출예산 – 명시이월비

④ 세입세출예산 – 국고채무부담행위 – 총칙 – 명시이월비 – 계속비

05 우리나라 예산편성의 문제점으로 보기 어려운 것은?

2007 울산 7급(수정)

① 계획과 예산의 유기적 통합이 결여된 기구   ② 예산단가의 비현실성

③ 예산금액의 전년도 답습주의   ④ 각 부처 예산요구의 가공성

⑤ 예산액 배분의 비합리성

02

③ 우리나라 예산편성에 대한 내용으로, 기획재정부 장관은 국무회의 심의를 거쳐 대통령 승인을 얻은 다음 연도의 예산안편성지침을 매년 3월 31일까지 각 중앙관서의 장에게 통보하여야 한다.

① 정부는 5회계연도 이상의 기간에 대한 국가재정운용계획을 수립하여 국무회의의 심의를 거쳐 회계연도 개시 120일 전까지 국회에 제출하여야 한다.

② 예산 및 기금운용계획 집행지침은 각 중앙관서의 예산 및 기금운용계획 집행에 대한 기본원칙과 기준을 제시하여 재정지출의 효율성 및 형평성을 도모하고자 한다.

④ 총사업비 관리지침은 국가의 예산 또는 기금으로 시행하는 대규모 사업의 총사업비를 사업 추진 단계별로 합리적으로 조정·관리함으로써 재정지출의 효율성을 제고하고자 한다.

⑤ 각 중앙관서의 장은 예산안편성지침에 설정된 지출한도와 편성기준에 따라 예산요구서를 작성하여 기획재정부 장관에게 제출하여야 한다.

03

⑤ 국가채무관리계획은 국가재정운용계획 제출 시에 첨부해야 하는 서류이므로, 예산안 제출 시에 첨부해야 하는 서류에 해당하지 않는다.

①, ②, ③, ④ 정부는 예산안을 회계연도 개시 120일 전까지 국회에 제출하여야 하며 이 때 예산안에 첨부해야 하는 서류로는 세입세출예산 총계표 및 순계표, 세입세출예산사업별 설명서, 국고채무부담행위 설명서, 예산정원표와 예산안편성기준단가, 성과계약서 등이 있다.

04

② 예산편성은 총칙 – 세입세출예산 – 계속비 – 명시이월비 – 국고채무부담행위로 구성된다.

> **국가재정법 제19조(예산의 구성)** 예산은 예산총칙·세입세출예산·계속비·명시이월비 및 국고채무부담행위를 총칭한다.

05

① 우리나라는 계획과 예산의 담당기구가 기획재정부로 일원화되어 있으므로 제도적으로 볼 때 양자의 유기적 통합이 결여되어 있다고 볼 수는 없다.

② 예산단가의 비현실성으로 예산소요액을 정확히 계산할 기준이 결여되어 있다.

③ 우리나라는 예산편성시 전년도를 답습하는 경향이 있다.

④ 우리나라의 경우 각 부처에서 예산을 실제보다 더 많이 요구하는 경향이 있다.

⑤ 예산액이 비합리적으로 배분되는 경향이 있다.

포인트 정리

예산안의 첨부서류

- 세입세출예산 총계표 및 순계표
- 세입세출예산사업별 설명서
- 세입예산 추계분석보고서
- 계속비 명세서
- 총사업비관리대상 사업 현황
- 국고채무부담행위 설명서
- 국고채무부담행위 명세서
- 국고채무부담행위 총규모 명시 대상 사업
- 예산정원표와 예산안편성기준단가
- 국유재산 명세서
- 성과계획서
- 성인지 예산서
- 온실가스감축인지 예산서 (21.6.15 개정, 22.1. 시행)
- 조세지출예산서
- 독립기관·감사원 세출예산요구액 감액 규모·이유 및 해당 기관장 의견
- 회계 상호간 여유재원 전입·전출명세서
- 국유재산특례지출예산서
- 예비타당성조사 면제사업 내역 및 사유
- 지방자치단체 국고보조사업 예산안에 따른 분야별 총 대응지방비 소요 추계서

> **정답**
> 02 ③ 03 ⑤ 04 ② 05 ①

01 우리나라 예산심의의 특징으로 가장 옳지 않은 것은?

2017 서울 7급

① 정치 체계의 성격상 예산심의 과정이 의원내각제에 비해 상대적으로 엄격하지 않다.

② 일반적으로 예산의 심의에서 본회의는 형식적인 경우가 많다.

③ 국회는 정부의 동의 없이 금액 증가나 새로운 비목을 설치하지 못한다.

④ 예산심의 과정에서 국회 상임위원회가 소관 부처의 이해관계를 대변하기 쉽다.

02 예산심의에 대한 설명으로 가장 옳지 않은 것은?

2015 해경간부

① 재정민주주의를 실현하는 과정이다.

② 구체적인 정책결정의 기능으로 이해할 수 있다.

③ 예산결산특별위원회의 예비심사 후, 상임위원회의 종합심사와 본회의 의결을 거쳐 예산안을 확정한다.

④ 예산심의는 사업 및 사업수준에 대한 것과 예산 총액에 대한 것으로 나누어 볼 수 있다.

03 예산의 심의에 영향을 미치는 의회의 구조적 요인에 대한 설명으로 옳지 않은 것은?

2012 서울 9급

① 의회를 구성하는 정당의 성향과 이념은 예산 심의의 방향에 영향을 미친다.

② 의회 선출 방식이 소선거구제이냐 중·대선거구제냐에 따라 예산 심의 행태가 달라진다.

③ 예산 심의 절차가 단일 단계인가 다단계인가에 따라 예산 심의가 달라진다.

④ 예산 심의 기간이 충분한가 부족한가에 따라 예산 심의 행태는 달라진다.

⑤ 정당 내 정당지도자와 국회의원 간 권력구조의 집권화 수준이 예산 심의에 영향을 준다.

04 우리나라의 예산심의에 대한 설명으로 옳지 않은 것은?

2011 지방 9급

① 예산은 본회의 중심이 아니라 상임위와 예결위 중심으로 심의된다.

② 우리나라는 미국과 같이 예산의 형식으로 통과되어 법률보다 하위의 효력을 갖는다.

③ 국회는 정부의 동의 없이 새로운 비목을 설치하지 못한다.

④ 예결위의 심의과정은 예산조정의 정치적 성격이 강하게 반영되는 특징이 있다.

01

① 의원내각제의 경우 의회의 다수당이 집행부를 구성하기 때문에 예산심의 과정이 엄격하지 않은 반면, 대통령중심제는 상대적으로 엄격한 편이다.

② 우리나라는 본회의 중심이 아니라 상임위와 예결위를 중심으로 하는 위원회 중심주의이다.

③ 국회는 심의과정에서 정부의 동의 없이 정부예산안에 대해 증액 또는 새로운 비목을 설치하지 못한다.

④ 국회는 정부 예산을 통제·감독하는 기능이 있으나 예산심의 과정에서 상임위원회는 소관부처의 이해관계를 대변하므로 증액지향적인 반면 예산결산특별위원회는 삭감지향적이다.

02

정답 : ③

③ 상임위원회의 예비심사 후, 예산결산특별위원회의 종합심사와 본회의 의결을 거쳐 예산안을 확정한다.

① 예산심의를 통하여 입법부가 행정부의 재정활동을 감시하므로 재정민주주의를 실현하는 과정이라고 볼 수 있다.

② 정책목표를 달성하기 위한 대안들로 예산을 심의한다는 것은 정책을 형성한다는 것과 일맥상통한다.

④ 예산심의는 거시적으로는 총액, 미시적으로는 사업의 타당성과 금액의 적정성(사업수준)에 대한 결정이므로 사업 및 사업수준에 대한 것과 예산 총액에 대한 것으로 나누어 볼 수 있다.

03

정답 : ⑤

⑤ 정당 내 정당지도자와 국회의원 간 권력구조의 집권화 수준은 환경적 요인에 해당한다.

① 의회를 구성하는 정당의 성향과 이념은 의회의 구조적 요인에 해당한다.

② 국회의원 선출방식은 의회의 구조적 요인에 해당한다.

③ 예산심의 절차는 의회의 구조적 요인에 해당한다.

④ 예산심의 기간은 의회의 구조적 요인에 해당한다.

04

정답 : ②

② 우리나라는 미국과 달리 예산이 의결의 형식으로 통과되어 법률보다 하위의 효력을 갖는다. 한편 미국의 예산은 의결이 아닌 법률의 형식으로 통과되므로 예산이 법률과 동등한 효력을 갖는다.

① 예산심의 과정은 본회의가 아닌 상임위원회 중심으로 이루어지며 본회의는 형식적 성격을 띤다.

③ 국회는 정부의 동의 없이 정부가 제출한 지출예산 각 항의 금액을 증가하거나 새 비목을 설치할 수 없다.

④ 자기 지역구의 이익을 챙기고 예산투쟁에서의 영향력을 과시하려는 국회의원들이 편파적 행태를 보인다.

📑 포인트 정리

우리나라 예산심의의 특징

- 대통령 중심제 (상대적으로 엄격한 심의)
- 단원제 국회(신속함)
- 위원회 중심주의
- 법률의 형식이 아닌 예산의 형식
- 예결특위는 상임위원회가 아닌 상설 위원회
- 전문성 저해
- 정부의 동의 없이 증액이나 새 비목 설치 불가
- 회계연도 개시 전까지 의결되지 않을 경우 준예산 편성
- 예산심의 과정에서는 상임위가 소관 부처의 이해관계를 대변하게 됨

예산의 심의에 영향을 미치는 요인

구분	내용
의회의 구조적 요인	• 위원회의 특성: 상임·특별, 상설·비상설 • 당파성: 의회 구성 정당의 진보·보수 등과 관련된 이념과 성향 • 선거구민의 대변 방식: 소선거구제·중선거구제·대선거구제 등 • 예산심의 절차 및 기간: 단일단계·다단계, 충분·부족 등 • 예산심의 보좌기관: 정보·자료 제공의 충분성
환경적 요인	• 경제적 환경: 호황·불황 등 • 입법부와 행정부의 관계: 권한 관계 • 정당 내 권력구조의 집권화 수준
예산 내용의 특성 요인	• 법정 경비와 같은 경직성 경비의 경우 예산심의에 제약을 가함
의원 개인적 요인	• 의원들의 전문성과 안정성 및 이념적 성향과 태도 등

해커스공무원 이인호 행정학 기출 빅데이터 기출콕

정답

01 ① **02** ③ **03** ⑤ **04** ②

PART 5 재무행정론 **357**

01 예산집행의 신축성을 확보하기 위한 제도에 대한 설명으로 옳지 않은 것은?　2020 군무원 9급

① 총괄예산제도
② 예산의 이용
③ 예산의 전용
④ 예산의 재배정

02 다음 중 국회의 승인이나 의결을 얻지 않아도 되는 것은?　2018 국회 8급

① 명시이월
② 예비비 사용
③ 예산의 이용
④ 계속비
⑤ 예산의 이체

03 예산집행의 신축성 유지 방안에 관한 설명으로 옳은 것은?　2017 교행 9급

① 추가경정예산은 예산 성립 이후 사업을 변경하거나 새로운 사업을 추진해야 하는 경우, 예산을 우선 집행하고 사후에 국회의 승인을 받도록 하는 것이다.

② 예비비는 예측할 수 없는 예산 외의 지출 또는 예산초과지출에 충당하기 위하여 특별회계 예산 총액의 100분의 1 이내의 금액을 세입세출예산에 계상한 것이다.

③ 예산의 전용은 장-관-항 간의 융통을 의미하며, 중앙관서의 장은 예산의 효율적인 활용을 위하여 대통령령이 정하는 바에 따라 기획재정부장관의 승인을 얻어 재원을 사용할 수 있다.

④ 계속비는 완성에 수년도를 요하는 공사나 제조 및 연구개발사업에 대해 그 경비의 총액과 연부액을 정하여 미리 국회의 의결을 얻은 범위 안에서 수년도에 걸쳐서 지출할 수 있는 것이다.

01

정답 : ④

④ 예산의 재배정은 각 중앙관서의 장이 배정받은 금액의 범위내에서 다시 부속기관이나 하급기관에 월별 또는 분기별로 예산액을 배정해주는 것으로 예산집행의 통제를 확보하기 위한 수단이다.

① 총괄예산제도는 세부내용을 미리 확정하기 곤란한 사업의 경우 예산편성단계에서는 총액으로만 계상하고 세부내역은 집행단계에서 각 중앙관서의 장이 자율적으로 결정하도록 하는 제도로 예산집행의 신축성을 확보하기 위한 제도이다.

② 예산의 이용은 입법과목 간의 상호융통으로 예산집행의 신축성을 확보하기 위한 제도이다.

③ 예산의 전용은 행정과목 간의 상호융통으로 예산집행의 신축성을 확보하기 위한 제도이다.

02

정답 : ⑤

⑤ 예산의 이체는 정부조직 등에 관한 법령의 제정·개정·폐지로 인하여 책임소관이 변경되는 것으로 국회의 별도 승인이나 의결을 필요로 하지 않는다.

①, ②, ③, ④ 명시이월, 예비비 사용, 예산의 이용, 계속비는 사전의결을 필요로 한다.

예산과 국회의결

사전의결 필요	• 세입세출예산·계속비 • 국고채무부담행위 • 명시이월	• 이용 • 기금 • 예비비 설치
사전의결 불필요	• 준예산 • 재정상 긴급명령 • 예비비 지출	• 사고이월 • 이체 • 전용
사후승인 필요	• 세입세출결산 • 예비비 지출(예비비 사용명세서)	• 계속비 결산(완성연도)

03

정답 : ④

④ 계속비는 완성에 수년도를 요하는 공사나 제조 및 연구 개발 사업은 그 경비의 총액과 연부액을 정하여 미리 국회의 의결을 얻은 범위 안에서 수년에 걸쳐 지출할 수 있는 제도로, 계속비의 연부액은 매년 별도로 국회의결을 얻어야 한다.

① 예산 성립 이후 사업을 변경하거나 새로운 사업을 추진해야 하는 경우에 편성하는 추가경정예산도 본예산처럼 사전에 국회의 의결을 거쳐서 확정되어야 집행이 가능하다.

② 예비비는 예측할 수 없는 예산 외의 지출 또는 예산초과지출에 충당하기 위하여 일반회계 예산 총액의 100분의 1 이내의 금액을 세입세출예산에 계상한 것이다.

③ 예산의 이용은 장-관-항 간의 융통을 의미하며, 중앙관서의 장은 예산의 효율적인 활용을 위하여 대통령령이 정하는 바에 따라 기획재정부장관의 승인을 얻어 재원을 사용할 수 있다.

📌 포인트 정리

예산집행의 통제 vs 신축성 확보

재정통제수단	신축성 확보수단
• 예산의 배정·재배정 • 지출 원인행위에 대한 통제 • 정원·보수에 대한 통제 • 예산안편성지침 • 표준예산제도 • 총사업비관리제도 • 계약의 통제 • 기록 및 보고제도	• 이용·전용·이체 • 이월(명시이월, 사고이월) • 예비비 지출 • 추가경정예산 • 준예산 • 수입대체경비, 수입금마련지출 • 총액계상사업 • 긴급재정경제 명령권 • 총괄배정예산, 다년도예산, 국고채무부담행위, 장기계속계약제도 • 신축적 예산배정: 긴급·당겨·조기·수시·감액배정, 배정유보

예산집행의 신축성확보 수단

이용	입법과목(장·관·항)간에 상호융통(국회의 의결을 요함)
전용	행정과목(세항·목) 간에 상호융통
이체	예산의 책임소관 변경
이월	다음 연도로 넘겨서 예산을 사용(명시이월·사고이월)
계속비	수년간 예산지출(5년 이내)
예비비	예산 외의 지출 및 초과지출에 충당하기 위한 경비
긴급배정	회계연도 개시 전 예산 배정
추가경정예산	예산 성립 후 추가로 편성된 예산
준예산	예산 불성립 시 전년도에 준하여 지출
대통령의 재정에 관한 긴급명령권	헌법에 규정된 대통령 권한
총괄배정예산 (지출대예산)	지출한도 내에서 자율편성
다년도 예산	회계연도에 구애받지 않고 3년 이상으로 세출예산을 운영
국고채무부담행위	법률, 세출예산, 계속비 외에 정부가 채무를 부담하는 행위
총액계상예산 제도	예산을 총액으로 편성하고 집행과정에서 세부적으로 지출
장기계속계약 제도	계속비제도에 더 신축성을 부여한 제도(당해 연도 예산범위 내 계약)

정답

01 ④ 02 ⑤ 03 ④

04 예산의 신축성 유지방법 중 '정부조직개편'과 가장 관련이 있는 것은?

① 전용(轉用)
② 이용(利用)
③ 이체(移替)
④ 이월(移越)

05 우리나라의 국고채무부담행위에 대한 설명으로 옳지 않은 것은?

① 예산총칙, 세입세출예산, 계속비 및 명시이월비와 함께 예산의 한 부분을 구성한다.
② 예산으로써 국회의 의결을 사전에 얻어야 한다.
③ 필요한 이유를 명백히 하고 채무부담의 금액을 표시하여야 한다.
④ 법률에 따른 것과 세출예산금액 또는 계속비의 총액의 범위 이내로 한정한다.

06 예비비에 대한 설명 중 옳지 않은 것은?

① 예비비는 예측할 수 없는 예산 외의 지출 또는 예산 초과지출 충당을 위한 경비이다.
② 정부는 예비비를 책정하여 총액으로 의회의 의결을 얻어야 한다.
③ 예비비는 각 중앙관서의 장이 관리한다.
④ 예비비는 예산의 신축성을 위한 방안이다.

07 계획의 본래 취지에 따라 예산이 집행될 수 있도록 행정기관이 재량권을 행사하는 것을 예산집행의 신축성이라고 한다. 다음 중 예산집행의 신축성 유지방안이 아닌 것은?

① 계속비
② 예산의 재배정
③ 총괄배정예산
④ 예산의 이용, 전용
⑤ 예비비

04　　　　　　　　　　　　　　　　　　　　　　　정답 : ③

③ 정부조직 관련 법령의 제정, 개정 또는 폐지로 인하여 그 직무권한의 변동이 있을 때, 예산의 책임소관을 변경시키는 것은 이체에 해당한다.
① 전용은 행정과목인 세항·목 간에 상호융통하는 것으로 국회 의결이 필요없다.
② 이용은 입법과목인 장·관·항 간에 상호융통하는 것으로 국회 의결이 필요하다.
④ 이월은 당해 회계연도 예산의 일정액을 다음 연도에 넘겨서 사용하는 것이다.

05　　　　　　　　　　　　　　　　　　　　　　　정답 : ④

④ 국고채무부담행위란 법률, 세출예산, 계속비 이외에 정부가 채무를 부담하는 행위를 말한다.
① 예산의 내용으로는 예산총칙, 세입세출예산, 계속비, 명시이월비, 국고채무부담행위가 있다.
② 채무를 부담할 권한만 부여한 것이므로 지출을 위해서는 미리 국회의 의결을 거쳐 예산으로 성립해야 한다.
③ 국고채무부담행위는 사항마다 그 필요한 이유를 명백히 하고 그 행위를 할 연도 및 상환연도와 채무부담의 금액을 표시하여야 한다.

06　　　　　　　　　　　　　　　　　　　　　　　정답 : ③

③ 예비비는 각 중앙관서의 장이 관리하는 것이 아니라 기획재정부장관이 관리하므로 예비비를 사용하고자 하는 중앙관서의 장이 기획재정부장관에게 요구하여야 한다.
① 예비비는 예측할 수 없는 예산 외의 지출 또는 예산의 초과지출을 충당하기 위하여 세입·세출예산에 계상한 금액을 의미한다.
② 예비비 설치 시 의회의 의결을 얻어야 한다.
④ 예산집행의 신축성 유지방안으로는 예산의 이용·전용, 예산의 이체·이월, 예비비, 계속비, 국고채무부담행위, 총괄배정예산 등이 있다.

07　　　　　　　　　　　　　　　　　　　　　　　정답 : ②

② 예산의 배정과 재배정은 재정통제수단이다.
①, ③, ④, ⑤ 예산집행의 신축성 유지방안으로는 예산의 이용·전용·이체, 예산의 이월, 예비비, 계속비, 국고채무부담행위, 총괄배정예산 등이 있다.

⭐ 포인트 정리

예산집행의 통제 vs 신축성 확보

재정통제수단	신축성 확보수단
• 예산의 배정·재배정	• 이용·전용·이체
• 지출원인행위에 대한 통제	• 이월 (명시이월, 사고이월)
• 정원 · 보수에 대한 통제	• 예비비 지출
• 예산안편성지침	• 추가경정예산
• 표준예산제도	• 준예산
• 총사업비관리제도	• 수입대체경비, 수입금 마련지출
• 계약의 통제	• 총액계상사업
• 기록및보고제도	• 긴급재정경제 명령권
	• 총괄배정예산, 다년도 예산, 국고계속계약제도
	• 신축적 예산배정: 긴급·당겨·조기·수시·감액배정, 배정유보

01 우리나라의 결산에 대한 설명으로 옳지 않은 것은?

2018 국가 9급

① 결산은 한 회계연도의 수입과 지출 실적을 확정적 계수로 표시하는 행위이다.

② 정부는 감사원의 검사를 거친 국가결산보고서를 국회에 제출하여야 한다.

③ 결산은 국회의 심의를 거쳐 국무회의의 의결과 대통령의 승인으로 종료된다.

④ 각 중앙관서의 장은 회계연도마다 소관 기금의 결산보고서를 중앙관서결산보고서에 통합하여 작성하여야 한다.

02 우리나라 결산에 관한 설명으로 옳은 것은?

2018 교행 9급

① 결산은 부당한 지출인 경우 집행된 내용을 무효로 할 수 있다.

② 국회는 결산 의결권을 가지며 예산결산특별위원회에서 결산을 최종 승인한다.

③ 결산은 회계연도에서 국가의 수입과 지출을 잠정적 수치로 표시하는 행위이다.

④ 감사원은 세입·세출의 결산을 매년 검사하여 대통령과 차년도 국회에 그 결과를 보고하여야 한다.

03 예산과 관련된 다음 설명 중 가장 옳지 않은 것은?

2013 경찰간부

① 미국의 중앙예산기관인 관리예산처(OMB)는 대통령 직속기관이다.

② 대통령제 하의 국회 예산심의회가 내각책임제 하의 국회 예산 심의보다 더 엄격한 편이다.

③ 국회의 결산시 위법·부당한 지출을 무효로 하거나 취소할 수 있다.

④ 우리나라의 준예산제도는 국회의 의결을 별도로 필요로 하지 않는다.

04 우리나라 세계잉여금에 관한 설명으로 옳지 않은 것은?

2008 국가 7급

① 지방교부세 및 지방교육재정교부금의 정산에 사용할 수 있다.

② 추가경정예산안의 편성에 사용할 수 있다.

③ 사용하거나 출연한 금액을 공제한 잔액은 다음 연도의 세입에 이입하여야 한다.

④ 사용 또는 출연은 국회의 사전 동의를 받아야 한다.

01

정답 : ③

③ 결산은 국무회의의 의결과 대통령의 승인을 거친 후 국회의 심의를 거침으로써 종료된다.

① 결산은 한 회계연도 동안의 국가의 수입·지출의 실적을 확정적 계수로 표시하여 검증하는 행위이다.

② 정부는 감사원의 검사를 거친 국가결산보고서 및 첨부서류를 다음연도 5월 31일까지 국회에 제출하여야 한다.

④ 각 중앙관서의 장은 매 회계연도마다 소관 결산보고서를 작성하여 다음 연도 2월 말까지 기획재정부장관에게 제출하여야 하며, 이때 결산보고서에는 소관 기금의 결산보고서도 중앙관서 결산보고서에 통합하여 작성하여야 한다.

02

정답 : ④

④ 감사원은 회계감사 결과를 기초로 하여 세입·세출의 결산을 매년 검사하여 대통령과 차년도 국회에 그 결과를 보고하여야 한다.

① 결산은 부당한 지출인 경우 집행된 내용을 무효로 할 수 없으므로, 정치적인 효력을 갖는다.

② 국회는 결산 의결권을 가지며 예산결산특별위원회의 심의를 거쳐 본회의에서 결산을 최종 승인한다.

③ 결산은 회계연도에서 국가의 수입과 지출을 확정적 계수로 표시하는 행위이다.

03

정답 : ③

③ 국회의 결산시 위법·부당한 지출을 무효로 하거나 취소할 수 없다.

① 미국의 중앙예산기관 유형은 대통령중심제형의 삼원체제이며, 관리예산처는 대통령 직속기관이다.

② 일반적으로 대통령중심제는 권력 간 견제와 균형을 강조하므로 내각책임제에 비해 예산심의가 엄격하게 이루어진다.

④ 준예산제도는 새로운 회계연도가 개시될 때까지 예산안이 의결되지 못한 때 특정경비에 한해 전년도 예산에 준하여 지출할 수 있는 제도로, 국회의 사전의결을 받지 않는다.

04

정답 : ④

④ 세계잉여금의 사용 또는 출연은 국회의 사전 동의가 필요 없으며, 대통령의 승인 시 사용 가능하다.

①, ②, ③ 세계잉여금의 사용은 지방교부세 및 지방교육재정교부금의 정산 → 공적자금 상환 → 국채상환 → 추가경정예산으로 사용 → 다음 연도 세입에 이입으로 볼 수 있다.

정답
01 ③ 02 ④ 03 ③ 04 ④

05 현재 우리나라 예산, 결산제도에 관한 설명으로 옳은 것은?

2008 경북 9급

① 세계잉여금은 세입수납액에서 세출지출액을 공제한 것이다.

② 정부가 제출한 결산서는 예산서와는 달리 상임위원회의 심사를 거치지 않고 전문위원의 검토를 거친 후 예산결산특별위원회의 종합심사를 거쳐 본회의에 보고한다.

③ 세입, 세출 결산의 검사는 기획재정부장관이 한다.

④ 결산결과 위법, 부당한 지출이 확인된 경우 예산 집행을 무효화할 수 있다.

06 회계검사에 대한 다음의 기술 중 옳지 않은 것은?

2007 대구 9급

① 회계검사는 재정에 관한 입법부 의도의 실현 여부를 검증하는 성격을 갖고 있다.

② 자신이 기록한 회계기록에 대한 자율적 검사는 회계검사에 포함되지 않는다.

③ 회계검사에서 본질적으로 가장 중요시하는 것은 지출의 합법성이다.

④ 품목별 예산제도에는 효과성 검사를 용이하게 하는 측면이 있다.

CHAPTER 18 정부회계

기출 **필수** 코스

01 정부회계의 기장 방식에 대한 설명으로 옳지 않은 것은?

2018 국가 9급

① 단식부기는 발생주의 회계와, 복식부기는 현금주의 회계와 서로 밀접한 연계성을 갖는다.

② 단식부기는 현금의 수지와 같이 단일 항목의 증감을 중심으로 기록하는 방식이다.

③ 복식부기에서는 계정 과목 간에 유기적 관련성이 있기 때문에 상호 검증을 통한 부정이나 오류의 발견이 쉽다.

④ 복식부기는 하나의 거래를 대차 평균의 원리에 따라 차변과 대변에 동시에 기록하는 방식이다.

02 발생주의 복식부기에 기초한 재무회계방식을 도입하여 적용하고 있는 우리나라 중앙정부 재무제표의 구성요소가 아닌 것은?

2015 서울 7급

① 재정상태표

② 재정운영표

③ 현금흐름표

④ 순자산변동표

05

정답 : ①

① 세계잉여금이란 1회계연도에 수납된 세입액으로부터 지출된 세출액을 차감한 잔액을 말한다.

② 결산서도 예산서와 마찬가지로 상임위 예비심사를 거쳐 예결위 종합심사를 거친 다음 본회의를 거쳐 최종 확정된다.

③ 세입·세출 결산의 작성·관리는 기획재정부장관이 하지만 검사는 감사원이 한다.

④ 결산결과 위법·부당한 지출이 확인된 경우에도 예산 집행을 무효·취소화할 수 없다.

06

정답 : ④

④ 품목별 예산제도는 항목별로 편성되어 있으므로 합법성 위주의 회계검사에는 용이하나 효과성 검사는 곤란한 측면이 있다. 한편 합법성은 품목별 예산, 능률성은 성과주의 예산, 효과성은 계획예산에서 회계검사가 이루어진다.

① 회계검사는 정부기관의 활동으로 발생한 재정활동의 결과 및 회계기록을 독립된 기관이 체계적으로 검토·검증하는 것이다.

② 정부기관이 그 활동으로 인해 발생한 재정활동의 결과 및 회계기록을 독립된 제3자(독립된 기관)가 체계적으로 검토해 그 내용에 대한 비판적 의견을 제시하는 것을 말한다.

③ 회계검사는 예산집행의 합법성과 타당성 여부를 비판적으로 검토하는 활동이다.

01

정답 : ①

① 단식부기는 현금주의 회계와 밀접한 연계성을 가지며, 복식부기는 발생주의뿐 아니라 현금주의에서도 사용할 수 있다.

② 단식부기는 차변과 대변의 구분 없이 현금 등 단일항목의 증감을 중심으로 발생된 거래의 한쪽 면만을 기재하는 방식이다.

③ 복식부기는 자산, 부채, 자본을 인식하여 거래의 이중성에 따라 차변과 대변을 나누어 동시에 계상하므로 부정이나 오류 발견이 쉽고 자기검증기능을 갖는다.

④ 복식부기는 거래의 이중성을 회계처리에 반영하여 기록하는 방식으로 하나의 거래를 대차평균의 원리에 따라 차변과 대변에 이중 기록하는 방식이다.

02

정답 : ③

③ 현금흐름표는 중앙정부 재무제표의 구성요소에 해당하지 않는다.

① 재정상태는 재정상태표 작성일 현재의 자산과 부채의 명세 및 상호관계 등 재정상태를 나타내는 재무제표로, 중앙정부·지방정부 재무제표 구성요소에 해당한다.

② 재정운영표는 회계연도 동안 수행한 정책 및 사업의 원가와 재정운영에 따른 원가의 회수명세 등을 포함한 재정운영결과를 나타내는 재무제표로, 중앙정부·지방정부 재무제표 구성요소에 해당한다.

④ 순자산변동표는 회계연도 동안 순자산의 변동명세를 표시하는 재무제표로, 중앙정부·지방정부 재무제표 구성요소에 해당한다.

★ 포인트 정리

결산의 의의

지출이 적법·적당한 경우	정부의 책임이 해제되는 법적 효력 있음
지출이 불법·부당한 경우	무효·취소가 되지 않으므로 법적 효력 없음

정부회계 재무제표

기업	중앙정부	지방정부
대차대조표	재정상태표	재정상태표
손익계산서	재정운영표	재정운영표
현금흐름표	–	현금흐름표
이익잉여금 처분계산서	순자산 변동표	순자산 변동표
주석 및 부속명세서	주석	주석

정답
05 ① 06 ④ 01 ① 02 ③

03 다음 중 발생주의 회계에 대한 설명이 아닌 것은?

2014 군무원

① 오류 발견과 자기검증기능이 있다.

② 자산이나 부채를 정확하게 인식한다.

③ 미수수익이나 미지급비용이 자산이나 부채로 인식된다.

④ 회계처리과정에서 주관이 개입되지 않는다.

04 정부회계를 복식부기의 원리에 따라 기록할 경우 차변에 위치할 항목은?

2011 국가 9급

① 차입금의 감소

② 순자산의 증가

③ 현금의 감소

④ 수익의 발생

05 발생주의 · 복식부기 회계방식에 대한 설명으로 옳지 않은 것은?

2010 국가 9급

① 기본적으로는 현금의 출납에 근거한 회계방식이다.

② 원가 개념을 제고하고 성과측정 능력을 향상시킬 수 있다.

③ 재정의 투명성을 높이고 회계의 자기검증기능을 통해 예산집행의 오류 및 비리와 부정을 줄일 수 있다.

④ 회수 불가능한 부실채권에 대한 정보 왜곡의 우려가 있다.

06 정부회계의 특징에 관해서 옳게 기술한 것은?

2007 국가 9급

① 정부회계는 합법성보다 영리성을 더욱 중요시한다.

② 정부기업회계는 기업회계의 특성을 갖지 않는다.

③ 정부회계는 기업회계에 비해 목표가 다양하지 않다.

④ 정부회계는 기업회계에 비해서 예산의 준수를 강조한다.

03

정답 : ④

④ 발생주의는 자산평가나 감가상각시 회계공무원의 주관이 개입되므로 현금주의에 비하여 회계처리의 객관성이 부족하다.

04

정답 : ①

① 차입금은 일정한 기한 내에 원금의 상환과 일정한 이자를 지급한다는 채권·채무의 계약에 따라 조달된 자금으로, 부채에 해당한다. 따라서 차입금의 감소는 차변에 기록한다.

② 순자산은 기업의 자본에 해당하므로 순자산의 증가는 대변에 기록한다.

③ 현금은 자산에 해당하므로 현금의 감소는 대변에 기록한다.

④ 수익의 발생은 대변에 기록한다.

05

정답 : ①

① 현금의 출납에 근거한 회계방식은 현금주의·단식부기 회계방식에 해당한다.

② 발생주의는 원가계산에 대한 정보를 제공하므로 정확한 원가 개념과 성과측정능력이 향상된다.

③ 발생주의·복식부기는 대차평균의 원리에 의해 자기검증기능을 가질 수 있고 이러한 내부통제의 기능을 통해 부정과 예산집행의 회계오류를 발견하기 쉽다.

④ 발생주의는 채권의 발생시점을 수익으로 인식하는데, 여기에는 회수 불가능한 부실채권 등이 존재하므로 정보왜곡의 우려가 발생할 수 있다.

06

정답 : ④

④ 정부회계는 입법부가 정한 지출의 용도, 금액, 절차 등 제반 예산원칙을 준수해야 한다.

① 정부회계는 영리성보다 합법성을 더욱 중요시한다.

② 정부기업회계는 일반기업회계와 달리 그 사업의 성격상 정부기업예산법이 적용되는 특별회계이므로 기업회계의 특성을 갖는다.

③ 정부회계는 기업회계에 비해 목표가 다양하다.

포인트 정리

발생주의 장단점

장점	• 자산·부채규모 파악으로 재정의 실질적 건전성 확보 • 비용·편익 등 재정성과 파악용이 • 예산편성과 집행의 자율성 제고 • 자기검정기능으로 회계오류 시정 • 재정의 투명성·신뢰성·책임성 확보 • 출납폐쇄기한 불필요 • 연결(통합)재무제표 작성 가능
단점	• 채권·채무의 자의적 추정 불가피 • 자산평가나 감가상각의 주관성 및 부실채권 파악 곤란 • 의회통제 회피 악용 가능성 • 절차가 복잡하고, 현금흐름 파악 곤란

거래의 8요소

차변	대변
자산의 증가 부채의 감소 자본(순자산)의 감소 비용의 발생	자산의 감소 부채의 증가 자본(순자산)의 증가 수익의 발생

정답

03 ④ 04 ① 05 ① 06 ④

07 복식부기 회계제도의 특징으로 거리가 먼 것은? 2005 국회 8급

① 정부의 재정 상태를 진단할 수 있는 다양한 자료를 제시해 준다.

② 자기검증 기능이 있어 각종 거래를 정확히 기록할 수 있다.

③ 단식부기에 비해 일반적으로 회계처리비용이 많이 든다.

④ 모든 거래는 현금출납 시점을 기준으로 수입과 지출로 인식한다.

⑤ 자산의 감가상각 등을 고려하므로 정부 서비스의 원가를 현재보다 훨씬 정확히 파악할 수 있다.

CHAPTER 19 조달(구매) 행정 기출 필수 코스

01 다음 입찰방식들 중 민간기업의 경쟁성과 공공의 품질 확보를 동시에 추구하고 있어서 정부부문에서 보편적으로 많이 채택하고 있는 계약자 선정방식은 무엇인가? 2005 국가 7급

① 제한입찰 ② 수의계약

③ 최저가 낙찰제 ④ 적격심사에 의한 최저가 낙찰제

02 정부기관의 구매는 크게 분산구매와 집중구매로 나눌 수 있다. 아래 항목 중 분산구매의 장점이라고 할 수 없는 것은? 2004 서울 9급

① 중소기업 보호 ② 특수품목 구입의 용이

③ 적기공급의 용이 ④ 구매절차의 간소화

⑤ 공급자의 편의

CHAPTER 20 최근 예산제도개혁 – 신성과주의 등 기출 필수 코스

01 균형성과표(BSC)에 대한 설명으로 옳지 않은 것은? 2021 지방, 서울 9급

① 조직의 장기적 전략 목표와 단기적 활동을 연결할 수 있게 한다.

② 재무적 성과지표와 비재무적 성과지표를 통한 균형적인 성과관리 도구라고 할 수 있다.

③ 재무적 정보 외에 고객, 내부 절차, 학습과 성장 등 조직 운영에 필요한 관점을 추가한 것이다.

④ 고객 관점에서의 성과지표는 시민참여, 적법절차, 내부 직원의 만족도, 정책 순응도, 공개 등이 있다.

07

정답 : ④

④ 현금의 출납시점을 기준으로 회계처리를 하는 것은 현금주의에 해당하며 주로 단식부기가 사용된다.

① 산출물에 대한 정확한 원가산정을 통해 정부의 예산규모나 성과를 파악하기 용이하고 부문별 성과측정이 가능하므로 원가개념을 제고하여 성과측정 능력을 향상시킬 수 있다.

② 기장내용에 대한 자기검증기능(회계오류나 회계부정에 대한 통제기능)으로 신뢰성과 투명성이 제고된다.

③ 회계처리 절차가 복잡하고, 회계 관련 처리 비용이 많이 든다.

⑤ 자산, 부채, 자본, 감가상각을 인식하여 거래의 이중성에 따라 차변과 대변에 이중 계상하므로 원가 파악이 용이하다.

01

정답 : ④

④ 적격심사에 의한 최저가낙찰제는 예정가격 이하로서 최저가격으로 입찰한 순서부터 기술능력 등 계약이행 능력과 입찰가격을 종합 심사하여 낙찰자로 결정하는 방식으로, 민간기업의 경쟁성과 공공의 품질확보를 동시에 추구하기 위해 적격심사제에 의한 최저가낙찰제를 일반적으로 채택하고 있다.

① 제한입찰은 입찰참가자격을 공사금액·실적·기술보유 상황 등의 기준에 의하여 제한하는 방법이다.

② 수의계약은 계약기관이 임의로 적당하다고 인정하는 상대자와 계약하는 방식이다.

③ 최저가 낙찰제는 입찰에 있어 최저가격으로 입찰한 자를 낙찰자로 결정하는 방식으로서 덤핑입찰 및 부실시공의 문제점이 발생하면서 1999년부터 적격심사 낙찰제로 전환되었다.

02

정답 : ⑤

⑤ 공급자에게 유리한 것은 중앙구매기관만을 상대로 정보를 수집하고 납품활동을 하는 집중구매의 장점에 해당한다.

① 분산구매는 중소기업을 보호한다는 측면에서 유리하다.

② 분산구매는 개별화되고 특화된 품목을 구입하는 데 용이하다.

③ 분산구매는 적시성 있는 구매가 용이하다.

④ 분산구매는 구매조직의 관료화를 방지하고 구매절차가 간편하다.

01

정답 : ④

④ 고객 관점에서의 성과지표는 고객만족도, 정책순응도, 민원인의 불만율, 신규 고객의 증가 등이 있다. 한편 시민참여, 적법절차, 공개는 업무처리 관점에서의 성과지표이고, 내부 직원의 만족도는 학습과 성장 관점에서의 성과지표이다.

② 균형성과표는 재무적 성과지표와 비재무적 성과지표의 균형을 고려한다.

⭐ 포인트 정리

복식부기 특징

- 총량 데이터를 확보할 수 있음
- 데이터의 신뢰성 증대
- 자기검증을 통한 부정이나 오류의 발견이 용이
- 자동이월 기능으로 인해 정부의 적시성 확보
- 결산 및 회계검사의 효율성 증대
- 재무정보에 대한 국민의 이해 및 신뢰 확보

균형성과지표(BSC)의 4가지 관점

재무 (기업가치)	• 이해관계자에게 재무적으로 얼마나 성공하고 있는가? • 현재까지도 가장 중요한 기업의 성과지표, 성과지표의 최종목표
고객 (고객만족)	• 기업의 비전을 달성하기 위해 고객에게 어떻게 보여야 하는가? • 고객만족도, 신규고객 증가 수, 고객충성도 등으로 성과 측정
내부프로세스 (업무처리)	• 이해관계자와 고객을 만족시키려면 어떠한 업무절차에서 탁월해야 하는가? • 비즈니스 전 과정에서 나타나는 신뢰성이나 신속성 • 의사결정과정에 시민참여, 적법절차, 조직 내 커뮤니케이션 구조
학습과 성장 (미래 지향적)	• 환경변화에 적응하기 위해 어떻게 준비하고 있는가? • 위의 세 가지 관점의 기본토대(가장 하부구조에 해당됨) • 인적자원에 대한 성과 포함 (구성원의 능력개발, 직무만족 등)

정답

07 ④ 01 ④ 02 ⑤ 01 ④

02 다음에서 설명하고 있는 예산제도는?

2020 경찰간부

> • 예산이란 경기 순환기를 중심으로 균형이 이루어지면 된다는 논리이다.
> • 세출규모의 변동을 장기적 관점에서 조정하는 데 기여한다.
> • 경제적 불황기 내지 공황기에 적자예산을 편성하여 유효수요와 고용을 증대시킴으로써 불황을 극복하는 유용한 수단이 될 수 있다.

① 자본예산
② 잠정예산
③ 조세지출예산
④ 지출통제예산

03 우리나라가 시행 중인 재정관리혁신 조치의 하나인 예비타당성 조사에 관한 설명으로 옳지 않은 것은? 2020 행정사

① 대규모 공공투자사업의 타당성을 분석하고 그 결과에 따라 재정사업의 신규투자 여부를 결정한다.
② 2000회계연도 예산을 편성할 때부터 적용되었다.
③ 한국개발연구원, 한국조세재정연구원 등 법령으로 정하는 지정기준을 갖춘 전문기관이 수행할 수 있다.
④ 정책성 분석을 배제하고 경제성 분석에 집중한다.
⑤ 이 제도 도입 이전인 1994년부터 무분별한 사업비 증가를 방지하려는 총사업비관리제도가 운영되고 있다.

04 신성과주의 예산(New Performance Budgeting)의 특징으로 가장 옳지 않은 것은? 2018 서울 7급(3월)

① 투입요소 중심이 아니라 산출 또는 성과를 중심으로 예산을 운용하는 제도이다.
② 과거의 성과주의 예산과 비교하여 프로그램 구조와 회계제도에 미치는 영향이 훨씬 광범위하고 포괄적이다.
③ 책임성 확보를 위해 시행되고 있는 성과관리를 예산과 연계시킨 제도이다.
④ 예산집행에서의 자율성을 부여하되, 성과평가와의 연계를 통해 책임성을 확보하고자 한다.

05 프로그램 예산제도에 대한 설명으로 옳지 않은 것은? 2016 국가 7급

① 동일한 정책목표를 가진 단위사업들을 하나의 프로그램으로 묶어 예산 및 성과 관리의 기본 단위로 삼는다.
② 우리나라에서는 지방자치단체가 2004년부터, 중앙정부는 2008년부터 공식적으로 채택하였다.
③ 자원배분의 투명성을 높일 수 있고, 일반 국민이 예산 사업을 쉽게 이해할 수 있게 한다.
④ 우리나라가 도입한 배경에는 투입 중심 예산 운용의 한계를 극복하고자 하는 측면이 있었다.

02

정답 : ①

① 자본예산에 대한 설명이다. 자본예산제도는 예산이 1회계연도 단위가 아닌, 경기순환기간을 단위로 균형을 추구하면 된다는 논리를 취한다. 자본예산제도의 활용을 통해 경기침체 시에는 적자예산을 편성하고, 경기과열 시 흑자예산을 편성하여 경기변동을 조절한다. 장기적 사업의 수혜자는 미래세대이므로, 공채발행을 통해 미래납세자에게 비용부담을 지움으로써 세대 간 수익자 부담원칙을 실현할 수 있다.

03

정답 : ④

④ 예비타당성 조사는 대규모 공공투자사업의 타당성을 분석하고 그 결과에 따라 재정사업의 신규투자 여부를 결정하는 통제지향적인 제도로서 경제성 분석, 정책성 분석 등을 통해 사업의 타당성을 검토한다(국가재정법 시행령 제13조 제5항).

② 예비타당성 조사는 기존에 유지된 타당성조사의 문제점을 보완하기 위해 1999년부터 도입되어 2000년 예산편성 때부터 적용하고 있다.

③ 한국개발연구원, 한국조세재정연구원 등 법령으로 정하는 지정기준을 갖춘 전문기관이 수행할 수 있다.

> **예비타당성 조사 운용지침 제36조(예비타당성조사 수행기관)** ① 예비타당성조사는 기획재정부장관의 요청에 의해 한국개발연구원(KDI), 한국조세재정연구원(KIPF)이 수행한다. 다만, 기획재정부장관은 효율적인 조사를 위해 필요한 경우 예비타당성조사 수행기관을 변경하거나 추가로 지정할 수 있다.

⑤ 정부는 예비타당성 조사를 도입하기 이전인 1994년부터 무분별한 사업비 증가를 방지하려는 총사업비관리제도를 운영하고 있다.

04

정답 : ②

② 신성과주의 예산은 과거의 성과주의 예산과 비교하여 프로그램 구조와 회계제도의 변경 등 큰 틀의 제도개혁보다는 성과정보의 예산과정에서의 활용을 개혁의 목표로 삼는다. 반면 과거의 성과주의는 신성과주의보다 예산의 형식 및 회계제도의 변경 등 개혁의 범위가 광범위하고 포괄적이다.

① 신성과주의 예산제도는 투입중심이 아니라 산출 및 성과를 중심으로 운용하는 제도이다.

③ 신성과주의 예산제도는 책임성 확보를 위해 시행되고 있는 성과관리를 연계시킨 제도이다.

④ 신성과주의 예산은 자율성과 융통성을 부여하되 책임성을 확보하고자 한다.

05

정답 : ②

② 우리나라 프로그램 예산제도의 연혁은 중앙정부에서 2007년부터 공식적으로 채택하였고, 지방정부는 사업예산이란 이름으로 2008년에 도입하였다.

① 부처의 성과관리 및 성과평가 구조를 고려하여 프로그램을 설정한다.

③ 프로그램 수준에서 편성하므로 국민이 이해하기 쉽다.

④ 단위사업별 예산규모의 파악, 사업별 예산 대비 성과 목표설정 및 이에 따른 성과 측정이 용이하다.

⭐ 포인트 정리

프로그램 예산제도 특징

- 사업별 총액 내에서 지출품목의 자율 변경 가능(사업단위 자율성 부여)
- 예산집행(투입)·산출물(산출)·정책영향(성과)을 연계
- 재정정책결정을 위한 유용한 재정정보 제공
- 성과관리에 대한 책임 강화
- 총체적 재정배분 내용을 알 수 있으며 예산낭비를 방지
- 재정집행 및 예산과정의 투명성·효율성 제고
- 기능별 분류를 중앙정부와 지방정부 간에 통일

정답

02 ① 03 ④ 04 ② 05 ②

06 정부 각 기관에 배정될 예산의 지출한도액은 중앙예산기관과 행정수반이 결정하고 각 기관의 장에게는 그러한 지출한도액의 범위 내에서 자율적으로 목표달성 방법을 결정하는 자율권을 부여하는 예산관리모형은 무엇인가?

2014 서울 9급

① 총액배분 자율편성예산제도   ② 목표관리 예산제도
③ 성과주의 예산제도   ④ 결과기준 예산제도
⑤ 계획예산제도

07 오늘날의 예산에 대한 설명으로 틀린 것은?

2012 경북 전환직

① 디지털예산회계정보시스템을 도입한다.
② 거시적·하향적 예산(top-down)을 도입한다.
③ 중앙예산기관에서 엄격히 예산을 통제한다.
④ 미래가 예측가능한 발생주의(복식부기)예산을 도입한다.

08 예산개혁의 일환으로 활용되는 총액배분자율편성(Top-down) 예산제도에 관한 설명으로 옳지 않은 것은?

2012 국회 8급

① 지출총액을 먼저 결정하므로 국가의 전략적 정책기획을 가능하게 한다.
② 각 부처는 예산 총액 한도 내에서 자율과 책임을 갖게 한다.
③ 재원배분결정이 정치적 타협에 치우쳐 정책파행을 초래할 수 있다.
④ 분야별·부처별 재원배분계획을 국무회의에서 함께 결정하기 때문에 예산결정과정의 투명성이 높아진다.
⑤ 국가재원의 전략적 배분을 위한 협의과정에서 갈등의 조정이 쉽다.

09 자본예산제도에 대한 설명으로 옳은 것은?

2010 국회 8급

① 1937년 미국 주정부에서 실시한 것이 그 효시이다.
② 예산이란 경기 순환기를 중심으로 균형이 이루어지면 된다는 논리이다.
③ 경기침체 시 흑자예산을, 경기과열 시 적자예산을 편성하여 경기변동의 조절에 도움을 준다.
④ 투자재원의 조달에 대한 현 세대와 다음 세대 간의 부담을 불공평하게 할 수 있다는 문제가 있다.
⑤ 자본적 지출은 단기적 계획을 요한다.

06

① 총액배분 자율편성예산제도는 2005년 도입된 제도로 정부 각 기관에 배정될 예산의 지출한 도액은 중앙예산기관과 행정수반이 결정하고 각 기관의 장에게는 그러한 지출한도액의 범위 내에서 자율적으로 목표달성 방법을 결정하는 자율권을 부여하는 방식이다.

07

③ 부처별 예산의 총괄배정과 각 부처장관의 재량권이 증대되는 것이 오늘날 예산의 주요 특징 이다. 한편 중앙예산기관에서 엄격히 예산을 통제하는 것은 전통적인 통제중심의 품목별 예 산의 특징이다.

08

⑤ 자율편성예산제도는 중장기재정운용계획 및 지출한도 설정과정이나 전략적 배분을 위한 협 의과정에서 부처별·분야별 갈등의 조정이 쉽지 않다.

③ 최초 총액배분 기준에 대한 사회적 합의가 도출되지 않은 상태에서의 재원배분결정은 정치 적 타협에 치우쳐 정책파행을 초래할 수 있다.

09

② 자본예산에서는 특정 시점이 아닌 경기 순환 주기 전체를 중심으로 균형이 이루어지면 된다 고 본다.

① 1937년 스웨덴에서 실시한 것이 그 효시이다.

③ 경기침체 시에는 공채 발행 등 적자예산을, 경기과열 시에는 흑자예산을 편성하여 경기변동 의 조절에 도움을 준다.

④ 자본예산은 투자재원의 조달에 대한 현 세대와 다음 세대 간의 비용부담을 공평하게 할 수 있다는 장점이 있다.

⑤ 자본적 지출은 지출의 효과가 장기적으로 미치므로 장기재정계획을 요한다.

> **정답**
> 06 ① 07 ③ 08 ⑤ 09 ②

① 목표달성 측정에 덧붙여 대안의 선택 시 엄격한 비용·편익분석을 한다.

② 집권과 분권이 함께 나타난다.

③ 발생주의 회계방식에 의존한다.

④ 부처별 예산의 총괄배정과 각 부처 장관의 재량권이 증대한다.

CHAPTER 21 **예산제도 종합** 기출 필수 코스

□□
01 예산제도에 대한 설명으로 옳은 것은? 2020 국회 9급

① 품목별 예산제도(LIBS)는 공무원의 회계책임을 명확히 할 수 있다.

② 계획 예산제도(PPBS)는 활동별 예산제도라고도 부른다.

③ 성과주의 예산제도(PBS)는 의회의 심의기능을 약화시킨다.

④ 영기준 예산제도(ZBB)는 과거의 예산결정을 반성없이 수용한다.

⑤ 목표관리 예산제도(MBO)에서 참여과정을 통한 예산관리는 시간과 노력을 단축시킨다.

□□
02 예산제도 종류에 대한 설명으로 가장 옳은 것은? 2019 서울 9급2월

① 품목별 예산제도(LIBS)는 각 항목에 의한 예산배분으로 조직 목표 파악이 쉽다.

② 성과주의 예산제도(PBS)는 투입요소 중심으로 단위원가에 업무량을 곱하여 예산액을 측정한다.

③ 목표관리 예산제도(MBO)는 부처별 기본목표에 따라 하향식 방식으로 중장기 계획을 수립한다.

④ 영기준 예산제도(ZBB)는 기존 사업예산은 인정하되 새로운 사업에 대해서만 엄밀한 사정을 한다.

□□
03 다음 중 정부운영에서 예산이 가지는 특성에 대한 설명으로 옳지 않은 것은? 2017 국회 8급

① 예산 과정을 통해 정부정책의 산출을 평가하고 측정할 수 있다.

② 예산은 정부정책 중 보수적인 영역에 속한다.

③ 예산이 결정되는 과정에는 다양한 주체들의 상호작용이 끊임없이 발생한다.

④ 희소한 공공재원의 배분에서 기회비용이 우선 고려된다.

⑤ 정보를 제공하는 양식에 따라 예산제도는 품목별 예산, 프로그램예산, 기획 예산, 성과주의 예산, 영기준 예산 등의 순으로 발전해 왔다.

10

① 목표달성 측정에 덧붙여 대안선택 시 엄격한 비용편익분석을 하는 것은 계획예산제(PPBS)에 대한 내용이다.

② 신성과주의 예산개혁에서 집행에 있어서는 재량을 확대하나(분권적 흐름), 구체적 성과를 요구함으로써 책임을 강화하기도 한다(집권적 흐름).

③ 복식부기와 결합한 발생주의 회계제도가 도입되면서 성과평가가 보다 용이해졌다.

④ 신성과주의 예산의 하나인 총괄배정예산은 중앙예산기관이 각 부처에 총괄적 규모로 재원을 배정하면 각 부처가 배정된 범위 내에서 사업의 우선순위에 따라 예산을 편성하는 것으로, 각 부처의 자율성을 최대한 반영할 수 있다.

01

정답 : ①

① 품목별 예산제도는 예산과목의 최종단위인 목을 중심으로 예산이 배분되므로 공무원의 회계책임을 명확하게 할 수 있다.

② 성과주의 예산제도를 활동별 예산제도라고 한다.

③ 성과주의 예산제도는 사업별로 예산 산출근거가 제시되기 때문에 의회에서 예산심의가 용이하다. 한편 의회의 심의기능을 약화시키는 것은 계획예산제도이다.

④ 영기준 예산제도는 전년도 예산을 답습하는 것이 아니라 기존 예산과 신규사업을 재평가하여 제로상태에서 재검토하는 것이다. 한편 과거의 예산결정을 답습하는 것은 품목별 예산제도의 단점이다.

⑤ 목표관리 예산제도는 참여의 과정을 통해 이루어지므로 많은 시간과 노력이 소요된다.

02

정답 : ②

② 성과주의 예산제도(PBS)는 단위원가에 업무량을 곱하여 예산액을 산정하고 정부의 활동·사업을 중심으로 분류하여 편성하는 예산제도이다.

① 품목별 예산제도(LIBS)는 각 항목에 의한 예산배분으로 조직 목표 파악이 어렵다.

③ 목표관리 예산제도(MBO)는 부처별 기본목표에 따라 상향식 방식으로 단기 계획을 수립한다.

④ 영기준 예산제도(ZBB)는 새로운 사업예산뿐 아니라 기존의 사업도 영의 기준에서 엄밀한 사정을 한다.

03

정답 : ⑤

⑤ 예산제도는 예산수립에서 무엇을 가장 중요한 요소로 삼느냐에 따라 품목별 예산(통제지향), 성과주의 예산(관리지향), 기획예산(계획지향), 영기준예산(감축지향)으로 분류할 수 있으며, 예산개혁은 대체로 점증주의에서 합리주의로, 품목별 예산에서 프로그램 예산(성과주의, 기획, 영기준예산) 순으로 발전되어왔다.

① 예산은 가치판단과 사실판단 같은 다양한 형태의 정책관련 정보들이 창출되고 집적된다.

② 예산은 정부정책 중 가장 보수적인 영역으로 매년 전년 대비 일정 비율의 변화에 국한되는 점증주의의 특징이 나타난다.

③ 예산 결정은 다양한 권력 주체들 간의 상호작용이 발생하는 정치적 게임(타협과 협상)의 과정이다.

④ 예산은 희소한 공공재원의 배분에 대한 계획으로 사업의 우선순위를 분석하고 기회비용 등을 고려하는 합리적 접근이 중시된다.

📝 포인트 정리

예산의 특징(성격)

- 자원배분
- 정치적·권력적 상호작용 (정치적 게임의 과정)
- 다양한 정책정보의 창출
- 보수적 영역
- 책임성 확보 수단
- 공공정책의 회계적 표현

정답

10 ① 01 ① 02 ② 03 ⑤

04 우리나라 예산과정에 대한 설명으로 옳은 것은? 2015 지방 9급

① 정부는 회계연도마다 예산안을 편성하여 회계연도 개시 60일 전까지 국회에 제출해야 한다.

② 예산총액배분 자율편성제도는 중앙예산기관과 정부부처 사이의 정보 비대칭성을 완화하려는 목적을 갖고 있다.

③ 예산집행의 신축성을 확보하기 위한 제도로써 이용, 총괄예산, 계속비, 배정과 재배정 제도가 있다.

④ 예산불성립 시 조치로써 가예산 제도를 채택하고 있다.

05 다음 중에서 예산개혁의 경향이 시대에 따라 변화해온 것을 시기순으로 가장 잘 나타낸 것은? 2013 서울 9급

① 통제 지향 – 관리 지향 – 기획 지향 – 감축 지향 – 참여 지향

② 통제 지향 – 감축 지향 – 기획 지향 – 관리 지향 – 참여 지향

③ 관리 지향 – 감축 지향 – 통제 지향 – 기획 지향 – 참여 지향

④ 관리 지향 – 기획 지향 – 통제 지향 – 감축 지향 – 참여 지향

⑤ 기획 지향 – 감축 지향 – 통제 지향 – 관리 지향 – 참여 지향

06 예산과정에 관한 설명으로 옳지 않은 것은? 2009 국가 9급

① 예산을 행정부가 편성하여 입법부에 제출 하는 것이 현대국가의 추세이다.

② 총액예산제도가 실시되면서 총액의 한도내 에서 의원들의 관심이 높은 예산사업을 소 규모화 하거나 우선순위를 낮게 설정하는 전략이 사용되기도 한다.

③ 대통령중심제라는 정치체제의 성격이 국회 예산심의의 기본 특징을 규정한다.

④ 결산이란 한 회계연도에서 국가의 수입과 지출의 실적을 예정적 계수로서 표시하는 행위이다.

04
정답 : ②

② 예산총액배분 자율편성제도는 사업의 우선순위나 전문성 등 정보 측면에서는 중앙행정기관보다 정부부처가 유리하므로 중앙예산기관은 국가 전체의 재원배분 전략 및 각 부처의 예산 총액만 결정하고 정부부처가 자율적으로 예산을 편성함으로써 중앙예산기관과 정부부처 사이의 정보 비대칭성을 완화할 수 있다.

① 정부는 회계연도마다 예산안을 편성하여 회계연도 개시 120일 전까지 국회에 제출해야 한다.

③ 예산집행의 신축성을 확보하기 위한 제도로써 이용, 총괄예산, 계속비 등이 있고, 배정과 재배정은 예산집행의 통제를 확보하기 위한 제도이다.

④ 예산불성립 시 조치로써 준예산 제도를 채택하고 있다.

05
정답 : ①

① 시대별 예산개혁의 변화는 '통제지향'(LIBS)-'관리지향'(PBS)-'기획지향'(PPBS)-'감축지향'(ZBB)-'참여지향'의 순으로 전개되었다.

06
정답 : ④

④ 결산이란 한 회계연도에서 국가의 수입과 지출의 실적을 확정적 계수로서 표시하는 행위이다. 한편 예정적 계수로 표시하는 것은 예산이다.

① 예산을 행정부가 편성하여 입법부에 제출하는 것이 현대국가의 추세이다.

② 의원들의 관심이 높은 예산사업을 소규모화하거나 우선순위를 낮게 설정하고 반대로 관심이 낮은 예산사업의 우선순위를 높게 설정하여 총액 내에서의 예산을 모두 인정받으려는 전략이 사용되기도 한다.

③ 대통령중심제가 의원내각제에 비해 대체로 예산심의가 더 엄격하다.

포인트 정리

예산제도 비교

구분	LIBS	PBS	PPBS	ZBB
방향 (지향)	통제	관리	기획	우선순위 결정 / 감축
주요 정보	지출 대상	부처 활동	부처 목표	사업, 단위 조직목표
정책 결정 유형	점증적	점증적	총체적	부분적/ 총체적
분석 초점	지출 대상	지출과 성과의 관계	대안 평가 계량 분석	대안분석 예산증감
예산의 중심 단계	집행 단계	편성 단계	편성 전의 계획 단계	–
결정 흐름	상향적	상향적	하향적	상향적

정답

04 ② 05 ① 06 ④

PART 6
행정통제·개혁론

단원 핵심 MAP

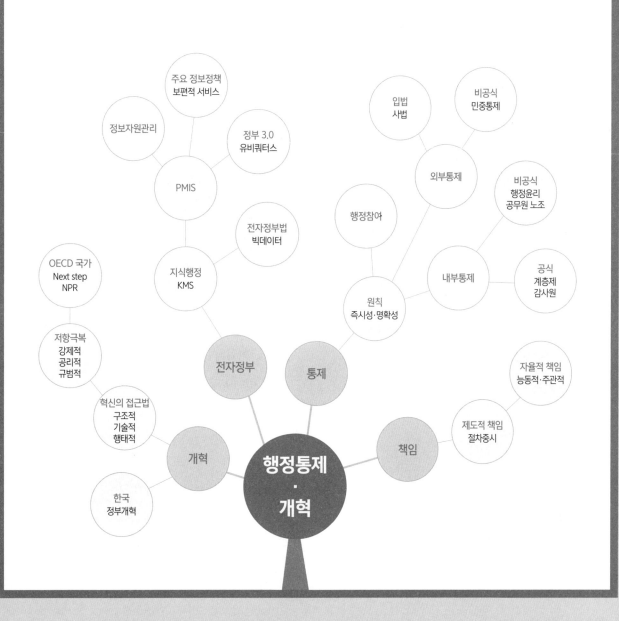

주요 정보정책
보편적 서비스

정보자원관리

정부 3.0
유비쿼터스

PMIS

전자정부법
빅데이터

지식행정
KMS

OECD 국가
Next step
NPR

저항극복
강제적
공리적
규범적

혁신의 접근법
구조적
기술적
행태적

한국
정부개혁

전자정부

개혁

입법
사법

비공식
민중통제

외부통제

비공식
행정윤리
공무원 노조

행정참여

내부통제

공식
계층제
감사원

원칙
즉시성·명확성

통제

자율적 책임
능동적·주관적

제도적 책임
절차중시

책임

행정통제
·
개혁

01 제도적 책임성(accountability)과 자율적 책임성(responsibility)에 대한 설명으로 옳지 않은 것은? 2020 국회 9급

① 제도적 책임성은 타율적이고 수동적인 행정책임을 의미한다.

② 자율적 책임성은 직업윤리와 책임감에 기반한 능동적인 책임성을 의미한다.

③ 자율적 책임성은 국민들의 요구와 의견을 반영하는 노력과 관련되어 있다.

④ 제도적 책임성은 법규와 규정에 따른 적절한 절차를 강조한다.

⑤ 제도적 책임성은 자율적 책임성보다 상대적으로 광범위한 행정책임을 의미한다.

02 행정의 책임성에 대한 설명으로 옳지 않은 것은? 2019 군무원 9급12월

① 책임성은 수단적 행정가치에 해당한다.

② 롬젝(B.Romzek)과 듀브닉(M.Dubnick)은 강조되는 행정의 책임성 유형은 조직의 특성에 따라 달라진다고 보았다.

③ 파이너(H.Finer)는 관료의 내면적 기준에 의한 내재적 책임성을, 프리드리히(C.Friedrich)는 입법부, 사법부, 국민 등 외부적 힘에 의한 통제로 확보되는 외재적 책임성을 강조하였다.

④ 신공공관리론은 책임성 확보를 위해 객관적·체계적 성과측정을 중시한다.

03 행정책임 유형에 관한 Friedrich의 현대적 입장을 바르게 설명한 것은? 2017 경찰간부

① 상급자와 부하 등 계층구조에 대한 책임   ② 국민정서에 응답하는 자발적 책임

③ 법률이나 규칙에 대한 책임   ④ 의회에 대한 책임

04 책임있는 행정인(responsible administrator)이 지는 책임으로서 객관적 책임에 속하지 않는 것은? 2015 경찰간부

① 합법적 책임   ② 양심적 책임

③ 상급자에 대한 책임   ④ 정책에 대한 책임

01

정답 : ⑤

⑤ 자율적 책임성은 제도적 책임성보다 상대적으로 광범위한 행정책임을 의미한다.

① 제도적 책임성은 외부에 의한 타율적이고 수동적인 행정책임을 의미한다.

② 자율적 책임성은 공무원이 전문가로서의 직업윤리나 책임감에 기초해서 적극적이고 자발적인 재량을 발휘하여 확보되는 능동적인 책임성을 의미한다.

③ 자율적 책임성은 국민들의 요구를 인식해서 능동적으로 대응하는 주관적이고 자율적인 책임성이다.

④ 제도적 책임성은 공식적인 법규와 제도, 규정에 따른 절차를 강조한다.

02

정답 : ③

③ 파이너(H.Finer)는 입법부, 사법부, 국민 등 외부적 힘에 의한 통제로 확보되는 외재적 책임성을, 프리드리히(C.Friedrich)는 관료의 내면적 기준에 의한 내재적 책임성을 강조하였다.

① 수단적 가치는 본질적 가치를 실현하게 하는 가치로 민주성, 합법성, 책임성 등이 해당한다.

② 롬젝과 듀브닉은 통제의 원천이 내부인지 외부인지, 통제의 강도가 높은지 낮은지에 따라 행정책임을 분류하였으며 조직의 특성에 따라 책임의 유형이 달라진다고 보았다.

④ 신공공관리론은 결과와 성과에 대한 책임을 강조하므로 책임성 확보를 위해 객관적이고 체계적인 성과측정을 중시한다.

03

정답 : ②

② Friedrich의 새로운(현대적) 책임론은 '책임 있는 행위는 기술적 지식과 대중의 감정에 스스로 응답하는 것'이라고 정의하고, 책임이란 '유도되어지는 것'으로서 기능적(기술적) 책임과 정치적 책임 두 가지를 강조하였다.

①, ③, ④ Finer의 고전적 책임론에 대한 설명이다.

객관적 책임 vs 주관적 책임

객관적(외재적) 책임	주관적(내재적) 책임
• 합법적 책임 • 계층제적 책임 • 입법부·사법부에 의한 책임 • 국민에 대한 응답적 책임	• 직업적·관료적·전문적 책임 • 양심적·자율적·심리적·재량적 책임

04

정답 : ②

② 양심적 책임은 개인의 내면적·정신적 욕구와 관련되며 직업윤리와 재량적 책임감에 충실하려는 주관적·내재적 책임에 해당한다.

①, ③, ④ 합법적 책임, 상급자에 대한 책임, 정책에 대한 책임은 객관적 책임에 해당한다.

정답
01 ⑤ 02 ③ 03 ② 04 ②

05 행정책임과 행정통제에 대한 설명 중 가장 옳지 않은 것은? 2011 경정승진

① 행정책임은 행정상의 일정한 권리를 전제로 발생하며 과정책임도 중요하다.

② 제도적 책임성의 특징으로 판단기준과 절차의 객관화, 절차의 중시 등을 들 수 있다.

③ 행정통제는 행정의 책임성을 확보하기 위한 구체적인 수단으로 볼 수 있다.

④ 최근에는 행정의 전문화로 인해 외부통제보다 내부통제가 더 중시되는 추세이다.

06 제도적 책임성(accountability)과 대비되는 자율적 책임성(responsibility)에 대한 설명으로 가장 적합하지 않은 것은? 2010 국가 9급

① 전문가로서의 직업윤리와 책임감에 기초해서 적극적·자발적 재량을 발휘하여 확보되는 책임

② 객관적으로 기준을 확정하기 곤란하므로, 내면의 가치와 기준에 따르는 것

③ 국민들의 요구와 기대를 정확하게 인식해서 이에 능동적으로 대응하는 것

④ 고객 만족을 위하여 성과보다는 절차에 대한 책임 강조

07 B.Romzek & M.Dubnick이 주장한 행정책임유형 중 책임의 원천은 외부이고, 책임확보를 위한 통제의 정도가 약한 것은? 2009 군무원 7급

① 법률적 책임　　　　　　　　　　② 정치적 책임

③ 위계적 책임　　　　　　　　　　④ 전문가적 책임

08 현대국가에서 행정의 가치로서 책임성이 갈수록 강조되고 있는데, 다음 중 제도적 책임성의 특징을 가장 바르게 표현한 것은? 2007 서울 7급

① 절차의 준수와 책임의 완수는 별개로 본다.

② 공식적 제도에 의해 달성할 수는 없다고 본다.

③ 판단기준과 절차의 객관화가 전제가 된다.

④ 객관적으로 확정할 수 있는 기준이 없다.

⑤ 제재가 불가능하거나 문책자가 내재화된다.

05

정답 : ①

① 행정책임은 행정상의 일정한 의무를 전제로 발생한다.

② 제도적 책임성은 판단기준과 절차의 객관화, 제재의 존재, 절차의 중시 등을 특징으로 한다.

③ 행정통제는 행정책임을 목적으로 하므로 행정의 책임성을 확보하기 위한 수단으로서 행정통제를 중시한다.

④ 최근에는 행정의 전문화로 인해 내부통제가 더욱 중시되고 있다.

06

정답 : ④

④ 절차에 대한 책임을 강조하는 것은 법령이나 규정에의 준수를 강조하게 되므로 이는 자율적·비제도적 책임이 아니라 객관적·제도적 책임에 해당한다.

① 인간내부의 도덕적 기준에 따라 행동해야 할 의무이므로 직업윤리와 책임감에 기초한 적극적·자발적인 행정책임이다.

② 객관적 기준이 부재하므로 내면의 가치와 기준에 따르는 것이다.

③ 국민들의 요구와 기대에 부응하려는 것은 제도적 책임에 해당하지만 이에 능동적·자발적으로 대응하려는 것은 자율적 책임에 해당한다고 볼 수 있다.

07

정답 : ②

② 책임의 원천은 외부이고 책임확보를 위한 통제의 정도가 약한 것은 정치적 책임이다.

① 법률적(법적) 책임은 책임의 원천은 외부이고 책임확보를 위한 통제의 정도가 높다.

③ 위계적 책임은 책임의 원천은 내부이고 책임확보를 위한 통제의 정도가 높다.

④ 전문(가)적 책임은 책임의 원천은 내부이고 책임확보를 위한 통제의 정도가 낮다.

08

정답 : ③

③ 제도의 책임성이란 주관적·자율적 책임성과 대비되는 개념으로 객관적 책임성에 해당한다.

①, ②, ④, ⑤ 자율적(내재적) 책임성에 해당된다. 제도적 책임성의 특징으로는 문책자의 외재성, 절차의 중시, 공식적·제도적인 통제, 판단기준과 절차의 객관화, 제재수단의 존재가 있다.

제도적 책임성과 자율적 책임성

구분	제도적 책임	자율적 책임
의의	• 외부로부터 부과되는 기준에 따라 행동해야 할 의무 • 타율적·수동적·객관적 책임	• 인간내부의 도덕적 기준에 따라 행동해야 할 의무 • 자율적·능동적·주관적 책임
내용	• 문책자의 외재성 • 판단기준과 절차의 객관화 • 제재의 존재 • 공식적·제도적 통제 가능 • 절차의 중시	• 문책자의 내재성 또는 부재 • 객관적 기준의 부재 • 제재의 부재 • 공식적·제도적 통제 곤란 • 절차의 준수와 책임의 완수는 별개

Dubnick & Romzek 책임성의 종류

구분		통제의 기초	
		내부	외부
통제의 정도	강함	위계적 (hierarchical)	법적 (legal)
	약함	전문적 (professional)	정치적 (political)

정답

05 ① 06 ④ 07 ② 08 ③

01 행정부에 대한 외부통제에 해당하는 것만을 모두 고르면?

2021 국가 9급

ㄱ. 행정안전부의 각 중앙행정기관 조직과 정원 통제	ㄴ. 국회의 국정조사
ㄷ. 기획재정부의 각 부처 예산안 검토 및 조정	ㄹ. 국민들의 조세부과 처분에 대한 취소소송
ㅁ. 국무총리의 중앙행정기관에 대한 기관평가	ㅂ. 환경운동연합의 정부정책에 대한 반대
ㅅ. 중앙행정기관장의 당해 기관에 대한 자체평가	ㅇ. 언론의 공무원 부패 보도

① ㄱ, ㄷ, ㅁ, ㅅ

② ㄴ, ㄷ, ㄹ, ㅁ

③ ㄴ, ㄹ, ㅁ, ㅇ

④ ㄴ, ㄹ, ㅂ, ㅇ

02 행정책임과 행정통제에 대한 설명으로 옳은 것은?

2020 지방 7급

① 파이너(Finer)는 행정의 적극적 이미지를 전제로 전문가로서의 관료의 기능적 책임을 강조하는 책임론을 제시하였다.

② 프리드리히(Friedrich)는 개인적인 도덕적 의무감에 호소하는 책임보다 외재적·민주적 책임의 중요성을 강조하였다.

③ 행정통제를 내부통제와 외부통제로 구분할 경우, 윤리적 책임의식의 내재화를 통한 통제는 전자에 속한다.

④ 옴부즈만제도를 의회형과 행정부형으로 구분할 경우, 국민권익위원회의 고충민원처리제도는 전자에 속한다.

03 행정통제의 유형 중 공식적·내부통제 유형에 포함되는 방식으로 가장 옳은 것은?

2019 서울 9급

① 정당에 의한 통제

② 감사원에 의한 통제

③ 사법부에 의한 통제

④ 동료집단의 평판에 의한 통제

04 다음 중 행정통제에 관한 설명으로 가장 옳지 않은 것은?

2018 해경간부

① 사법부에 의한 통제는 소극적인 성격이 강하다.

② 프리드리히(C.Friedrich)는 행정국가의 불가피성과 외부통제의 어려움으로 인해 내부통제가 더 강조되어야 한다고 보았다.

③ 정치행정이원론적 입장에 따르면 외부통제가 더 바람직하다.

④ 전통적인 통제방식으로 중시된 것은 행정부에 의한 통제이다.

01

④ ㄴ, ㄹ, ㅂ, ㅇ이 외부통제에 해당한다.

ㄴ. [O] 국회의 국정조사는 입법통제로 외부공식통제이다.

ㄹ. [O] 국민들의 조세부과 처분에 대한 취소소송은 사법통제로 외부공식통제이다.

ㅂ. [O] 환경운동연합의 정부정책에 대한 반대는 이익집단에 의한 통제로 외부비공식통제이다.

ㅇ. [O] 언론의 공무원 부패 보도는 언론에 의한 통제로 외부비공식 통제이다.

ㄱ, ㄷ. [X] 행정안전부의 각 중앙행정기관 조직과 정원 통제, 기획재정부의 각 부처 예산안 검토 및 조정은 교차기능조직에 의한 통제로 내부공식통제이다.

ㅁ, ㅅ. [X] 국무총리의 중앙행정기관에 대한 기관평가, 중앙행정기관장의 당해 기관에 대한 자체평가는 내부공식통제이다.

02

③ 내부통제는 공무원 스스로가 자발적·자율적으로 행동기준을 설정하고 그것에 따라 행동하는 것으로 윤리적 책임의식의 내재화를 통한 통제는 내부통제에 해당한다.

① 행정의 적극적 이미지를 전제로 전문가로서의 관료의 기능적 책임을 강조하는 책임론을 제시한 사람은 프리드리히(Friedrich)이다.

② 개인적인 도덕적 의무감에 호소하는 책임보다 외재적·민주적 책임의 중요성을 강조한 사람은 파이너(Finer)이다.

④ 옴부즈만제도를 의회형과 행정부형으로 구분할 경우, 국민권익위원회의 고충민원처리제도는 행정부형에 해당한다.

03

② 공식적·내부통제는 행정수반과 그 산하의 공식기관에 의한 행정통제로, 감사원에 의한 통제는 직무감찰과 회계검사 등에 의한 통제로서 공식적·내부통제에 해당한다.

① 정당에 의한 통제는 비공식적·외부통제에 해당한다.

③ 사법부에 의한 통제는 공식적·외부통제에 해당한다.

④ 동료집단에 의한 통제는 비공식적·내부통제에 해당한다.

04

④ 전통적인 통제방식으로 중시된 것은 입법부에 의한 외부통제이다. 한편 행정부에 의한 통제는 행정국가시대에 들어가면서 중시되었다.

① 사법통제는 합법성 위주의 사후적 통제로 소극적인 성격이 강하다.

② 프리드리히는 내재적 책임을 강조하였다.

③ 정치행정이원론에서는 외부통제를 강조하였다.

포인트 정리

통제주체에 따른 분류: 내부통제와 외부통제(Gilbert)

구분		내부통제	외부통제
공식		• 행정수반(대통령) 및 국무조정실에 의한 통제 • 계층제(상관) 및 인사관리제도를 통한 통제 • 교차기능조직에 의한 통제 • 독립통제기관(감사원, 국민권익위원회 등)에 의한 통제 • 정부업무평가에 의한 통제	• 입법부에 의한 통제 • 사법부(헌법재판소, 법원)에 의한 통제 • 옴부즈만에 의한 통제
비공식		• 행정윤리(전문직업상의 행동규범)에 의한 통제 • 동료 집단의 평가와 비판에 의한 통제 • 대표관료제 • 내부고발자보호제 • 공무원노조, 공익, 비공식집단, 행정문화	• 민중통제 • 시민에 의한 통제 • 이익집단에 의한 통제 • 여론, 매스컴, 인터넷 등에 의한 통제 • 정당에 의한 통제

정답

05 행정통제력을 향상시키기 위한 방안으로 가장 바람직하지 않은 것은?

2017 경찰간부

① 행정정보공개제도의 활성화   ② 내부고발인 보호제도의 확충

③ 외부기관에 의한 감사 활성화   ④ 정책과정에서 시민참여의 기회 확대

06 길버트(Gilbert)는 행정통제를 통제자의 위치와 제도화 여부에 따라 다음과 같이 네 가지 유형으로 구분하였다. 각 유형에 해당되는 우리나라의 행정통제 방법으로 옳지 않은 것은?

2015 사복 9급

제도화 여부 \ 통제자의 위치	외부	내부
공식적	(가)	(나)
비공식적	(다)	(라)

① (가) - 청와대에 의한 통제   ② (나) - 감사원에 의한 통제

③ (다) - 이익집단 및 언론에 의한 통제   ④ (라) - 직업윤리에 의한 통제

07 행정통제를 향상시키기 위한 방안에 대한 설명으로 옳지 않은 것은?

2010 국가 7급

① 행정정보공개제도는 행정책임의 확보와 통제비용 절감에 기여할 수 있다.

② 행정절차의 명확화는 열린 행정과 투명행정을 통해 행정기관과 시민 간의 분쟁을 방지할 수 있다.

③ 정책과정에서 시민참여 확대 및 자체감사기능의 활성화는 투명하고 열린 행정을 가능하게 할 수 있다.

④ 옴부즈만제도의 권한으로서 독립적 조사권, 시찰권, 소추권 등은 대부분의 나라에서 인정하고 있다.

08 아래의 행정통제 유형 중 외부통제 방안을 전부 포함한 것은?

2008 서울 9급

ㄱ. 입법부에 의한 통제	ㄴ. 사법부에 의한 통제	ㄷ. 감사원에 의한 통제
ㄹ. 청와대에 의한 통제	ㅁ. 중앙행정부처에 의한 통제	ㅂ. 시민에 의한 통제
ㅅ. 여론과 매스컴	ㅇ. 옴부즈만 제도	

① ㄱ, ㄴ   ② ㄱ, ㄴ, ㄷ

③ ㄱ, ㄴ, ㄷ, ㄹ, ㅁ   ④ ㄱ, ㄴ, ㄷ, ㅇ

⑤ ㄱ, ㄴ, ㅂ, ㅅ, ㅇ

05
정답 : ③

③ 행정통제력을 향상시키기 위해서는 통제기관을 다양화하고 자체감사 등 내부통제 기능을 활성화하여야 한다.

①, ②, ④ 행정통제의 향상방안에는 행정정보공개제도의 활성화, 행정절차법의 적극적 활용, 내부고발자 보호제도의 활성화, 시민단체의 활성화, 통제기관 간의 협조체계 구축, 통제기관의 독립성, 행정책임실명제의 도입, 시민참여 확대 등이 있다.

06
정답 : ①

① 청와대에 의한 통제는 공식적 내부통제로 (나)에 해당한다.
② 감사원에 의한 통제는 공식적 내부통제로 (나)에 해당한다.
③ 이익집단 및 언론에 의한 통제는 비공식적 외부통제로 (다)에 해당한다.
④ 직업윤리의 의한 통제는 비공식적 내부통제로 (라)에 해당한다.

07
정답 : ④

④ 옴부즈만의 권한으로 조사권, 시찰권은 대부분의 나라에서 인정하고 있으나 소추권(형사기관에 처벌을 요구할 수 있는 권리)은 인정하지 않는 것이 일반적이다.

① 행정정보공개의 제도화는 국민의 알권리를 충족시켜 행정의 투명성과 책임성을 확보하는 장점을 지님과 동시에, 행정통제가 정보의 공개를 전제로 가능하다는 점에 비추어볼 때 정보공개는 행정통제 비용을 줄이는 장점이 있다.

② 행정절차의 명확화는 투명행정을 통해 비공식절차에 의한 폐단을 제거하고, 행정과 시민 간의 분쟁을 원칙적으로 방지한다.

③ 정책과정에서 시민참여 확대는 행정통제력 향상방안이다.

08
정답 : ⑤

⑤ ㄱ, ㄴ, ㅂ, ㅅ, ㅇ이 외부통제이다.

ㄱ, ㄴ. [O] 입법부·사법부 등에 의한 통제는 외부통제에 해당한다.
ㅂ, ㅅ. [O] 민중통제는 외부통제에 해당한다.
ㅇ. [O] 옴부즈만의 경우 우리나라 국민권익위원회는 내부통제기관이지만 일반적으로는 독립된 외부통제기관이다.
ㄷ, ㄹ, ㅁ. [X] 내부통제에 해당한다.

📝 포인트 정리

행정통제의 유형

구분	내부통제	외부통제
공식	행정수반(대통령), 교차기능조직, 독립통제기관(감사원, 국민권익위원회), 계층제(상관), 국무조정실 심사평가	입법부, 사법부, 옴부즈만
비공식	행정윤리(전문직업상의 행동규범), 대표관료제, 공익	민중통제, 시민참여, 이익집단, 언론, 정당

정답
05 ③ 06 ① 07 ④ 08 ⑤

01 민원행정의 성격에 대한 설명으로 옳은 것만을 모두 고르면?

2020 지방. 서울 9급

ㄱ. 규정에 따라 서비스를 제공하는 전달적 행정이다.
ㄴ. 행정기관도 민원을 제기하는 주체가 될 수 있다.
ㄷ. 행정구제수단으로 볼 수 없다.

① ㄱ
② ㄷ
③ ㄱ, ㄴ
④ ㄴ, ㄷ

02 옴브즈만(Ombudsman)제도에 대한 설명으로 옳지 않은 것은?

2020 군무원 9급

① 스웨덴에서 처음 도입된 제도이다.
② 행정 내부 통제의 한계를 보완하는 제도이다.
③ 시정을 촉구하거나 건의함으로써 국민의 권리를 구제하는 제도이다.
④ 대부분의 국가에서는 입법부에 소속되어 있다.

03 옴부즈만(Ombudsman) 제도에 대한 설명으로 옳지 않은 것은?

2019 지방 9급

① 행정에 대한 통제 기능을 수행한다.
② 스웨덴에서는 19세기에 채택되었다.
③ 옴부즈만을 임명하는 주체는 입법기관, 행정수반 등 국가별로 상이하다.
④ 우리나라의 국민권익위원회는 헌법상 독립성을 보장하기 위해 대통령 소속으로 설치되었다.

04 시민의 행정참여로 인한 역기능이라고 볼 수 없는 것은?

2014 서울 7급

① 행정에 참여하는 시민의 대표성과 공정성 확보의 어려움
② 행정에 참여하는 시민의 전문성 결여로 인한 의사결정의 지연과 부실
③ 공동체 전체 이익보다는 지엽적인 특수이익에 집착할 가능성
④ 시민참여에 따른 시간과 비용의 과다 소요로 인한 행정의 지체와 비능률 초래
⑤ 시민의 행정참여로 인한 시민의 정책순응 약화

01

③ ㄱ, ㄴ이 민원행정의 설명으로 옳은 내용이다.

ㄱ. [O] 민원행정은 고객접점에서의 전달적 행정이다.

ㄴ. [O] 행정기관은 원칙적으로 민원인이 될 수 없으나 사경제 주체로서는 민원을 제기할 수 있다.

ㄷ. [X] 민원은 민원인이 행정기관에 대하여 처분 등 특정한 행위를 요구하는 사항에 관한 사무로 이는 행정구제수단의 일종이라고 할 수 있다.

02

② 옴부즈만은 행정 외부 통제의 한계를 보완하는 제도이다.

① 옴부즈만은 스웨덴에서 처음으로 도입된 제도이다.

③ 옴부즈만은 공무원의 위법·부당한 행위로 인해 권리를 침해받은 시민이 제기하는 민원 및 불평을 조사하여 관계기관에서 시정을 권고함으로써 국민의 권리를 구제하는 행정감찰관제도이다.

④ 대부분의 국가는 의회소속이다.

03

④ 우리나라의 국민권익위원회는 법률상 기관으로 국무총리 소속으로 설치되었다.

① 옴부즈만 제도는 입법부가 행정부를 통제하기 위한 수단으로 발전된 것으로 공식적 외부통제 기능을 수행한다.

② 옴부즈만은 1809년 스웨덴에서 처음으로 발전·채택된 제도이다.

③ 옴부즈만을 임명하는 주체는 입법기관, 행정수반 등 국가별로 상이한데, 일반적으로 의회소속형과 행정부소속형 등이 있으며 국가별로 권한·소속·절차 등에 차이가 나타난다.

04

⑤ 시민의 행정참여는 행정의 전문성이나 정책결정의 능률은 저하시키지만 집행과정에서의 시민의 정책순응과 협조가 촉진되어 전체적으로는 행정의 효율성을 높여준다.

① 행정참여는 활동적인 소수들만 참여할 가능성이 높기 때문에 대표성에 문제가 생길 수 있으며 공정성 부문에도 문제가 발생할 수 있다.

② 현대행정의 복잡성으로 인해 전문성이 저하될 수 있고 의사결정의 지연이 나타난다.

③ 공동체 전체의 이익보다는 개인의 이익이나 개인이 속한 집단의 이익에만 집착할 가능성이 있다.

④ 정책결정과정에서 시간 및 비용의 증가로 행정이 지체되고 비효율성이 발생한다.

행정참여의 장단점

장점	단점
• 대의민주주의 미비점 보완 • 정책의 정당성과 대응성 도모 • 정책의 신뢰성향상 • 정책의 현실성 및 적실성을 높임 • 결정과정의 능률성은 저해하지만, 정책의 효율성은 높음 • 시민에 대한 행정책임 확보, 소외계층에 대한 배려를 함	• 행정의 전문성이나 실현가능성 저하우려 • 특수이익만 반영, 일반시민이나 잠재집단의 이익대변이 곤란 • 정부의 잘못된 정책을 시민에게 책임 전가 • 갈등의 증폭과 정부 정책 조정능력 저하 • 행정의 능률성 저해 • 대중조작 가능성

정답

01 ③ 02 ② 03 ④ 04 ⑤

05 옴부즈만 제도에 대한 설명으로 옳지 않은 것은?

2010 지방 9급

① 옴부즈만은 입법부 및 행정부로부터 정치적으로 독립되어 있다.

② 옴부즈만은 행정행위의 합법성뿐만 아니라 합목적성 여부도 다룰 수 있다.

③ 옴부즈만은 보통 국민의 불편 제기에 의해 활동을 개시하지만 직권으로 조사를 할 수도 있다.

④ 옴부즈만은 법원이나 행정기관의 결정이나 행위를 무효로 할 수는 없지만, 취소 또는 변경할 수는 있다.

CHAPTER 04 행정개혁

기출 필수 코스

01 행정개혁에 관한 저항의 요인으로 가장 적절하지 않은 것은?

2020 경정승진

① 행정수요의 변동　　　　　　② 관료나 이해관계자의 반발

③ 개혁내용의 불확실성　　　　④ 개혁대상자의 전문지식이나 기술의 결여

02 행정개혁의 일반적 특징에 관한 설명 중 가장 적절하지 않은 것은?

2015 경정승진

① 행정개혁은 주로 대내적 관계에서 전개되는 것으로 폐쇄체제적이다.

② 행정개혁은 행정을 인위적·의식적으로 변화시키려는 것이므로 불가피하게 관련자들의 저항을 수반한다.

③ 행정개혁 성공을 위해서는 정치적 요소도 고려하여야 한다.

④ 행정개혁은 단시간에 결과를 보는 일시적인 과정이 아니라 장기적이고 지속성을 갖는 학습과정이다.

03 고전적 조직이론에 입각하여 조직의 명령계통, 통솔의 범위, 기능배분, 권한과 책임의 한계 등을 주요 대상으로 하는 행정개혁의 접근방법은?

2014 행정사

① 구조적 접근방법　　　　　　② 과정적·기술적 접근방법

③ 종합적 접근방법　　　　　　④ 인간관계론적 접근방법

⑤ 행태적 접근방법

05 정답 : ④

④ 옴부즈만은 법원이나 행정기관의 결정이나 행위를 무효로 하거나 취소·변경할 수 없다.

① 행정부로부터 독립되고 직무수행상 독립성을 갖는 헌법기관이다.

② 불법행위는 물론 부당행위, 태만이나 과실도 조사대상이 된다.

③ 옴부즈만은 직권에 의한 조사가 가능하다.

01 정답 : ①

① 행정수요의 변동은 행정개혁의 계기 및 촉진요인이다.

②, ③, ④ 행정개혁의 저항요인에 해당한다.

행정개혁 촉진요인

- 새로운 이념의 등장
- 정치적 변혁
- 행정환경의 변화와 새로운 행정수요 의 등장
- 세계화·정보화
- 새로운 기술의 등장
- 비능률·비효율의 제거(신공공관리적 행정개혁과 관련)
- 행정의 낙후성과 폐단 및 행정부패
- 관료적 이익의 추구나 조직 확대 경향 의 관성
- 상징적 동기

02 정답 : ①

① 행정개혁은 환경 등의 변화에 능동적으로 대응하고 문제해결을 강구함으로써 전개되는 것으로 개방체제적·능동적 활동이다.

② 행정개혁은 변화를 전제로 하는 것이므로 현상을 유지하려는 세력들에 의한 저항 및 부작용이 수반되므로 저항 극복에 대한 전략이 필요하다고 본다.

③ 행정개혁의 성공을 위해서는 가치관이나 행태 등과 같은 내재적인 요인과 국민적 지지 등의 외재적 요인뿐 아니라 조직 개편이나 정책 및 절차 개혁 등의 요소들도 고려하여야 한다.

④ 개혁은 단발적·단속적·일시적 변화가 아니라 다발적·지속적·장기적 속성을 갖는다.

행정개혁 접근방법

구조적 접근	• 전통적 접근방법 • 조직의 구조적 설계 개선 • 분권화의 확대, 통솔범위의 조정, 의사결정권의 수정, 의사전달체계의 수정, 명령계통의 효율화 등
기술적 접근	• 기술적 쇄신을 통하여 조직 내 운영과정이나 일의 흐름을 개선 • 새로운 장비의 도입, 계량화 기법(관리과학, 전산화 등) 활용
행태적 접근	• 구성원에게 초점을 두고 인간 행태의 변혁을 추구(OD) • 감수성훈련, 태도조사, MBO 등
통합적 접근	통합적·총체적 개선(구조, 기술, 행태)

03 정답 : ①

① 조직의 명령계통, 통솔의 범위, 기능배분, 권한과 책임의 한계 등을 주요 대상으로 하는 것은 구조적 접근법의 원리전략에 해당된다.

② 과정적·기술적 접근방법은 과학적 관리의 원리에 바탕을 두고 행정이 수행되는 절차나 과정·기술·장비의 개혁을 통하여 행정성과의 향상을 도모하려는 행정개혁 접근법이다.

③ 종합적·체제적 접근방법은 구조와 인간, 환경 뿐 아니라 조직의 문제를 체제로 파악하고 이들 간 상호관련성을 고려하는 총체적인 행정개혁 접근법이다.

④, ⑤ 인간관계론적·행태적 접근방법은 행정인의 가치관 및 행태를 의도적으로 변화시켜 행정체제 전체의 바람직한 변화를 유도하려는 행정개혁 접근법이다.

정답

05 ④ 01 ① 02 ① 03 ①

04 행정개혁 과정에서의 저항을 극복하기 위한 기술적 · 공리적 전략에 해당하지 않는 것은?   2010 경정승진

① 개혁의 점진적 추진   ② 개혁 방법과 기술의 수정

③ 적절한 시기의 선택   ④ 참여의 확대

05 다음 중 행정개혁을 촉진하는 요인이 아닌 것은?   2007 서울 7급

① 국제적 환경의 변화   ② 비능률의 제거

③ 견제장치의 확보   ④ 새로운 기술의 등장

⑤ 정치적 변혁의 발생

CHAPTER 05 · OECD 국가 및 한국의 행정개혁   기출 필수 코스

01 다음 세계 각국의 정부혁신 내용에 대한 설명 중 가장 적절하지 않은 것은?   2014 경찰간부

① 북유럽은 복지국가의 위기 속에서 행태나 문화변수, 관리기법의 변화 등에 초점을 맞추는 능률성 진단, Next Step, 책임집행기관 창설 등의 방법을 추진하였다.

② 일본은 중앙집권체제에 입각한 정부혁신을 추진하여 하향적이었고, 범위도 제한적이었다.

③ 영국형 개혁에서는 신자유주의에 입각하여 민영화나 결과지향적 행정, 복식부기방식의 정부회계, 시민헌장제도 등을 추진하였다.

④ 미국은 클린턴 행정부시절 신공공관리론에 입각 한 혁신을 단행하여 고객지향적 행정, red-tape 제거 등 기업가형 내지 기업형 정부로 변화를 추진하였다.

02 1980년대 이후 선진국들이 추진해 온 행정개혁의 공통적 특징이 아닌 것은?   2007 전북 9급

① 국가의 재정 및 경제적 위기를 극복하기 위해 행정개혁을 추진하였다.

② 정부의 정책결정과 정책집행(서비스전달)을 분리하고자 하였다.

③ 국민들의 신뢰 회복을 위해 중앙정부가 개혁추진체계를 신설하여 획일적으로 추진하였다.

④ 공공재 및 공공서비스 생산양식 변화에 대한 정부역할 변화에 대응이었다.

⑤ 고객중심의 행정을 위해 성과와 경쟁을 강조 · 우선시하였다.

04
정답 : ④

④ 참여의 확대는 규범적·사회적 전략이다.

①, ②, ③, ⑤ 기술적·공리적 전략에 해당한다. 기술적·공리적 전략은 관련자들의 이익침해 방지 및 보상, 개혁과정의 기술적 요인을 조정함으로써 저항을 극복한다.

05
정답 : ③

③ 견제장치의 확보는 행정개혁의 촉진과는 관련이 없다.

①, ②, ④, ⑤ 행정개혁을 촉진하는 요인에 해당한다.

01
정답 : ①

① 복지국가의 위기 속에서 행태나 문화변수, 관리기법의 변화 등에 초점을 맞추는 능률성 진단, Next Steps Program, 책임집행기관(Agency)의 창설 등의 방법을 추진한 나라는 영국이다.

② 일본의 행정개혁은 대국대과주의, 집행기능의 분리, 공무원 정원 감축 등 범위가 제한적이었다.

③ 영국형 개혁 중 대처행정부의 개혁에 해당된다.

④ 클린턴 행정부의 개혁방향에 해당된다.

02
정답 : ③

③ 1980년대 이후 선진국의 경우 신공공관리론에 입각한 정부혁신을 추진하였으며, 중앙에 전략적인 개혁추진기구가 없었던 것은 아니지만 중앙의 개혁추진기구에 의하여 획일적으로 추진된 것은 아니었다. 각 부처의 자율과 분권을 강화하는 방향과 방법으로 개혁이 이루어졌다고 할 수 있다.

① 재정적자와 공공부채의 누적적인 증가 등 경제 위기를 배경으로 한다.

② 작은 정부를 구현하고자 하였다.

④ 공공부문의 비효율성을 극복하고자 하였다.

⑤ 고객지향정부를 추구하였다.

03 최근 주요 OECD 국가들이 지향하는 정부혁신의 방향과 거리가 먼 것은? 2005 국회 8급

① 성과중심으로의 전환
② 권한위임과 융통성 부여
③ 중앙정부의 전략기능 축소
④ 고객지향성 강화
⑤ 정책평가의 중요성 강조

04 역대 정부의 조직개편에 대한 설명으로 옳지 않은 것은? 2017 지방 7급

① 김대중 정부는 대통령 소속의 중앙인사위원회를 신설하고, 내무부와 총무처를 행정자치부로 통합되었다.
② 노무현 정부는 국무총리 소속의 국정홍보처를 신설하고 행정자치부 산하에 소방방재청을 신설하였다.
③ 이명박 정부는 기획예산처, 국정홍보처, 정보통신부, 해양수산부, 과학기술부 등을 다른 부처와 통폐합하였다.
④ 박근혜 정부는 행정안전부를 안전행정부를 개편하고, 식품의약품안전청을 식품의약품안전처로 개편하였다.

05 다음 중 노무현 정부의 행정개혁 내용이 아닌 것은? 2008 서울 5급 승진

① 책임운영기관제도의 도입
② 총액인건비제도 도입
③ 주민투표, 주민소송 및 주민소환제의 도입
④ 자율예산편성제도 도입
⑤ 고위공무원단제도 도입 및 지방분권특별법의 제정

06 다음 중 우리나라 역대 정부의 조직개편에 대한 평가로서 적절하지 않은 것은? 2005 국회 8급

① 정치권 혹은 일반국민들은 정부의 조직개편의 이유나 목적에 대한 신뢰가 낮았다.
② 조직개편이 정부조직운영의 기본철학에 기초하기보다 정치논리에 따라 이루어진 경우가 많았다.
③ 사회적 환경변화를 감안하지 않고 조직의 축소와 인원감축을 시도한 경우가 많았다.
④ 구조적·기술적 요인보다 인간적 요인을 중시하였다.
⑤ 외국 제도나 이론의 적실성을 고려하지 않고 도입하는 경우가 많았다.

03

③ 신자유주의 및 신공공관리론에 입각한 정부혁신은 전술적인 집행기능보다는 전략적인 정책기능에 역점을 두고 있다. 오늘날 신공공관리론에 입각한 OECD 국가들의 공통된 정부혁신 방향은 조직구조의 개편보다는 일하는 방식이나 흐름 등 관리나 운영기술의 혁신에 중심을 둔다.

①, ②, ④, ⑤ OECD 국가들이 지향하는 신공공관리적 개혁에 해당한다.

04

② 국무총리 소속의 국정홍보처를 신설한 정부는 김대중 정부이다. 한편 노무현 정부는 과거 행정자치부 산하에 소방방재청을 신설하였다.

05

① 책임운영기관제도는 1999.7. 김대중 정부 시기에 도입되었다.
② 2007년 총액인건비제도를 도입하였다.
③ 직접 민주주의적 요소를 확대했다.
④ 4대 재정개혁을 통해 자율예산편성제도를 도입했다.
⑤ 2006년 고위공무원단제도를 도입하였고, 2004년 지방분권특별법이 공포되었다.

06

④ 과거 우리나라 행정개혁은 정치논리에 의존하였으며, 구성원들의 행태나 조직의 문화개혁 등 인간관계 행태적 접근보다는 정부기구 및 조직의 개편에 치중하는 구조적 접근법에 치중하였다.

① 개혁정책에 대한 국민적 공감·지지가 부족했다.
② 정치적 동기에서 행정개혁이 추진된 경우가 많았다.
③ 단시간에 임기응변식 개편이 단행되었다.
⑤ 선진국 행정의 단순 모방에 그치는 경우가 많았다.

★ 포인트 정리

정답
03 ③ 04 ② 05 ① 06 ④

□□
01 4차 산업혁명으로 인한 행정 변화로 옳지 않은 것은?

2021 국회 8급

① ICT기술의 발달로 투명하고 효율적인 정부가 운영된다.

② 대규모 정보에 대한 분석으로 정책의 예측가능성이 높아지게 된다.

③ 정보 및 분석기술의 발달로 의사결정의 분권화가 촉진될 수 있다.

④ 정보의 공개와 유통으로 간접민주주의가 활성화되고 시민중심의 서비스가 제공된다.

⑤ 행정서비스의 종합적 제공을 위한 플랫폼 중심의 서비스가 발달한다.

□□
02 정보화 및 지식행정관리에 대한 설명으로 가장 적절하지 않은 것은?

2019 경정승진

① 전통적 행정관리가 계층제적 조직을 기반으로 한다면, 지식행정관리는 학습조직 기반 구축을 특징으로 한다.

② 지식을 암묵지와 형식지로 구분할 때 지식의 원천으로서 암묵지에는 업무매뉴얼, 조직의 경험 그리고 숙련된 기능 등이 해당한다.

③ 지식관리에서는 암묵지를 적극적으로 형식지화하여 조직의 지식을 증폭시키는 것이 중요하다.

④ 빅데이터는 다양성(Variety), 속도(Velocity), 크기(Volume)를 주요 특징으로 하는데, 빅데이터를 활성화하기 위해서는 개인정보 보호장치가 제도적으로 선행될 필요가 있다.

□□
03 다음 중 지식행정관리의 기대효과로 가장 옳지 않은 것은?

2015 서울 7급

① 조직구성원의 전문적 자질 향상

② 지식공유를 통한 지식가치의 확대 재생산

③ 학습조직 기반 구축

④ 지식의 개인 사유화 촉진

□□
04 전통적 행정관리와 비교한 새로운 지식행정관리의 특징으로 보기 어려운 것은?

2014 지방 9급

① 공유를 통한 지식가치 향상 및 확대 재생산

② 지식의 조직 공동재산화

③ 계층제적 조직 기반

④ 구성원의 전문가적 자질 향상

01

정답 : ④

④ 4차 산업혁명은 산업과 산업간 초연결성과 초지능성, 초예측성을 토대로 미래를 정확히 예측하며, 시민과의 소통과 참여를 증진시켜 직접민주주의의 가능성을 높여준다.

① 4차 산업혁명은 정보통신기술의 발달로 투명하고 효율적인 정부를 가능하게 한다.

② 초지능성, 초예측성, 초연결성을 특징으로 한다.

③ 정보화 시대가 되면서 정보통신기술이 발달하면서 의사결정의 집권화가 촉진된다는 시각(Leavitt & Whisler)도 있고, 정보의 분석기술의 발달로 의사결정의 분권화가 촉진된다는 시각(Anshen & Burlingame)이 동시에 존재한다.

⑤ 4차 산업혁명은 공공정보를 이용하여 민관이 함께 콘텐츠를 개발하는 플랫폼 정부를 지향한다.

02

정답 : ②

② 지식을 암묵지와 형식지로 구분할 때 지식의 원천으로서 암묵지에는 조직의 경험이나 숙련된 기능 등이 해당하고, 업무매뉴얼 등은 형식지에 포함된다.

① 기존행정관리는 계층제적 조직을, 지식행정관리는 학습조직 기반을 구축한 탈계층적 조직을 중시한다.

③ 개인의 암묵지를 적극적으로 형식화하여 구성원 모두에게 공개함으로써 조직의 지식을 확대하는 것이 중요하다.

④ 빅데이터는 다양성, 속도, 크기를 특징으로 하며 대량의 정형 또는 비정형의 데이터 집합으로서 개인별 맞춤형 정보를 제공할 수 있다는 장점이 있지만, 사생활 침해나 정보유출 등의 문제점도 동시에 가지므로 빅데이터가 활성화되기 위해서는 데이터 보안이나 암호화 같은 개인정보 보호장치가 선행되어야 한다.

03

정답 : ④

④ 지식행정관리는 새로운 지식을 창조하고 이것을 조직 전체로 확산시켜 행정업무를 재설계함으로써 성과를 극대화하고 행정서비스를 개선시키는 것으로 지식정부하에서의 지식행정관리는 지식의 소유를 공동재산화한다.

①, ②, ③ 지식행정은 정보사회 패러다임이 지식사회 패러다임으로 전환됨으로써 정보행정에서 진화된 형태로 대두된 것으로 지식정부하에서의 조직구성원은 개인의 전문적 자질을 향상시킬 수 있고 지식을 공동재산화하여 지식가치를 확대·재생산할 수 있으며 학습조직의 기반을 구축할 수 있다.

04

정답 : ③

③ 지식행정관리는 학습조직 등 탈계층제적 조직을 기반으로 한다.

① 지식행정관리는 공유를 통한 지식가치를 향상하고 확대하여 재생산한다.

② 지식행정관리는 지식을 조직이 공동재산화 한다.

④ 지식행정관리는 조직의 업무능력 및 구성원의 전문가적 자질을 향상한다.

포인트 정리

전통적 행정관리 vs 지식행정관리

구분	기존행정관리	지식행정관리
지식공유	조직 내 정보 및 지식의 분절, 파편화	공유를 통한 지식가치 향상 및 확대재생산
지식소유	지식의 개인 사유화	지식의 공동 재산화
지식활용	정보, 지식의 중복 활용	조직의 업무능력 향상
조직성격	계층제적 조직	학습조직 기반 구축
조직구조	관료적 피라미드 구조	유기적 수평(flat) 구조

관료제 vs 지식정부

구분	관료제하의 기존행정관리	지식정부하의 지식행정관리
구성원능력	일회성의 소모적 기량과 경험	개인의 전문적 자질 향상
지식공유	조직 내 정보 및 지식의 분절, 파편화	공유를 통한 지식가치 향상 및 확대재생산
지식소유	지식의 개인 사유화	지식의 공동 재산화
지식활용	정보, 지식의 중복 활용	조직의 업무능력 향상
조직성격	계층제적 조직	학습조직 기반 구축
조직구조	관료적 피라미드 구조	유기적 수평(flat) 구조
정책결정방식	하향식(top-down)	중간에서 상하로(middle-up-down)

정답

01 ④ 02 ② 03 ④ 04 ③

05 지식을 암묵지(tacit knowledge)와 형식지(explicit knowledge)로 구분할 경우, 암묵지에 해당하는 것만을 모두 고른 것은?

2013 지방 9급

| ㄱ. 업무매뉴얼 | ㄴ. 조직의 경험 | ㄷ. 숙련된 기능 |
| ㄹ. 개인적 노하우(know-how) | ㅁ. 컴퓨터 프로그램 | ㅂ. 정부 보고서 |

① ㄱ, ㄴ, ㄷ
② ㄴ, ㄷ, ㄹ
③ ㄷ, ㄹ, ㅁ
④ ㄹ, ㅁ, ㅂ

06 전자정부와 지식관리에 대한 설명으로 옳지 않은 것은?

2012 국가 9급

① 전자정부의 발달과 함께 공공정보의 개인 사유화가 심화되었다.
② 지식관리는 계층제적 조직보다는 학습조직을 기반으로 한다.
③ 전자 거버넌스의 확대는 직접민주주의에 대한 가능성을 높인다.
④ 정보이용 계층에 대한 정보화정책으로써 정보격차 해소 정책이 중요해졌다.

07 지식행정의 특징과 가장 거리가 먼 것은?

2011 지방 9급

① 연성조직의 강화
② 의사소통의 활성화
③ 인적자본의 강화
④ 암묵지의 축소화

CHAPTER 07 전자정부

기출 필수 코스

01 전자정부 구현사례에 대한 설명으로 옳지 않은 것은?

2022 국가 7급

① 'G2B'의 대표적 사례는 '나라장터'이다.
② 'G2C'는 조달 관련 온라인 서비스를 통합적으로 제공하는 것이다.
③ 'G4C'는 단일창구를 통한 민원업무혁신사업으로 데이터베이스 공동활용시스템 구축을 내용으로 한다.
④ 'G2G'는 정부 내 업무처리의 전자화를 내용으로 하고 있으며 대표적 사례로는 '온-나라시스템'이 있다.

05

정답 : ②

② 암묵지는 ㄴ, ㄷ, ㄹ이다.

ㄴ, ㄷ, ㄹ. [O] 암묵지는 어떤 유형이나 규칙으로 표현하기 어려운 주관적이나 내재적인 지식으로 조직의 경험, 숙련된 기능, 노하우, 조직문화 등이 있다.

ㄱ, ㅁ, ㅂ. [X] 형식지는 누구나 이해 또는 전달할 수 있는 객관적 지식으로 업무매뉴얼, 컴퓨터 프로그램, 정부 보고서와 같은 문서, 규정, 공식 등이 있다.

암묵지 vs 형식지

암묵지	형식지
• 언어로 표현하기 힘든 주관적 지식 • 경험을 통해 몸에 밴 지식 • 은유를 통한 전달 (대화나 학습공동체 등) → 다른 사람에게 전수하기가 어려움	• 언어로 표현가능한 객관적 지식 • 언어를 통해 습득된 지식 • 언어를 통한 전달 (데이터마이닝), 지식지도 → 다른 사람에게 전수하는 것이 상대적으로 용이함

06

정답 : ①

① 전자정부가 발달하면서 전자정부를 통하여 공공정보가 광범위하게 공유될 수 있게 되었다.

② 학습조직이란 구성원 모두가 새로운 지식과 통찰력을 경영에 반영하기 위해 기존의 행동방식을 바꾸는 것과 지식을 창출·획득·전달하는 것에 능숙한 조직이다.

③ 전자 거버넌스의 확대는 시민의 직접 참여 가능성을 제고한다.

④ 지식정보화사회에서는 정보격차로 인해 갈등이 심화되는 '정보의 부익부 빈익빈' 현상이 발생한다.

07

정답 : ④

④ 암묵지란 개인적 경험, 어림짐작, 직감에 기초한 지식으로, 정확히 서술하여 타인에게 전달하기 어려운 지식을 말한다. 따라서 지식관리행정에서는 암묵지 기능을 확대·강화해야 한다.

① 팀제와 네트워크 조직 등의 연성조직을 활용하여 내·외부적으로 지식활용을 극대화하는 것이 필요하다.

② 지식정부는 지식을 창출·관리하는 인적자원을 중시하며, 다양한 채널에 의한 유연한 의사소통을 중시한다. 한편 의사소통의 활성화는 요구되지만 공식적 소통보다는 비공식소통 등이 활성화되어야 한다.

③ 지식행정을 하기 위해서는 지식을 창출하고, 창출된 지식을 관리하는 인적자원이 중요하다.

01

정답 : ②

② 조달 관련 온라인 서비스를 통합적으로 제공하는 것은 G2B의 사례에 해당한다. 한편 G2C는 정부기관 간의 정보공유와 문서의 전자적 유통 등을 통해 행정의 능률을 향상하는 형태이다.

정답

05 ② 06 ① 07 ④ 01 ②

02 유비쿼터스 전자정부에 대한 설명으로 옳은 것만을 모두 고르면?

2020 지방, 서울 9급

> ㄱ. 기술적으로 브로드밴드와 무선, 모바일 네트워크, 센싱, 칩 등을 기반으로 한다.
> ㄴ. 서비스 전달 측면에서 지능적인 업무수행과 개개인의 수요에 맞는 맞춤형 서비스를 제공한다.
> ㄷ. Any-time, Any-where, Any-device, Any-network, Any-service 환경에서 실현되는 정부를 지향한다.

① ㄱ, ㄴ   ② ㄱ, ㄷ

③ ㄴ, ㄷ   ④ ㄱ, ㄴ, ㄷ

03 전자정부의 역기능에 대한 설명으로 옳은 것을 모두 고르면?

2020 군무원 7급

> ⊙ 행정의 민주화를 저해할 수 있다.
> ⓒ 사이버 범죄가 발생할 수 있다.
> ⓒ 전자감시의 위험이 심화될 수 있다.
> ⓔ 정보격차가 심화될 수 있다.

① ⊙, ⓒ   ② ⓒ, ⓒ

③ ⊙, ⓒ, ⓒ   ④ ⓒ, ⓒ, ⓔ

04 전자정부에 대한 설명으로 가장 적절하지 않은 것은?

2019 경정승진(수정)

① 정부운영의 새로운 패러다임인 정부 3.0은 정부 내 칸막이 해소와 공공데이터의 민간활용 활성화에 역점을 두고 빅데이터를 활용한 과학적 행정 구현 등을 중시한다.

② 효율성 모델이 전산망 확충과 민원해결을 강조하는 협의의 전자정부라면, 민주성 모델은 전자민주주의와의 연계에 중점을 두는 광의의 입장이라고 볼 수 있다.

③ 전자정부 또는 정보화의 부정적 효과로서는 전자전제주의, 전자파놉티콘, 모자이크 민주주의 그리고 정보의 그레샴 법칙 등이 거론되고 있다.

④ 「지능정보화 기본법」에 의하면 정부는 5년마다 국가정보화 기본계획을 수립하여야 하며, 국가기관과 지방자치단체는 정보격차 해소 시책을 마련하여야 한다.

02

정답 : ④

④ ㄱ, ㄴ, ㄷ 모두 유비쿼터스 전자정부에 대한 설명으로 옳은 내용이다.

ㄱ. [O] 유비쿼터스 정부는 기술적으로 광대역 초고속 인터넷 서비스인 브로드밴드와 무선, 모바일 네트워크, 센싱 칩을 기반으로 한다.

ㄴ. [O] 유비쿼터스 정부는 지능적인 업무수행과 개개인의 수요에 맞는 맞춤형 정보서비스를 제공하며, 인간 중심적이고 양방향적인 정보를 제공한다.

ㄷ. [O] 유비쿼터스 정부는 언제 어디서나 정보통신환경에 편리하게 접속할 수 있는 인간중심의 패러다임을 중시한다.

03

정답 : ④

④ 전자정부의 역기능으로 ⓒ, ⓒ, @이 옳다.

ⓒ [O] 개인정보침해의 우려가 높고 전자상거래 등의 발달로 인해 사이버 범죄의 발생가능성이 높아진다.

ⓒ [O] 개인정보가 일괄 수집·관리되어 통제되고 전자파놉티콘이 확대됨에 따라 감시의 위험이 높아진다.

@ [O] 정보격차는 정보의 접근 및 이용이 사회집단 간 동등한 수준으로 진행되지 않는 현상으로 정보의 접근능력의 차이 등으로 인해 정보격차가 심화될 수 있다.

㉠ [X] 전자정부는 정보기술이 발달함에 따라 시·공간적 제약이 극복되고 다양한 네트워크가 형성되면서 전자거버넌스가 구성되고 전자민주주의가 제고될 수 있다.

04

정답 : ③, ④

③ 전자정부 또는 정보화의 부정적 효과로는 전자전제주의, 전자파놉티콘, 정보의 그레샴 법칙 등이 있다. 한편 모자이크 민주주의는 정보통신기술의 이용을 통해 정치과정에 시민의 의견 및 참여가 이루어지는 전자 민주주의를 의미하는 것으로, 이는 전자정부의 긍정적 효과에 해당한다.

④ 「지능정보화 기본법」에 따라 정부는 지능정보사회 정책의 효율적·체계적 추진을 위해 3년마다 지능정보사회 종합계획을 수립하여야 하며, 국가기관과 지방자치단체는 모든 국민이 지능정보서비스에 원활하게 접근하고 이를 유익하게 활용할 기본적 권리를 누릴 수 있도록 정보격차 해소 시책을 마련하여야 한다(현재 기준으로 4번 지문도 틀린지문이 됨).

① 정부 3.0은 개방, 공유, 소통, 협력을 핵심가치로 하며 정부 내 칸막이 해소, 공공데이터의 민간 활용 활성화 및 빅데이터를 활용한 과학적 행정 구현을 목적으로 하는 정부운영의 새로운 패러다임이다.

② 효율성(능률성) 모델은 정부의 내부업무 효율성을 제고하고 정보기술의 활용을 통한 전산망 확충 및 민원해결에 중점을 둔 협의의 전자정부를 의미하고, 민주성 모델은 국민과의 정보를 공유하고 정책결정에 국민의 참여를 유도함으로써 전자 민주주의와의 연계를 중시하는 광의의 전자정부를 의미한다.

📑 포인트 정리

전자정부(행정정보화) 역기능

인포데믹스	정보의 무차별 확산으로 인한 사생활 침해 등의 부작용을 의미
집단 극화	집단의 의사결정이 개인의 의사결정보다 더 극단적인 방향으로 이행하는 현상
전자 파놉티콘	전자 기기를 이용한 감시 체계
선택적 정보 접촉	정보의 범람 속에 유리한 정보만을 선별적으로 취하는 행태
정보 격차	정보화 사회에서 중심적인 정보자원의 이용과 점유기회의 차이에서 발생하는 성, 세대, 계층, 지역 간 불평등

지능정보화 기본법

제6조(지능정보사회 종합계획의 수립) ① 정부는 지능정보사회 정책의 효율적·체계적 추진을 위하여 지능정보사회 종합계획을 3년 단위로 수립하여야 한다.
② 종합계획은 과학기술정보통신부장관이 관계 중앙행정기관의 장 및 지방자치단체의 장의 의견을 들어 수립하며, 정보통신 전략위원회의 심의를 거쳐 수립·확정한다. 종합계획을 변경하는 경우에도 또한 같다.

제45조(정보격차 해소 시책의 마련) 국가기관과 지방자치단체는 모든 국민이 지능정보서비스에 원활하게 접근하고 이를 유익하게 활용할 기본적 권리를 누구나 격차 없이 실질적으로 누릴 수 있도록 필요한 시책을 마련하여야 한다.

정답

02 ④ 03 ④ 04 ③, ④

---

05 우리나라 전자정부에 관한 설명으로 옳지 않은 것은?

2019 행정사

① 수요자 중심보다는 공급자 중심의 행정서비스를 강조한다.

② 정부의 정책과정과 업무절차에 대한 투명성과 접근성을 높인다.

③ 국민과의 소통과 협력을 확대하고, 24시간 행정서비스를 제공한다.

④ 스마트워크센터를 통해 시·공간 제약없이 유연한 근무를 가능하게 한다.

⑤ 인터넷이나 DB기술 활용을 통해 부서 간 효율적인 정보교류가 가능하다.

06 기존 전자정부와 비교한 스마트 전자정부의 특징이 아닌 것은?

2016 지방 7급

① 개인별 맞춤형 통합서비스 제공

② 스마트폰, 태블릿 PC, 스마트 TV 등 다매체 활용

③ 공급자 중심의 서비스 개발

④ 1회 신청으로 연관 민원 일괄처리

07 전자정부의 역기능 중 하나인 정보격차를 해소하기 위한 정책이 아닌 것은?

2016 경찰간부

① 시각장애인의 정보접근성 향상을 위한 인프라 구축

② 계층별 특성을 고려한 맞춤형 정보화 교육 실시

③ 온라인 정보화 교육시스템 운영

④ 공공아이핀(i-PIN)의 보급 확대

08 전자정부 구현에 따른 기대효용으로 거리가 먼 것은?

2014 국가 9급

① 정보의 공개와 상호작용을 통한 행정의 신뢰성 확보

② 정보의 집중화를 통한 신속하고 집권적인 정책결정

③ 정보통신 기술을 활용한 업무 효율성 제고

④ 정부 정보에 대한 시민의 접근성 강화

05

① 공급자·기관 중심보다는 수요자·고객 중심의 행정서비스를 강조한다.

② 시간과 공간의 제약이 없으므로 접근성이 높고 공공정보를 개방하고 공개함으로써 투명성을 제고한다.

③ 정부와 국민 간의 소통과 협력을 확대하고 언제 어디서나 한 번에 서비스를 제공하는 24시간 원스톱 서비스를 제공한다.

④ 정보통신기술을 활용하여 시간과 장소의 제약 없이 업무를 수행하는 스마트워크센터의 확산으로 유연한 근무가 가능하다.

⑤ 부처 간 칸막이를 없애고 정보를 공유함에 따라 신속하고 효율적으로 업무를 수행할 수 있다.

06

정답 : ③

③ 스마트 전자정부는 공급자 중심의 서비스 개발이 아닌 시민 개개인의 수요에 맞는 수요자 맞춤 행정서비스를 제공한다.

07

정답 : ④

④ 공공아이핀은 전자공간하에서 본인식별을 위한 인증장치, 즉 인터넷 개인식별번호로서 해킹방지 등 전자정부의 안전성을 보장하기 위한 장치로, 정보격차 해소와는 직접적인 관계가 없다.

08

정답 : ②

② 전자정부가 구현될 경우 정보는 분산 및 공유되고 행정은 분권화 경향의 정책결정이 이루어진다.

① 정보의 공개와 상호작용을 통한 행정의 신뢰성 확보는 전자정부의 목적에 해당한다.

③ 정보통신 기술을 활용한 업무 효율성 제고는 전자정부의 대내적 가치에 해당한다.

④ 정부 정보에 대한 시민의 접근성 강화는 전자정부의 대외적 가치에 해당한다.

전자정부 vs 유비쿼터스 정부

구분	전자정부	유비쿼터스 정부
개념	유선인터넷을 기반으로 한 가상적 전자공간	인터넷 기반 온라인에 의한 가상공간을 뛰어넘어 무선모바일 등 물리적 현실공간까지 확대시킨 차세대 전자정부 혹은 웹(Web) 2.0 또는 3.0 시대의 미래형 전자정부
기술적인 측면	초고속 정보통신망과 네트워크 인터넷 기술 기반	브로드밴드(광대역 초고속 인터넷 서비스)와 무선 & 모바일 네트워크, 센싱 칩 기반
정부 서비스 전달방법	신속투명한 서비스 제공, 일방향 서비스	지능적인 업무수행과 개개인의 수요에 맞는 중단 없는 맞춤형 정보서비스 제공, 양방향서비스
업무 방식의 측면	신속성, 투명성, 효율성, 민주성	실질적인 고객지향성, 지능성, 형평성, 실시간성

정답
05 ① 06 ③ 07 ④ 08 ②

PART 6 행정통제·개혁론 403

09 다음 중 '정부 3.0 추진 기본계획'에 포함된 정부 3.0의 내용으로 옳지 않은 것은? 2014 국회 8급

① 공공데이터의 민간활용 활성화

② 정부 주도의 적극적인 일방향 서비스 제공

③ 민관협치 강화

④ 빅데이터를 활용한 과학적 행정 구현

⑤ 창업 및 기업활동에 대한 원스톱 지원 강화

10 유비쿼터스 정부(u-government)의 특성과 거리가 먼 것은? 2013 국가 9급

① 중단 없는 정보 서비스 제공

② 맞춤 정보 제공

③ 고객 지향성, 실시간성, 형평성 등의 가치 추구

④ 일방향 정보 제공

11 다음 중 UN에서 본 전자 거버넌스로서의 전자적 참여의 형태가 진화하는 단계로 옳은 것은? 2010 서울 9급

① 전자정보화 – 전자자문 – 전자결정

② 전자문서화 – 전자결정 – 전자자문

③ 전자자문 – 전자문서화 – 전자결정

④ 전자정보화 – 전자결정 – 전자문서화

⑤ 전자자문 – 전자정보화 – 전자결정

09

② 정부 주도의 적극적인 일방향 서비스 제공은 전자정부 1.0에 해당되는 내용이다.

①, ③, ④, ⑤ 정부 3.0이란 공공정보의 적극 공개로 국민의 알권리를 충족하고, 공공데이터의 민간 활용을 활성화하고 정부 내 칸막이를 해소하며, 민관 협치를 강화한다. 또한 협업 및 소통지원을 위한 정부운영 시스템을 개선하고 빅데이터를 활용한 과학적 행정을 구현하며 수요자 맞춤형 서비스 통합을 제공하고 창업 및 기업 활동에 대한 원스톱 지원을 강화하는 것을 말한다.

포인트 정리

정부 3.0의 특성과 방향

1. 공공정보 적극 공개로 국민의 알권리 충족
2. 공공데이터의 민간활용 활성화
3. 민관협치 강화
4. 정부 내 칸막이 해소
5. 협업·소통 지원을 위한 정부운영 시스템 개선
6. 빅데이터를 활용한 과학적 행정 구현
7. 수요자 맞춤형 서비스 통합 제공
8. 창업 및 기업활동 원스톱 지원 강화
9. 정보 취약계층의 서비스 접근성 제고
10. 새로운 정보기술을 활용한 맞춤형 서비스 창출

10

④ 일방향 정보 제공은 전자정부 1.0의 특징이다. 한편 유비쿼터스 정부는 인간 중심의 양방향 정보를 제공하는 전자정부 2.0 또는 3.0과 관련된다.

① 중단없는 서비스 제공을 특징으로 한다.

② 개개인의 수요에 맞는 맞춤형 정보서비스를 제공한다.

③ 실질적인 고객지향성, 지능성, 형평성 및 실시간성 등의 가치를 추구한다

전자정부 vs 유비쿼터스 정부

구분	전자정부	유비쿼터스 정부
개념	유선인터넷을 기반으로 한 가상적 전자공간	인터넷 기반 온라인에 의한 가상공간을 뛰어넘어 무선모바일 등 물리적 현실공간까지 확대시킨 차세대 전자정부 혹은 웹(Web) 2.0 또는 3.0 시대의 미래형 전자정부
기술적인 측면	초고속 정보통신망과 네트워크 인터넷 기술 기반	브로드밴드(광대역 초고속 인터넷 서비스)와 무선 & 모바일 네트워크, 센싱 칩 기반
정부서비스 전달방법	신속투명한 서비스 제공, 일방향 서비스	지능적인 업무수행과 개개인의 수요에 맞는 중단 없는 맞춤형 정보서비스 제공, 양방향서비스
업무방식의 측면	신속성, 투명성, 효율성, 민주성	실질적인 고객지향성, 지능성, 형평성, 실시간성

11

① 전자거버넌스(e-Governance)란 전자정부를 활용하여 거버넌스를 구현하는 것으로 전자거버넌스는 전자정보화(e-information) - 전자자문(e-consulting) - 전자결정(e-decision) 순으로 발전한다.

전자거버넌스의 발전단계

1단계	전자정보화 (e-information)	전자정부(정부 웹 사이트)에서 각종 전자적 채널을 통해 국민에게 정부가 공개되는 단계
2단계	전자자문 (상담) (e-consulting)	시민과 선거직 공무원 간에 쌍방 소통과 청원 및 정책토론이 이루어지고 토론결과가 축적·피드백되는 단계
3단계	전자결정 (e-decision)	합의를 도출하고 시민의 의견이 정책과정에 반영되는 단계

정답

09 ② 10 ④ 11 ①

PART 7
지방행정론

단원 핵심 MAP

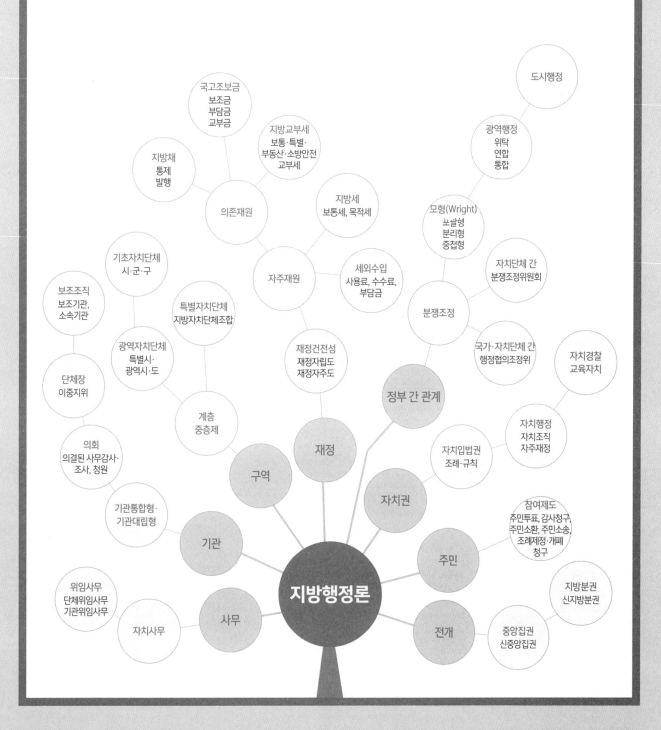

01 다음 중 지방자치의 의의로 가장 옳지 않은 것은?

① 민주주의의 훈련

② 다양한 정책실험의 실시

③ 공공서비스의 균질화

④ 지역주민에 대한 행정의 반응성 제고

02 다음 중 현재 우리나라의 지방자치단체에 해당하지 않는 것은?

① 동   ② 군   ③ 시

④ 도   ⑤ 광역시

03 다음의 항목은 중앙정부와 지방정부 양자의 우선순위에 대한 역사적 개념이나 이론이다. 집권−분권에 대한 상대적 우선순위 부여에 있어서 나머지와 다른 입장을 가지는 것은?

① 보충성의 원칙(Principle of subsidiarity)

② 딜런의 규칙(Dillon's rule)

③ 홈룰(Home rule)제도

④ 티부 가설(Tiebout Hypothesis)

04 다음 중 지방분권 효용과 거리가 먼 것은?

① 혁신적 정책의 채택 빈도를 높인다.

② 행정의 반응성을 증대시킨다.

③ 생산적 능률(productive effciency)의 증대에 기여한다.

④ 시민참여를 확대시킨다.

정답 정밀 해설

01
정답 : ③

③ 지방자치는 지방행정의 민주성과 능률성. 대응성 등을 구현하지만 공공서비스의 균질화와 같은 지역 간 형평성 및 균형발전 등은 실현하지 못한다는 단점이 있다. 한편 공공서비스의 균질화는 지방분권보다 중앙집권의 장점이다.

02
정답 : ①

① 행정시. 일반구. 읍. 면. 동은 하부행정기관이다.

②. ③. ④. ⑤ 자치단체의 종류에는 광역자치단체(특별시. 광역시. 특별자치시. 도. 특별자치도)와 기초자치단체(시. 군. 자치구)가 있다.

03
정답 : ②

② 딜런의 규칙(Dillon's rule)이란 미국의 주정부와 지방정부와의 권력관계를 규정한 것으로, 지방정부는 주정부의 창조물이며 그 창설과 폐지는 주정부의 재량에 속한다고 보는 이론이다.

① 지방자치단체가 우선적으로 권한을 행사하게 하고, 지방자치단체가 담당하기에 부족한 것은 중앙에서 처리하는 것을 의미한다.

③ 자치헌장제도(홈룰. home rule)는 주헌법에 의하여 시에게 자치권을 부여하고 자주적인 헌장을 기안·채택·수정할 수 있는 법적 권한을 부여하는 방식으로 자치권의 범위가 가장 넓어 민주주의를 강화하는 장점이 있다.

④ 주민들이 지역 간에 자유롭게 이동할 수 있기 때문에 지방공공재에 대한 주민들의 선호가 나타나며, 지방공공재 공급의 적정 규모가 결정된다고 본다.

04
정답 : ③

③ 생산적 능률성의 제고는 중앙집권의 장점이다.

① 자치단체별로 실시하는 특정한 정책의 장단점을 분석함으로써 국가 전체에 적용하는 정책의 지역적 실험이 이루어진다.

②. ⑤ 지방분권은 민의에 의한 정치로 책임행정을 구현하고 주민에의 대응성을 제고하여 주민의 정치적 욕구를 충족한다.

④ 시민참여의 확대는 지방분권의 장점이다.

포인트 정리

중앙집권 vs 지방분권

중앙 집권	• 행정의 전국적 통일성 및 일관성. 안정성 확보 가능 • 규모의 경제와 훈련된 관료제를 통한 기계적 능률성 향상 • 강력한 행정추진으로 위기에 신속히 대처 가능 • 행정의 기능별 전문화로 인한 고도의 행정능력 발휘 • 행정기능상의 중복 방지 • 전국적·광역적 사업의 추진 용이 • 지역 간 재정력 격차 조정이 가능 • 부분적 이익이 전체이익을 대변할 수 있음
지방 분권	• 주민통제가 용이하여 행정의 민주화 구현 가능 • 지역 간 갈등을 해소하고 사회적 능률성 향상 • 지역경제와 지역문화의 활성화에 기여 • 지역별 특수성을 고려하여 지역실정에 맞는 행정구현에 용이 • 자의적인 권력행사를 방지하고 행정의 책임성 및 행정대응성 제고 • 지방공무원을 고도의 판단력과 식견을 갖춘 관리자로 양성 가능 • 지방정부와 주민의 사기 향상 및 창의성 제고 • 창의적·실험적 행정에 유리

정답
01 ③ 02 ① 03 ② 04 ③

05 최근에는 새로운 시대적 요구에 부응하기 위하여 상대적 의미의 지방분권화를 실현하려는 노력이 세계 도처에서 꾸준히 경주되고 있는바, 다음 중 신지방분권화의 촉진 요인과 거리가 먼 것은?

2007 서울 7급

① 중앙집권에 따른 과밀, 과소의 폐해
② 탈냉전체제로의 국제정세 변화
③ 대량 문화에 따른 개성상실의 회복 지향
④ 정보화의 진전에 따른 재택근무의 보편화
⑤ 국민적 최저수준 유지의 필요성

CHAPTER 02 자치권(자치행정, 자치입법 등)

기출 필수 **코스**

01 우리나라 지방자치에 대한 설명으로 옳은 것은?

2020 국가 9급

① 자치사법권은 안정되고 있다.
② 지방자치단체의 예산안 편성권은 지방자치단체장에 속한다.
③ 자치입법권은 지방의회만이 행사할 수 있는 전속적 권한이다.
④ '세종특별자치시'와 제주특별자치도의 '제주시'는 기초자치단체로서 자치권을 가지고 있다.

02 지방자치의 이념과 사상적 계보에 대한 설명으로 가장 옳은 것은?

2019 서울 9급

① 자치권의 인식에서 주민자치는 전래권으로, 단체자치는 고유권으로 본다.
② 주민자치는 지방분권 이념을, 단체자치는 민주주의 이념을 강조한다.
③ 주민자치는 의결기관과 집행기관을 분리하여 대립시키는 기관분리형을 채택하는 반면, 단체자치는 의결기관이 집행기관도 되는 기관통합형을 채택한다.
④ 사무구분에서 주민자치는 자치사무와 위임사무를 구분하지 않지만, 단체자치는 이를 구분한다.

03 지방자치권의 근원에 대한 설명으로 가장 옳은 것은?

2016 서울 7급

① 고유권설은 지방자치단체의 자치권인 국가로부터 주어진다고 본다.
② 지방자치단체를 국가의 창조물로 보는 준독립설은 고유권설의 하나이다.
③ 전래권설에서는 자치권을 지방자치단체가 본래부터 가지고 있는 권리라고 본다.
④ 지방자치단체가 국가로부터 위탁받은 정치적 지배권을 행사한다고 보는 순수탁설은 전래권설의 하나이다.

05
정답 : ⑤

⑤ 지역 간 경제적·사회적 불균형을 국가 전체의 입장에서 조정함으로써 행정의 국민적 최저수준이 유지되도록 하기 위한 것은 신중앙집권의 촉진 요인이다.

①, ②, ③, ④ 중앙집권의 폐해, 대중문화에의 염증, 국제화·세계화, 도시화의 진전, 정보화의 진전은 신지방분권화의 촉진 요인에 해당한다.

01
정답 : ②

② 지방자치단체장은 예산안을 편성할 수 있는 권한을 가진다.

① 자치사법권은 인정되지 않는다.

③ 자치입법권은 지방자치를 위해 필요한 자치규약(조례와 규칙)을 제정할 수 있는 권리로, 조례제정권은 지방의회의 권한이지만 규칙제정은 지방자치단체장의 권한이다.

④ 세종특별자치시와 제주특별자치도에는 기초자치단체인 시·군·구를 둘 수 없고, 제주특별자치도의 제주시와 서귀포시는 행정시로서 자치단체가 아니다.

02
정답 : ④

④ 주민자치는 지방사무에 관해 고유사무와 위임사무를 구별하지 않는 반면 단체자치를 이를 구별한다.

① 자치권의 인식에서 주민자치는 고유권으로, 단체자치는 전래권으로 본다.

② 주민자치는 민주주의 이념을, 단체자치는 지방분권 이념을 강조한다.

③ 주민자치는 의결기관이 집행기관도 되는 기관통합형을 채택하는 반면, 단체자치는 의결기관과 집행기관을 분리하여 대립시키는 기관분리형을 채택한다.

03
정답 : ④

④ 지방자치단체가 국가로부터 위탁받은 정치적 지배권을 행사한다고 보는 순수탁설은 자치권을 국가로부터 전래된 것으로 보는 전래권설의 하나로 보아야 한다.

① 고유권설은 자치권을 지방자치단체가 본래 향유하는 권리로 인식한다.

② 지방자치단체를 국가의 창조물로 보는 입장은 전래권설에 속한다.

③ 전래권설은 자치권을 국가로부터 주어지는 것으로 파악하는 입장이다.

☆ 포인트 정리

신중앙집권화 촉진요인

- 행정기능의 확대 및 전문화
- 과학기술 및 교통통신의 발달
- 생활권역의 확대 및 광역행정
- 복지국가의 국민적 최저 실현
- 국제정세의 불안정과 긴장 고조
- 국가경제에서 공공재정기능의 확대

지방행정론

PART 7

해커스공무원 마니행정학 기출 빅데이터 **기필고**

정답 ——
05 ⑤ 01 ② 02 ④ 03 ④

04 「지방자치법」상 조례와 규칙에 대한 설명으로 옳지 않은 것은?
2014 지방 7급

① 지방자치단체가 조례로 주민의 권리 제한 또는 의무 부과에 관한 사항이나 벌칙을 정할 때에는 법률의 위임이 있어야 한다.

② 지방자치단체의 장은 법령이나 조례가 위임한 범위에서 그 권한에 속하는 사무에 관하여 규칙을 제정할 수 있다.

③ 시·군 및 자치구의 조례나 규칙은 시·도의 조례나 규칙을 위반하여서는 아니 된다.

④ 조례와 규칙의 공포에 관하여 필요한 사항은 법률로 정한다.

05 조례제정권에 대한 다음 설명이 틀린 것은?
2012 군무원

① 단체위임사무와 기관위임사무 모두에 대해 규정이 가능하다.

② 조례의 내용은 법령에 위반되면 안 된다.

③ 벌칙제정은 법률의 위임이 반드시 있어야만 한다.

④ 주민의 권리와 의무에 관한 사항을 정할 경우에는 반드시 법률의 위임이 있어야 한다.

06 다음 중 지방자치권의 범주에 들지 않는 것은?
2012 국가전환특채

① 자주재정권

② 자주조직권

③ 자주입법권

④ 자주사법권

07 지방자치의 한 계보로서 주민자치 국가를 적절히 설명하고 있는 것은?
2010 서울 7급

① 중앙집권체제가 발전한 나라에서 쉽게 뿌리내릴 수 있다.

② 지방정부를 중앙정부의 일선행정기관으로 보기도 한다.

③ 지역사회와 주민들이 스스로 지방정부를 결성한다.

④ 지방정부는 이중적 지위를 갖게 된다.

⑤ 독일, 프랑스 등에서 발전하고 있다.

04
정답 : ④

④ 조례와 규칙의 공포에 관하여 필요한 사항은 대통령령으로 정한다.

① 주민의 권리 제한 또는 의무 부과에 관한 사항이나 벌칙을 정할 때에는 법률의 위임이 있어야 한다.

② 지방자치단체장은 법령이나 조례가 위임한 범위 안에서 그 사무에 관하여 규칙을 제정할 수 있다.

③ 시·군 및 자치구의 조례나 규칙은 상급 자치단체인 시·도의 조례나 규칙을 위반해서는 안 된다.

05
정답 : ①

① 단체위임사무는 조례로 규정할 수 있지만 기관위임사무에 대해 규정이 불가능하다. 기관위임사무는 반드시 규칙으로만 규정하여야 한다.

06
정답 : ④

④ 지방자치권으로서 자주사법권은 인정되지 않는다.

①, ②, ③ 자주입법권(조례와 규칙 제정권), 자주행정권(독자적 사무처리권), 자주조직권(단체장 및 의원 등 자기선임권), 자주재정권(독자적 재원 조달 및 관리권)이 자치권의 범위에 해당한다.

07
정답 : ③

③ 주민자치는 자연적·천부적 권리인 자치권에 입각하여 지방정부와 주민의 관계에 중점을 두는 자치제도로 지방자치를 중앙 및 지방의 모든 사무를 주민 자신이 자주적으로 처리하는 행정으로 본다.

①, ②, ④, ⑤ 단체자치의 특징으로 단체자치는 국가로부터 전래된 자치권을 토대로 국가와 자치단체와의 관계에 중점을 두는 자치제도로서, 지방자치를 국가로부터 독립된 법인격을 가진 단체의 행정으로 보며 자치사무와 위임사무를 엄격히 구분하고 자치단체가 국가의 위임사무를 처리할 때에는 국가의 하부기관으로서 엄격한 감독을 받는 기관으로 본다. 독일, 프랑스 등 대륙계 국가에서 발전된 자치행정은 단체자치에 해당하며, 주민자치는 영미계 국가에서 발전되어왔다.

포인트 정리

정답
04 ④ 05 ① 06 ④ 07 ③

01 지방자치단체의 사무배분에서 특례가 적용되는 경우로 옳지 않은 것은?

2020 군무원 9급

① 자치구

② 인구 30만 이상의 도시

③ 인구 50만 이상의 도시

④ 특별자치도

02 지방행정계층으로서의 법적 지위가 동일하지 않은 지방자치단체의 묶음만을 〈보기〉에서 모두 고른 것은?

2018 서울 7급(3월)

보기

ㄱ. 경상북도 문경시 - 제주특별자치도 제주시

ㄴ. 서울특별시 동작구 - 경상북도 울릉군

ㄷ. 경기도 수원시 - 세종특별자치시

ㄹ. 경기도 용인시 수지구 - 대전광역시 유성구

① ㄱ, ㄷ

② ㄷ, ㄹ

③ ㄱ, ㄷ, ㄹ

④ ㄴ, ㄷ, ㄹ

03 「지방자치법」상 군(郡)과 면(面)의 명칭 변경에 대한 설명으로 옳은 것은?

2018 지방 7급

① 면의 명칭 변경은 광역자치단체장의 승인을 받을 필요가 없다.

② 군의 명칭 변경은 대통령령으로 정해야 한다.

③ 군의 영문 및 한자 명칭 변경은 행정안전부장관의 승인을 얻어 지방자치단체의 조례로 정한다.

④ 군의 명칭 변경의 경우 반드시 관계 지방의회의 의견을 들어야 한다.

04 우리나라의 지방자치계층에 대한 설명으로 옳지 않은 것은?

2017 국가 9급

① 제주특별자치도는 자치계층 측면에서 단층제로 운영되고 있다.

② 자치계층은 주민공동체의 정책결정 및 집행의 단위로서 정치적 민주성 가치가 중요시된다.

③ 세종특별자치시의 관할구역으로 자치구를 둘 수 있다.

④ 자치계층으로 군을 두고 있는 광역시가 있다.

01

② 인구 30만 이상의 도시는 특례가 적용되지 않는다.

① 자치구의 범위는 법령으로 정하는 바에 따라 시·군과 다르게 할 수 있다.

③ 인구 50만 이상의 시에는 자치구가 아닌 구를 둘 수 있다.

④ 제주도는 특별자치도로 「제주특별자치도 설치 및 국제자유도시 조성을 위한 특별법」의 적용을 받는다.

02

정답 : ③

③ ㄱ, ㄷ, ㄹ은 법적 지위가 동일하지 않은 지방자치단체이다.

ㄱ. [X] 경상북도 문경시는 광역자치단체(도) – 기초자치단체(시)이고, 제주특별자치도 제주시는 광역자치단체(특별자치도) – 지방자치단체가 아닌 시(행정시)이다.

ㄷ. [X] 경기도 수원시는 광역자치단체(도) – 기초자치단체(시)이고, 세종특별자치시는 광역자치단체(특별자치시)이다.

ㄹ. [X] 경기도 용인시 수지구는 광역자치단체(도) – 기초자치단체(시) – 자치구가 아닌 구(행정구)이고, 대전광역시 유성구는 광역자치단체(광역시) – 기초자치단체(자치구)이다.

ㄴ. [O] 서울특별시 동작구는 광역자치단체(특별시) – 기초자치단체(자치구)이고, 경상북도 울릉군은 광역자치단체(도) – 기초자치단체(군)로, 법적 지위가 동일하다.

03

정답 : ①

① 읍·면·동의 명칭 변경은 광역자치단체장의 승인을 받을 필요 없이 해당 자치단체의 조례로 정한다.

② 군의 명칭 변경은 법률로 정해야 한다.

③ 군의 한자 명칭 변경은 대통령령으로 정한다.

④ 군의 명칭 변경의 경우 관계 지방의회의 의견을 들어야 하지만, 주민투표를 거친 경우에는 듣지 않아도 된다.

04

정답 : ③

③ 「세종특별자치시 설치 등에 관한 특별법」에 따르면 세종특별자치시에 자치구를 두지 않는다고 명시되어 있다.

① 제주특별자치도의 경우 자치계층은 1계층이고 행정계층은 3~4계층이다.

② 자치계층은 정치적 민주성을 위해 지방자치단체의 자치권이 미치는 지역적 범위로, 주민공동체의 정책결정 및 집행의 단위가 된다.

④ 부산광역시 기장군, 인천광역시 옹진군이 그 예에 해당한다.

정답

01 ② 02 ③ 03 ① 04 ③

지방행정론

PART 7

해커스공무원 마니행정학 기출 빅데이터 기본서

PART 7 지방행정론 **415**

05 지방자치단체의 설립목적을 중심으로 자치단체의 종류를 보통지방자치단체와 특별지방자치단체로 구분한다. 다음 중 보통지방자치단체의 개념에 해당하지 않는 것은?

2016 서울 7급

① 서울특별시
② 대구·경북 경제자유구역청
③ 세종특별자치시
④ 청주시

06 다음 ㉠, ㉡에 들어갈 용어가 바르게 연결된 것은?

2015 지방 7급

> **「지방자치법」 제4조(지방자치단체의 명칭과 구역)**
> ① 지방자치단체의 명칭과 구역은 종전과 같이 하고, 명칭과 구역을 바꾸거나 지방자치단체를 폐지하거나 설치하거나 나누거나 합칠 때에는 (㉠)로 정한다. 다만, 지방자치단체의 관할 구역 경계변경과 한자 명칭의 변경은 (㉡)으로 정한다.

	㉠	㉡		㉠	㉡
①	법률	대통령령	②	법률	규칙
③	조례	대통령령	④	조례	규칙

07 기초지방자치단체 구역 설정시 일반적 기준으로 고려되지 않는 것은?

2013 국가 9급

① 재원조달 능력
② 주민 편의성
③ 노령화 지수
④ 공동체와 생활권

08 「지방자치법」상 지방자치단체의 종류를 나열한 것으로 옳은 것은?

2012 지방 7급

① 특별시, 광역시, 도, 특별자치도, 시, 군, 자치구, 읍, 면, 동
② 특별시, 특별자치시, 광역시, 도, 특별자치도, 시, 군, 자치구
③ 광역시, 도, 특별자치도, 시, 군, 자치구, 행정구
④ 광역시, 도, 특별자치도, 자치단체조합, 시, 군, 자치구, 읍, 면, 동, 행정구

09 지방자치단체의 계층구조에 관한 설명 중 옳지 않은 것은?

2010 경정승진

① 단층제는 중앙집권화의 우려가 크다.
② 단층제는 국토가 넓거나 인구가 많은 국가에서 채택하기 곤란하다.
③ 중층제는 기능배분의 불명확성과 행정책임의 모호성이 단점으로 지적된다.
④ 중층제는 국가의 감독기능 유지를 어렵게 한다.

05 정답 : ②

② 대구·경북 경제자유구역청은 지방자치단체조합으로 특별지방자치단체이다. 이 외에도 수도 권교통본부, 부산진해자유구역청, 광양만권경제자유구역청, 지역상생발전기금조합 등의 지 방자치단체조합이 있다.

① 서울특별시는 광역지방자치단체이다.

③ 세종특별자치시는 광역지방자치단체이다.

④ 청주시는 기초지방자치단체이다.

06 정답 : ①

① ㄱ - 법률, ㄴ - 대통령령이 옳게 연결되었다.

> **지방자치법 제4조(지방자치단체의 명칭과 구역)** ① 지방자치단체의 명칭과 구역은 종전과 같이 하고, 명칭과 구역을 바꾸거나 지방자치단체를 폐지하거나 설치하거나 나누거나 합칠 때에는 법률로 정한다. 다만, 지방자치단체의 관할 구역 경계변경과 한자 명칭의 변경은 대통령령으로 정 한다.

07 정답 : ③

③ 노령화 지수는 고려대상이 아니다.

①, ②, ④ 자치구역 설정 시 고려해야 할 요인으로 공동체와 생활권(공동사회적 요소), 적정한 서비스 가능 단위, 자주적 재원조달 능력, 주민 편의와 행정적 편의성 등이 있다.

08 정답 : ②

② 특별시, 특별자치시, 광역시, 도, 특별자치도, 시, 군, 자치구로 구분한다.

09 정답 : ④

④ 중층제는 광역자치단체에 감독권을 부여해서 국가의 감독기능을 유지할 수 있게 한다.

① 단층제는 하나의 구역 안에 단일의 자치단체만이 있는 구조이므로 중앙집권화의 우려가 크다.

② 단층제는 국토가 넓고 인구가 많은 나라에서는 채택이 곤란하다.

③ 중층제는 이중행정과 이중감독의 폐단이 발생할 수 있어 기능배분이 불명확하고 행정책임이 모호할 수 있다.

✎ 포인트 정리

자치구역 설정기준(Millspaugh)

- 공동사회적인 요소: 공동생활권과 일치
- 적정한 서비스 가능 단위
- 자주적 재원조달 범위
- 편의성: 주민편의와 행정편의의 조화

중층제의 장단점

장점	• 기초자치단체와 광역자치단체 간에 행정기능의 분담으로 효율적 수행이 가능 • 기초자치단체의 능력과 기능 보완 • 기초자치단체 간 갈등과 대립 조정 • 국가의 감독기능 유지 • 행정서비스에 대한 주민의 접근성을 높일 수 있음 • 민주주의 원리 확산에 기여
단점	• 행정기능의 중복으로 행정의 지연 및 능률 저하(행정낭비) • 이중감독 폐단 • 기능배분의 불명확성으로 인한 행정책임의 모호 • 기초자치단체와 중앙정부의 의사소통이 원활하지 못함 • 지역의 특수성 및 개별성 도외시

정답

05 ② 06 ① 07 ③ 08 ② 09 ④

01 지방정부의 사무에 대한 설명으로 옳지 않은 것은?

2023 지방 9급

① 기관위임사무의 처리에 드는 경비는 중앙정부와 지방정부가 공동 부담하는 것이 원칙이다.

② 단체위임사무는 집행기관장이 아닌 지방정부 그 자체에 위임된 사무이다.

③ 지방의회는 단체위임사무의 처리 과정에 관한 조례를 제정할 수 있다.

④ 중앙정부는 자치사무에 대해 합법성 위주의 통제를 주로 한다.

02 「지방자치법」상 지방자치단체 종류별 사무배분의 기준에 대한 설명으로 옳지 않은 것은?

2022 국가 7급

① 인구 30만 이상의 시에 대해서는 도가 처리하는 사무의 일부를 직접 처리하게 할 수 있다.

② 시·군 및 자치구가 독자적으로 처리하기 어려운 사무는 시·도의 사무이다.

③ 지방자치단체의 구역, 조직, 행정관리 등은 시·도와 시·군 및 자치구에 공통된 사무이다.

④ 국가와 시·군 및 자치구 사이의 연락·조정 등의 사무는 시·도의 사무이다.

03 중층의 국가공동체 조직에서 하급단위가 잘 처리할 수 있는 업무를 상급단위에서 직접 처리하면 안된다는 원칙은?

2020 행정사

① 딜론(Dillon)의 원칙   ② 법률유보의 원칙

③ 충분재정의 원칙   ④ 보충성의 원칙

⑤ 포괄성의 원칙

04 기관위임사무에 대한 설명으로 옳지 않은 것은?

2015 국가 9급

① 법령에 의하여 국가 또는 상급지방자치단체로부터 지방자치단체의 장에게 위임된 사무를 말한다.

② 국가와 지방자치단체 사이의 행정적 책임의 소재를 명확하게 해준다.

③ 지방자치단체를 국가의 하급기관으로 전락시키는 요인으로 작용할 수 있다.

④ 전국적으로 획일적인 행정을 강조함으로써 지방적 특수성이 희생되기도 한다.

01

정답 : ①

① 기관위임사무의 경비는 전액 위임기관이 부담하는 것이 원칙이다.

구분	자치사무	단체위임사무	기관위임사무
의미	주민복리 등 자기책임하에 처리하는 고유사무	법령에 의해 자치단체에 위임된 사무	법령에 의해 단체장에게 위임된 사무
법적 근거	§9 ① "지방자치단체는 그 관할 구역의 자치사무를 … 처리한다."	§9 ① "지방자치단체는 … 법령에 따라 지방자치단체에 속하는 사무를 처리한다."	§102 "시·도와 시·군 및 자치구에서 시행하는 국가사무는 … 시·도지사와 시장·군수·구청장에게 위임하여 행한다."
경비부담	지방비+국가장려적 보조금	지방비+국가 부담금	전액 국가 부담
의회 관여	가능	가능 (조례제정권 포함)	불가능(단, 국회 등이 감사하기로 한 부문 이외의 사항에 대해서는 가능)
국가 감독	소극적 위법성 감독	포괄적 합목적성 감독	예방적+포괄적 합목적성 감독
사례	학교급식시설의 지원에 관한 사무, 도서관, 주택, 쓰레기 수거, 도시계획, 주민등록관리, 공유재산관리, 상하수도 사업 등	보건소 운영, 예방접종, 시·군 재해구호, 국도유지 및 보수 등	골재채취업등록 및 골재채취허가사무, 국회의원선거, 면허, 행정경찰, 인구조사, 지적도량형, 교원능력개발평가, 부랑인 선도시설 감독 등

02

정답 : ①

① 인구 50만 이상의 시에 대해서는 도가 처리하는 사무의 일부를 직접 처리하게 할 수 있다.

03

정답 : ④

④ 하급 지자체가 잘 처리할 수 있는 업무를 상급 지자체가 직접 처리하면 안된다는 원칙은 보충성의 원칙으로, 지방자치단체가 1차적으로 사무를 처리하고 지방정부가 처리하기 곤란한 사무는 중앙정부가 보충적으로 처리해야 한다는 원칙이다.

① 딜론(Dillon)의 원칙은 지방정부는 중앙정부가 지정하는 사무를 수행하는 주체라는 것을 설명하는 이론이다.

② 법률유보의 원칙은 국민의 권리를 제한하거나 의무를 부과하는 사항은 반드시 국회의 의결을 거친 법률로써 규정하여야 한다는 원칙이다.

③ 충분재정의 원칙은 지방자치를 위한 충분한 금액이 확보되어야 함을 강조하는 원칙이다.

⑤ 포괄성의 원칙은 특별지방행정기관과 지방자치단체의 업무가 경합할 때 가급적 지방자치단체에 업무를 배정해야 한다는 원칙이다.

04

정답 : ②

② 기관위임사무는 직접적으로 이해관계가 없는 국가사무를 지방자치단체가 대신하여 처리하는 사무로, 국가와 지방자치단체 사이의 행정적 책임의 소재가 불명확하다.

① 기관위임사무는 일반적으로 개별법령에 의해 위임된 사무는 아니지만 지방자치단체의 장에게 위임된 사무로서, 이는 「지방자치법」 제102조를 통해 포괄적 위임근거를 확인할 수 있다.

③ 기관위임사무는 지방자치단체를 국가의 하급기관으로 전락시켜 자치권을 제약한다.

④ 기관위임사무는 전국적으로 획일적인 행정을 시행하므로 지방행정의 특수성·자율성 등이 희생될 수 있다.

⭐ 포인트 정리

기관위임사무의 한계

- 지방자치단체를 국가의 하급기관으로 전락시킴
- 국가와 지방자치단체 사이의 행정적 책임의 소재가 불명확
- 행정에 대한 지방의회의 관여와 주민의 의사개진 및 주민통제의 통로를 폐쇄함
- 지방적 특수성과 배분적 형평을 초래함
- 지방의 창의성이 저해됨

정답

01 ① 02 ① 03 ④ 04 ②

05 지방자치단체의 사무에 대한 설명으로 옳지 않은 것은?

2014 지방 7급

① 기관위임사무의 경비부담은 부담금으로 하는 것이 원칙이다.

② 단체위임사무의 국가 감독은 기관위임사무에 비해 제한된 범위 내에서 이루어진다.

③ 자치사무에 대한 국가 감독은 합법성 위주의 감독이다.

④ 단체위임사무에 따른 배상책임은 국가와 지방자치단체의 공동책임이다.

06 다음 중 포괄적 사무배분방식이라고 볼 수 없는 것은?

2004 서울 9급

① 배분방식이 간단하고 간편하다.

② 운영에 있어 유연성을 확보할 수 있다.

③ 국가사무와 자치사무의 구분이 모호한 경우가 있다.

④ 사무배분에 있어 지방자치단체의 특성을 고려할 수 있다.

⑤ 사무를 구체적으로 명시하지 않고 지역적 성격의 사무에 대한 처리권을 일괄적으로 부여하는 방식이다.

CHAPTER 05 ｜ 자치기관(집행기관, 지방의회)

기출 필수 코스

01 지방자치단체의 기관구성형태에 대한 설명으로 옳지 않은 것은?

2022 국가 7급

① 기관통합형은 행정에 주민들의 의사를 보다 정확하게 반영할 수 있다는 장점이 있다.

② 기관통합형은 지방의회에서 의결기능과 집행기능을 모두 수행하는 형태로, 영국의 의회형이 대표적이다.

③ 기관대립형 중 약시장-의회형은 시장의 고위직 지방공무원 인사에 대해서 의회의 동의를 요하는 반면, 시장은 지방의회 의결에 대한 거부권을 가진다.

④ 기관대립형은 견제와 균형을 통해 권력남용을 방지하는 장점이 있지만, 의결기관과 집행기관 간의 대립 및 마찰 가능성이 있다는 단점이 있다.

05

① 기관위임사무의 경비부담은 위임기관이 전액 부담하는 것이 원칙이며 이는 교부금의 성격을 갖는다. 한편 부담금의 성격을 갖는 것은 단체위임사무이다.

② 단체위임사무의 국가 감독은 교정적 감독으로 기관위임사무에 비해 제한적으로 이루어진다.

③ 자치사무에 대한 국가의 감독은 합법성 위주의 교정적 감독이다.

④ 단체위임사무에 따른 배상책임은 공동책임·공동부담으로 국가와 지방자치단체가 동시에 부담한다.

자치사무, 단체위임사무, 기관위임사무 비교

구분	자치사무	단체위임사무	기관위임사무
개념	자치단체의 책임과 부담을 처리하는 사무	개별적 법령근거에 의하여 자치단체에게 위임된 사무(극소수)	포괄적 법령근거에 의하여 자치단체의 집행기관에게 위임된 사무
사무처리 주체	자치단체	자치단체	자치단체장(일선기관장의 지위)
결정주체	지방의회 (자치단체 본래의 사무)	지방의회(자치단체 자체에 위임)	국가(집행기관에 위임) ※ 지방의회 관여 불가 (다만, 경비부담 시 관여 가능)
국가의 감독	합법성 중심의 교정적(사후) 감독	합법성과 합목적성의 교정적 감독	교정적 감독 + 예방적 감독
경비의 부담	자치단체 전액 부담 (자치사무처리)	공동부담 (지역적·전국적 이해관계)	국가 전액 부담
보조금 성격	장려금 성격	부담금 성격	교부금 성격
예시	학교, 병원, 도서관, 도로, 상하수도, 주택, 쓰레기, 도시계획, 소방 등	보건소의 운영·각종 예방접종, 시·군의 재해구호, 생활보호, 국도유지 및 보수, 조세·공과금 징수위임사무 등	국회의원 선거, 행정경찰, 면허, 인구조사, 지적, 도량형 등

06

④ 포괄적 배분방식은 계층 간 사무배분이 불명확하므로 지방자치단체의 특성을 고려하기 어렵다. 한편 사무배분에 있어 지방자치단체의 특성을 고려할 수 있는 것은 개별적 배분방식이다.

① 포괄적 배분방식은 지방자치단체의 구별 없이 지방자치단체에 관한 일반법에서 모든 자치단체에 포괄적으로 배분하는 것으로, 상대적으로 배분방식이 간편하고 간단하다.

② 포괄적 배분방식은 운영상의 융통성과 탄력성을 제고할 수 있다.

③ 포괄적 배분방식은 국가사무와 지방사무의 구분이 명확하지 않다.

⑤ 포괄적 배분방식은 사무자체를 구체적으로 명시하지 않고 사무처리권을 일괄적으로 부여하는 방식이다.

01

③ 약시장-의회형은 시장의 고위직 지방공무원 인사에 대해서 의회의 동의를 요하는 반면, 시장은 지방의회 의결에 대한 거부권을 가지지 못한다. 한편 지방의회 의결에 대한 거부권을 가지는 형태는 강시장-의회형이다.

포인트 정리

지방자치법 제102조(국가사무의 위임)
시·도와 시·군 및 자치구에서 시행하는 국가사무는 법령에 다른 규정이 없으면 시·도지사와 시장·군수 및 자치구의 구청장에게 위임하여 행한다.

포괄적 사무배분방식 vs 개별적 사무배분방식

구분	포괄적 수권방식	개별적 수권방식
장점	• 배분방식 간편 • 사무를 상황에 따라 주체를 달리할 수 있으므로 운영상의 융통성·탄력성 제고	• 자치단체별 특수성 고려 • 개별적으로 주어진 사무에 대해서는 중앙정부의 간섭이 배제됨(∴자율성 제고)
단점	• 자치단체의 특수성 저해 • 명확한 구별이 없으므로 사무 간 중복·혼란 발생	• 통일성 저해 • 개별법 제정에 따른 업무부담 과중

정답

05 ① 06 ④ 01 ③

02 우리나라 지방의회의 권한(기능)으로 가장 적절하지 않은 것은?

① 조례의 제정 및 개폐
② 행정사무 감사 및 조사권
③ 선결처분
④ 예산의 의결 및 결산의 승인

03 다음 중 「지방자치법」상 지방의회의 의결사항에 해당하지 않는 것은?

① 조례의 제정·개정 및 폐지
② 재의요구권
③ 기금의 설치·운용
④ 대통령령으로 정하는 중요 재산의 취득·처분
⑤ 청원의 수리와 처리

04 지방의회가 지방자치단체에 대하여 행사할 수 있는 권한으로 옳지 않은 것은?

① 예산불성립 시 예산집행
② 선결처분의 사후승인
③ 행정사무의 감사·조사
④ 청원서의 이송·보고요구

05 우리나라의 지방자치제도에 대한 설명으로 가장 옳은 것은?

① 1991년에 시행된 지방선거에서 지방자치단체의 장과 지방의회의원이 동시에 선출되었다.
② 지방자치단체의 정부형태는 지방자치단체의 장과 지방의회가 분리된 기관분리형이다.
③ 현행 지방자치법에는 주민투표·주민발의·주민소환제도가 채택되지 않았다.
④ 제주특별자치도는 자치계층이 2계층인 중층제이다.

06 우리나라 현행 지방자치제도 중 틀린 것은?

① 자치단체장은 연임 제한이 있으나 지방의원은 연임 제한이 없다.
② 자치단체장 및 기초단체 의원은 모두 유급직으로서 자치단체장은 연봉을, 지방의원은 월정수당(월급)을 지급받는다.
③ 자치단체장은 정당공천을 받지만 지방의원의 경우 기초의회의원은 정당공천을 받지 않는다.
④ 자치단체장과 지방의원 모두 임기 4년, 정무직이다.

02

정답 : ③

③ 선결처분권은 지방자치단체장의 권한에 해당한다.

03

정답 : ②

② 재의요구권은 지자체장이 위법·부당한 지방의회의 의결사항에 재의를 요구하는 것으로, 지방의회의 의결사항에 해당하지 않는다.

①, ③, ④, ⑤ 조례의 제정·개정 및 폐지, 기금의 설치·운용, 대통령령으로 정하는 중요 재산의 취득·처분, 청원의 수리와 처리는 모두 지방의회의 의결사항이다.

04

정답 : ①

① 예산불성립 시 예산집행은 준예산으로, 지방자치단체장이 지방의회에 대하여 행사할 수 있는 권한이다.

② 현행 지방자치법상 지방자치단체장이 선결처분을 하면 지체없이 이를 지방의회에 보고하여 승인을 받도록 하고 있으며 사후승인을 받지 못하면 선결처분은 즉시 효력을 상실한다.

③ 지방의회는 행정사무에 대해 감사 및 조사권을 행사할 수 있다.

④ 현행 지방자치법상 지방자치단체와 관련된 청원의 제출, 수리, 이송 및 보고요구 등은 지방의회의 권한이다.

05

정답 : ②

② 우리나라는 기관분리형(기관대립형)의 형태를 채택하고 있다.

① 지방자치단체의 장과 지방의회의원을 동시에 선출하는 전국동시지방선거는 1995년에 처음 치러졌다.

③ 현행 지방자치법에는 주민투표·주민발의·주민소환제도를 모두 채택하고 있다.

④ 제주특별자치도는 자치계층이 1계층인 단층제이다.

06

정답 : ③

③ 지역구 국회의원 및 지역구 지방의회의원도 2005년 공직선거법 개정으로 인해 정당의 후보자 추천을 받을 수 있다.

① 지방자치단체장은 3회로 연임제한이 있으나 지방의원은 연임제한이 없다.

② 지방자치단체장 및 기초단체 의원(지방의원)은 모두 유급직으로 자치단체장에게는 연봉을, 지방의회의원에게는 의정활동비·여비 및 월정수당을 지급한다.

④ 지방자치단체장과 지방의회 모두 임기 4년의 정무직 공무원에 해당한다.

★ 포인트 정리

지방자치단체장과 지방의회의 관계

자치단체장이 지방의회에 대해 갖는 권한	지방의회가 자치단체장에 대해 갖는 권한
• 지방의회 의결에 대한 재의요구 및 제소권 • 자치단체장의 선결처분권 • 의안발의권 • 임시회 소집요구권 • 우리나라는 의회 해산권 없음	• 서류제출 요구권 • 행정사무 감사 및 조사권 • 행정사무처리상황의 보고와 질문, 응답권 • 예산·결산 승인권 • 우리나라는 불신임의결권 없음

지방자치법 제39조(지방의회의 의결사항)
① 지방의회는 다음 사항을 의결한다.
1. 조례의 제정·개정 및 폐지
2. 예산의 심의·확정
3. 결산의 승인
4. 법령에 규정된 것을 제외한 사용료·수수료·분담금·지방세 또는 가입금의 부과와 징수
5. 기금의 설치·운용
6. 대통령령으로 정하는 중요 재산의 취득·처분
7. 대통령령으로 정하는 공공시설의 설치·처분
8. 법령과 조례에 규정된 것을 제외한 예산 외의 의무부담이나 권리의 포기
9. 청원의 수리와 처리
10. 외국 지방자치단체와의 교류협력에 관한 사항
11. 그 밖에 법령에 따라 그 권한에 속하는 사항

정답 ──

02 ③ 03 ② 04 ① 05 ② 06 ③

07 현행 「지방자치법」상 지방자치단체의 장의 보조기관에 해당하는 것은? 2011 국가 7급

① 부단체장
② 사업소
③ 출장소
④ 읍·면·동

08 「지방자치법」상 지방자치단체장에게 부여된 권한 중 지방의회와 지방자치단체장이 대립·갈등하는 경우의 비상적 해결수단에 속하지 않는 것은? 2008 지방 9급

① 재의 요구
② 직무이행명령
③ 준예산 집행
④ 선결처분

09 지방자치단체 기관구성 형태의 하나인 기관분립형에 대한 설명으로 적절하지 않은 것은? 2008 지방 7급

① 기관통합형에 비해 집행기관 구성에서 주민의 대표성을 확보할 수 있으나, 행정의 전문성이 결여될 수 있다.
② 의결기관과 집행기관 간의 견제와 균형의 원리에 의해 권력의 남용을 방지하고, 비판·감시 기능을 할 수 있다.
③ 지방의회와 지방자치단체의 장을 주민이 직선함으로써 지방행정에 대한 주민통제가 보다 용이하다.
④ 기관통합형에 비해 행정부서 간 분파주의를 배제하는 데 유리하다.

10 우리나라 지방자치단체장의 권한으로 볼 수 없는 것은? 2008 국가 7급

① 지방의회의 의결이 월권이거나 법령에 위반되는 경우 재의요구권
② 총선거 후 최초로 집결되는 지방의회 임시회 소집권
③ 지방의회의 의결사항 중 주민의 생명과 재산보호를 위하여 긴급하게 필요한 사항으로서 지방의회를 소집할 시간적 여유가 없거나 지방의회에서 의결이 지체되어 의결되지 아니할 때의 선결처분권
④ 지방채 발행권

11 지방의회가 의결한 조례안이 월권 또는 법령에 위반되거나 공익을 현저히 해한다고 인정되는 때에 지방자치단체의 장이 행사할 수 있는 권한은? 2007 울산 9급

① 선결처분권
② 재의요구권
③ 제소권
④ 불신임의결권

07
정답 : ①

① 보조기관이란 행정기관의 의사결정이나 표시를 보조함으로써 기관의 목적 달성에 공헌하는 기관으로, 부단체장과 실·국·과장 등이 이에 해당한다.

② 사업소는 특정 업무를 효율적으로 수행하기 위하여 설치하는 것으로 소속기관에 해당한다.

③ 출장소는 원격지 주민의 편의와 특정지역의 개발을 촉진하기 위해 설치하는 것으로 소속기관에 해당한다.

④ 읍·면·동은 자치시가 아닌 하부행정기관이다.

08
정답 : ②

② 직무이행명령은 지방자치단체의 장이 그 의무에 속하는 국가위임사무의 관리와 집행을 명백히 게을리 하고 있다고 인정되면 주무부장관이 그 이행할 사항을 명령하는 것으로, 지방정부에 행하는 중앙정부의 통제방식이다.

① 재의요구는 자치단체장이 지방의회에 행사할 수 있는 권한이다.

③ 준예산 집행은 예산안에 대한 선결처분권으로 자치단체장이 지방의회에 행사할 수 있는 권한이다.

④ 선결처분은 자치단체장이 지방의회에 행사할 수 있는 권한이다.

09
정답 : ①

① 기관분립형은 주민이 직접 선출한 집행기관의 장이 전문적으로 업무를 수행하므로 행정의 전문성을 향상시킨다.

② 기관분립형은 의결기능과 집행기능을 각각 다른 기관에 분담시키므로 견제와 균형을 통한 권력남용을 방지할 수 있다.

③ 기관분립형은 지방의회와 지방자치단체의 장을 각각 주민이 직선함으로써 지방행정에 대한 주민통제가 보다 용이하다.

④ 기관분립형은 기관통합형에 비해 집행기관의 장에게 행정권이 통합적으로 주어지므로 인해 행정부서 간 부처할거주의가 예방된다.

10
정답 : ②

② 총선거 후 최초로 집결되는 지방의회 임시회 소집권은 지방의회의 사무처장, 사무국장, 사무과장에게 있다. 한편 지방의회 의장은 자치단체장 또는 재적의원 1/3 이상의 요구가 있을 때 임시회를 소집할 권한을 갖는다.

11
정답 : ②

② 재의요구권은 지방의회의 의결이 월권 또는 법령에 위반되거나 공익을 현저히 해한다고 인정된 때 등의 사유로 지방의회의 의결사항에 대하여 재의를 요구할 수 있는 권한이다.

① 선결처분권은 지방의회가 성립되지 아니한 때와 의회를 소집할 여유가 없거나 의회에서의 의결이 지체될 때 일정한 사항에 대하여 선결처분을 할 수 있는 권한이다.

③ 제소권은 재의결된 사항이 법령에 위반된다고 인정되면 자치단체장이 대법원에 소를 제기할 수 있는 권한이다.

④ 불신임의결권은 지방의회가 자치단체장에 대해 갖는 권한으로 우리나라의 경우 단체장에 대한 불신임의결권을 인정하지 않고 있다.

⭐ 포인트 정리

직무이행명령

대상사무	기관위임사무
주체	주무부장관
사유	지자체장이 관리 및 집행을 명백히 게을리한 때
절차	① 기간을 정하여 서면으로 명령 ② 불이행시: 해당 지자체 비용 부담으로 대집행 or 행·재정상 필요한 조치
불복시	지자체장이 15일 이내 대법원에 소 제기 (집행정지결정 신청 가능)

지방자치단체장과 지방의회의 관계

자치단체장이 지방의회에 대해 갖는 권한	지방의회가 자치단체장에 대해 갖는 권한
• 지방의회 의결에 대한 재의요구 및 제소권 • 자치단체장의 선결처분권 • 의안발의권 • 임시회 소집요구권 • 우리나라는 의회 해산권 없음	• 서류제출 요구권 • 행정사무 감사 및 조사권 • 행정사무처리상황의 보고와 질문, 응답권 • 예산·결산 승인권 • 우리나라는 불신임의결권 없음

기관대립형의 장단점

장점	• 집행기관과 의결기관이 상호견제와 균형원리로 권력남용을 방지 • 집행기관의 장이 행정권을 통합적으로 행사하여 부처할거주의 방지 • 지방행정에 총괄책임자 존재하여 행정의 책임성·통일성 확보 • 집행기관의 장이 전문적으로 업무수행(행정의 전문성 향상) • 대도시에 적합
단점	• 집행기관과 의결기관 간 마찰과 대립시 행정의 불안정 및 비효율 초래 • 집행기관의 장이 정치적 문제를 중시해 행정을 소홀히 함 • 행정이 집행기관의 장에 의하여 주도되므로 다양한 주민의사가 반영되기 곤란 • 결정과 집행의 괴리가 발생

정답

07 ① 08 ② 09 ① 10 ② 11 ②

지방행정론

PART 7

해커스공무원 마니행정학 기출 빅데이터 기본서

01 자치경찰제도에 대한 설명으로 옳지 않은 것은?

2021 지방, 서울 9급

① 지역 실정에 맞는 치안 행정을 펼칠 수 있다.

② 경찰 업무의 통일성과 효율성을 높일 수 있다.

③ 제주자치경찰단은 주민의 생활안전 활동에 관한 사무를 수행한다.

④ 자치경찰 사무를 관장하기 위하여 광역자치단체에 시·도 자치경찰위원회를 둔다.

02 자치경찰제의 장점에 관한 설명 중 가장 옳지 않은 것은?

2011 경정승진

① 지역적 특성에 맞는 치안행정을 구현할 수 있어 경찰행정의 대응성을 제고할 수 있다.

② 지역치안활동에 대한 지역 주민의 협조가 용이하다.

③ 지역치안의 유지에 대한 경찰의 책임성을 확보할 수 있다.

④ 경찰기관 상호 간의 협조가 용이하여 경찰행정의 능률성을 확보할 수 있다.

CHAPTER 07　지방재정(1) – 지방세, 세외수입

기출 필수 코스

01 「지방세기본법」상 지방세목에 대한 설명으로 가장 옳은 것은?

2020 서울 7급

① 도세 중 보통세에는 취득세, 등록면허세, 레저세, 지방소득세가 있다.

② 시·군세에는 담배소비세, 주민세, 지방소비세, 재산세, 자동차세가 있다.

③ 특별시세와 광역시세 중 목적세에는 지역자원시설세, 지방교육세, 레저세가 있다.

④ 구세에는 등록면허세, 재산세가 있다.

01

정답 : ②

② 경찰 업무의 통일성과 효율성을 높일 수 있는 것은 국가경찰제도의 특징이다.

① 자치경찰제는 경찰기관의 설치와 운영을 지방자치단체가 담당하므로 지역 실정에 맞는 치안행정을 수행할 수 있다.

③ 제주자치경찰단은 주민의 생활안전활동에 관한 사무, 지역교통활동에 관한 사무 등을 수행한다.

> **제주특별자치도 설치 및 국제자유도시 조성을 위한 특별법 제90조(사무)** 자치경찰은 다음 각 호의 사무(이하 "자치경찰사무"라 한다)를 처리한다.
> 1. 주민의 생활안전활동에 관한 사무
> 2. 지역교통활동에 관한 사무
> 3. 공공시설과 지역행사장 등의 지역경비에 관한 사무
> 4. 「사법경찰관리의 직무를 수행할 자와 그 직무범위에 관한 법률」에서 자치경찰공무원의 직무로 규정하고 있는 사법경찰관리의 직무
> 5. 「즉결심판에 관한 절차법」 등에 따라 「도로교통법」 또는 「경범죄 처벌법」 위반에 따른 통고처분 불이행자 등에 대한 즉결심판 청구 사무

④ 자치경찰사무를 관장하기 위해 시·도 자치경찰위원회를 설치한다.

> **국가경찰과 자치경찰의 조직 및 운영에 관한 법률 제18조(시·도자치경찰위원회의 설치)** ① 자치경찰사무를 관장하게 하기 위하여 특별시장·광역시장·특별자치시장·도지사·특별자치도지사(이하 "시·도지사"라 한다) 소속으로 시·도자치경찰위원회를 둔다.

02

정답 : ④

④ 경찰기관 상호 간의 협조가 용이하여 경찰행정의 능률성을 확보할 수 있는 것은 국가경찰제의 장점이다.

① 자치경찰은 경찰기관의 설치운영을 국가가 아닌 자치단체가 담당하고 있는 유형으로 지역적 특성에 맞는 치안행정을 구현할 수 있어 경찰행정의 대응성을 제고할 수 있다.

②, ③ 자치경찰제에서는 주민의 의사가 반영된 생활치안이 책임성 있게 실현되고 분권화와 민주화를 이룰 수 있어 지역치안활동에 대한 지역 주민의 협조가 용이하고 지역치안의 유지에 대한 경찰의 책임성을 확보할 수 있다.

01

정답 : ④

④ 등록면허세, 재산세는 자치구세에 해당한다.

① 도세 중 보통세에는 취득세, 등록면허세, 레저세, 지방소비세가 있다.

② 시·군세에는 담배소비세, 주민세, 지방소득세, 재산세, 자동차세가 있다.

③ 특별시세와 광역시세 중 목적세에는 지역자원시설세, 지방교육세가 있다. 한편 레저세는 보통세에 해당한다.

> **정답**
> 01 ② 02 ④ 01 ④

02 우리나라의 지방세가 아닌 것은?

2020 행정사

① 종합부동산세

② 담배소비세

③ 재산세

④ 취득세

⑤ 레저세

03 지방자치단체가 부과할 수 있는 세목의 연결이 옳지 않은 것은?

2019 지방 7급

① 서울특별시 노원구 – 재산세, 등록면허세

② 제주특별자치도 – 지방소득세, 재산세

③ 충청남도 공주시 – 담배소비세, 지방소득세

④ 울산광역시 울주군 – 지방소득세, 등록면허세

04 우리나라의 지방자치제도에 대한 설명으로 옳은 것은?

2017 지방 7급

① 시·군의 지방세 세목에는 담배소비세, 주민세, 지방소득세, 재산세, 자동차세가 있다.

② 지방의회는 지방자치단체를 외부에 대표하는 기능, 국가위임 사무 집행 기능 등을 가진다.

③ 지방자치단체는 2계층이며, 16개의 광역자치단체와 220개의 기초자치단체가 설치되어 있다.

④ 기관통합형 구조를 채택하고 있으며, 기초자치단체장 선거에서는 정당공천제를 실시하지 않고 있다.

05 지방세 중 도(道)세에 해당하는 것은?

2015 지방 7급

① 담배소비세

② 지방소득세

③ 지방소비세

④ 자동차세

02

① 종합부동산세는 국세에 해당한다.

②, ③, ④, ⑤ 담배소비세, 재산세, 취득세, 레저세는 모두 지방세에 해당한다.

국세와 지방세의 세목체계

국세	내국세	직접세	소득세, 법인세, 상속세, 증여세, 종합부동산세
		간접세	부가가치세, 개별소비세, 주세, 인지세, 증권거래세
	목적세		교육세, 농어촌특별세, 교통에너지환경세
	관세		–
지방세	보통세		취득세, 등록면허세, 주민세, 재산세, 자동차세, 레저세, 지방소비세, 지방소득세, 담배소비세
	목적세		지방교육세, 지역자원시설세

03

④ 광역시 안에 군을 두고 있는 경우 도세를 광역시세로 본다. 따라서 울주군의 세목은 주민세, 재산세, 자동차세, 담배소비세, 지방소득세이다.

04

① 담배소비세, 주민세, 지방소득세, 재산세, 자동차세는 지방세의 세목 중 시·군세에 해당한다.

② 지방자치단체장은 지방자치단체를 외부에 대표하는 기능, 국가위임 사무 집행 기능 등을 가진다.

③ 우리나라 자치단체는 광역과 기초로 구분되는 2계층의 중층제를 취하고 있으며, 17개의 광역자치단체와 226개의 기초자치단체가 설치되어 있다.

④ 우리나라의 경우 기관대립형 구조를 채택하고 있으며 기초자치단체장 선거에서 정당공천제를 실시하고 있다.

05

③ 도세에는 취득세, 레저세, 등록면허세, 지방소비세 등이 있다.

①, ②, ④ 담배소비세, 지방소득세, 자동차세는 특별시·광역시세에 해당한다.

지방세목 체계

구분	특별시·광역시	도세	자치구세	시·군세
보통세	취득세, 주민세, 자동차세, 레저세, 담배소비세, 지방소비세, 지방소득세,	취득세, 레저세, 등록면허세, 지방소비세	등록면허세, 재산세	주민세, 재산세, 자동차세, 담배소비세, 지방소득세
목적세	지방교육세, 지역자원시설세	지방교육세, 지역자원시설세		

★ 포인트 정리

지방세의 원칙

재정 수입 측면	• 충분성 원칙: 지방재정수요를 충족시키는 데 충분한 수입이 확보될 수 있어야 함 • 보편성 원칙: 각 지방자치단체의 수입이 보편적으로 존재해야 함 • 정착성 원칙: 세원은 가급적 이동이 적고 일정 지역 내 정착하고 있어야 함 • 신장성 원칙: 지방자치단체의 수입이 지방자치단체 발전에 따라 증가되어야 함 • 안전성 원칙: 세수가 매년 한정적으로 수입되고, 연도 간 세수 변동이 적어야 함 • 신축성(탄력성) 원칙: 재정수요의 변화에 따라 탄력적으로 대응할 수 있어야 함
주민 부담 측면	• 부담분임 원칙: 지방자치단체 구역 안에 거주하는 주민이 자치단체의 행정활동에 소요되는 비용을 널리 분담해야 함 • 응익성 원칙: 지방자치단체가 제공하는 공공서비스로부터 주민이 받는 이익에 따라 지방세를 부담하도록 함 • 효율성 원칙: 시장의 효율적인 선택행위를 침해해서는 안 됨 • 부담보편 원칙: 동등한 지위에 있는 자에게는 동등하게 과세하고, 조세감면의 폭을 너무 넓혀서는 안 된다는 원칙

06 다음 설명에 해당하는 지방세의 원칙은?

> • 납세자의 지불능력보다는 공공서비스의 수혜정도를 기준으로 한다.
> • 세외수입 역시 이 원칙의 적용을 받는다.

① 신장성의 원칙
② 응익성의 원칙
③ 안정성의 원칙
④ 부담분임의 원칙

07 지방세 세원확보 원칙과 우리나라 지방자치단체의 현실적인 문제점을 연결한 것으로 옳지 않은 것은?

① 충분성 – 지방세 수입이 지방사무의 양에 비교하여 충분하지 못하다.
② 안정성 – 소득과세 중심으로 세원 확보가 매우 불안정하다.
③ 보편성 – 수도권과 비수도권의 세원이 심각하게 불균형적이다.
④ 자율성 – 지방세의 세목설정 권한이 인정되지 않기 때문에 자율성이 상대적으로 떨어진다.

08 현행 지방세목 중 보통세로만 옳게 묶여진 것은?

| ㄱ. 자동차세 | ㄴ. 주민세 | ㄷ. 재산세 |
| ㄹ. 취득세 | ㅁ. 지역자원시설세 | ㅂ. 지방교육세 |

① ㄱ, ㄴ, ㄷ, ㄹ
② ㄱ, ㄴ, ㄷ, ㅂ
③ ㄴ, ㄷ, ㅁ, ㅂ
④ ㄱ, ㄷ, ㄹ, ㅁ

09 지방재정과 중앙재정을 비교 설명한 것으로 가장 옳은 것은?

① 지방재정은 자원배분기능, 소득재분배기능, 경제안정화기능 등 포괄적인 기능을 수행하는 반면, 중앙재정은 주로 자원배분기능을 중심적으로 수행한다.
② 재원조달방식에 있어 중앙정부는 지방정부에 비해 조세 이외의 보다 다양한 세입원에 의존하고 있다.
③ 지방정부의 재정운용은 중앙정부에 비해 주민의 선호에 더욱 민감하게 작용한다.
④ 중앙재정은 지방재정과 비교할 때 공평성보다는 자원배분의 효율성을 상대적으로 더 중시한다.

06

② 지방세의 응익성의 원칙으로 응익성의 원칙은 지방자치단체가 제공하는 공공서비스로부터 주민이 받는 이익에 따라 지방세를 부담하도록 하는 것으로 행정주체가 제공하는 공공서비스와 주민의 담세액이라는 반대급부 사이에 대가관계가 성립한다.

① 신장성의 원칙은 지방자치단체의 수입이 지방자치단체의 발전에 따라 증가되어야 한다는 것으로 지자체의 재정수요는 경제발전과 국민소득 수준의 상승에 따라 팽창하므로 세입도 증가할 필요가 있다는 것을 말한다.

③ 안정성의 원칙은 세수가 매년 한정적으로 수입되고, 연도 간 세수 변동이 적어야 한다는 원칙이다.

④ 부담분임의 원칙은 주민자치 관점에서 지자체 구역 안에 거주하는 주민이 지자체의 행정활동에 소요되는 비용을 널리 분담하여야 한다는 것을 말한다.

07

② 우리나라의 지방세는 소득과세가 아닌 재산과세 중심으로 되어있어 세원확보의 신장성이 부족하다.

① 국세와 지방세의 비중이 79:21로 지방세가 더 취약하다.

③ 지방세가 지역 간에 고루 분포되어 있지 못하므로 보편성이 약하다.

④ 모든 조세의 종목과 세율은 법률로 정하도록 하는 조세법정주의로 인하여 지방자치단체의 독자적인 과세자주권이 결여된다.

08

① ㄱ, ㄴ, ㄷ, ㄹ이 보통세에 해당한다.

ㅁ, ㅂ. [X] 지역자원시설세와 지방교육세는 목적세에 해당한다.

09

③ 지방재정은 자치단체가 지방자치의 기능을 수행하기 위하여 필요한 재원을 조달하고 관리하는 모든 활동으로 주민이 원하는 서비스를 대응성, 민주성 원리에 맞게 공급하므로 주민의 선호가 잘 반영될 수 있다.

① 지방재정은 주로 자원배분기능을 중심으로 수행하고, 국가재정은 자원배분기능, 소득재분배기능, 경제안정화기능 등 포괄적 기능을 수행한다.

② 국가재정은 조세의존도가 높은 반면, 지방재정은 세외수입 의존도가 높다.

④ 지방재정은 자원배분의 사용료 · 수수료 · 부담금 등 응익주의(서비스 이용대가에 따른 부담)가 지배적이므로 효율성을 상대적으로 중시하고, 국가재정은 응능주의가 지배적이므로 형평성이 강조된다.

포인트 정리

지방세목

보통세	취득세, 등록면허세, 주민세, 재산세, 자동차세, 레저세, 지방소비세, 지방소득세, 담배소비세
목적세	지방교육세, 지역자원시설세

정답

06 ② 07 ② 08 ① 09 ③

01 지방교부세에 대한 설명으로 가장 적절하지 않은 것은?   2021 경정승진

① 보통교부세는 해마다 기준재정수입액이 기준재정수요액에 못 미치는 지방자치단체에 그 미달액을 기초로 교부하는 것이 원칙이다.

② 특별교부세는 지방교부세 중에서 가장 큰 비중을 차지하는 항목으로 지출 용도에 제한이 없는 일반재원이다.

③ 부동산교부세의 재원은 국세인 종합부동산세로 이루어진다.

④ 소방안전교부세는 지방자치단체의 소방 및 안전시설 확충, 안전관리 강화 등을 위해 교부하는 특정재원이다.

02 지방재정의 세입항목 중 자주재원에 해당하는 것은?   2020 지방, 서울 9급

① 지방교부세   ② 재산임대수입

③ 조정교부금   ④ 국고보조금

03 지방자치단체의 재정자립도에 대한 설명으로 가장 옳지 않은 것은?   2019 서울 9급

① 재정자립도는 세입총액에서 지방세수입과 세외수입이 차지하는 비율을 나타낸다.

② 자주재원이 적더라도 중앙정부가 지방교부세를 증액하면 재정자립도는 올라간다.

③ 재정자립도가 높다고 지방정부의 실질적 재정이 반드시 좋다고 볼 수 없다.

④ 국세의 지방세 이전은 재정자립도 증대에 도움이 된다.

04 지방재정조정제도 중 「지방교부세법」에서 규정하고 있지 않은 것은?   2018 지방 9급

① 소방안전교부세   ② 보통교부세

③ 조정교부금   ④ 부동산교부세

01

정답 : ②

② 특별교부세는 특정재원으로 지출 용도를 제한할 수 있으며 통제가 수반된다. 한편 지방교부세 중에서 가장 큰 비중을 차지하는 항목으로 지출 용도에 제한이 없는 일반재원은 보통교부세이다.

① 보통교부세는 매년 기준재정수입액이 기준재정수요액에 못 미치는 지자체에 그 미달액을 기초로 교부하는 것이다.

③ 부동산교부세는 종합부동산세를 재원으로 한다.

④ 소방안전교부세는 지방자치단체의 소방 및 안전시설 확충, 안전관리 강화 등을 위해 교부하는 재원으로 특정재원의 성격을 갖는다.

02

정답 : ②

② 재산임대수입은 경상적 세외수입으로 이는 자주재원에 해당한다.

①, ③, ④ 지방교부세, 조정교부금, 국고보조금은 모두 의존재원에 해당한다.

03

정답 : ②

② 재정자립도는 지방자치단체의 전체 재원에 대한 자주재원의 비율로 의존재원이 적을수록 높게 나타나고 지방교부세의 비중이 커질수록 낮아지므로, 중앙정부가 지방교부세를 증액하면 재정자립도는 내려간다.

① 재정자립도는 예산 규모에서 지방세 수입과 세외수입의 합계액이 차지하는 비율을 의미한다.

③ 재정자립도는 지방자치단체의 일반회계만을 고려하고 특별회계와 기금 등을 종합적으로 고려하지 못하므로 지방자치단체의 실제 재정력이 과소평가되며, 재정자립도가 높다고 해서 실질적 재정이 좋다고 할 수는 없다.

④ 지방세원이나 세외수입 등을 확충하는 방법을 통해 재정자립도를 향상시킬 수 있다.

04

정답 : ③

③ 조정교부금은 국가가 아닌 광역자치단체가 기초자치단체에 대하여 실시하는 재정조정제도로,「지방재정법」에서 규정하고 있다.

①, ②, ④ 소방안전교부세, 보통교부세, 부동산교부세, 특별교부세는 「지방교부세법」에서 규정하고 있다.

✏️ 포인트 정리

의존재원

지방교부세	보통교부세	재정력 지수 1을 기준으로 함
	특별교부세	재해복구 등 특별한 재정수요에 지급
	소방안전교부세	지자체의 소방 및 안전시설 확충 등을 위하여 지급
	부동산교부세	종합부동산세 전액을 재원으로 함
국고보조금	장려적 보조금	자치사무에 대한 지원
	부담금	단체위임사무에 대한 보조금
	교부금	기관위임사무에 대한 보조금

지방재정법 vs 지방교부세법

> **지방재정법 제29조의3(조정교부금의 종류와 용도)** 조정교부금은 일반적 재정수요에 충당하기 위한 일반조정교부금과 특정한 재정수요에 충당하기 위한 특별조정교부금으로 구분하여 운영하되, 특별조정교부금은 민간에 지원하는 보조사업의 재원으로 사용할 수 없다.

> **지방교부세법 제3조(교부세의 종류)** 지방교부세의 종류는 보통교부세·특별교부세·부동산교부세 및 소방안전 교부세로 구분한다.

정답

01 ② 02 ② 03 ② 04 ③

05 「지방교부세법」상 지방교부세에 대한 설명으로 옳지 않은 것은? 2017 지방 9급

① 지방교부세의 재원에는 종합부동산세 총액, 담배에 부과하는 개별소비세 총액의 일부 등이 포함된다.

② 보통교부세의 산정기일 후에 발생한 재난을 복구하거나 재난 및 안전관리를 위한 특별한 재정수요가 생기거나 재정수입이 감소한 경우 특별교부세를 교부할 수 있다.

③ 지방교부세의 종류는 보통교부세, 특별교부세, 부동산교부세 및 교통안전교부세로 구분한다.

④ 지방행정 및 재정운용 실적이 우수한 지방자치단체에 재정지원 등 특별한 재정수요가 있을 경우 특별교부세를 교부할 수 있다.

06 다음 중 국고보조금의 설명으로 가장 옳지 않은 것은? 2015 해경간부

① 지방재정의 형평성을 유지하기 위한 수단이다.

② 중앙정부와 지방자치단체간의 수직적 재정조정이다.

③ 지방자치단체의 자율성을 강화한다.

④ 중앙정부가 지방자치단체에 대해 사무와 기능을 위탁할 때 지원하는 경우도 있다.

07 세외수입의 특징이 아닌 것은? 2014 지방 7급

① 세외수입은 용도가 지정되지 않은 경우가 많다.

② 세외수입은 응익적 요소를 내포하고 있다.

③ 세외수입은 종류가 많고 그 수입근거와 형태도 다양하다.

④ 세외수입은 지역별, 연도별로 차이가 크다.

05

정답 : ③

③ 지방교부세는 보통교부세, 특별교부세, 부동산교부세 및 소방안전교부세로 구분한다.

① 지방교부세는 내국세의 19.24%, 종합부동산세 총액, 담배개별소비세 총액의 45% 등을 재원으로 한다.

②, ④ 특별교부세는 기준재정수요액의 산정방법으로는 파악할 수 없는 지역 현안에 대한 특별한 재정수요가 있는 경우, 보통교부세의 산정기일 후에 발생한 재난을 복구하거나 재난 및 안전관리를 위한 특별한 재정수요가 생기거나 재정수입이 감소한 경우, 국가적 장려사업 등의 이유로 교부한다.

> **지방교부세법 제9조(특별교부세의 교부)** ① 특별교부세는 다음 각 호의 구분에 따라 교부한다.
> 1. 기준재정수요액의 산정방법으로는 파악할 수 없는 지역 현안에 대한 특별한 재정수요가 있는 경우
> 2. 보통교부세의 산정기일 후에 발생한 재난을 복구하거나 재난 및 안전관리를 위한 특별한 재정수요가 생기거나 재정수입이 감소한 경우: 특별교부세 재원의 100분의 50에 해당하는 금액
> 3. 국가적 장려사업, 국가와 지방자치단체 간에 시급한 협력이 필요한 사업, 지역 역점시책 또는 지방행정 및 재정운용 실적이 우수한 지방자치단체에 재정 지원 등 특별한 재정수요가 있을 경우

06

정답 : ③

③ 지방재정에 대한 중앙의 통제와 감독으로 지방행정·재정의 자주성을 저해한다.

① 지방교부세에 비하면 상대적으로 형평성보다는 효율성을 추구하는 재원이지만, 보조금을 통하여 통일적 행정수준을 확보할 수 있다는 점에서 보면 상대적으로 옳은 지문으로 볼 수도 있다.

② 국고보조금은 국가와 지방간의 수직적 재정조정제도이다.

④ 국가사무(기관위임사무)를 지방에 위임할 경우 그 경비의 전부를 지급하는 위탁금이 있으며, 단체위임사무를 지방에 위임하는 경우 그 경비의 일부를 지급하는 부담금이 있다.

07

정답 : ①

① 세외수입은 일반적으로 사용용도가 지정되지 않는 일반재원에 해당하지만, 용도가 특정되는 경우가 더 많다.

② 세외수입은 시설의 사용, 행정서비스의 제공 등 특정서비스에 대한 반대급부로서 응익적 요소를 내포한다.

③ 세외수입은 수입의 근거나 종류 및 형태가 매우 다양한 특징을 지닌다.

④ 세외수입의 불규칙성 및 불균등성과 관련된다.

세외수입의 체계

일반회계	경상적 수입	사용료수입, 수수료수입, 재산임대수입, 사업수입[1] 징수교부금수입, 이자수입
	임시적 수입[2]	재산매각수입, 자치단체간 부담금, 보조금반환수입, 기타수입, 지난연도수입
	지방행정제재·부과금[3]	과징금, 이행강제금, 변상금, 과태료, 환수금, 부담금
특별회계	기타	재산임대수입, 사용료수입, 수수료수입, 지난연도수입, 기타
	공기업	상수도사업, 하수도사업, 공영개발사업

1) 사업수입: 사업장 생산수입, 청산금 수입, 매각사업수입, 배당금 수입, 기타
2) 2014년부터 세입과목 개편에 따라 '잉여금, 전년도이월금, 전입금, 예탁금 및 예수금, 융자원금수입'을 세외수입(임시적 세외수입)에서 제외
3) 2021년부터 세외수입 과목 개편에 따라 지방행정제재·부과금 '관'을 신설하여 분류

📌 **정답**

05 ③ 06 ③ 07 ①

08 세외수입의 종류와 그에 대한 설명을 바르게 연결한 것은?

2010 지방 7급

ㄱ. 지방자치단체가 주민의 복지증진을 위해 설치한 공공시설을 특정소비자가 사용할 때 그 반대급부로 개별적인 보상원칙에 따라 지방자치단체의 조례에 의거하여 강제적으로 부과·징수하는 공과금이다.

ㄴ. 지방자치단체의 재산 또는 공공시설의 설치로 인해 주민의 일부가 특별히 이익을 받을 때 그 비용의 일부를 부담시키기 위해 그 이익을 받는 자로부터 수익의 정도에 따라 징수하는 공과금이다.

ㄷ. 지방자치단체가 특정인에게 제공한 행정 서비스에 의해 이익을 받는 자로부터 그 비용의 전부 또는 일부를 반대급부로 징수하는 수입이다.

	ㄱ		ㄴ		ㄷ
①	사용료	–	분담금	–	수수료
②	수수료	–	부담금	–	과년도 수입
③	사용료	–	부담금	–	과년도 수입
④	수수료	–	분담금	–	사용료

09 지방재정조정제도에 대한 설명으로 가장 타당한 것은?

2007 국가 9급

① 지방교부세는 보통교부세와 특별교부세의 두 가지로 구성되어 있다.

② 특별교부세는 보통교부세의 기능을 보완하는 것으로 보통교부세를 교부받지 못하는 지방자치단체는 특별교부세를 교부받을 수 없다.

③ 국고보조금은 지방재정의 자율성을 약화시키지만 지방정부 간 재정력 격차를 현저하게 완화시키는 기능을 한다.

④ 지방교부세 총액은 법률에 의해 정해지지만 국고보조금의 규모는 중앙정부의 재정여건, 예산 정책 등을 고려하여 중앙정부에서 결정한다.

10 다음 지방자치단체의 재정 중 자주재원에 해당되는 것은?

2006 서울 9급

ㄱ. 주민세	ㄴ. 지방교부세	ㄷ. 사용료	ㄹ. 부담금

① ㄱ, ㄷ   ② ㄱ, ㄹ

③ ㄴ, ㄷ   ④ ㄴ, ㄹ

⑤ ㄷ, ㄹ

08

정답 : ①

① ㄱ - 사용료, ㄴ - 분담금, ㄷ - 수수료에 대한 설명이다.

ㄱ. [O] 사용료는 지방자치단체가 주민의 복지증진을 위해 설치한 공공시설을 특정소비자가 사용할 때 그 반대급부로 개별적인 보상원칙에 따라 지방자치단체의 조례에 의거하여 강제적으로 부과·징수하는 공과금이다.

ㄴ. [O] 분담금은 지방자치단체의 재산 또는 공공시설의 설치로 인해 주민의 일부가 특별히 이익을 받을 때 그 비용의 일부를 부담시키기 위해 그 이익을 받는 자로부터 수익의 정도에 따라 징수하는 공과금이다.

ㄷ. [O] 수수료는 지방자치단체가 특정인에게 제공한 행정서비스에 의해 이익을 받는 자로부터 그 비용의 전부 또는 일부를 반대급부로 징수하는 수입이다.

09

정답 : ④

④ 지방교부세 총액은 법률에 의해 정해지고, 국고보조금의 규모는 중앙정부의 재정여건 등을 고려하여 중앙정부에서 결정한다.

① 지방교부세는 보통교부세, 특별교부세, 부동산교부세, 소방안전교부세 4가지가 있다.

② 재정력지수가 1보다 높아 재정이 건전한 자치단체는 보통교부세를 교부받지 못할 수 있으나 특별교부세는 교부받을 수 있다. 보통교부세와 특별교부세는 별개이다.

③ 지방정부 간에 재정력 격차를 완화시키는 것은 지방교부세이다.

10

정답 : ①

① ㄱ, ㄷ은 자주재원에 해당한다.

ㄱ, ㄷ. [O] 주민세는 지방세 중 보통세에 해당하고, 사용료는 세외수입 중 경상수입에 해당한다.

ㄴ, ㄹ. [X] 의존재원에 해당한다.

01 우리나라의 주민소환제도에 대한 설명으로 옳지 않은 것은?

2021 국가 9급

① 가장 유력한 직접민주주의 제도이다.

② 비례대표 지방의회의원은 주민소환 대상이 아니다.

③ 심리적 통제 효과가 크다.

④ 군수를 소환하려고 할 경우에는 해당 군의 주민소환투표청구권자 총수의 100분의 10이상의 서명을 받아 청구해야 한다.

02 우리나라의 주민참여제도 중 가장 나중에 도입된 것은?

2020 경찰간부

① 주민투표제

② 주민소환제

③ 주민소송제

④ 조례제정개폐청구제

03 우리나라의 지방자치제도에 대한 설명으로 가장 옳은 것은?

2019 경찰간부

① 우리나라 주민참여제도는 「주민조례개폐청구제 → 주민투표제 → 주민소환제 → 주민소송제」 순으로 법제화되었다.

② 주민투표의 효력에 대해 이의가 있는 경우 투표결과가 공표된 날부터 20일 이내에 소청을 제기할 수 있다.

③ 주민소환은 지방자치단체의 장 및 비례대표 시·도의원을 대상으로 하며, 임기개시일로부터 1년 이내에는 청구할 수 없다.

④ 주민소송은 주민의 감사청구를 전심절차로 하며, 다수 주민의 연서를 필요로 하지 않는다.

04 아른스타인(Arnstein)의 주민참여 8단계에서 실질적 참여에 해당하는 것은?

2018 지방 7급

① 권한위임(delegated power)

② 정보제공(informing)

③ 조작(manipulation)

④ 상담(consultation)

01

정답 : ④

④ 군수를 소환하려고 할 경우에는 해당 군의 주민소환투표청구권자 총수의 100분의 15 이상의 서명을 받아 청구해야 한다.

① 주민소환제도는 간접민주주의에 대한 보완적 제도로 선출직 지방공직자의 위법이나 부당행위, 직권남용 등을 통제하는 직접민주주의 제도이다.

② 주민소환제도의 대상에는 해당 지방자치단체장 및 지방의회의원이 있으며 비례대표 지방의회의원은 제외한다.

③ 주민소환제도는 선출직 지방공직자에 대한 통제장치로 주민에 의사에 벗어나는 정책을 펼치거나 직권 등을 남용할 경우 해당 직을 상실할 수 있으므로 선출직 지방공직자에게 심리적 통제 효과를 크게 줄 수 있다.

02

정답 : ②

② 주민소환제는 2006년에 주민소환법이 제정되고 2007년부터 시행되었다.

① 주민투표제는 2004년에 도입되었다.

③ 주민소송제도는 2006년에 도입되었다.

④ 조례제정개폐청구는 1999년 도입되었다.

03

정답 : ④

④ 주민소송은 주민감사청구의 결과에 불복하는 경우에 하는 것으로 주민의 감사청구를 전심절차로 거쳐야 하며, 주민감사청구를 한 주민에 한하여 소송을 제기할 수 있으므로 다수 주민의 연서를 필요로 하지 않는다.

① 우리나라 주민참여제도는 「주민조례개폐청구제(1999) → 주민투표제(2004) → 주민소송제(2005) → 주민소환제(2006)」 순으로 법제화되었다.

② 주민투표의 효력에 대해 이의가 있는 경우 투표결과가 공표된 날부터 14일 이내에 소청을 제기할 수 있다.

③ 주민소환은 지방자치단체의 장 및 비례대표의원을 제외한 지방의회의원을 대상으로 하며(비례대표 시·도의원 및 비례대표 자치구·시·군의원은 제외), 임기개시일로부터 1년 이내에는 청구할 수 없다.

04

정답 : ①

① 권한위임은 실질적 참여단계에 해당한다.

② 정보제공은 형식적 참여단계에 해당한다.

③ 조작은 비참여단계에 해당한다.

④ 상담은 형식적 참여단계에 해당한다.

★ 포인트 정리

주민소환투표청구권자 서명인 수

특별시장, 광역시장, 도지사	당해 지방자치단체의 주민소환투표청구권자 총수의 100분의 10 이상
시장, 군수, 자치구의 구청장	당해 지방자치단체의 주민소환투표청구권자 총수의 100분의 15 이상
지역구 시·도의원 및 지역구 자치구·시·군 의원	당해 지방의회의원의 선거구 안의 주민소환투표청구권자 총수의 100분의 20 이상

우리나라 주민직접참여제도의 도입순서

주민청구	주민감사청구	1999년	지방자치법
	주민조례제정개폐청구		
주민투표		2004년	주민투표법
주민소송		2006년	지방자치법
주민소환		2007년	주민소환법

Arnstein의 주민참여 유형

참여단계	참여형태
시민통제(Citizen control)	주민권력의 단계 (실질적 참여)
권한위임 (Delegated power)	
공동협력(Partnership)	
회유(설득 : Placation)	명목적 참여단계 (형식적 참여)
자문(상담 : Consulting)	
정보제공(Informing)	
치료(교정 : Therapy)	비참여 단계
조작(제도 : Manipulation)	

정답

01 ④ 02 ② 03 ④ 04 ①

05 우리나라 주민소환제도에 관한 설명으로 가장 적절하지 않은 것은?

2016 경정승진

① 주민투표권자 총수의 3분의 1이상의 투표와 유효투표 총수 과반수의 찬성으로 확정된다.

② 주민소환의 방식은 해당 관할구역의 주민들이 자율적으로 정한다.

③ 주민소환투표 대상은 선출직 지방공직자인 해당 지방자치단체의 장 및 지방의회 의원이다.

④ 지방자치에 관한 주민의 직접참여를 확대하고 지방행정의 민주성과 책임성을 제고함을 목적으로 한다.

06 주민의 참여가 확대됨으로써 예상되는 긍정적 기능에 해당하지 않는 것은?

2015 사복 9급

① 정책집행의 순응성 제고

② 정책의 민주성과 정당성 증대

③ 시민의 역량과 자질 증대

④ 행정적 비용의 감소

07 현행 지방자치법상 주민의 권리로 가장 옳지 않은 것은?

2013 경찰간부

① 주민소환권   ② 주민소송권

③ 지방의회해산청구권   ④ 감사청구권

08 우리나라 주민투표에 대한 다음 설명 중 옳은 것은?

2013 군무원

① 대한민국 국적을 취득하기 전에는 외국인은 주민투표권자가 될 수 없다.

② 주민투표에 부치는 사항은 당해 지방자치단체의 주요결정사항에 한한다.

③ 주민투표의 발의는 지방자치단체의 장만이 할 수 있다.

④ 주민투표권자의 2분의 1 이상이 투표하지 않으면 개표를 하지 않는다.

05
정답 : ②

② 주민소환 방식이 자율적으로 정하는 것이 아닌 「주민소환에 관한 법률」에 의해 주민소환제가 도입·시행되고 있다.

① 주민소환투표권자 총수의 1/3 이상의 투표와 유효투표 총수 과반수의 찬성으로 확정된다.

③ 소환투표대상은 선출직 지방공직자인 해당 지방자치단체의 장 및 지방의회의원을 대상으로 하며, 비례대표 시·도의원 및 비례대표 자치구·시·군의원은 제외한다.

④ 선출직 공직자에 대한 통제장치를 마련함으로써 지방행정의 민주성과 책임성을 제고하고 주민의 복리 증진에 기여한다.

06
정답 : ④

④ 주민이 참여할수록 집행과정에서 정책에 대한 순응확보가 용이하여 행정의 전반적 효율성은 높아지지만 결정과정에서 시간이 지연되고 결정(참여)비용이 증가한다는 단점이 있다.

① 주민의 참여를 통한 동의의 극대화로 정책의 순응비용을 낮추어 정책의 신뢰성을 향상시킬 수 있다.

② 절차적 민주주의 실현을 통한 정책의 정당성과 대응성을 도모할 수 있다.

③ 주민참여가 확대됨으로써 시민의 역량 등이 제고된다.

07
정답 : ③

③ 지방의회해산청구권은 지방자치법상 주민의 권리에 해당되지 않는다.

① 주민소환권은 선거에 의하여 취임한 공직자의 파면을 주민이 요구하고 주민들이 그 여부를 결정하는 제도로 주민의 권리에 해당한다.

② 주민소송권은 주민이 지방자치단체의 재무행위가 위법·부당하다고 인정하는 경우 감사기관에 감사를 청구하고 그 감사결과에 불복하는 경우 법원에 재판을 청구하는 제도로 주민의 권리에 해당한다.

④ 감사청구권은 주민소송을 위한 전심절차로 청구대상사항을 재무행위 분야와 위법 또는 부당한 행위로 한정하고 있다.

08
정답 : ③

③ 주민투표의 요구나 청구는 중앙행정기관장, 주민, 지방의회가 할 수 있지만 발의(주민투표에 부치는 행위)는 지자체장만 할 수 있다.

① 일정한 자격을 갖춘 외국인도 자치단체의 조례로 정한 경우에는 주민투표권자가 될 수 있다.

② 주민에게 과도한 부담을 주거나 중대한 영향을 미치는 사항 중 조례로 정한 사항뿐 아니라 중앙행정기관장이 자치단체의 폐치·분합이나 국가 주요시설 설치 등 국가정책 수립에 대한 주민 의견을 듣기 위하여 필요한 때에는 자치단체장에게 주민투표의 실시를 요구할 수 있다.

④ 주민투표권자 총수의 4분의 1에 미달되는 때에는 개표하지 않는다.

☆ 포인트 정리

주민참여(행정참여)의 장단점

장점	단점
① 대의민주주의 미비점 보완	① 행정의 전문성·실현가능성 저하우려
② 정책의 정당성과 대응성 도모	② 특수이익만 반영, 일반시민이나 잠재집단의 이익대변 곤란
③ 정책의 신뢰성 향상	③ 정부의 잘못된 정책을 시민에게 책임 전가
④ 정책의 현실성 및 적실성을 높임	④ 갈등의 증폭과 정부정책 조정능력 저하
⑤ 정책의 효율성은 높임	⑤ 행정의 능률성 저해
⑥ 시민에 대한 행정책임 확보, 소외계층에 대한 배려	⑥ 대중조작 가능성

정답
05 ② 06 ④ 07 ③ 08 ③

09 지방자치단체의 예산이 불법·부당하게 지출된 경우 공무원의 책임을 확보하는 데 가장 효과적인 주민통제제도는?

2011 서울 9급

① 주민감사청구　　　　　　　　　　② 납세자소송

③ 주민소환　　　　　　　　　　　　④ 주민참여예산

⑤ 예산감시운동

10 우리나라의 현행 주민감사청구제도에 대한 다음 설명 중 옳지 않은 것은?

2006 국가 9급

① 시·도의 경우 주무부장관에게, 그리고 시·군·자치구의 경우 시·도지사에게 감사를 청구한다.

② 지방자치단체의 19세 이상 주민으로서 유권자 50분의 1범위 안에서 조례로 정하는 주민 수 이상의 연서로 감사를 청구할 수 있다.

③ 공익을 현저히 해한다고 인정되는 경우에도 수사 또는 재판에 관여하는 사항은 감사청구 대상에 포함되지 않는다.

④ 주무부장관 또는 시·도지사는 감사청구를 수리한 날로부터 60일 이내에 감사 청구된 사항에 대하여 감사를 종료하여야 한다.

CHAPTER 10　정부 간 관계론, 광역행정, 일선기관　기출 필수 코스

01 라이트(Wright)의 정부간관계(Inter-Governmental Relations: IGR) 모형에 대한 설명으로 옳지 않은 것은?

2023 지방 9급

① 정부 간 상호권력관계와 기능적 상호의존관계를 기준으로 정부간관계(IGR)를 3가지 모델로 구분한다.

② 대등권위모형(조정권위모형, coordinate-authority model)은 연방정부, 주정부, 지방정부가 모두 동등한 권한을 가지고 있다고 설명한다.

③ 내포권위모형(inclusive-authority model)은 연방정부, 주정부, 지방정부를 수직적 포함관계로 본다.

④ 중첩권위모형(overlapping-authority model)은 연방정부, 주정부, 지방정부가 상호 독립적인 실체로 존재하며 협력적 관계라고 본다.

09

② 납세자소송은 정부의 재정지출과 관련된 부정과 낭비를 직접 감시하고 통제하는 제도로, 2005년 지방자치법에 주민소송제를 규정함으로써 납세자소송이 입법화되었다.

① 주민감사청구는 지방자치단체나 그 장의 권한에 속하는 사무의 처리가 법령에 위반되거나 공익을 현저히 해친다고 인정될 때 조례로 정하는 주민 수 이상의 연서로 감사를 청구할 수 있는 제도이다.

③ 주민소환은 선출직 지방공직자에 대한 통제장치로 지방자치단체장과 지방의회 의원(비례대표의원 제외)을 대상으로 임기 만료 전에 주민들이 해임을 청구하고 주민투표로서 결정하는 제도이다.

④ 주민참여예산은 대통령령으로 정하는 바에 따라 지방자치단체장이 지방예산편성 등의 과정에 주민이 참여할 수 있는 절차를 마련하여 시행하여야 하는 제도이다.

⑤ 예산감시운동은 조세반란, 납세자소송제도, 황금양털상, 꿀꿀이상, 적자시계상, 밑빠진 독상 등을 모두 포괄하는 개념으로 재정주권이 납세자인 국민에 있다는 재정민주주의와 관련된다.

10

② 주민감사청구는 18세 이상의 주민으로서 시·도는 300명, 인구 50만 이상 대도시는 200명, 그 밖의 시·군 및 자치구는 150명을 넘지 아니하는 범위에서 주민 수 이상의 연서로 감사를 청구할 수 있다.

① 시·도에서는 주무부장관에게, 시·군·자치구의 경우 시·도지사에게 지방자치단체와 그 장의 권한에 속하는 사무의 처리가 법령에 위반되거나 공익을 현저히 해친다고 인정되면 감사를 청구할 수 있다.

③ 수사 또는 재판에 관여하게 되는 사항은 주민감사청구 대상에서 제외된다.

④ 주무부장관이나 시·도지사는 감사청구를 수리한 날부터 60일 이내에 감사를 마쳐야 한다.

01

② 라이트의 대등권위모형은 연방정부와 주정부는 대등하지만, 지방정부는 주정부에 종속되어 있다고 본다.

IGR모형 정리

구분	포괄권위형(내포권위형)	분리권위형(대등형)	중첩권위형
정부 간 관계	연방정부 / 주정부 지방정부	연립정부 ↔ 주정부 지방정부	연방정부 / 주정부 지방정부
Rhodes의 모형	대리자 모형	동반자 모형	상호의존 모형
특징	• 포괄·종속적 정부 관계 • 계층제적 권리 • 기관위임사무 중심 • 완전 종속적 재정·인사	• 분리·독립적 정부 관계 • 독립적 권리 • 고유사무 중심 • 완전 분리된 재정·인사	• 상호의존적 정부관계 • 협상적 권위 • 고유사무와 위임사무의 혼합 • 상호의존적 재정·인사
행동패턴	계층제적 통제	자율	타협과 협상

포인트 정리

주민감사청구 제외 대상 (지방자치법 제16조)

- 수사나 재판에 관여하게 되는 사항
- 개인의 사생활을 침해할 우려가 있는 사항
- 다른 기관에서 감사하였거나 감사 중인 사항
- 동일한 사항에 대하여 소송 진행 중이거나 그 판결이 확정된 사항

정답
09 ② 10 ② 01 ②

02 특별지방행정기관 제도에 대한 설명으로 옳은 것은?

2021 경찰간부

① 특별지방행정기관의 설치로 지역 주민들을 위한 공공서비스의 책임 행정이 약해진다.

② 특별지방행정기관의 관할 범위가 넓을수록 이용자인 국민의 편의가 증진된다.

③ 특별지방행정기관과 지방자치단체 간 기능의 보완으로 효율성을 제고할 수 있다는 장점이 있다.

④ 특별지방행정기관은 지방자치단체에서 별도로 설치한 일선 집행기관이다.

03 광역행정에 대한 설명으로 옳지 않은 것은?

2019 지방 9급

① 기존의 행정구역을 초월해 더 넓은 지역을 대상으로 행정을 수행한다.

② 행정권과 주민의 생활권을 일치시켜 행정 효율성을 증진시킬 수 있다.

③ 규모의 경제를 확보하기 어렵다.

④ 지방자치단체 간에 균질한 행정서비스를 제공하는 계기로 작용해 왔다.

04 특별지방행정기관에 대한 설명으로 가장 옳지 않은 것은?

2019 경찰간부

① 특별지방행정기관은 국가사무를 집행하고자 중앙부처가 설치하는 일선기관이다.

② 특별지방행정기관은 관할지역 주민들의 직접적인 통제와 참여가 용이하기 때문에 책임행정을 실현할 수 있다.

③ 특별지방행정기관은 국가사무의 효율적이고 광역적 수행을 용이하게 한다.

④ 특별지방행정기관은 중앙부처의 감독을 용이하게 하는 반면, 부처이기주의를 초래하는 요인이 되기도 한다.

05 다음 중 광역행정이 필요한 이유라고 볼 수 없는 것은?

2013 해경간부

① 중앙집권과 지방분권의 합리적 조화

② 행정서비스 공급에 있어서의 규모의 경제 확보

③ 행정구역별 경제적 상호의존성에 따른 갈등문제의 극복

④ 자유주의의 요청에 따른 행정서비스의 차별화

02

정답 : ①

① 주민들의 참여와 통제에 의하여 책임성과 대응성을 확보할 수 있는 지방자치단체와는 달리 특별지방행정기관은 국가가 지방에 설치한 일선하급기관으로 법인격과 자치권이 없어 주민에 의한 통제와 책임 확보가 곤란하고 지방자치를 저해한다.

② 관할범위가 자치단체보다 넓어 광역행정에는 도움이 되지만 현지성(주민접근성)이 결여된다.

③ 특별지방행정기관과 지방자치단체간의 기능이 중복되어 인력과 예산낭비 등 지방행정의 비효율성을 초래한다.

④ 국가의 지역별 소관사무를 분담·처리하기 위하여 중앙행정기관의 하부기관으로서 국가가 지방에 설치한 일선하급기관이다.

03

정답 : ③

③ 광역행정은 기존의 행정구역을 초월해서 발생하는 광역적 행정수요를 종합적·계획적으로 처리함으로써 행정의 능률성과 민주성의 조화를 위해 상호인접한 몇 개의 지자체가 공동의 행정수요에 대응하는 것으로, 규모의 경제를 추구한다.

① 광역행정은 기존의 행정구역을 초월하여 더 넓은 지역에 걸쳐 행정을 종합적으로 수행하는 것을 의미한다.

② 지역의 특수성이나 주민의 요구사항, 편의를 반영할 수 있으므로 자치행정을 실현함으로써 행정의 효율성을 증진시킬 수 있다.

④ 교통 통신이 발달하고 산업화·도시화가 진전되면서 지방자치단체 간의 행정적, 재정적 능력의 격차가 나타나게 되자 국민적 최저수준과 지역적 최저수준을 조화시키기 위하여 행정서비스의 균질화를 요구하게 되었고 이로 인해 광역행정의 필요성이 대두하였다.

04

정답 : ②

② 특별지방행정기관은 관할지역 주민들의 직접적인 통제와 참여가 곤란하기 때문에 책임성이 결여되고 자치행정을 저해한다.

① 특별지방행정기관은 국가사무를 관장하며 중앙행정기관의 직접적인 지휘·명령을 받는 일선기관이다.

③ 특별지방행정기관은 국가의 업무를 지역적으로 분담하여 처리하므로 전문성이 제고되며, 신속한 업무처리가 가능하고 광역행정의 수단으로 활용된다.

④ 특별지방행정기관은 국가의 업무를 분담함으로써 관리·감독이 용이하지만, 중앙통제를 강화시키고 집권화를 초래하므로 부처이기주의를 야기할 수 있다.

05

정답 : ④

④ 광역행정은 행정수준의 차별화가 아니라 평준화의 요청에 따라 필요성이 나타난다.

① 광역행정은 행정의 효율성을 추구하면서도 지역주민의 자치권을 보장하는 중앙집권과 지방분권의 합리적인 조화를 필요로 한다.

② 광역행정은 행정서비스 공급에 있어서 규모의 경제를 확보할 수 있어 효율적 수행이 가능하다.

③ 자치단체간 행정·재정력의 격차를 시정하기 위한 행정서비스의 균질화가 필요하다.

★ 포인트 정리

특별지방행정기관

장점	• 국가의 업무부담 경감 • 지역별 특성을 확보하는 정책집행:근린행정 • 신속한 업무처리 및 통일적 행정 수행 • 중앙과 지역 간 협력 및 광역행정의 수단 • 전문행정
단점	• 책임성의 결여와 자치행정의 저해 (주민에 의한 민주통제 곤란으로 행정의 민주화 저해) • 기능 중복으로 인한 비효율성 • 고객의 혼란과 불편 • 종합행정 및 현지행정 저해 • 경비 증가 및 중앙통제의 강화 수단 • 자치단체와 수평적 협조 및 조정 곤란

광역행정의 필요성

• 자치단체간 분쟁가능성
• 규모의 경제 실현
• 외부효과에의 대처
• 도시화·산업화의 급속한 추진
• 행정서비스의 균질화 및 평준화
• 자치단체간 협동적 사무 처리
• 지역간 형평성 구현
• 접근가능성의 요구

정답

02 ① 03 ③ 04 ② 05 ④

다음 중 특별지방행정기관의 효용으로 옳지 않은 것은?

2013 군무원

① 통일성   ② 전문성

③ 현지성   ④ 수직적 기능 분담

---

07 **라이트(D. Wright)의 정부 간 관계모형에 대한 설명 중 옳지 않은 것은?**

2011 지방 9급

① 분리형(seperated model)은 중앙-지방 간의 독립적인 관계를 의미한다.

② 내포형(inclusive model)은 지방정부가 중앙정부에 완전히 의존되어 있는 관계를 의미한다.

③ 중첩형(overlapping model)은 정치적 타협과 협상에 의한 중앙-지방 간의 상호의존 관계를 의미한다.

④ 경쟁형(competitive model)은 정책을 둘러싼 정부 간 경쟁관계를 의미한다.

---

08 **광역행정에 대한 설명으로 옳지 않은 것은?**

2010 지방 9급

① 광역행정이란 둘 이상의 지방자치단체 관할구역에 걸쳐서 공동적 또는 통일적으로 수행되는 행정을 말한다.

② 사회경제권역의 확대는 광역행정을 촉진시키는 요인으로 작용한다.

③ 공동처리방식은 둘 이상의 지방자치단체가 상호 협력하여 광역행정사무를 공동으로 처리하는 방식이다.

④ 연합방식은 일정한 광역권 안에 여러 자치단체를 통합한 단일의 정부를 설립하여 광역행정사무를 처리하는 방식이다.

06
정답 : ③

③ 특별지방행정기관은 국가의 사무를 처리하는 일선기관으로, 관할구역이 넓어 현지성을 저해한다(한편 지역별 특성을 살릴 수 있다는 면에서 현지성을 긍정하는 입장도 일부 있으나 다수설은 현지성을 저해한다고 본다).

① 특별행정기관은 광역행정의 수단으로 활용할 수 있으며 통일성을 제고한다.

② 특별행정기관은 신속한 업무 처리가 가능하고 전문적인 기술과 절차를 활용한다.

④ 특별행정기관은 중앙정부의 행정사무를 지역적으로 보충함에 따라 중앙기관은 정책을 수립·조정하는 기능에 전념하게 되어 국가의 업무부담이 경감되고 중앙과 지방간 수직적 기능을 분담한다.

07
정답 : ④

④ 라이트는 정부 간 관계모형을 포괄형(종속형, 내포형), 분리형(독립형), 중첩형(상호의존형)으로 분류하고 중첩형을 가장 이상적인 실천모형으로 제시하였다. 한편 경쟁형은 Nice가 제시한 유형이다.

① 분리형은 중앙과 지방 간의 관계가 분리·독립적인 형태이다.

② 내포형은 지방정부가 중앙정부에 종속·의존되어 있는 형태이다.

③ 중첩형은 중앙과 지방 간의 관계가 상호의존적인 형태로 정치적 타협과 협상을 특징으로 한다.

라이트(Wright)의 IGR이론

구분	포괄형(내포형)	분리형(대등형)	중첩형
특징	• 포괄·종속적 정부관계 • 계층제적 권리 • 기관위임사무 중심 • 완전종속적 재정·인사	• 분리·독립적 정부관계 • 독립적 권리 • 고유사무 중심 • 완전분리된 재정·인사	• 상호의존적 정부관계 • 협상적 권위 • 고유사무＋위임사무 • 상호의존적 재정·인사

08
정답 : ④

④ 여러 자치단체가 단일의 정부를 수립하는 것은 합병방식에 해당한다. 한편 연합방식은 둘 이상의 자치단체가 독립된 법인격을 유지하면서 광역의 연합정부를 구성하는 방식이다.

① 광역행정은 통일적·능률적 행정을 제고할 수 있다.

② 생활권 확대 등은 광역수요 대응을 위한 광역행정의 증가로 나타난다.

③ 공동처리방식은 둘 이상의 지방자치단체가 상호협력하여 광역행정사무를 공동으로 처리하는 방식이다.

01 우리나라 지방자치단체 상호 간의 관계에 대한 설명으로 옳지 않은 것은? 2020 국회 8급

① 지방자치단체나 그 장은 소관 사무의 일부를 다른 지방자치단체나 그 장에게 위임하여 처리하게 할 수 있다.

② 2개 이상의 지방자치단체에 관련된 사무의 일부를 공동으로 처리하기 위하여 행정협의회를 구성할 수 있다.

③ 지방자치단체장 상호 간의 교류와 협력을 위하여 전국적 협의체를 설립할 수 있다.

④ 중앙행정기관장과 지방자치단체장이 사무를 처리함에 있어서 의견을 달리하는 경우 이를 협의·조정하기 위하여 국무총리 소속으로 행정협의조정위원회를 둔다.

⑤ 지방자치단체 조합의 사무 처리의 효과는 지방자치단체가 아닌 지방자치단체 조합에 귀속된다.

02 중앙행정기관의 장과 지방자치단체의 장이 사무를 처리할 때 의견을 달리하는 경우 이를 협의·조정하기 위하여 설치하는 기구는? 2017 사복 9급

① 중앙분쟁조정위원회   ② 지방분쟁조정위원회

③ 갈등관리심의위원회   ④ 행정협의조정위원회

03 우리나라 중앙정부와 지방자치단체 간 또는 지방자치단체 상호 간의 관계에 대한 기술로 틀린 것은? 2015 교행 9급(수정)

① 행정안전부장관은 공익상 필요하면 지방자치단체조합의 설립이나 해산을 명할 수 있다.

② 지방자치단체 간 의견이 달라 분쟁이 생길 경우 당사자의 신청 없이는 조정을 할 수 없다.

③ 중앙행정기관의 장과 지방자치단체의 장 간에 의견을 달리하는 경우 국무총리 소속으로 행정협의조정위원회를 두어 조정한다.

④ 지방자치법상 인정되는 지방자치단체 간의 협력방안으로 지방자치단체조합의 설립, 사무위탁, 행정협의회의 구성 등이 있다.

04 우리나라의 중앙정부와 지방정부 간 관계에 대한 설명으로 옳지 않은 것은? 2015 지방 9급

① 중앙정부와 지방정부 간의 인사교류 활성화는 소모적 갈등의 완화에 기여할 수 있다.

② 특별지방행정기관과 지방정부 간 기능이 유사·중복되어 갈등이 발생하기도 한다.

③ 중앙정부와 지방정부 간 재원 및 재정 부담을 둘러싼 갈등이 심화되고 있다.

④ 중앙정부와 지방정부 간 갈등을 해결하기 위하여 설치된 행정협의조정위원회의 결정은 강제력을 가진다.

01

① 위임과 위탁을 구별해야 한다. 위임은 하급기관이나 소속기관에 수직적으로 위임하는 것이고 위탁은 동일수준의 행정기관이나 자치단체 등에 대해 수평적으로 위임하는 것이다. 따라서 지방자치단체나 그 장은 소관 사무의 일부를 다른 지방자치단체나 그 장에게 위탁하여 처리하게 할 수 있다.

02

④ 행정협의조정위원회는 중앙정부와 자치단체가 사무를 처리함에 있어서 의견을 달리하는 경우 이를 협의·조정하기 위하여 국무총리 소속하에 두는 기구로 중앙행정기관의 장이나 지방자치단체의 장의 신청에 의하여 조정한다.
① 중앙분쟁조정위원회는 시·도 간 분쟁을 협의·조정하기 위하여 설치된 기구로 중앙분쟁조정위원회의 의결에 따라 행정안전부 장관이 의결을 조정한다.
② 지방분쟁조정위원회는 시·군·구 간 분쟁을 협의·조정하기 위하여 설치된 기구로 지방분쟁조정위원회의 의결에 따라 시·도지사가 의결을 조정한다.
③ 갈등관리심의위원회는 공공기관의 갈등예방과 해결에 관한 규정에 따른 기능을 수행하기 위하여 설치된 위원회이다.

03

② 지방자치단체 간 의견이 달라 분쟁이 생길 경우에는 당사자의 신청 또는 직권으로 조정할 수 있다.

분쟁조정

구분	자치단체 간 분쟁조정	국가-자치단체 간 분쟁조정
조정자	• 시·도 간 분쟁 : 중앙분쟁조정위원회의 의결에 따라 행정자치부장관이 조정결정 • 시·군·구 간 분쟁 : 지방분쟁조정위원회의 의결에 따라 시·도지사가 조정결정	국무총리 소속 행정협의조정위원회
조정시기	당사자의 신청 또는 직권	당사자의 신청
구속력	• 법적 구속력 있음 • 실질적 구속력 강함	• 법적 구속력 있음 • 실질적 구속력 약함(∵위원회는 임의기구, 시행령에 규정, 국가도 분쟁당사자)

04

④ 중앙정부와 지방정부 간 갈등을 해결하기 위하여 설치된 행정협의조정위원회의 결정은 직무이행명령권이나 대집행권이 없으므로 강제력을 지니지 않는다.
① 중앙과 지방간의 인사교류는 갈등완화에 기여한다.
② 자치단체와 일선기관 간 업무중복은 혼란과 갈등을 초래한다.
③ 복지재원 부담주체, 국세와 지방세 간 조정, 국가 목적 차원의 지방세 감면조치, 교부금 산정 기준 등을 둘러싸고 국가와 지방간 갈등이 심화되고 있다.

05 다음 중 우리나라의 지방정부에 대한 중앙통제로 옳지 않은 것은?

2009 서울 7급

① 감사원은 지방공무원에 대해 직무감찰을 실시할 수 있다.

② 중앙정부는 위법·부당한 명령·처분의 시정명령 및 취소·정지를 할 수 있고, 지방자치단체의 장이 이에 이의가 있을 때에는 행정법원에 소를 제기할 수 있다.

③ 지방자치단체는 법률이 정하는 바에 의하여 국가공무원을 둘 수 있다.

④ 중앙정부는 지방자치단체가 보조금을 다른 용도로 사용한 경우, 보조금을 반환하게 할 수 있다.

⑤ 지방자치단체 또는 그 장이 위임받아 처리하는 국가사무에 관하여는 주무부장관의 지도·감독을 받는다.

CHAPTER 12 도시화, 도시행정

기출 필수 코스

---

01 티부(C. M. Tiebout) 모형에서 제시한 '발로 하는 투표(vote by feet)'의 전제조건에 해당하지 않는 것은?

2019 서울 9급(2월)

① 정보의 불완전성   ② 다수의 지방정부

③ 고정적 생산요소의 존재   ④ 배당수입에 의한 소득

---

02 클러스터(cluster)에 대한 설명이 아닌 것은?

2005 강원 9급

① 시너지효과를 발생시킨다.

② 비용절감 및 정보교류에 유리하다.

③ 지역성을 고려하지 않는다.

④ 실리콘밸리가 좋은 사례이다.

---

03 도시와 도시행정에 관해 잘못 기술하고 있는 것은?

2005 경기 7급

① 도시화의 흡인요인으로 도시의 집적이익, 노동수요증가, 임금향상 등이 있다.

② 역도시화 현상이란 도심부의 슬럼, 탈도시화, 인구유턴 현상이 발생하는 것을 말한다.

③ 도심공동화의 문제를 해소하기 위해 도시재개발 행정을 촉진시킬 필요가 있다.

④ 가도시화란 급속한 산업화로 인해 발생하는 개발도상국의 도시화 현상이다.

05
정답 : ②

② 중앙정부는 위법·부당한 명령·처분의 시정명령 및 취소·정지를 할 수 있고, 지방자치단체의 장은 이행명령에 이의가 있으면 이행명령서를 접수한 날부터 15일 이내에 대법원에 소를 제기할 수 있다.

① 감사원은 지방자치단체의 사무와 그에 소속한 지방공무원의 직무에 대해 직무감찰을 실시할 수 있다.

③ 지방자치단체의 특별시·광역시 및 특별자치시의 부시장, 도와 특별자치도의 부지사는 대통령령으로 정하는 바에 따라 정무직 또는 일반직 국가공무원으로 보한다.

④ 보조금 관리에 관한 법률에 따라 중앙정부는 지방자치단체가 보조금을 다른 용도로 사용한 경우, 보조금을 반환하게 할 수 있다.

⑤ 지방자치단체나 그 장이 위임받아 처리하는 국가사무에 관하여 시·도에서는 주무부장관의 지도·감독을 받는다.

01
정답 : ①

① 정보의 완전성을 전제로 한다.

② 다수의 지방정부가 존재한다고 본다.

③ 한 가지 이상의 고정적 생산요소가 존재한다고 본다.

④ 배당수입에 의한 소득을 전제한다.

02
정답 : ③

③ 클러스터(cluster)는 실리콘밸리처럼 특정 지역에 연관관계가 깊은 다수의 기업과 기관이 모여서 부품조달·기술개발·인력 및 정보교류 등에서 시너지효과를 내는 것을 의미하는 것으로, 클러스터의 정의에는 구성주체 간 지역적 직접성과 상호 연계(link)가 강조되고 있으므로 지역성을 고려한다.

① 유사 업종에서 다른 기능을 수행하는 기업이나 기관들이 한곳에 모여 있으므로 시너지효과가 크게 작용할 수 있다.

② 생산을 담당하는 기업뿐 아니라 연구개발을 담당하는 대학이나 연구소 및 각종 지원을 담당하는 컨설팅 등의 기관이 모여 있으므로 지원서비스나 숙련된 인력, 지식 등을 제공함으로써 비용절감 및 정보와 지식공유가 유리하다.

④ 대표적으로 실리콘밸리, 보스턴 등이 있다.

03
정답 : ④

④ 가도시화란 농촌인구의 도시유입으로 도시의 공업화와는 전혀 무관하게 농촌경제의 파탄이나 농촌사회의 안정과 같은 농촌의 밀어내는 요인으로 밀려난 농촌유민들이 도시로 몰려든 결과로 진행되는 개발도상국의 도시화 현상이다.

① 도시의 집적이익, 노동수요증가, 임금향상 등은 도시화의 흡인요인에 해당한다.

② 도심부의 슬럼, 탈도시화, 인구유턴 현상 등이 발생하는 것을 역도시화 현상이라고 한다.

③ 도심공동화의 문제해결을 위해 도시재개발 행정을 촉진할 필요가 있다.

☆ 포인트 정리

티부가설의 기본가정

- 다수의 지역사회(지방정부) 존재
- 완전한 정보
- 지역 간 자유로운 이동 – 완전한 이동
- 단위당 평균비용 동일 – 규모의 경제 작용 X, 규모수익불변
- 외부효과의 부존재
- 배당수입에 의한 소득
- 한 가지 이상의 고정적 생산요소 존재
- 최적규모의 추구 – 규모가 크면 주민 유출, 작으면 주민 유입

정답

05 ② 01 ① 02 ③ 03 ④

MEMO